Kresley Cole

Diplômée d'un master d'anglais, ancienne athlète et coach sportif, elle s'est reconvertie dans l'écriture, où elle a pleinement trouvé sa voie et une tout autre forme de célébrité. Récompensée à deux reprises par le prestigieux RITA Award pour sa célèbre série de romance paranormale *Les ombres de la nuit*, elle est lue dans le monde entier. Vampires, Valkyries et loups-garous sont autant de créatures qu'elle aime à faire vivre dans ses histoires sombres et sensuelles, toujours pimentées d'une pointe d'humour.

Poison éternel

Kresley COLE

LES OMBRES DE LA NUIT – 13

Poison éternel

Traduit de l'anglais (États-Unis)
par Charline McGregor

POUR elle

Si vous souhaitez être informée en avant-première
de nos parutions et tout savoir sur vos auteures préférées,
retrouvez-nous ici :

www.jailupourelle.com

Abonnez-vous à notre newsletter
et rejoignez-nous sur Facebook !

Titre original :
SWEET RUIN

Éditeur original :
Gallery Books, an imprint of Simon & Schuster, Inc.,
New York

© Kresley Cole, 2015

Pour la traduction française :
© Éditions J'ai lu, 2016

« *Ceux qui s'opposent à nous connaîtront bientôt leur fin.* »

Rune Lumière-Noire,
alias Rune le Sangfléau et Rune l'Insatiable,
assassin et maître des secrets du Møriør

« *Dans le doute, frappez là où ça fait mal.* »

Josephine Doe,
alias Lady Lanuit

1

Morgue du comté de Houston, Texas
Quatorze ans plus tôt...

Jo s'éveilla avec dans la bouche un goût de cuivre.

Elle claqua des lèvres et remua la langue. *Beurk, qu'est-ce que j'ai là-dedans ?* Ses paupières s'ouvrirent brusquement. Elle se redressa et cracha deux morceaux de métal brillant. *C'est quoi, ces trucs ?*

Agrippant sa tête douloureuse à deux mains, elle balaya les lieux du regard, fronçant le nez face à l'odeur d'antiseptique. Sa vision était brouillée et la lumière tamisée. La pièce semblait carrelée, non ?

Merde, elle était dans un hôpital ? Ça signifierait que son petit frère Thaddie et elle étaient de retour dans le circuit d'adoption. Et donc plus dans la rue. Ça signifierait qu'elle allait encore une fois devoir arracher Thaddie à une famille. Où était-il ? Pourquoi ne se rappelait-elle rien de ce qui était arrivé ?

Réfléchis, Jo. RÉFLÉCHIS ! C'est quoi, la dernière chose dont tu te souviennes ?

Lentement, les images de la journée remontèrent à la surface.

Ça devient trop chaud pour rester ici...

En s'approchant de la bibliothèque, Jo scrutait les rues environnantes en quête de la Monte Carlo du chef de gang, avec ses jantes alliage, ses soubassements scintillants et son tout nouveau moteur.

Elle crut l'entendre gronder à quelques rues de là.

Ces quartiers à truands étaient un véritable labyrinthe, la Monte Carlo un dragon. Et elle un vaillant super-héros accompagné de son fidèle assistant sur son dos.

Mais la nuit dernière, ça n'était pas un jeu.

Elle tourna la tête pour demander, par-dessus son épaule :

— Qu'est-ce que tu en penses, Thaddie ?

Le petit corps de son frère était bien à l'abri dans son « SacàThad » – le sac à dos volé qu'elle avait adapté en y découpant des trous pour ses jambes de bébé.

— On les a semés, pas vrai ?

— Semés ! s'exclama-t-il en agitant son unique joujou, une figurine de Spiderman, pour fêter la bonne nouvelle.

Ils devaient se faire discrets, Thaddie et elle, peut-être bien filer en Floride, à Key West, histoire de repartir de zéro.

Après un dernier coup d'œil alentour, Jo se glissa à l'intérieur de la bibliothèque, dont la porte arrière avait été laissée ouverte à son attention par Mme Brayden, bibliothécaire à temps partiel et fouineuse à plein temps. Alias MamB.

La bonne femme était dans la salle, déjà occupée à installer la chaise haute, son panier à pique-nique plein à ras bord. *Du poulet rôti ?*

— J'espère que vous avez faim, tous les deux.

Quelques mèches grises se mêlaient au brun de ses cheveux longs jusqu'aux épaules. Derrière les lunettes, ses yeux marron clair fixaient Jo.

N'aie pas l'air trop affamé.

— Ouais, répondit-elle en libérant Thaddie de son sac. Ça nous ferait pas de mal de manger un bout.

Elle s'approcha une chaise et installa le petit sur ses genoux, avant de poser ses chaussures de combat, volées elles aussi, sur la table.

MamB la dévisagea des pieds à la tête et lâcha un soupir, manifestement destiné à son apparence – un jean noir déchiré et un tee-shirt taché sous son sweat-shirt à capuche noir. La bonne femme avait offert de laver leur linge. Comme s'ils avaient une garde-robe ou des affaires pour se changer.

— Il faut qu'on parle, Jo.

Et MamB s'assit à son tour, sans toutefois commencer à étaler le contenu du panier sur la table.

— Oh-oh, Thaddie, on dirait qu'on va se faire enguirlander, commenta Jo avec un clin d'œil à l'intention de son frère. Qu'est-ce qu'on dit à MamB, quand elle nous gronde ?

Le visage poupin du gamin se creusa de fossettes quand il offrit un grand sourire à Mme Brayden, avant de hurler :

— Faitchier, faitchier, faitchier !

Jo éclata de rire, mais MamB ne semblait pas amusée du tout.

— Bravo, Josephine, tu en as fait un malpoli à ton image.

— Il n'a pas encore atteint son plein potentiel, en matière d'impolitesse. Mais ça viendra. Parce que mon frérot est un sacré petit malin !

Deux ans et demi, et déjà un génie.

Tel était du moins l'âge que Jo lui attribuait. Trente mois plus tôt, on l'avait retrouvée errant dans la banlieue de Houston, vêtue d'une drôle de tunique noire et parlant une sorte de charabia. Elle serrait Thaddie dans ses bras et poussait des sifflements de chatte sur quiconque essayait de le lui prendre. Elle n'avait aucun souvenir précédant ce jour-là.

D'après leurs papiers officiels, il était nouveau-né et elle avait huit ans. Et on attribua sa perte de mémoire à un traumatisme crânien.

Aucun parent n'était venu les réclamer. Les salauds.

Sentant sa baisse de moral, Thaddie lui posa son Spiderman sur la joue pour un baiser.

— Mouah ! fit-il en lui souriant.

Le petit adorait exhiber ses quenottes toutes neuves.

Tandis que Jo ricanait au monde qui l'entourait, lui babillait gaiement avec le premier venu et invitait les gens à jouer avec sa figurine. Si elle avait possédé un jouet à elle, Jo ne l'aurait jamais prêté à quelqu'un d'autre que Thaddie.

— On est coupains ? demandait-il à la cantonade, en distribuant des œillades malicieuses, immédiatement suivies par les exclamations ravies de ses proies.

Les gens tombaient amoureux de lui, avec autant d'intensité qu'ils la détestaient, elle et son « attitude renfrognée », son « teint blafard » et son « air pincé ».

— Il a besoin d'un bilan médical, annonça MamB. Et de vaccins. Toi aussi, d'ailleurs.

Si Thaddie n'avait pas autant aimé cette bonne femme, Jo lui aurait envoyé sa main dans la figure.

— Il va très bien, répliqua-t-elle en essuyant le nez crotté de Thaddie avec la manche de son sweat-shirt. On se débrouille très bien.

Jamais elle n'avait eu l'intention de devenir aussi dépendante de cette femme.

Un an plus tôt, elle avait envisagé la bibliothèque comme un abri idéal pour la journée. Elle comptait voler quelques bandes dessinées, profiter peut-être des toilettes pour les laver, Thaddie et elle, à l'instar des autres SDF.

Et puis MamB leur avait laissé à manger, avant de s'éloigner prudemment, comme si elle nourrissait des chats sauvages.

Et ça avait fonctionné, putain ! Son sandwich au thon leur avait été fatal.

Le lendemain, ils étaient repassés, et le suivant aussi, jusqu'à ce que Jo se laisse assez amadouer pour lui confier Thaddie une heure par-ci par-là. Uniquement quand elle devait partir faire des bêtises. Car certaines de ces bêtises étaient dangereuses.

Ça devient bien trop chaud, dans le coin. Mais elle avait besoin d'argent pour payer le bus. MamB s'occupait de Thaddie pendant que Jo partait au travail – à savoir dépouiller les touristes. Elle y mettait du sien pour rendre leurs vacances plus mémorables.

— Bon, alors, on peut manger, ou quoi ?

Un repas complet, ça ne serait pas mal, pour la route.

— Dans un moment.

MamB n'accéderait pas à sa requête tant qu'elle n'aurait pas dit ce qu'elle avait envie de dire.

Et ce poulet sentait sacrément bon. MamB était une véritable sorcière ! Du genre à qui l'héroïne et son fidèle complice devaient résister !

Autant elle appréciait la nourriture, autant elle détestait la façon dont Thaddie la dévorait, comme s'il devinait que ce panier serait son unique occasion de faire le plein avant le prochain. Jo se sentait comme une merde, en le voyant aussi affamé.

Car enfin, qu'est-ce qu'elle ferait, quand ils se casseraient de cette ville ? Qui surveillerait Thaddie ? Qui les nourrirait chaque jour ?

— Vous vous débrouillez peut-être très bien, mais vous seriez encore mieux avec M. Brayden et moi.

Son mari était un gros type rougeaud, dont le rire semblait tout droit sorti d'un tonneau. Il accompagnait sa femme chaque matin et passait la reprendre au boulot chaque soir, l'accompagnant comme s'il s'agissait d'un chargement de pierres précieuses. Clairement, il n'appréciait pas qu'elle vienne travailler dans l'un des pires quartiers du Texas.

Quand ils pensaient que personne ne les voyait, ces deux-là se donnaient le petit doigt. Ben ouais, ils étaient aussi nazes que ça. MamB sentait la cannelle et le soleil, M. B l'huile de vidange et le soleil.

Jo ne voyait pas de raison de leur causer du tort dans l'immédiat. Autant dire que c'était la plus haute marque d'estime dont elle était capable.

— Mais nous ne pouvons pas vous adopter tous les deux, à moins que vous ne reveniez dans le système, poursuivit MamB.

Sans aucun signe de leurs parents biologiques, Jo et Thaddie étaient adoptables. Et les Brayden avaient obtenu l'agrément pour adopter. Sauf que Jo ne faisait pas confiance au système.

— Et qu'est-ce qui se passera, si vous ne nous obtenez pas, avec M. B ? Je vous ai déjà parlé de mon premier « père » adoptif ? La première nuit, ce connard avait déjà la main dans ma culotte – avant même le début du *Late Show*, putain.

— Gonnard ! répéta Thaddie.

MamB grimaça.

— Cet homme est l'exception qui confirme la règle. Et tu aurais dû le dénoncer. Il ne faudrait pas qu'on lui confie d'autres enfants.

— Non. Non, ça risque pas.

Jo avait mis le feu au connard en question, à l'aide du Zippo qu'elle lui avait déjà volé – avant même le début des infos du soir.

Le souvenir de son expression tandis qu'il regardait brûler sa maison la faisait encore pouffer aujourd'hui. Depuis leur poste d'observation dans les bosquets, Thaddie avait applaudi de ses petites mains potelées. Un feu de joie, c'était du divertissement gratuit.

— Il vaut peut-être mieux que je ne sache pas ce qui te rend aussi sûre de toi, commenta MamB.

— Non, en effet.

Le système, ça ne fonctionnerait pas pour eux. Si les Brayden n'obtenaient pas la garde du frère et de la sœur X, Jo et Thaddie seraient séparés.

Les docteurs lui avaient diagnostiqué des troubles et autres incapacités aux noms flippants. Thaddie, quant à lui, avait plus de cent trente de QI. Tout bon, quoi.

Sa peau et ses yeux étaient jaunâtres. Thaddie avait les joues rosées et les yeux brillants. Chaque fois qu'elle retirait sa capuche, elle perdait des cheveux par poignées. Ceux de Thaddie poussaient en jolies bouclettes.

Dedans comme dehors, elle était aussi mauvaise et déficiente que Thad était bon et parfait. Leur seul point commun, c'était la couleur de leurs yeux : des iris noisette pailletés de bleu.

— Je ne laisserais jamais personne d'autre vous adopter. Tu m'as bien comprise ? Vous viendriez à la maison dès aujourd'hui, et jamais je ne laisserais personne vous reprendre.

Jo n'avait jamais vu MamB aussi virulente. Son opinion sur la bonne femme monta d'un cran. Ce qui ne l'empêcha pas de répliquer :

— Bon, ça y est, on a fini ? Putain, merde, donnez-nous à manger.

Tout en lui lançant un regard noir, MamB vida le contenu de son panier.

— Tu dois aller à l'école.

— Non, j'ai laissé tomber la boxe.

Jo ne savait pas lire. Les gamins s'en rendaient vite compte. Et ses tentatives maladroites et avortées de se faire des amis finissaient systématiquement en bagarre.

Elle avait Thaddie, et c'était tout ce qui comptait.

Dans une petite assiette pour bébé, MamB mélangea quelques morceaux de poulet à une purée de pommes de terre. Thaddie se tut soudain, les yeux rivés à la mixture. Son petit ventre gargouilla, le menton de Jo saillit. *Note pour moi-même : voler plus de trucs à la station-service entre deux paniers repas.*

Une minute... Quand ils partiraient à Key West, il n'y aurait plus de paniers.

Thaddie essayait déjà d'escalader la chaise haute alors que MamB était encore en train de saupoudrer la purée de miettes de pain au maïs. Elle refusa de lui donner son assiette tant qu'il n'eut pas poliment accepté une cuillère pour manger.

— Comme on t'a appris, Thaddeus.

— « On » ? ricana Jo. Deux mains, dix doigts. Qu'est-ce qu'il a besoin d'une cuillère ?

Une fois Thaddie joyeusement occupé à enfourner la nourriture, MamB reprit sa rengaine.

— M. B et moi, on passe des nuits entières sans dormir à nous tracasser pour vous, tout seuls dehors.

Elle et son type vivaient en banlieue. Avec un jardin maous. Elle l'avait montré à Jo, sur Google Maps, et puis elle avait dû mémoriser l'adresse par cœur avant que la bonne femme accepte de lui filer un morceau de barbeuc.

Si elle savait un millième de ce qui se passait dans ces rues...

Sauf que Jo, elle voyait tout.

Le pire de tous, c'était le chef du gang local. Les gens de la rue surnommaient le chef « le Mur ». À cause de sa carrure, mais aussi parce qu'il aimait baiser ses prostituées par-derrière ; en d'autres termes, vous lui tourniez toujours le dos. Jo l'appelait Muret.

Il traînait avec une paire de frangins nommés TJ et JT. *Parce que c'étaient des malins, la bande.* En secret, les prostituées appelaient le plus grand des deux frères « Phalange », parce que sa bite était de la longueur d'une phalange. Le plus jeune frère ne méritait même pas le surnom d'une partie du corps. On l'appelait « Personne ».

En d'autres termes : « Qui a fait ça ? », « Personne. »

Les filles entraient chez lui, et quand elles en ressortaient après force cris, elles étaient changées. Ce qui leur arrivait là-dedans, quoi que ce soit, ça les vidait de toute leur capacité à se bagarrer. Et ça, c'était impardonnable.

Jo vénérait la bagarre. Elle rêvait de devenir une super-héroïne de bande dessinée. Juste histoire d'avoir un prétexte pour bousiller la vie des gens. Mais sans aucun super-pouvoir à l'horizon, elle s'était lancée dans une guérilla : elle toute seule contre le chef du gang local.

Elle avait commencé petit – du beurre collé sous la poignée de sa portière. Puis du sable dans le réservoir de sa Monte Carlo.

Elle ne craignait pas les retombées, mais elle avait un enfant à qui penser. Alors, pourquoi ne parvenait-elle pas à s'en empêcher C'était comme si une force inconnue l'y poussait.

Alors la nuit dernière, elle avait mis un terme à ce cercle vicieux. Elle réprima un sourire.

Qui disparut quand elle entendit le grondement d'un moteur dans une ruelle non loin de là. *Ouais, beaucoup trop chaud.* Elle sentait presque l'haleine du dragon sur sa nuque.

— Venez vivre chez nous, Josephine. Essaie, au moins, insista MamB. Je ne peux pas continuer indéfiniment à vous regarder retourner à la rue sans rien faire.

Jo se figea. Elle jeta à la bonne femme le même regard menaçant qu'elle avait posé sur ce connard de père adoptif, le regard qui l'avait convaincu de retirer brusquement sa main et de reculer.

— Tu nous dénonces et je file avec Thaddie, comme tous les jours, sauf que là je l'emmènerai si loin que plus jamais vous ne le reverrez. Pigé ?

C'est déjà ce que tu as prévu de faire, de toute façon.

Comment MamB réagirait-elle ? Ça la briserait, sans doute. Ce dont Jo se fichait. Complètement.

Son boulot, c'était de protéger l'objet numéro un de ses pensées.

— Je n'en doute pas un instant. C'est d'ailleurs ce qui m'empêche chaque jour de composer le numéro des services sociaux.

— C'est moi, sa mère, affirma Jo, tandis que Thaddie se remplissait la bouche à grosses cuillerées de bouffe.

MamB fixa Jo du regard.

— Une mère voudrait mieux pour son fils.

Cette femme semblait raisonnable, et pourtant quelque chose bloquait Jo. L'enfant sauvage qu'elle était ne supportait pas l'idée de vivre sous le toit de quelqu'un, d'obéir aux règles de quelqu'un. Les règles, ça n'était pas son truc. Ça ne l'avait jamais été.

Jamais elle n'accepterait de partager Thaddie avec une femme qui voulait si désespérément devenir sa mère.

Il est à moi, pas à elle. C'était lui, le numéro un de Jo.

Pourtant, une minuscule voix lui murmurait : *Thaddie n'est pas sauvage. Pas encore.* Parfois, Jo rêvait de lui chez les Brayden. Elle les voyait, tous les trois, le gros M. B, MamB et Thaddie, en petite famille heureuse.

Et ces rêves étaient bizarres, car elle n'en faisait pas partie.

Soûlée par le sujet, elle arracha une cuisse de poulet et se leva.

— Faut que je file. Je reviens dans une heure ou deux.

Elle se pencha pour embrasser Thaddie. Et puis, elle lui chuchota :

— Si cette garce tente quoi que ce soit, tu lui mets un coup de poing dans les tétés.

Le petit hocha joyeusement la tête.

— Bye-bye, Jojo, fit-il en mâchonnant un morceau de pain.

MamB l'accompagna jusqu'à la porte.

— Tu repars encore jouer les pickpockets ?

— Ouais, vous voulez que je vous rapporte un truc, pendant que j'y suis ?

Mais la bonne femme était très sérieuse.

— Comment peux-tu toucher un enfant aussi innocent et bon, alors que tu as les mains sales ?

Jo enfourna la cuisse de poulet et leva les deux mains.

— Aussi propres que jamais, marmonna-t-elle, le pilon à la bouche.

— C'est faux, Josephine. Tu as oublié que tu n'es qu'une petite fille, je pense.

— Une « petite fille » ? J'ai été pas mal de choses, mais ça, jamais.

Une fois dans la rue, elle répéta les paroles de MamB d'un ton moqueur.

— « Comment peux-tu le toucher » ? Gna-gna-gna...

Elle arracha un morceau de viande à sa cuisse de poulet, agacée qu'il soit aussi délicieux.

Elle tourna à l'angle de la rue. Et s'immobilisa. Déglutit. Le poulet tomba de ses doigts engourdis.

Un canon de pistolet était pointé sur son visage.

Muret.

Derrière lui se tenait sa bande de nazes. Avec leurs yeux fous injectés de sang, ils avaient l'air complètement défoncé.

Les longs cheveux filasse de Muret étaient à moitié carbonisés et son visage luisait de sueur.

— Il se murmure un peu partout que la pâlichonne un peu louche se mêle de mes affaires. Alors je vais lui poser la question une fois, à la pâlichonne : je peux savoir pourquoi ma baraque a pris feu, la nuit dernière... avec moi dedans ?

Et. Merde.

— Tu as encore laissé ta bouilloire branchée ?

— Mauvaise réponse, salope.

Il appuya sur la gâchette, et le monde fut plongé dans le noir.

Muret lui avait tiré dessus ? En pleine tête ? Alors comment avait-elle survécu ? Son crâne se mit à la démanger follement. Elle se gratta...

Un morceau de métal dépassait... dépassait de sa tête ! Elle étouffa un cri tout en ôtant le corps étranger. Immédiatement, sa vision s'éclaircit.

Elle observa de plus près l'objet serré entre ses doigts. *Ah, OK.* Elle venait de s'extraire une balle du crâne !

Elle en trouva encore deux coincées dans ses cheveux. Rejetées par son crâne aussi ? Elle les rassembla au creux de ses mains. Six bastos. Muret lui avait vidé son chargeur dans la tronche.

Je suis en vie.

Je suis... à l'épreuve des balles ?

Je suis vraiment un super-héros ! (En secret, elle l'avait toujours su.)

Elle empocha les balles et fronça les sourcils. L'heure de la vengeance avait sonné. Elle sauta au bas de la table – du moins, elle essaya. Car elle flottait... Non, ses pieds ne touchaient pas le sol.

Bouche bée, elle baissa les yeux vers son corps. Elle portait les mêmes vêtements, mais sa silhouette menue était floue. Elle tourna la tête vers la table. Un sac mortuaire était posé dessus. À plat.

J'étais dans ce sac.

Parce que je suis morte.

Je suis... un fantôme ?

Comment je vais me débrouiller pour m'occuper de Thaddie ?

En fait, elle était dans une morgue. Il y avait d'autres sacs mortuaires sur des tables, alignés, dans l'attente de ces trucs qu'on faisait dans les morgues.

Muret et ses sbires m'ont tuée ! Les cons ! Elle serra les poings et lâcha un hurlement. Au-dessus de sa tête, les lumières tamisées tremblèrent, une pluie de verre s'abattit sur elle.

Soudain, elle se sentit comme aspirée vers le haut. Elle cligna les yeux, elle n'était plus dans la morgue, mais devant la maison encore fumante de Muret.

Elle s'était... téléportée ? Bien sûr, parce qu'elle était censée se venger ! C'était bien un truc de fantômes, après tout. Une fois qu'elle en aurait fini avec ça, elle récupérerait Thaddie, leur dégotterait un manoir abandonné quelque part où ils vivraient jusqu'à la fin des temps et tout le tralala.

Mais d'abord : hanter Muret jusqu'à ce qu'il devienne dingue. Elle allait tous les rendre fous ! Alors elle se mit en chemin, marchant-flottant sur les failles dans le trottoir. Pourquoi ce geste lui semblait-il aussi familier ? Elle s'était transformée en fantôme ; elle était morte ; et pourtant, elle ne flippait même pas. Pourquoi ?

Il y avait quelque chose de parfaitement... normal, dans sa nouvelle forme d'existence, comme si c'était toutes ces années passées qu'il y avait quelque chose qui clochait. Aujourd'hui, une pièce du puzzle avait trouvé sa place.

Dans le quartier, elle entendait les halètements surpris sur son passage. Des gamins des rues, des fugueurs, des rats comme elle, qui l'observaient depuis leurs trous, ces voitures abandonnées qui leur servaient d'abri.

Ainsi donc, les gens voyaient les fantômes. Qui sait ? Peut-être rencontrerait-elle d'autres fantômes ?

Elle entendait les chuchotements des gosses. Ils savaient tous que Muret l'avait tuée, ils avaient entendu les coups de feu. Certains murmuraient même qu'ils avaient vu son corps quand les flics le mettaient dans le sac.

À l'angle d'une rue, une prostituée ne la remarqua pas arriver et recula pile sur elle... ou plutôt à travers elle. Leurs corps se fondirent, et soudain Jo se retrouva à l'intérieur de la fille, à partager ses mouvements sans le moindre effort quand la prostituée se frotta la nuque en frissonnant.

Elle ne sentait rien à travers cette peau qu'elle habitait pourtant comme un bernard-l'hermite investissait la coquille d'un autre crustacé. En fait, elle arrivait même à la contrôler, et ce, aussi facilement qu'elle respirait.

Génial !

Jo ressortit du corps de la prostituée, se détacha d'elle.

L'autre fit volte-face, une expression terrifiée sur le visage. Il lui fallut un moment pour comprendre ce qu'elle voyait.

— Oh, mon Dieu ! Oh, mon Dieu !

Elle recula brusquement et se signa.

— Tu es morte ! Le Mur t'a tuée tout à l'heure.

— Faut croire que je suis coriace, répondit Jo d'une voix qu'elle-même trouva bizarre – fantomatique. Et il est où, Muret, maintenant ?

— À un pâté d'immeubles de son ancienne piaule, cracha l'autre.

Jo se remit en route. D'autres gens la suivaient à distance, les yeux écarquillés, comme s'ils ne pouvaient s'en empêcher.

Elle trouva bientôt la planque de Muret, le nouveau repaire du dragon. À l'intérieur, elle perçut plusieurs voix. Dont celle de Muret.

Les ongles noirs de Jo s'allongèrent, acérés et douloureux. *Les fantômes ont des griffes ?*

Elle essaya de se téléporter à l'intérieur, mais son corps ne bougea pas. Alors elle remonta l'allée en flottant, s'arrêtant devant la porte. Pouvait-elle frapper ? Ils ne lui ouvriraient sans doute pas. Peut-être pouvait-elle se « transporter » à l'intérieur de la maison, comme tout à l'heure avec la prostituée.

Haussant les épaules, elle continua à flotter… et passa directement à travers la porte. Pratique !

Dans la tanière de Muret, des sacs de poudre et plusieurs armes étaient posés sur la table basse. Des sacs de fringues neuves encombraient la pièce. Ces connards s'étaient installés quelques portes plus bas dans la même rue. Faire brûler leur planque n'avait eu aucun effet.

Jo serra les poings, si fort que ses nouvelles griffes s'enfoncèrent dans ses paumes. Elle n'était venue ici que dans le but de flanquer la frousse au gang, de leur hurler « ouh-ouh » pour les faire fuir en courant. Mais la rage enflait en elle.

Et ses toutes nouvelles griffes se languissaient de taillader.

Quand la lumière vacilla, Phalange et les deux autres levèrent les yeux. Et aperçurent Jo. Leur bouche s'ouvrit, sans qu'aucun son n'en sorte.

Avec un hurlement strident, elle plongea sur Phalange, lui labourant le torse. Elle s'était presque attendue à ce que ses doigts le traversent, et pourtant quatre entailles profondes apparurent sur le ventre du malfrat.

Sidérée, elle baissa les yeux vers ses griffes. Elles dégoulinaient de sang. Autrement dit, elle pouvait se matérialiser quand elle le voulait ?

Phalange agrippa son estomac sanguinolent, mais des morceaux de ses tripes s'échappaient entre ses doigts. Ses genoux rencontrèrent le tapis trempé de sang, et il s'effondra. Mort.

Je viens de buter un mec. Les super-héros ne tuaient pas les gens. Même pas les gens méchants.

Elle aurait dû hurler d'horreur, et pourtant tout ceci lui paraissait naturel. *C'est moi. Moi, le fantôme. Je bute les méchants.*

Et soudain elle fut frappée par la réalité.

Ça fait longtemps que j'attends ça. Toute ma vie, en fait.

Phalange et Personne bondirent aussi loin qu'ils le purent. Ils prirent tout juste le temps d'ouvrir la porte. Elle vola à leurs trousses, se matérialisant pour les rattraper sous le porche. Sans effort, elle traîna les deux costauds à l'intérieur. Un clin d'œil à l'intention des gosses massés de l'autre côté de la rue, et elle claqua la porte.

Le duo se mit à hurler quand elle les attaqua. Un voile rouge lui brouilla la vue, alors qu'une sorte d'instinct animal prenait le dessus. Elle taillada, lacéra, le sang éclaboussait, et la tête de Jo se mit à tourner.

Puis elle se rendit compte qu'ils ne bougeaient plus. *Je viens de buter deux mecs !*

Son oreille vibra, et un geignement sourd lui parvint depuis une autre pièce. Muret ? *Et voilà le troisième, soyons juste avec lui.*

Il avait dû passer la tête par l'entrebâillement et assister au massacre.

Elle flotta à travers une porte pour observer la pièce voisine.

— Oh, Muret...

Elle entendait sa respiration étouffée sous le lit. Toujours en flottant, elle alla se poster pile à son niveau.

— Psst !

Il tourna brusquement la tête. Leurs regards se croisèrent. Il beugla de terreur et se carapata comme un rat par l'autre côté du lit.

Jo prit tout son temps pour se remettre en flottaison verticale, histoire de faire durer le plaisir. Muret pointa un énorme pistolet dans sa direction et tira, vidant son chargeur. Quand les balles la traversèrent pour finir leur course dans le mur, il se pissa dessus.

Jo voulait croiser son regard, lui montrer ce qu'il avait fait. Elle se sentit bouger ; en l'espace d'une fraction de seconde, elle avait disparu et réapparu juste devant lui. *Pratique aussi.*

Ivre de ces nouveaux pouvoirs, elle flotta un peu plus haut, à la hauteur de ses yeux.

— Tu n'aurais pas dû me tirer dessus.

— Je... je suis dé... désolé, balbutia-t-il. Je... je recommencerai pas.

— Mauvaise réponse, connard. On se voit en enfer.

Tu parles qu'elle finirait là-bas ! Personne ne pouvait aimer tuer autant qu'elle sans atterrir en enfer au bout du compte.

Il lança une batte qu'il devait cacher derrière son dos. Dans un réflexe, elle lui opposa sa main et frappa.

Elle lui trancha la gorge. La batte tomba au sol tandis qu'il portait les mains à son cou. Des torrents écarlates jaillirent sur Jo.

Ses pieds se reposèrent au sol, son corps se solidifia. Comme pour profiter de la douche. Elle mourait de faim, tout à coup. Ses dents lui faisaient mal. Elle aurait pu jurer qu'elles étaient plus acérées. Sous les yeux vitreux et épouvantés de Muret, elle leva vers lui un visage curieux, lèvres entrouvertes.

Sa langue recueillit la première goutte. Délicieux ! Et tandis que le sang lui emplissait la bouche, ses yeux se révulsèrent.

Elle se pourlécha les lèvres et déglutit. *Je bois du sang. Je suis en train de boire le sang de Muret.* Une partie d'elle était écœurée à cette idée, mais lorsque le liquide chaud lui coula dans la gorge, une puissance nouvelle l'inonda.

Une énergie. Une clarté. Ses sens prenaient vie. Elle entendait les battements d'ailes des papillons de nuit, dehors, sentait l'odeur des appâts sur la baie.

Et tandis que Muret s'effondrait, elle entendit le dernier battement de son cœur.

Soudain, elle fronça les sourcils. Son sweat à capuche trempé se tendait sur sa poitrine, et la fermeture Éclair s'ouvrit d'un coup. La ceinture de son jean lui comprimait la taille. Elle se précipita à la salle de bains en arrachant ses vêtements qui l'oppressaient. Elle se sentait brûlante de fièvre. À cause du sang ?

Qu'est-ce qui m'arrive ? Une fois dans la salle de bains, elle se fit couler une douche froide. En se frottant pour faire disparaître les traces de son carnage, elle remarqua la texture hyper douce de sa peau, sur laquelle ses paumes glissaient. De la soie. Et sa teinte jaunâtre disparaissait.

Jo observa son corps, sidérée. Elle s'était remplumée. Disparue, sa maigreur maladive ! Plus d'os saillants. Et soudain, elle était emplie d'énergie. De tonnes d'énergie ! Elle sortit de la cabine de douche et se dirigea vers le lavabo d'un pas sautillant.

Là, elle dévisagea son reflet. Une fille aux yeux brillants, d'une beauté sombre, au cœur encore plus noir que ses yeux, la fixait.

Des paupières noires, comme couvertes de khôl, mettaient ses yeux en valeur et lui creusaient les joues. Ses lèvres, désormais charnues, étaient rouge sang.

Pour rigoler, elle essaya de reprendre sa forme « fantomatique ». Ça marchait ! Ses cernes s'approfondirent et ses lèvres blêmirent. Néanmoins, même ainsi, elle restait séduisante.

Pour avoir cette apparence, pour se sentir comme ça, il lui suffisait d'ingérer le sang des autres ?

Elle s'était éveillée fantôme, à présent elle était buveuse de sang par-dessus le marché. Un vampire ?

Non, décidément elle n'était pas une super-héroïne.

Elle montra ses crocs au miroir. *Je suis une putain de méchante.*

Son pouls grimpa en flèche alors que la chose prenait corps en elle. Pour retomber presque aussitôt quand elle songea à Thaddie. En farfouillant dans la maison à la recherche de vêtements, elle découvrit un sac portant le logo d'un magasin, qui contenait des fringues toutes neuves. Elle enfila un survêtement, qu'elle noua bien serré, puis elle attrapa une veste que Clem avait dû oublier. Il faudrait que ça fasse l'affaire. Car l'urgence de trouver Thaddie était plus forte que tout.

Elle le visualisa avec MamB, dans sa maison de banlieue. L'instant d'après, elle avait disparu et réapparu dans une pièce faiblement éclairée.

Thaddie dormait dans ce qui ressemblait à une chambre d'amis. Des voix d'adultes chuchotaient derrière la porte. Les Brayden ? Jo était donc déjà chez eux ?

Si c'était le cas, elle s'était téléportée sur plusieurs kilomètres !

Bon Dieu, Thaddie semblait si petit, si vulnérable dans ce lit, avec sa figurine Spiderman serrée dans sa minuscule main. Et s'il avait été dans son SacàThad, quand Muret avait tiré ? Et s'il était mort ?

Plus elle était assaillie par l'émotion, plus Jo voguait entre ses formes fantomatique et incarnée. Elle tendit la main vers lui, mais ses doigts le traversèrent.

Dans la prochaine ville où ils habiteraient, elle serait beaucoup plus prudente. En attendant, il fallait sortir son frère d'ici avant que les Brayden ne la voient.

— Thaddie, réveille-toi.

Il cligna les yeux, puis les ouvrit, s'asseyant sur le lit.

— Il faut qu'on y aille, bébé.

Il fronça les sourcils. Jo entendait battre son petit cœur. À toute allure.

— T'es pas Jojo.

Quoi ?!

— Mais bien sûr que si.

— Pas Jojo, pas Jojo, répéta-t-il en boucle, en s'éloignant d'elle à quatre pattes.

— Si, c'est moi. Regarde, Spiderman me reconnaît.

Elle attrapa la figurine pour se déposer un baiser sur la joue.

Thad la lui arracha des mains en hurlant :

— T'es pas Jojo !

La porte s'ouvrit brutalement. Les Brayden.

Bouche bée, MamB dévisagea Jo, puis elle bondit vers Thaddie sur le lit. M. B vint se placer devant eux, les protégeant de ses bras puissants.

Il les protège de moi ?

— Oh, grand Dieu, murmura MamB, à qui Thaddie s'agrippait comme à une bouée de sauvetage. Mais tu es... tu étais morte.

Jo hocha la tête.

— Tu dois t'é... t'éteindre, fit M. B en déglutissant. Ou quel... quelque chose comme ça.

Tous les trois, on aurait dit une famille. Comme dans les rêves de Jo.

Sa voix se brisa quand elle demanda une nouvelle fois :

— Thaddie ?

Mais il ne voulait même pas la regarder, préférant se cacher le visage dans le cou de MamB.

Non ! Thaddie lui appartenait. Elle tendit les bras dans sa direction, en vain. Ses mains passèrent à travers lui.

— Éloigne-toi de lui, hurla MamB. Espèce de fantôme... ou de démon ! Retourne d'où tu viens !

Les mains de Jo étaient sur Thaddie, elle essayait de le saisir, de saisir son petit garçon. Mais quand il geignit, comme sous l'effet de la douleur, elle sentit son cœur se briser en un million de morceaux irréguliers.

Elle ne pouvait plus le toucher, plus le prendre, plus le tenir dans ses bras. Son Thaddie.

— Je vais partir et régler ça, annonça-t-elle aux Brayden. Mais je viendrai le récupérer.

— Ne fais pas ça, murmura MamB.

Jo flotta vers eux, espérant une dernière caresse sur les mèches soyeuses de Thaddie... mais elle ne ressentit rien. Un sanglot s'échappa de ses lèvres. *Je suis bien morte, finalement.*

Et je suis en enfer.

2

Dix mois plus tard

Enfin, le moment était venu de récupérer son bébé.

Jo se fantomisa jusqu'à la maison des Brayden et se posta devant une fenêtre, le cherchant parmi les gens qui remplissaient les pièces. Tous vêtus de noir et parlant à voix basse.

Ce soir, elle sortait Thaddie d'ici. Elle n'en pouvait plus de cette séparation, c'était à s'arracher les cheveux...

Les deux ou trois premiers mois, elle avait hanté la maison, se penchant au-dessus de son lit tandis que les Brayden le gâtaient avec des tonnes de jouets. Et même un chiot... Bref, toutes les choses que Jo aurait voulu lui donner elle-même. Sa vieille figurine de Spiderman restait désormais sur son étagère, enfouie sous tous ses autres joujoux.

Si Thaddie l'appelait, Jo était là dans la seconde, sans jamais complètement se montrer. Pourtant, sa présence semblait le perturber en même temps. Elle avait trouvé le SacàThad dans un placard et l'avait volé – encore – pour le serrer bêtement contre elle.

Les deux mois suivants, elle avait tâché de rester en retrait, se contentant de le surveiller de loin. D'autres gamins venaient jouer avec lui à la maison, et il se montrait toujours hypercontent d'avoir enfin des « coupains ». Ils couraient et s'amusaient comme de petits fous dans le jardin parfait des Brayden, le chiot sur leurs talons.

Alors son petit frère s'était mis à la réclamer moins souvent. Tandis que Thaddie poussait comme une herbe folle, de plus en plus rieur, l'état de Jo empirait, sans qu'elle fasse le moindre progrès quant à sa maîtrise de sa fantomisation très aléatoire. Alors oui, elle pouvait très bien flotter directement dans la chambre de son petit frère, mais comment le saisir dans ses bras, si elle n'était qu'un courant d'air ?

Déterminée à aller au bout de sa transformation, elle était retournée en ville, attirée par la banque de sang de l'hôpital. Et après s'être gorgée de sachets de sang, elle avait retrouvé son corps dans toute sa matérialité. Il fallait croire que les vampires agissaient ainsi. Enfin, restait encore à comprendre pourquoi elle pouvait toujours sortir en plein jour.

Requinquée par le sang ingurgité, elle s'était entraînée à passer de sa forme fantomatique à sa forme normale. Avec le temps, elle était parvenue à faire disparaître les objets. Tout ce qu'elle prenait en main se changeait en air comme elle, mais recouvrait son aspect normal sitôt qu'elle le reposait – porte-monnaie dans des voitures, vêtements dans des boutiques, un chat affolé.

Elle y avait travaillé dur, jusqu'à avoir la certitude de pouvoir emporter Thaddie. Mais tout au fond d'elle, Jo savait qu'il était mieux avec deux parents et son chiot adoré. Alors elle avait accroché entre elles les balles qui l'avaient « tuée » pour s'en faire un collier. Si l'envie la reprenait de revenir, elle portait la main à son nouveau bijou pour se rappeler que ce n'était pas bien pour Thaddie. Si MamB l'avait renvoyée de chez eux, c'était pour une bonne raison. Et encore, la bibliothécaire ignorait que Jo était une vampire-fantôme tueuse.

Bref, elle avait traîné à la morgue, espérant que quelqu'un comme elle sorte en flottant d'un sac mortuaire. Mais rien de tel ne s'était jamais produit.

Elle avait essayé, tellement fort, de rester à l'écart…

Et puis, la semaine dernière, elle avait vu le médecin légiste travailler sur un corps. Celui de M. B. Tué dans un accident de voiture. Mais il ne se releva jamais, lui. Il resta là, mort pour de bon.

Voilà qui était sans doute un signe, non ? Un signe qu'elle devait y retourner.

Les Brayden n'étaient plus deux, donc ils n'étaient plus mieux qu'elle. En plus, MamB ne serait pas assez forte pour élever un gosse toute seule. Évidemment, c'était triste que la bonne femme perde son mari et Thaddie du même coup, mais Jo n'en pouvait plus.

Après tout, elle était tout aussi capable d'être une mère pour lui que MamB. Si elle était assez forte pour soulever une voiture, elle saurait bien protéger Thaddie ! Quant à ses activités de pickpocket, ça n'avait jamais aussi bien marché. Elle n'aurait aucun problème pour lui acheter des jouets. Et puis, elle n'avait plus tué personne, depuis cette fameuse nuit. OK, il lui arrivait de serrer les testicules des mecs entre ses mains comme de vulgaires grappes de raisin – et encore, toujours en état de légitime défense –, mais zéro meurtre !

Elle tendit le cou. Où était-il ? Le soleil ne tarderait pas à se coucher. Ah, voilà ! Il courait à travers la pièce, dans son petit costume noir couvert de touffes de poils de chien sur les jambes.

En regardant tour à tour le sac à dos et Thaddie, elle se rendit compte que jamais il n'y rentrerait. Enfin, elle pourrait peut-être y fourrer le chiot. Elle prendrait Thaddie par la main, et ils s'en iraient version fantôme tous les trois.

Il grimpa sur les genoux d'une vieille femme, que Jo avait déjà vue la veille. La mère de MamB. La « mamie » de Thaddie. La vieille lui expliquait qu'elle allait vivre avec eux désormais et aider MamB à la maison.

C'est pas trognon ? Jo serra le sac. *Il est à moi !* Autour de sa gorge, son collier était froid et lourd.

De gros nuages noirs s'amoncelèrent dans le ciel, le tonnerre gronda. Jo leva les yeux. Contrairement à elle, Thaddie ne devait pas rester sous la pluie.

MamB entra dans la chambre, les yeux rougis. Elle devait être au trente-sixième dessous, et pourtant elle ne pleurait pas et arborait une tenue et une coiffure toujours aussi impeccables.

Thaddie rampa des genoux de la vieille femme jusqu'à ceux de MamB.

— Maman, il est où, papa ? demanda-t-il en levant vers elle ses grands yeux noisette.

Jo vacilla, le souffle coupé. « Maman » ? Les larmes gonflèrent ses paupières et coulèrent. Jamais il ne l'avait appelée comme ça, elle.

Si elle l'emmenait, Thaddie aurait perdu un père *et* une mère. Est-ce que ça risquait de le détruire sans espoir de guérison ?

Les nuages s'ouvrirent, déversant sur elle une pluie aussi abondante que ses larmes. Les gouttes la traversèrent – elle avait dû passer en mode fantôme sans s'en rendre compte.

MamB enlaça Thaddie et il se pelotonna contre elle, en toute confiance. Une pointe de jalousie vrilla le ventre de Jo, qui se surprit à serrer le SacàThad contre sa poitrine.

— Oh, mon chéri ! murmura MamB, parvenant à retenir ses larmes à grand-peine. Papa est monté au paradis avec Jojo, tu te rappelles ?

Coup de couteau dans les tripes. Coup de couteau dans les tripes. Coup de couteau dans les tripes.

Debout sous la tempête déchaînée, le cœur brisé, Jo venait de prendre une décision concernant l'avenir de Thaddie.

Je n'en ferai pas partie.

Contre la vitre, elle posa une paume qui ne laissa aucune trace. Malgré tout, elle pria de toutes ses forces pour que Thaddie se tourne dans sa direction, qu'il la voie.

Mais rien.

En larmes, elle serra le SacàThad plus fort. Et entre deux sanglots, elle chuchota :

— Au revoir, Thaddie.

Puis elle se détourna, sans savoir où elle irait. Tandis que la nuit tombait, elle flotta le long de la route déserte, avec la tempête pour seule compagne...

3

Royaume de Tenebrous
Château de Perdishian, capitale des Autreroyaumes

À l'intérieur de la forteresse, des êtres puissants s'agitèrent à l'approche de Rune Lumière-Noire, dont ils percevaient l'écho des pas dans l'immense château sombre.

Seul Møriør à être resté éveillé au cours des cinq siècles écoulés, il avait pour tâche de tirer les autres de leur sommeil le jour où Tenebrous aurait traversé suffisamment de temps et d'espace pour approcher de sa destination : Gaia.

Aussi connue sous le nom de planète Terre. Rune avait lancé l'appel télépathique quelques minutes plus tôt.

Précédé par le son de ses bottes cliquetant sur l'antique sol de pierre, il entra dans le cabinet de guerre, une vaste pièce dotée d'une énorme table en forme d'étoile et dont l'un des murs de verre était à l'épreuve des explosions.

De l'autre côté de la vitre, sur fond de néant noir, surgissaient çà et là des images des autres mondes, comme si elles provenaient de la projection d'un film.

Il s'installa sur l'un des douze sièges vides autour de la table et posa ses bottes sur la surface dorée en attendant l'arrivée de ses alliés. Du moins de cinq d'entre eux. Deux sièges restaient encore vacants, et quatre Møriør continueraient à dormir ; vu leur nature, mieux valait attendre encore un peu avant de les lâcher sur Gaia.

Abyssian Infernas, prince de Pandemonia, fut le premier à rejoindre Rune. Sian, comme le nommaient ses compatriotes, mesurait plus de deux mètres. Extrêmement musclé, il avait ceint son large torse de bandeaux de cuir, portait un pantalon écossais sombre et de longs cheveux noirs.

Rune devait bien admettre que le prince des enfers était aussi diablement séduisant que le diable qui lui servait de père.

Sian posa ses yeux verts sur la paroi vitrée.

— Il nous reste encore quelques jours. Bien. Ça nous laisse le temps de nous préparer.

Il prit place à la table.

— Je ne suis pas allé sur Terre depuis une éternité, ajouta-t-il.

Rune avait été les yeux et les oreilles des autres durant les cinq siècles écoulés, les informant sur chaque royaume visité. Une fois que ses alliés seraient réunis ici, ils pourraient plonger dans ses souvenirs, mettre à jour leurs discours et tout apprendre de ces temps nouveaux dans lesquels ils seraient amenés à guerroyer.

— Beaucoup de choses ont changé, répondit-il à Sian. Comme tu le constateras bientôt par toi-même.

Ils se préparaient à visualiser quelques scènes pour le moins épiques. Rune avait passé l'essentiel de toutes ces années à copuler avec des nymphes à la chair tendre et soyeuse.

Il retira une flèche du carquois attaché à son mollet – la force de l'habitude. Tapotant du doigt contre la tête de la flèche, il collecta quelques gouttes de son sang noir pour dessiner des symboles sur la hampe. Grâce à ces runes démoniaques, il était capable de concentrer ses pouvoirs magiques de fey, et transformer ainsi une simple flèche en une arme d'une efficacité extrême.

Allixta, reine des sorcières et membre la plus récente du Møriør, entra et gagna la table de son pas nonchalant. Rune était sidéré qu'elle parvienne à marcher, moulée dans une robe aussi près du corps. Une question qui resterait posée pour l'éternité. Curses, digne représentant d'une race de panthères venues d'Autreroyaumes, si immense que ses moustaches effleuraient les épaules de sa maîtresse, la suivait de près.

— Nous y sommes enfin ? lâcha Allixta.

— Le réveil est proche, confirma Rune.

Ajustant son chapeau de sorcière démesuré, elle se laissa choir sur sa chaise. Curses sauta sur la table, inclina sa gigantesque stature et cracha à l'intention de Rune.

À quoi Rune répondit de même, dévoilant ses crocs de démon.

— Je dois vraiment assister à ce spectacle dès mon réveil, sangfléau ? siffla Allixta avec un regard noir en direction de sa flèche. Pourquoi faire couler ton dégoûtant poison en présence de témoins ? Tu as l'intention de nous offenser ?

Rune interrompit son dessin. Comme celui de tous les sombres feys, son sang noir était empoisonné, fatal, même pour un immortel.

— Ma très chère Allixta, si je t'ai offensée, c'était involontaire – mais j'en suis ravi.

Blace, le plus vieux de tous les vampires, apparut soudain sur son siège à la table, gobelet de sang à l'hydromel en main. Ses cheveux bruns étaient attachés en une queue-de-cheval bien nette, et son costume, quoique la chemise, le foulard, le pourpoint et les hauts-de-chausse soient passés de mode depuis plusieurs siècles, était impeccable.

— Bon réveil, l'ami, le salua Rune.

Il appréciait le vampire, qui s'avérait souvent de bon conseil. Il délivrait ses recommandations avec parcimonie, mais toujours à propos.

— Je me demande quelles visions ton esprit va nous montrer, cette fois, lança Blace après une goulée de sa boisson.

Darach Lyca, le premier loup-garou, pénétra dans la pièce. Encore en cours de transformation depuis sa forme lupine, le loup primordial n'était vêtu que d'un pantalon écossais. Sa tunique, il la portait en boule dans son poing serré. Rune avait peu de points communs avec le sombre Darach, aussi taciturne que fougueux, si ce n'était leur détestation commune d'Allixta, pourtant Rune le respectait beaucoup.

Meilleur traqueur de tous les mondes, Darach avait montré son inestimable valeur dans la localisation d'objets magiques. Et les quelques fois où il réussissait à maîtriser sa bête et se trouvait en mesure de communiquer plus aisément, il avait partagé ses intuitions, faisant montre d'un cynisme étonnant pour un homme qui était revenu d'entre les morts.

En l'occurrence, Darach se démenait pour regagner son enveloppe humaine en ramassant de son mieux sa silhouette de loup-garou de plus de deux mètres cinquante. Les crocs serrés, il ferma encore un peu plus fort les poings et ses os se remirent en place dans un craquement.

Chaque transition devenait plus difficile. Un jour, Darach se transformerait en bête et ne reviendrait jamais à sa forme humaine. À moins qu'il ne trouve le moyen de la garder définitivement. Peut-être dans le royaume de Gaia ?

En plus de l'objectif supérieur du Møriør, chacun projetait de tirer ses propres avantages de la Terre et de ses royaumes connexes. Ils avaient tous traversé l'univers pour en récolter enfin les fruits.

La plupart pensaient que Rune ambitionnait de monter sur le trône de son monde d'origine. Mais non, ses desseins étaient bien plus sombres. Aussi sombres que son sang anormalement noir…

Leur seigneur, Orion – alias le Destructeur – fut le dernier à les rejoindre. C'était une créature d'ascendance inconnue, mais selon Rune, c'était au minimum un demi-dieu. Peut-être même un dieu, voire un surdieu.

L'apparence et l'odeur d'Orion avaient changé ; il les altérait régulièrement. Aujourd'hui, il avait pris la forme d'un grand démon blond. Lors de leur dernière réunion, il s'était présenté en géant aux cheveux noirs.

Il se dirigea vers le mur de verre sans prononcer un mot. Il pouvait rester silencieux pendant une décennie. Devant lui flottait la ligne de planètes en perpétuel mouvement, tandis que la forteresse passait devant chacune au fur et à mesure.

À présent que tous les Møriør éveillés étaient rassemblés, ils entreprirent de piocher dans l'esprit de Rune. Leur lien mental était si fort qu'ils parvenaient même à se parler par télépathie.

Il leur ouvrit grand ses souvenirs, offrant accès à presque tout, sauf au premier millénaire de sa vie. Il travaillait à cacher cette époque de trahisons et d'exactions.

Au bout d'un court instant, Blace haussa un sourcil approbateur.

— Une douzaine de nymphes en une nuit ?

Rune sourit. Il avait couché avec des milliers d'entre elles, devenant l'un des favoris chez les nymphes des mondes entiers. Elles constituaient d'excellentes sources d'information.

— Ça n'était que la première manche, répondit-il. La vraie débauche a commencé le lendemain.

Blace secoua tristement la tête.

— Ah, la vigueur de la jeunesse.

Rune était âgé de sept mille ans – une jeune pousse, comparé à Blace.

— Tu fais honneur à ton surnom, conclut le vampire.

Rune l'Insatiable.

— Je donne des orgasmes et je brise des cœurs depuis des lustres, admit-il en soufflant sur ses griffes noires.

— Les dieux puissent-ils prendre pitié des pauvres femelles qui te donnent leur cœur, commenta Sian. Je plaindrais presque tes partenaires sexuelles.

— Si l'une de mes grues est assez stupide pour en vouloir plus, alors elle mérite toutes les peines de cœur des mondes.

Il ne faisait pas mystère de son détachement à ses partenaires pendant l'acte sexuel. Il ressentait le plaisir physique, mais pas de connexion, pas de lien. Pas d'émotions. En dehors d'un lit, en revanche, oui. Il connaissait l'amusement ; l'imminence d'une bataille l'enfiévrait ; il avait des affinités avec les Møriør. Mais pendant l'acte sexuel... rien.

Ce qui était plutôt déstabilisant, vu le temps qu'il consacrait à cette activité.

— Des « grues » ? ricana Allixta. Quel coureur de gueuses.

En tant qu'ancien esclave, il avait entendu son lot d'insultes ; la plupart ne le dérangeaient pas. Ses griffes s'aiguisèrent alors que les paroles de sa reinc lui revenaient, surgies des confins de sa mémoire : « Tu possèdes la sensualité torride des feys et l'intensité sexuelle des démons... Je ferai peut-être quelque chose de toi, au bout du compte. »

— En parlant de gueuses, rétorqua-t-il sur un ton rendu cassant par les vieilles frustrations, j'ai déjà eu l'occasion de te sauter, sorcière ? Sur ma vie, je ne m'en souviens pas.

Ravalant un rire râpeux, Darach enfila sa tunique.

Allixta posa son regard vert sur le loup.

— Un commentaire à ajouter, bâtard ? Fais-moi confiance, sangfléau, ajouta-t-elle en reportant son attention sur Rune, si je pouvais supporter ton corps souillé assez longtemps pour te coucher dans mon lit, tu ne l'oublierais jamais.

« Souillé ». Rune haïssait son sang. Profondément. Et le pire, c'était que cette garce le savait. Dans son esprit, certaines choses étaient trop visibles pour qu'il parviennc à les soustraire aux yeux des curieux.

Il fourragea dans sa poche, à la recherche du talisman qu'il gardait toujours à portée de main. Taillé dans la corne d'un de ses ancêtres démons et couvert de runes que même lui ne savait déchiffrer, il l'aidait toujours à se concentrer en lui rappelant de regarder vers l'avenir...

Sian releva brusquement la tête.

— Mon frère est mort ?

Son jumeau, le Père des Terreurs, aussi hideux physiquement que Sian était parfait.

Rune opina du chef.

— Tué au cours d'un tournoi à mort. Assassiné sous les applaudissements d'une foule en délire.

Blace secoua la tête.

— Impossible. Un primordial tel que le Père des terreurs ne peut pas être tué.

— Il a été occis, pourtant... et par un simple immortel, affirma Rune. De nos jours, dans les royaumes de Gaia, ils ne se battent plus une espèce contre l'autre. Ils s'allient pour lever des armées. Et pour couronner le tout, ces immortels n'abattent pas seulement des primordiaux : ils assassinent des dieux.

Allixta ricana.

— Ton sang impur a fini par te pourrir le cerveau. Les divinités ne peuvent pas être assassinées par des immortels.

Se détournant d'elle, Rune s'adressa aux autres :

— Plusieurs dieux ont péri, tous au cours de l'année écoulée. Parmi eux, il y avait une divinité sorcière.

Alors qu'Allixta s'étranglait, il égrena les noms des anciennes divinités éteintes pour toujours. Observant la posture des épaules d'Orion, il y chercha des signes de tension.

Comment un dieu ressentait-il la perte de ses congénères ?

Orion continuait à fixer les mondes qui défilaient devant ses yeux.

— Qu'est-ce qui te porte à accorder foi à des informations recueillies auprès de tes... nymphes ? s'enquit Allixta.

— Je les rétribue dans leur monnaie préférée : de bonnes parties de jambes en l'air et une queue bien dure. Il se trouve que je suis riche à millions, en l'occurrence.

Avant qu'elle ait le temps de se lancer dans quelque diatribe grinçante, Blace intervint :

— Ces meurtres ont bien eu lieu. Lis ses pensées, Allixta. Toutes les informations y figurent.

— On dirait qu'il y a un lien entre toutes ces morts, fit remarquer Sian. Comme si quelqu'un essayait d'attirer notre attention. Notre présence même. Qui oserait ?

— Une Valkyrie du nom de Nïx, surnommée « Celle qui sait tout », répondit Rune. La primordiale de leur espèce.

D'après les nymphes, Nïx avait elle-même orchestré ces meurtres.

— Une devineresse capable d'exaucer les vœux. Presque une divinité.

Orion se faisait souvent des alliés de ses ennemis – c'était le cas pour Blace, Allixta, ainsi que de deux autres Møriør encore assoupis. Leur seigneur enrôlerait-il la primordiale des Valkyries ?

Orion leva justement une main. Les images ralentirent, avant de s'arrêter sur celle d'une planète écarlate. Il pencha la tête, percevant des choses que personne d'autre ne détectait.

Des faiblesses.

Il voyait les faiblesses cachées dans un homme, un château, une armée. Un monde entier.

Le Destructeur replia lentement les doigts en un poing serré. La planète commença par se déformer, se froisser, comme s'il chiffonnait un parchemin.

Orion était-il en train de simuler la destruction ? Ou de la causer ?

Le monde diminua, diminua, jusqu'à... disparaître. Une dimension tout entière. Disparue. Et ses habitants morts.

Orion se tourna enfin vers le reste de l'assemblée. Son expression était méditative, mais ses yeux... sombres et glaçants, tels les abysses dont Sian était issu. Son regard insondable tomba sur Rune.

— Rapporte-moi la tête de la Valkyrie, archer.

Pas d'enrôlement, alors. La mort. Pourquoi ne pas essayer de faire changer Nïx de camp ? Il restait deux sièges libres autour de la table, et une devineresse était toujours un atout. D'après les Mythosiens, elle était l'une des oracles les plus puissantes ayant jamais existé.

Dommage qu'elle ne puisse voir son propre avenir.

Rune repoussa sa curiosité d'un haussement d'épaules. Il n'avait pas d'affinités avec les Valkyries, de toute façon. C'étaient de fervents alliés des feys, une espèce envahissante d'esclavagistes et de violeurs.

Dis-moi qui tu fréquentes, je te dirai qui tu es, Nïx.

Rune savait qu'elle rôdait dans les rues d'une ville particulière chez les mortels – un endroit où régnait le péché – du coucher au lever du soleil. Il y avait une grosse nichée de nymphes dans les environs. Ainsi que des nymphes d'arbres.

Elles laissaient traîner leurs yeux dans chaque mare, chaque chêne, chaque flaque d'eau.

Au nom du devoir, je vais les tringler toutes pour en tirer des informations. Alors, comme il l'avait fait si souvent au cours des millénaires, il répondit :

— C'est comme si c'était fait, seigneur.

4

La Nouvelle-Orléans, aujourd'hui

« Oh, grands dieux, Rune, je vais jouiiiir ! Pitié, pitié, pitié, grands dieux, oui, oui, OUIIIII ! »

Quand, grâce à son ouïe surdéveloppée, Jo entendit les hurlements d'une femme en plein orgasme, et ce non loin de l'endroit où elle se trouvait, sa curiosité en fut piquée.

Il était temps d'en finir avec le type qu'elle étranglait.

Elle l'avait collé contre un mur, et le regardait convulser sans la moindre émotion. Il avait osé se pointer sur son territoire muni d'une canne de maquereau ?

Dans la tête de Jo, arborer une canne de maquereau revenait à annoncer : « La chasse est ouverte ». Et puis cet enfoiré avait osé utiliser son bâton sur une prostituée, une fille encore plus jeune que Jo. La pauvre était recroquevillée dans le coin, la pommette enflée, observant son bourreau en train de recevoir son châtiment.

— Alors, tu vas revenir ici ? demanda Jo au maquereau, bien qu'il ne soit plus en mesure de répondre. Hein ?

Elle serra fort, jusqu'à sentir les os se briser sous sa poigne. La trachée était fichue.

Les yeux fixés sur elle, le type tenta tout de même de faire « non » de la tête.

— Tu reviens, tu es mort. Pigé ?

Cette fois, il tenta de faire « oui » de la tête.

— Et si tu oses frapper une femme à nouveau, je viendrai m'occuper de toi. Tu te réveilleras dans ton lit, et moi je serai là, penchée sur toi. Ton pire cauchemar.

Elle montra les crocs et cracha à la manière d'un chat.

Quand le gars se mit à uriner – les risques du métier – elle le jeta de l'autre côté du parking adjacent.

La fille dévisageait Jo.

— Merci, Lady Lanuit.

Mon surnom. Peu à peu, l'alter ego de Jo s'était mué en une sorte d'étrange et inquiétante protectrice des prostituées. Ça aurait pu être pire.

— Ouais, de rien.

Et au moment où Jo se volatilisait, elle entendit un autre hurlement.

— Rune ! Rune ! OUI !

Trois filles d'affilée venaient de crier le nom de ce Rune. *Faut que j'aille voir ça.*

Sous le regard ébahi de la prostituée, elle passa en mode fantôme. Invisible et intangible, elle se dirigea vers Bourbon Street d'où provenaient les hurlements. Sans que ses pieds ne touchent le sol une seule fois, soit dit en passant.

Depuis son arrivée en ville quelques mois plus tôt, elle avait passé beaucoup de temps à espionner. Les choses – et les êtres – étranges qu'elle avait observés ici avaient rallumé une lueur d'espoir en elle, un espoir plus fort qu'elle n'en avait ressenti depuis des années.

Fini d'observer les étoiles en se perdant dans le rêve de récupérer son petit frère. Fini de passer des jours et des nuits interminables scotchée devant des BD ou la télé.

Aujourd'hui, Jo était déterminée.

Un piéton beurré la traversa en trébuchant et frissonna. Elle aussi. Les touristes étaient rances. Ils suaient comme des porcs, gavés de langoustines et de pain à l'ail, et pleins à ras bord d'alcools en tous genres. Des sortes de grenades à vomi dégoupillées.

Vomirait-elle, si elle s'abreuvait à leurs veines ?

Elle n'avait jamais mordu personne. L'odeur de ce que le type avait avalé au dîner – à moins que ce soit l'amidon de son col ou les bestioles gluantes qu'il avait câlinées – l'écœurait. Le pire, c'était quand ils puaient l'eau de Cologne.

Ou le déodorant Axe.

Comment pourrait-elle poser la langue sur une peau saturée de cette merde ? Tant qu'on n'aurait pas inventé un préservatif à crocs, elle continuerait à voler dans les banques de sang.

À quelques pâtés d'immeubles de Bourbon Street, elle tomba sur une cour entourée de hauts murs. Une fontaine coulait au milieu. La femme hurlait de plus en plus fort ; le claquement de deux peaux l'une contre l'autre s'accélérait.

Hum. Peut-être pourrait-elle posséder le corps de l'un des participants, et vivre l'expérience par procuration. À l'exception d'un frisson au départ, ses « coquilles » ne se rendaient jamais compte de son intrusion en elles.

Sinon, elle pourrait toujours lui faire les poches. La chambre d'hôtel que Jo louait à la semaine était emplie de ses divers butins. Elle faisait comme si chaque prise était un cadeau qu'elle s'offrait – une sorte de passerelle que l'on franchit pour apprendre à connaître quelqu'un – tout comme elle faisait semblant que chaque possession de corps était une visite.

Une connexion.

N'ayant jamais eu d'amis avant, comment verrait-elle la différence ?

Récemment, sa soif de voler et de posséder les autres avait empiré. Peut-être avait-elle besoin d'une vraie connexion. Elle avait connu si peu de véritables interactions que c'en était à se demander si elle avait bien ressuscité.

Parfois, elle faisait ce rêve – ou ce cauchemar, plutôt – où elle disparaissait. Qui remarquerait son absence ?

Alors qu'elle arrivait à proximité de la cour, une quatrième voix de femme résonna.

— C'est si bon, Rune ! Dieux des cieux ! OUI ! Ne t'arrête jamais, jamais ! Jamais, JAMAIS !

Jo flotta vers le portail en bois entrouvert de la cour et jeta un coup d'œil à l'intérieur. La scène qu'elle découvrit valait son pesant d'or.

Une blonde à demi nue était collée contre le mur couvert de lierre de la cour par un homme aux cheveux bruns, le pantalon baissé jusqu'aux cuisses. Il avait les jambes fuselées de la femme nouées autour de la taille et il l'assaillait de ses coups de boutoir.

Sans doute le fameux Rune. C'était quoi, ce nom ?

Trois autres femmes superbes étaient affalées, nues, sur un canapé, et elles assistaient à la scène derrière leurs paupières lourdes.

Ce type venait de les baiser toutes les trois ? Il les alignait et les prenait les unes à la suite des autres ? *Beurk*. Pas question d'entrer dans ces filles-là.

Elle flotta sur un côté pour mieux voir. Le gars paraissait une petite trentaine d'années, et doté d'une belle énergie. Il était séduisant, sans doute. De jolis yeux, couleur prune mauve, et elle aimait bien son épaisse chevelure noire. Une coupe peu soignée et assez longue, avec quelques tresses ici et là. Mais il avait des traits plutôt grossiers – le nez tordu d'un boxeur et une mâchoire trop large.

Son corps grand et mince, en revanche, était super sexy. Il devait approcher les deux mètres – autant dire qu'il la surplomberait, elle, avec son pauvre mètre soixante – et chaque centimètre carré de son corps était musclé. Un tee-shirt en tissu léger soulignait son torse large et ses bras ciselés. Ses fesses dénudées étaient dures comme la pierre. Ses cuisses puissantes devaient joliment remplir le pantalon en cuir noir qu'il avait baissé sur ses genoux.

Il portait un arc suspendu dans son dos et une flèche accrochée à son mollet. Un étui à couteau était inséré dans sa ceinture ouverte.

Jo haussa les épaules : elle avait vu des trucs plus étranges encore sur Bourbon Street. S'il s'écartait juste un tout petit peu plus, elle apercevrait son sexe…

Waouh ! Sacré engin ! Le plus balèze qu'elle ait jamais vu.

Comment parvenait-il à tenir aussi longtemps ? Il n'était même pas essoufflé. Elle pratiquerait peut-être plus le sexe, si les autres gars avaient son endurance. La poignée de coups vite faits qu'elle s'était autorisée ne valait même pas le prix du préservatif.

En observant la façon dont ce grand inconnu utilisait son corps – ondulant le bassin en cadence par moments, se retirant jusqu'au gland avant de replonger avec force ensuite – elle se demandait quel effet lui ferait le contact de sa peau mate et lisse. Son odeur. Quand elle était en mode fantôme, son odorat surdéveloppé était affaibli.

Elle aurait parié que Rune ne portait pas du Axe.

Elle dirigea alors le regard sur le pouls qui battait à son cou. Son rythme lent et régulier était hypnotique.

Boum... boum... boum...

De façon incroyable, sa cadence n'augmentait pas.

Comment réagirait-il, si elle perçait cette veine de son croc ? Quel goût aurait-il ?

Et il continuait. Encore. Et encore. Pareille énergie était forcément surnaturelle. Et puis, ces femmes étaient presque trop jolies. Jo soupçonnait ces créatures d'appartenir à un autre monde.

Celui des « monstres », comme elle les appelait.

Depuis ses postes d'observation cachés dans les rues de La Nouvelle-Orléans, elle avait vu des créatures paranormales commettre des actes inhumains. Ce qui la poussait à se demander : et si elle n'était pas une sorte d'abomination ressuscitée de l'enfer ? Et s'ils étaient nombreux dans son cas ?

Elle porta la main à son collier, tâtant la ligne de balles déformées. Jamais elle ne le retirait, ce talisman, souvenir de la nuit où elle s'était relevée d'entre les morts.

Mais avoir découvert que d'autres monstres existaient l'avait amenée à repenser son existence, son monde.

Et sa décision de rester loin de Thad.

Elle avait approché certaines de ces étranges créatures, une foule de questions au bord des lèvres : *Que suis-je ? Comment ai-je vu le jour ? Existe-t-il d'autres êtres comme moi ?* Mais elles l'avaient fuie.

Elle avait le sentiment que ce mâle-là ne prendrait pas la poudre d'escampette, lui. Une fois qu'il aurait terminé son affaire, elle pourrait lui parler. Elle resterait sur ses gardes, bien sûr, prête à sortir griffes et crocs si les choses dérapaient... À croire qu'elle était toujours un chat sauvage.

L'air éperdu, la blonde se pencha pour embrasser le fameux Rune, qui détourna le visage. Intéressant.

Les trois autres échangèrent des chuchotements :

— Moi aussi, parfois, je m'oublie.

— Tu imagines ce qu'il pourrait faire avec cette bouche ? Si seulement...

— Pourquoi faut-il qu'il soit sangfléau ?

L'homme dut entendre leurs voix douces, car il étrécit les yeux et serra les lèvres dans une expression irritée. Défiante, même. Jo ressentit soudain de la pitié pour lui.

— Tu as déjà vu son sang noir ?

— Sa queue n'est pas empoisonnée, c'est tout ce qui compte vraiment.

Empoisonnée ? Du sang noir ? Ce type était décidément un monstre.

La blonde sautillant sous ses assauts prit son visage anguleux entre ses mains.

— ENCORE ! Je suis toute proche ! Ne t'arrête pas, Rune, ne t'arrête pas !

Il s'arrêta.

— Nooooooon ! geignit la fille.

— Tu en veux encore ? Je ne te décevrai pas, ma colombe.

Sa voix grave avait un accent inhabituel que Jo ne parvenait pas à identifier.

— Mais tu n'as pas le droit de me décevoir, poursuivit-il. Promets-moi que tu accéderas à ma requête.

Il utilisait le sexe pour manipuler la fille ? Quel trouduc. *Oublie la pitié, Jo.*

L'expression de la femme se fit frénétique.

— Oui, oui ! Je le jure, JE LE JURE ! Mais steplaît, steplaît, steplaît, continue !

Il la saisit sous le menton et lui offrit un large sourire.

— Les filles obéissantes sont toujours récompensées, pas vrai ?

Jo lui éclaterait de rire au nez, s'il lui parlait comme ça. La blonde se contenta de hocher la tête. Pathétique.

Il reprit par un rude coup de boutoir. La fille convulsa sur son gros membre, babillant entre deux cris.

— C'est ça que tu veux, ma colombe ? demanda-t-il. Ma queue, c'est tout ce qui compte vraiment, pas vrai ? Tu ne peux pas vivre sans elle, pas vrai ?

Quelle arrogance !

La blonde geignit en secouant la tête. Ses copines le reluquaient comme s'il s'agissait d'un dieu.

Jo sentait son projet de le questionner sur certains points devenir de moins en moins appétissant à chaque seconde. L'obligerait-il à le supplier pour obtenir des informations ou jouerait-il avec elle ? Pourtant, elle ne bougeait pas. Elle voulait le voir jouir. Le regarder perdre son contrôle d'acier.

L'observer dans un moment de faiblesse. Vulnérable.

Elle reporta son attention sur la veine qui pulsait dans son cou. Son sang était-il véritablement noir ? Elle l'imagina qui circulait dans ses veines, des pieds à la tête de ce corps sublime.

À cette idée, ses crocs s'aiguisèrent. Son cœur se mit à tambouriner dans sa poitrine, sa respiration spectrale s'accéléra. Elle devait se battre pour garder le contrôle. Comme toujours, les fortes émotions affectaient sa capacité fantomatique, rendant plus difficile pour elle de rester intangible. Si elle se matérialisait ne serait-ce qu'un peu, ces monstres risquaient de détecter sa présence.

Son corps se mit à descendre de son point de flottaison tel un ballon de baudruche qui se dégonfle. *Non, pas encore.* Il ne serait sans doute pas très enclin à discuter, s'il découvrait qu'elle l'avait espionné pendant son orgie. Mieux valait partir avant de se matérialiser, et puis retomber sur lui par hasard, plus tard.

La blonde hurla son extase. Bien que Rune soit en train de la pilonner et qu'elle jouisse sur lui, il restait calme et souriant.

— Je vais jouir, ronronna-t-il.

Toujours gémissante, la fille leva sur lui des yeux emplis d'un mélange d'admiration et de crainte.

Il se figea brièvement. Puis recommença à pilonner. *Bam, bam, bam, BAM, BAM.*

Il s'immobilisa sur un sourire satisfait. C'était fini ? Il venait de jouir ? Et Jo avait pris le risque de rester pour ça ? Si elle avait ne serait-ce que cligné les paupières, elle l'aurait raté.

Quand elle baissa les yeux sur les fesses dénudées de Rune et que sa respiration s'accéléra encore, elle préféra se diriger vers la sortie. Par-dessus son épaule, elle jeta un dernier regard à la veine pulsante du monstre.

Son rythme cardiaque n'avait pas bougé d'un poil.

5

Un mélange de mûres sauvages et de pluie tiède.

Rune flairait une autre femelle non loin, et – par les dieux tout-puissants – son odeur sucrée était alléchante.

Il venait de s'assurer la collaboration d'une dernière informatrice et organisait déjà la recherche de sa cible valkyrie. Pourtant, à la seconde où il décela la fragrance de la nouvelle femelle, il se surprit à durcir derechef, alors même qu'il était encore dans la nymphe.

Qui se flatta d'être la cause de ce regain de vigueur et lui offrit un sourire suffisant.

Inacceptable. Un mâle ne devait jamais perdre le contrôle de son corps pendant l'acte sexuel. Il se retira abruptement, provoquant un soupir étonné chez la nymphe, puis la repoussa sans ménagements. Alors qu'il se rhabillait, elle rejoignit ses camarades en titubant. Ces quatre-là ne tarderaient pas à continuer sans lui, il n'en doutait pas.

Sitôt dit, sitôt fait. Quel mâle pouvait laisser en plan un groupe de nymphes dévergondées ?

Lui. Car il croisait ce genre de créatures tous les soirs.

Et puis, la mystérieuse femelle aux mûres sauvages méritait son attention. Elle était venue dans la cour, il le sentait – une voyeuse ? – mais semblait s'être éloignée à présent.

Si elle était moitié aussi jolie que son odeur était suave...

Il reboucla sa lourde ceinture. Sans un regard en arrière, il lança aux nymphes :

— Je file, mes colombes. Contactez-moi dès que Nïx gagne la planque. Et je compte sur vous pour me récupérer une mèche de cheveux.

— Pourquoi cherches-tu à franchir la garde des spectres ? s'enquit l'une d'elles entre deux gémissements de plaisir.

Les spectres étaient les horribles créatures qui défendaient Val Hall, l'antre des Valkyries. Une garde infranchissable, même pour un Møriør tel que lui. Cependant, il avait appris ce soir – grâce à ses coups de reins – qu'il existait une sorte de clé ; si l'on offrait une mèche de cheveux valkyrie aux spectres, ces créatures vous autorisaient l'entrée.

Les nymphes essaieraient donc de lui dégoter une mèche. Elles se cacheraient aussi dans les chênes de Val Hall pour espionner, et alerteraient Rune sitôt que Nïx reviendrait.

En attendant, il allait partir en quête de la devineresse. *Oui, mais pas avant d'avoir remonté la trace de cette odeur.*

— Tu ne vas pas faire de mal à Nïxie, hein ? lui demanda une autre nymphe.

Elle ne sentira rien. Il se retourna pour leur offrir un sourire à la volée. Son sourire, il le savait bien, était aussi déviant que sa moralité, et devant son air narquois, les femelles trempaient leur culotte.

Autre mystère dont il ne percerait jamais le secret.

— Faire du mal à Nïx ? ricana-t-il. Moi, tout ce que je cherche, c'est une conquête supplémentaire. Quel mâle n'a pas envie de coucher avec une Valkyrie ?

Il l'avait déjà fait, bien entendu. Extrêmement décevant. La femelle s'était accrochée à lui ensuite, mais ses oreilles en pointes – caractéristique typique des feys – avaient été rédhibitoires pour lui. Il méprisait les feys, et détestait aussi ses propres oreilles en pointe. Et même si les nymphes possédaient ce trait honni, au moins elles étaient toujours partantes pour une partie de plaisir sans engagement.

Et la « conquête », c'était une notion que les nymphes comprenaient.

— Nïx est peut-être déjà dans le quartier, fit remarquer la première qu'il avait honorée ce soir. Du moins jusqu'au lever du soleil. Bonne chance !

Il les laissa émerveillées par son sourire et quitta la cour en vitesse. Il allait devoir passer la ville au peigne fin, s'il espérait repérer sa cible. Mais dans ce cas, pourquoi se hâtait-il à la recherche de sa voyeuse ?

La rue grouillait de piétons soûls. Des femelles aux yeux vitreux posaient sur lui un regard empli de désir.

Bien que moitié fey, moitié démon, il pouvait passer pour un humain – à la carrure très imposante. Ses cheveux lui cachaient les oreilles, et il avait gravé des runes sur l'arc et la flèche qu'il portait pour les camoufler à la vue des mortels.

D'autres immortels erraient dans la rue, parmi les humains. La plupart le prenaient pour une sorte de fey mal dégrossi – tant qu'il ne dévoilait pas les crocs hérités de sa mère démone.

Bien que son odorat soit largement moins développé que celui de Darach, Rune fut capable de repérer sa voyeuse à bonne distance devant lui. Il s'arrêta aussitôt sur sa minijupe noire scandaleuse et ses fesses incroyablement sexy.

Ses cuisses étaient fermes et bien proportionnées. Faites pour se nouer autour de la taille d'un mâle. *Ou de ses oreilles en pointe.*

Sauf qu'un mâle vénéneux tel que lui ne pourrait pas la satisfaire de cette manière-là.

Dans son dos se balançait une longue crinière de boucles brun foncé, qui semblait aussi soyeuse que du vison. Son petit débardeur noir révélait une taille extrêmement fine. Elle portait des rangers et savait marcher avec.

Si ses seins défiaient aussi bien les lois de la gravité que ce petit cul rebondi… Comme sur commande, elle se retourna dans sa direction et lui offrit une vue imprenable sur son côté face.

Première pensée qui le traversa : *J'aimerais pouvoir la manger.*

Elle avait une peau d'albâtre, très pâle, de grands yeux noisette lourdement ombrés de khôl. Ses pommettes étaient hautes et son visage dégageait quelque chose d'aérien, d'ensorcelant. Pourtant ses lèvres étaient pleines et charnues.

Elle portait un drôle de collier fait de morceaux de métal inégaux. L'air perdu dans ses pensées, elle frottait l'un de ces éclats métalliques sur son menton.

Rune baissa les yeux et réprima un grognement. *Sacrée paire de seins.* Ils étaient généreux, et pourtant elle se promenait sans soutien-gorge. *Bonne idée.* Il observa les deux monts qui montaient et redescendaient à chacun de ses pas assurés. Vision paradisiaque.

Mieux encore, ses tétons pointaient sous le tee-shirt moulant. Et il aurait parié que c'était sa performance avec les nymphes qui avait suscité cette réaction.

Il prit une profonde inspiration. Oh oui, il l'avait affectée. En sentant son excitation, Rune se crispa et son corps se tendit aussi fort que son arc.

Elle avait le nombril percé, d'où une chaînette délicate pendait à un anneau. Qu'il serait agréable de fourrer le nez par là. Sans pour autant descendre plus bas. S'il la léchait, elle connaîtrait un instant de plaisir avant de convulser sous l'effet de la douleur.

Car les fluides corporels de Rune étaient aussi toxiques que son sang noir. Pareil pour ses crocs et ses griffes.

La seule chose qu'il haïssait plus que les feys, c'était son poison. S'il tuait quelqu'un, il souhaitait que ce soit la conséquence d'un choix affirmé, et pas à cause d'une anomalie de la nature...

Il s'adossa à un lampadaire pour mieux observer la femelle. Maquillage fantomatique, vêtements noirs, rangers. Comment les mortels appelaient-ils ce style, déjà ? Ah oui, « gothique ». Elle était gothique. Que l'on puisse vouloir s'inspirer de cette époque de l'humanité le rendait perplexe.

Pourtant, avec une apparence aussi aérienne que la sienne, cette créature était forcément immortelle. Peut-être une autre nymphe ? Non, trop tendue.

Peut-être un succube ? Si c'était le cas, elle était en quête de sperme, chose qu'il ne pouvait offrir, même si le sien n'avait pas été empoisonné. Pour autant, il ne décevait jamais son public. Il avait séduit sa part de mangeuses de semence, leur promettant des parties de jambes en l'air inoubliables. Et il avait toujours tenu ses promesses.

Mais même ces garces voulaient plus de lui. Une seule coucherie et les femelles qui n'étaient pas des nymphes s'attachaient systématiquement à lui, devenaient jalouses et possessives.

Durant sa longue vie, des milliers de femelles avaient espéré qu'il deviendrait monogame. Il frissonna. Ce concept lui était totalement incompréhensible.

Cette voyeuse ne détenait aucun secret qu'il convoitait, et en plus il risquait de la voir s'accrocher. Alors pourquoi continuait-il à inhaler goulûment son odeur ?

Qu'est-ce qu'elle est ? Son ascendance fey conférait à Rune une bonne dose de curiosité, et cette curiosité exigeait une réponse.

Seules vingt enjambées les séparaient.

Si elle était halfelin comme lui, alors jamais au cours de toutes ses années de vie il n'avait senti pareille combinaison. Ça n'avait pas de sens.

Plus que dix pas. Il se positionna de façon à lui bloquer le passage.

Elle leva les yeux et cilla sous l'effet de la surprise.

— Salut, ma colombe. Tu avais envie de te joindre à la fête, dans la cour ?

Il l'accula contre un mur et, naturellement, elle le laissa faire.

— Les nymphes auraient été d'accord pour me partager. Et j'ai beaucoup à offrir.

Il vit l'expression étonnée disparaître. Elle leva la tête pour lui jeter un regard calculé.

61

— Tu nous regardais, non ?

L'idée de ces yeux fascinants en train d'observer ses actes le fit durcir encore un peu plus. Allait-elle nier ?

— Oui, j'ai regardé.

Sa voix était sensuelle, sans une once de honte.

Physique phénoménal. Voix sexy. Ses oreilles étaient-elles arrondies ou pointues ? Il priait pour que ce soit la première option.

— Je sais que tu as apprécié le spectacle.

— Ah oui, tu sais ça, toi ?

Elle pencha la tête, envoyant une cascade de boucles brillantes sur son épaule.

— Eh bien, j'ai trouvé ça pas trop mal, si tu veux tout savoir.

La fragrance de ses cheveux le frappa tel un coup en plein ventre. Les mûres sauvages. Il en poussait sur les hautes terres de son monde d'origine, bien au-dessus des plaines étouffantes où il avait travaillé en tant que jeune esclave affamé. Et leur odeur tentante lui offrait à l'époque une salutaire distraction.

Attends...

— Tu as dit « pas trop mal » ? Je t'assure que ce mot n'a jamais été appliqué à mes performances.

Fasciné, il regarda ses lèvres se retrousser sur un sourire. Celle du bas était creusée d'une petite fossette en son centre, qui lui donna aussitôt envie d'y passer la langue. Encore un désir que jamais il ne pourrait assouvir.

— Une « performance », répéta-t-elle, tandis qu'une lueur allumait ses yeux perçants. C'est exactement comme ça que je décrirais la chose.

Bon sang, mais qu'est-ce qu'elle était ? Puis il fronça les sourcils en songeant à son commentaire.

Au cours des millénaires passés, il avait certes élargi son... répertoire sexuel, même si son poison limitait les possibilités, mais de là à qualifier cela de « performance »...

— On ne s'est jamais plaint.

Elle haussa les épaules, et ses seins dansèrent sous son débardeur. Rune s'était pourléché les lèvres avant d'avoir le temps de s'en empêcher.

— Tu veux que je te donne une opinion franche ?

Comme si ce qu'elle pensait l'intéressait ! Et pourtant il se surprit à répondre :

— Dis-moi.

— Tu as fait preuve d'un potentiel intéressant, mais rien qui me donne envie de tomber le bas.

Un « potentiel intéressant » ?

— Alors tu n'as pas observé la scène à laquelle j'ai pris part.

Elle lui renvoya une grimace moqueuse.

— Mon honnêteté a froissé ton amour-propre. Rassure-toi, tout n'était pas négatif. Tu sais quoi ? Il y a un sex-club juste à l'angle de la rue, où ils proposent des spectacles en direct. Je parie que tu pourrais participer à leur compétition réservée aux amateurs.

Il se pencha sur elle.

— Dis donc, ma colombe, tu sembles être une experte. Le novice que je suis apprécierait toute forme d'instruction pratique.

— Tiens, un conseil : prends le temps d'enlever tes bottes la prochaine fois. Oh, et puis pourquoi ne pas enlever aussi ton arc et tes flèches ?

— Le conseil est sage, sauf que je ne sais jamais quand je risque d'avoir besoin de mes armes. Même quand je baise, je guette mes ennemis.

— Tu dois en avoir des tas. De quel genre ?

— Tous les genres. Et un nombre incalculable. Quoi qu'il en soit, je suis d'un naturel méfiant, alors je rechigne à me séparer de mon arc. C'est un cadeau, il n'a pas de prix.

Des éternités plus tôt, Orion avait lâché Darach dans un royaume étranger, avec pour seule instruction : « Trouve l'arc de Lumière-Noire, celui qui porte une lune noire et un soleil blanc gravés au-dessus de sa poignée. » Une semaine plus tard, Darach était revenu, les yeux fous, mais l'arc à la main. Orion l'avait alors tendu à Rune en lui disant : « Voici ta nouvelle arme, archer... »

— Inestimable ?

La voyeuse posa aussitôt les yeux sur son arc, avec un air un peu trop intéressé.

— Je comprends que tu n'aies pas envie qu'on te le vole.

— Jamais personne ne me le volera.

Qu'avait-il besoin de fanfaronner devant elle au sujet de son arme ? Les informations venaient *à* lui, en général, pas *de* lui.

Il était capable de parler pendant des heures sans jamais dire quoi que ce soit de compromettant.

Et voilà que quelque chose chez cette fille l'avait poussé à se vanter. Il avait pourtant possédé des femmes plus belles. Il avait eu des demi-déesses sur sa couche. Pourquoi la trouvait-il si captivante, elle ?

Peut-être à cause du dédain qu'elle t'oppose, Rune ?

— Tu es bon archer ? demanda-t-elle.

— Le meilleur de tous les mondes.

Encore en train de se vanter ? Cela dit, c'était vrai.

Au départ, il avait refusé d'adopter l'une des armes favorites des feys. « Même si elle te rend

plus dangereux que toutes les autres combinées ? »
avait répliqué Orion.

— « Les mondes » ? Duquel viens-tu ?

— D'un monde qui est très, très loin d'ici.

Il se demandait ce qu'elle penserait s'il lui révélait
que son foyer initial se trouvait dans un royaume
mouvant. Qu'il vivait dans un château magique
rempli de primordiaux et de monstres.

— Qui t'a appris à tirer ?

— J'ai appris seul.

Déterminé à se montrer digne de l'attention dont
l'honorait Orion, il s'était entraîné sans relâche
jusqu'à ce que la corde de son arc soit tachée du
sang noir de ses doigts.

— Si tes « performances » sont prévisibles, au
moins tu es doué un arc à la main.

Elle mordillait la petite fente dans sa lèvre inférieure, et Rune sentit son sexe s'impatienter dans
son pantalon.

Elle méritait qu'on l'embrasse jusqu'à lui faire
tourner la tête. Et dire qu'il ne pouvait même pas
être le mâle qui le ferait ! Il serra les poings.

— Tu peux bien critiquer mes « performances »
autant que tu veux, n'empêche que ça t'a excitée.
Je sens ta moiteur.

— Tu as bandé ; j'ai mouillé. Ça ne veut pas dire
que c'était pour toi.

Elle était brusque, limite agressive. *Je la veux.*

— On va le faire ou pas ? La cour nous attend,
et j'ai un emploi du temps chargé.

Il n'avait pas de temps à perdre avec cette histoire ! Si ça se trouvait, sa cible arpentait déjà les
rues de la ville.

— Ou bien, on peut se retrouver plus tard.

— Non, merci, répliqua-t-elle. J'aime les mecs passionnés. Or, quand tu as fini ta petite affaire, tout à l'heure, je ne savais pas dire si tu avais pris ton pied ou éternué discrètement.

Il fronça les sourcils.

— Je dois me contenir. Je suis mi-démon, mi-fey, sombre fey jusqu'au bout des griffes. (Il repoussa ses cheveux pour lui montrer une oreille pointue.) Et si je perds le contrôle, je risque de blesser mes partenaires.

Même si c'était vrai, il n'y avait pas grand risque qu'il perde le contrôle. *Je n'ai rien à brider. Pas de feu à contenir.*

Dans tous les cas, il avait appris à se restreindre aussi pour d'autres raisons. Il avait compris très jeune que le pouvoir changeait de mains, quand on s'abandonnait totalement à un partenaire sexuel.

Or le pouvoir, pendant l'acte sexuel, c'était tout.

— C'est vrai que tu ne peux pas embrasser ? s'enquit la voyeuse. Je les ai entendues dire que tu étais empoisonné.

Il haussa les épaules, comme si ces restrictions étaient insignifiantes.

— Pour tout le monde, à l'exception de ceux de ma race.

Sa première victime était tombée sous l'effet d'un baiser fatal.

Au souvenir de son passé, il serra les crocs et prit la main de cette femelle pour la poser rudement sur son membre.

— Tu crois que ça te manquerait tant que ça ? Je compense largement ce petit inconvénient par ma taille.

Elle effectua une légère pression sur son entre-jambe, puis retira la main – comme si elle avait juste daigné reconnaître la présence de son sexe, et encore, uniquement parce qu'il avait été assez maladroit pour le lui faire toucher. Le mépris qu'elle lui témoignait rivalisait largement avec celui, légendaire, de l'ancienne reine des feys.

— Certains hommes des cavernes se promènent avec une grosse massue. Ça ne signifie pas que j'aie envie d'en prendre un coup.

Oh, nom des dieux !

— J'ai d'autres tours dans mon sac.

Il était doué de ses mains. Une fois ses griffes empoisonnées rétractées, il saurait comment user de ses doigts pour la faire ronronner.

— Retrouve-moi dans la cour à minuit, et je vais te faire voir les étoiles.

Et il y alla d'un de ses sourires, attendant la réaction qu'ils lui valaient toujours.

La garce porta une main devant sa bouche et bâilla.

Rune perdit le sourire.

— Peut-être, concéda-t-elle enfin. Si tu acceptes de discuter avec moi devant un café.

En guise de préliminaires ? De quoi pourrait-il bien discuter avec une femme qu'il prévoyait de baiser ? Il avait beau se creuser la cervelle, il ne voyait pas.

— Je ne suis pas une grande buveuse de café pour ma part, ajouta-t-elle. Mais bon, c'est ce que font les gens, non ?

Son désir de parler devait être une manigance quelconque. Sans quoi, cela signifierait que cette femelle attendait quelque chose de lui... qui n'ait pas de lien avec le sexe ? Non, non, ça n'avait aucun sens.

— Et on parlerait de quoi ?

Il posa une paume contre le mur au-dessus de la tête de sa voyeuse.

— Tu me raconterais tes vérités et moi je te raconterais mes mensonges, c'est ça ?

Une ombre passa sur son visage.

— Toutes mes vérités sont des mensonges, répliqua-t-elle sombrement.

Elle avait éveillé sa curiosité. Quelle femelle fascinante, nom des dieux ! Il tendit une main pour lui repousser les cheveux derrière l'épaule. Le haut de sa petite oreille était adorablement arrondi. Deux fins anneaux en ornaient la courbe parfaite.

Rune ravala un grognement. Pour un mâle tel que lui, il n'y avait rien de plus sexy. Il avait envie de lui embrasser les oreilles, de les caresser, les mordiller.

— Regardez-moi ces piercings. Tu en as d'autres, cachés ailleurs sur le corps ?

— Oui.

Un seul mot. Succinct. Sans explication additionnelle.

Juste assez pour enflammer son imagination. Ses griffes sortirent et s'enfoncèrent dans le mur de briques.

— Si je te rejoins, je te convaincrai de faire plus que parler.

Elle lâcha un soupir, comme pour indiquer qu'elle avait atteint les limites de sa patience. Ce qui, encore une fois, n'avait pas du tout de sens. Il suscitait diverses réactions chez les femelles : désir, possessivité, obsession. Mais jamais d'exaspération.

— Tu dois pourtant être rassasié, après quatre nanas.

— Ces nymphes n'étaient qu'un échauffement. Ce n'est pas pour rien qu'on m'appelle Rune l'Insatiable. Je ne suis jamais rassasié, répondit-il en toute honnêteté, comme s'il s'agissait là d'une qualité.

Il en plaisantait avec ses compatriotes, mais en réalité, son existence devenait parfois épuisante. Toujours à la recherche de sa prochaine conquête, d'un nouveau secret...

Après cette Accession, il avait même envisagé d'hiberner.

Avant de se rappeler qu'il lui faudrait au moins cinq cents ans pour savourer ses victoires.

— Peut-être seras-tu celle qui me rassasiera enfin, chuchota-t-il d'une voix râpeuse, penché contre son oreille.

Si ça n'était pas arrivé en plusieurs millénaires, il ne s'attendait pas à ce que ça se produise maintenant, mais les grues qu'il croisait avaient tendance à avaler ce mensonge. Alors il leur en faisait miroiter la possibilité, car les femelles du Mythos aimaient les défis.

Celle-ci pressa deux paumes chaudes contre son torse, y enfonçant ses ongles noirs.

— Tu veux que je te dise une vérité ? lança-t-elle, soutenant son regard.

Ses yeux étaient envoûtants, avec ces iris noisette pailletés de bleu et d'ambre scintillants.

Enfin, ils avançaient !

— Avec plaisir.

— Peut-être que je m'en contrefiche, que tu sois rassasié ou pas, lâcha-t-elle dans un souffle.

Cette voix si sexy. Et ces paroles de garce.

— De quelle race es-tu ?

— Tu ne le sais vraiment pas ?

Il secoua la tête, mais déjà elle regardait par-dessus son épaule. En une fraction de seconde, il avait perdu son attention.

— Bon, je me taille, lança-t-elle en lui tapotant le torse, avant de se faufiler sous son bras. À plus, Rune.

— Attends ! Je n'ai pas saisi ton nom.

Elle continua de s'éloigner, à reculons pour lui envoyer un sourire éblouissant.

— Parce que je ne te l'ai pas donné, mec. Seuls les gentils garçons sont récompensés.

Sur quoi elle pivota pour s'éloigner d'un pas nonchalant.

Rune entrouvrit la bouche, sidéré, en la regardant descendre la rue d'un air content d'elle. Toutes les têtes se retournaient sur son passage, les mâles mortels étaient babas d'admiration. Rune sentit ses muscles se tendre comme pour le pousser à se lancer à sa poursuite, mais il étouffa cette impulsion.

Il était passé maître dans l'art de maîtriser ses impulsions. Au cours des premiers siècles infernaux de sa vie, son corps et son esprit avaient été dirigés par une autre.

Plus maintenant.

Mais le mal était fait. Il était devenu si détaché, en subissant les abus qu'on lui infligeait alors, qu'il avait l'impression d'être déchiré en deux êtres différents. *Et l'un des deux est mort.*

Il avait si longtemps étouffé le feu qui brûlait en lui, qu'il l'avait éteint. Et pourtant son cœur tonnait à ses oreilles, alors qu'il regardait sa voyeuse se fondre dans la foule.

6

Sentant toujours le regard de Rune rivé à son dos, Jo s'obligea à conserver sa démarche nonchalante jusqu'au bout de la rue.

Elle venait de rencontrer un autre monstre ! Elle lui avait parlé !

Pourtant, même lui n'avait pas été en mesure de déterminer ce qu'elle était. Alors elle avait mis un terme à sa rencontre avec le « sombre fey », tombeur de ces dames, obstiné et obsédé sexuel de surcroît. Si elle l'avait laissé faire, il l'aurait collée au mur comme les précédentes, faisant d'elle sa cinquième conquête de la soirée – estimation basse.

À présent qu'elle savait quoi chercher, elle trouverait aisément d'autres créatures paranormales, des mieux informées.

Malgré l'arrogance de ce type, elle brûlait cependant de jeter un coup d'œil en arrière. Tous les monstres mâles étaient-ils aussi vaniteux ? Aussi séducteurs ?

Plus elle lui parlait, et plus elle l'avait trouvé séduisant. Elle avait eu envie, au fur et à mesure de leur joute, de voir s'accélérer le rythme de ce pouls si régulier qu'elle fixait dans son cou. Et elle avait aperçu la trace de tatouages qui dépassaient de son col, ainsi que les anneaux d'argent, apparemment anciens, qu'il portait à la plupart des doigts. Et quand il avait soulevé ses cheveux, pour lui montrer son oreille un peu en pointe (carrément cool), elle avait vu que les côtés de son crâne étaient en partie rasés (tout aussi cool).

Et puis, waouh, ce type portait bien le cuir. Ses jambes minces mais puissantes remplissaient le pantalon juste ce qu'il fallait, tout comme son énorme sexe. Il avait osé lui prendre la main pour la poser dessus ! La tentation de continuer à le caresser avait bien failli l'emporter.

Même si elle ne l'avait pas vu en pleine action, elle aurait pu le ranger dans la case « mauvais garçon et tombeur bien membré ».

Et son sourire ! Si sexy qu'elle avait dû masquer son halètement en feignant de bâiller.

Cela dit, il n'y avait pas que l'apparence de cet homme pour l'attirer. Sous la senteur de sexe et de « nymphes », son odeur personnelle était irrésistible. Mélange de cuir et de conifères...

Une bouffée de ce parfum et elle avait été submergée par l'envie de l'embrasser, malgré la menace de son poison. Elle aurait pu tendre la main et se saisir de sa coiffure si cool, l'obliger à baisser la tête pour l'embrasser jusqu'à ce qu'elle lui perce la langue de ses crocs.

Waouh ! Boire du sang à travers un baiser ? Sacrée nouveauté. Ce fantasme ne l'avait jamais effleurée. Ses crocs étaient toujours restés en dormance pendant ses rencards.

Pourtant, nom d'un chien, l'image était salement torride. De quoi mouiller sur-le-champ.

Il fallait qu'elle se reprenne. Car de la même façon que ses émotions pouvaient la « réincarner », elles pouvaient la « fantomiser » aussi. Or Rune était peut-être encore en train de la mater.

Ce tombeur avait cherché à connaître son nom. Il avait voulu la baiser, la soumettre comme ses nymphes. Il avait désiré une connexion avec elle, si brève soit-elle.

Elle aussi en avait eu très envie.

Alors elle lui avait subtilisé le contenu de ses poches : un objet rectangulaire. Une fois qu'elle eut tourné au coin de la rue, elle ouvrit sa paume pour observer sa prise. Qui ressemblait à une sorte d'os gravé.

Bizarre. Ça devait avoir de la valeur pour lui. Pas autant que l'arc « inestimable » qu'elle avait vu, mais ça ferait sans doute l'affaire.

Se rendrait-il bientôt compte que sa poche était vide ? Elle sourit en imaginant combien il serait furieux de s'être fait rouler par une « colombe ».

Mais son sourire disparut bien vite. En plus de son nom et de son corps, il avait voulu connaître sa vérité.

Je pourrais contacter mon petit frère à tout moment, débarquer dans sa vie plus que parfaite, et il m'accueillerait à bras ouverts. Mon garçon est en sécurité. Pour l'instant, je vais bien. Je ne me meurs pas lentement de solitude. Je ne crains pas de flotter, loin, loin, et de disparaître. Je me fiche que personne ne se rende seulement compte de mon absence.

Toutes ses vérités étaient bel et bien des mensonges.

Elle porta la main à son collier. *Tu ne pourras jamais aller le récupérer.*

Jamais. Jamais. Jamais.

Dans ce cas, pourquoi continuait-elle à se chercher des prétextes justement pour y retourner ?

Elle avait des fourmis dans les jambes, ne se sentait pas prête à rentrer « à la maison », à savoir sa chambre miteuse au motel du *Lion d'Or* (plus connu des habitués sous le nom du *Lit-où-on-dort-pas*).

Bon, il lui fallait un peu de sa drogue préférée. Juste un tout petit peu. Elle balaya la rue du regard. Des fournisseurs. Où étaient les fournisseurs ?

Là ! Un couple d'âge moyen qui se promenait main dans la main.

Parfait. Elle se glissa dans l'enveloppe corporelle de la femme, se détendant pour bien se couler en elle. Sans effort. Comme si elle flottait dans l'eau.

Jo s'imagina sentir le contact de la main rugueuse de l'homme, la chaleur qui émanait de son corps. Elle fit semblant d'être celle qu'il chérissait.

Tous deux cheminaient en silence, mais les vibrations qui passaient entre eux ne révélaient aucune gêne, aucune tension, rien que… de la sérénité.

Jo soupira mentalement. Les gens ne se rendaient pas compte du bonheur que c'était, de tenir la main d'un être cher.

Au bord du fleuve, le couple s'assit sur un banc. Au-dessus d'eux scintillaient les étoiles, et une demi-lune se reflétait sur les eaux. La brise légère charriait des notes de jazz.

L'homme retira sa main. *Non…*

Pour mieux enlacer la femme. Il l'attira tout contre lui. *Le bonheur parfait.* Ils échangèrent des mots doux dans une langue étrangère, mais Jo n'avait pas besoin de les comprendre. La femme lui posa la tête sur l'épaule, comme elle l'avait sans doute déjà fait un millier de fois. Ils s'installèrent confortablement et levèrent les yeux vers les étoiles.

Le passé de Jo était un mystère, et parfois elle avait la sensation que les étoiles en détenaient les réponses. Elle adorait les observer. Enfin, jamais plus d'une dizaine de minutes. Car alors sa solitude revenait la hanter et reprenait le dessus. Observer les étoiles en solo, c'était le passe-temps le plus déprimant qui soit.

Ce soir, elle avait de la compagnie. Ce couple.

Pendant longtemps, des heures peut-être, ils restèrent ainsi, perdus dans leur petit monde à eux, tandis que la brume montait du Mississippi.

Personne n'avait jamais chéri Jo. Ni parents ni petit ami. Toujours seule, elle avait découvert combien il lui manquait, ce lien inaltérable entre deux personnes.

L'amour et un avenir à envisager sereinement.

Elle était une tueuse, avait du sang sur les mains, pourtant elle rêvait de donner son cœur. Comme ces deux-là. Ils étaient partenaires, deux moitiés d'un grand tout. Jo rêvait de sa moitié à elle, avec le désespoir de celle qui avait toujours su qu'il lui manquait quelque chose.

Elle absorba les sentiments qui couraient entre ces deux êtres, telle une éponge. Peut-être était-elle une droguée de l'amour.

Mais faire semblant, ça ne valait pas la réalité.

Le souvenir de la chaleur du corps de Rune la troublait. Et quand elle imagina partager avec lui un baiser de sang, elle craignit de se solidifier à l'intérieur de la femme et de la tuer. Aussi quitta-t-elle son corps à la hâte.

Elle vit la femme frissonner, et son homme la serrer un peu plus fort.

Jo soupira. Si elle avait quelqu'un à elle, pour de vrai, il la tiendrait comme ça dans ses bras. Il posséderait son cœur et l'ancrerait à lui.

Jamais il ne la laisserait flotter trop loin.

7

L'attente.

Alors qu'il arpentait la rue la plus décadente de La Nouvelle-Orléans à la recherche de Nïx, Rune sentait l'impatience gronder en lui, qui semblait s'épaissir telle une nappe de brouillard.

Pourquoi ? C'était une mission de routine, une parmi des milliers.

Pendant des heures il avait cherché, questionné les créatures des bas-fonds, fait baisser les yeux aux alphas des autres espèces.

Peut-être avait-il envie de se battre. Il n'avait pas été élevé en guerrier des lignes de front, mais il avait fini par apprécier une bonne bataille aux côtés de ses compatriotes Møriør.

Ensemble, ils guerroyaient en symbiose, se complétaient parfaitement. Sian chargeait dans la mêlée pour massacrer les troupes à l'aide de sa puissante hache. Armé de sa longue épée, Blace n'avait pas son pareil pour décapiter des vagues entières de guerriers.

Quant à la flèche ravageuse de Rune, elle provoquait une onde de choc si violente qu'elle désintégrait tous les os à la ronde.

Et si certains ennemis songeaient à fuir, Darach pourchassait leur armée sans relâche afin de les mettre en pièces.

Allixta créait des boucliers magiques qui neutralisaient les pouvoirs de ses adversaires. Sans doute ce talent serait-il bien utile, si le Møriør devait un jour affronter quelque belligérant vraiment dangereux, mais pour l'heure, cette grue ne faisait rien d'autre que se pavaner avec son chapeau.

Orion, enfin, amplifiait leur puissance respective et les renseignait sur les points faibles de leurs ennemis.

Et les Møriør qui dormaient encore ? Eh bien, le plus faible d'entre eux suffirait à raser une ville.

Quand Orion et le Møriør offraient à leurs opposants la chance de se rendre, ils la saisissaient. Ou ils mouraient...

Bref, l'impatience que ressentait Rune pouvait très bien n'avoir rien à voir avec sa voyeuse. Elle n'avait éveillé son intérêt que par sa rareté. Non, sa singularité.

La seule femme qu'il avait échoué à séduire.

Ce qui en disait long, vu que ses missions avaient toujours impliqué des actes sexuels. Il avait débuté jeune, dans le royaume fey de Sylvan, car sa reine avait découvert comment user de lui, le bâtard halfelin de son époux.

La reine Magh la Rusée avait obligé Rune à devenir un assassin.

Ses yeux bleus scintillant de méchanceté, elle avait expliqué : « Nombreuses sont mes ennemies qui seraient tentées par une créature aussi sensuelle que toi. Mes assassins habituels échouent à franchir leurs sentinelles, mais toi, tu réussirais par la séduction à te faufiler en un lieu qu'aucun garde ne surveille : la chambre. Même privé de tes armes, tu apporterais la mort par ton sang. Et il te serait encore plus aisé de t'échapper. Avec un peu d'aide, tu pourrais passer pour un véritable fey. Qui te soupçonnerait d'être capable de te téléporter comme un démon ? »

Sans rien révéler de ses capacités en termes de magie ni sa connaissance des runes, il avait appris les us et coutumes des feys. Tout en jouant sur ses aspects démoniaques, en apprenant à se téléporter par exemple. Le mélange des deux l'avait rendu imbattable.

Il avait connu un tel succès en tant que tueur à gages, que Magh avait étendu son champ d'action en faisant de lui le maître des secrets de Sylvan, espion et interrogateur, tout en continuant à user de ses services de tueur, bien entendu.

Dans ses trois rôles, il avait utilisé le sexe comme une arme, exploitant sans états d'âme les faiblesses ou perversions de ses cibles. On lui opposait peu de résistance.

Il étrécit les yeux pour observer la rue, en quête de sa voyeuse. Peut-être que les femelles du Mythos n'étaient pas les seules à aimer relever les défis.

Minuit approchait. S'il décidait de se montrer dans la cour, serait-elle seulement là ? Peut-être espérait-elle toujours l'y retrouver. Il serra les lèvres. Pour prendre un café.

Non. Il refusait de lui courir après comme un gamin docile. Fascination n'était pas synonyme de captivité.

Rappelle-toi d'où tu viens. Tu as parcouru un tel chemin, depuis tes humbles débuts.

Avec l'aide d'Orion, il avait réussi à changer le cours de sa vie. Le Destructeur n'était pas son ami, ni une figure paternelle, comme certains le supposaient. Non, Orion était... une idée. Un sentiment.

Il représentait le triomphe, chose que Rune n'avait jamais connue avant d'avoir juré allégeance à son seigneur.

Bientôt, Rune serait le bras armé qui démolirait Sylvan. Comment ce royaume survivrait-il, une fois qu'il aurait assassiné son roi en titre, ainsi que toute sa lignée ?

Voulant se concentrer sur l'instant présent, il enfonça la main dans sa poche, à la recherche de sa possession la plus chérie, son talisman, dernier cadeau de sa mère. Elle était démone runique, membre d'une race capable de tirer des pouvoirs magiques de ces symboles. Le talisman lui avait été remis accompagné d'un mot qui avait soulevé plus de questions qu'il n'avait fourni de réponses. Les runes elles-mêmes le mettaient face à un mystère insondable qu'il se plaisait pourtant à tenter de déchiffrer.

Sauf qu'en fouillant sa poche... Rien.

Rien ? Il se figea. Jamais il ne l'aurait oublié quelque part. Pas une fois en plusieurs millénaires il ne l'avait perdu. Et les nymphes n'auraient jamais osé le lui voler.

Alors il comprit. Une seule personne s'était assez approchée de lui.

— La belle petite garce, marmonna-t-il à mi-voix.

La voyeuse lui avait fait les poches ! Alors là, elle était sacrément douée. L'érection de Rune était telle, pendant leur face-à-face, que son pantalon en tissu écossais était tendu à craquer sur son bassin ; et malgré ça, il n'avait pas senti la petite main qui plongeait juste à côté de son sexe.

Quelle surprise.

Quelle vilaine fille.

Il se mit en route vers la cour. Les vilaines filles, il fallait les punir.

Si elle lui avait dérobé autre chose que son bien le plus cher, il aurait pu en sourire.

De retour à sa chambre de motel miteuse, Jo déposa le truc de Rune avec ses autres souvenirs, alignés sur une table de pique-nique qu'elle avait téléportée depuis un parc.

Elle avait volé la plupart de ces objets aux gens dont elle avait investi l'enveloppe corporelle. Bien qu'elle ne puisse pas ressentir à travers eux, pour le reste elle parvenait à « être » eux.

Elle avait habité une violoncelliste pendant l'un de ses concerts et reçu une standing ovation. Elle avait servi le café au *Café du Monde* (plus tard, elle avait puni les clients qui s'étaient permis de lui – ou de leur, à son enveloppe et à elle – peloter les fesses). Elle s'était incrustée dans une fête d'enterrement de vie de jeune fille et avait rigolé avec les autres invitées, faisant semblant qu'elles étaient de vieilles copines de colo.

À un magnifique mariage à la mode du Sud, elle avait été mariée pour une journée. Elle avait dansé dans une salle de bal éclairée aux chandelles et jeté sa jarretière sous l'œil adorateur de son jeune marié. Plus tard, l'époux éperdu avait fait l'amour à sa femme au son des violons dans la nuit. Il l'avait regardée dans les yeux, si intensément que Jo avait réussi à se convaincre qu'il la voyait, elle.

Preuve donc qu'elle existait.

La voix de ce jeune marié s'était brisée tandis qu'il lui récitait ses vœux. « Je mourrais pour toi.

Je t'aimerai, toi seule, et te chérirai jusqu'à la fin de mes jours. Tu es tout. »

Avec révérence, elle passa les doigts sur les roses séchées, vestiges de son concert féerique. Grâce à elles, il lui était possible de faire semblant d'avoir été admirée. Grâce à la tiare de sa fête entre filles, elle pouvait faire semblant d'avoir des amies. Un billet d'un dollar, pourboire du *Café du Monde*, lui permettait de croire qu'elle avait un jour été juste une fille normale.

Elle redressa les boutons de manchettes de son époux romantique. C'était son souvenir préféré. En frottant les pouces sur leur surface lisse, elle pouvait faire semblant d'avoir été aimée, un jour.

Avec un soupir mélancolique, elle traversa la moquette usée de sa pièce. Elle aurait bien aimé descendre dans un hôtel moins miteux, mais elle n'avait pas de papiers d'identité et n'en aurait jamais.

Parce qu'elle ne savait pas lire les formulaires administratifs.

Elle se tourna vers la commode déglinguée. L'un de ses tiroirs était rempli de souvenirs de Thad – des cahiers de dessins et son SacàThad. Elle ouvrit le tiroir pour en effleurer le nylon du bout des doigts. Parfois, ces trois années passées avec Thad lui apparaissaient comme un rêve, une invention, à l'instar de ses autres expériences.

Elle sortit son cahier le plus récent, rempli de photos de lui exhibant divers trophées, badges de scout ou autres distinctions.

Où qu'elle ait atterri dans le sud-est (elle ne pouvait trop s'éloigner de lui), elle s'était introduite dans la bibliothèque la plus proche pour avoir accès à un ordinateur. En effectuant ses requêtes grâce aux logiciels de reconnaissance vocale, elle avait tout appris de ses résultats sportifs, de ses engagements caritatifs et de ses notes dignes du tableau d'honneur.

Elle savait quand son équipe de football jouait un match décisif et quand sa... « maman » remportait un concours de la meilleure tarte aux noix de pécan.

Jo scrutait ses comptes sur les réseaux sociaux avec une telle attention qu'elle devinait quand il était nerveux avant un match important, ou même quand il tombait amoureux. À travers ses photos de classe en ligne, elle l'avait vu grandir année après année, pour devenir un beau jeune homme de dix-sept ans, doté d'un sourire naturel qui disait : « Tout va pour le mieux dans le meilleur des mondes. »

Il était grand, fort, à mille lieues du minuscule garçonnet qu'elle transportait partout.

Le choix qu'elle avait consenti quatorze ans plus tôt avait été déchirant, mais manifestement, il s'était avéré le bon. Avec chaque jour où elle restait éloignée de lui, la vie de Thad semblait devenir meilleure.

Pourtant, pour épargner des chagrins à son petit frère, elle avait souffert, regrettant en permanence de ne pouvoir se précipiter vers lui. Elle ne dormait guère plus de quatre heures par nuit, il lui restait donc vingt heures à tuer tous les jours.

Au moins, à La Nouvelle-Orléans, elle pouvait espérer rencontrer d'autres monstres comme elle.

On frappa à sa porte.

Elle lâcha un soupir irrité. Peu de gens osaient la déranger.

Quand elle avait emménagé dans ce motel, elle était l'une de leurs seules clientes. Après un mois de chasse – à broyer des testicules, faire « disparaître » des violeurs et décourager les maquereaux – les chambres s'étaient remplies de femmes, des prostituées pour la plupart, beaucoup avec enfants.

On frappa de nouveau. Jo se téléporta jusqu'à la porte, ôta la chaînette – elle avait pris l'habitude de passer à travers pour entrer ou sortir – et ouvrit.

Ce faux jeton de propriétaire du motel. Il passait son temps à reluquer les clientes, qu'il soumettait à une sorte d'évaluation machinale. *Tu touches à un seul de leurs cheveux et tu es mort.*

Son expression affichait un mélange de peur et de désir animal, et son attention était clairement fixée sur le corps de Jo.

Tant qu'elle consommait du sang, elle restait bien en chair. Sitôt qu'elle arrêtait, elle redevenait d'une maigreur maladive.

— Qu'est-ce que vous voulez ? lança-t-elle.

Même ce type ne la voyait pas ; en tout cas, il ne la regardait pas dans les yeux.

— Je voulais vous proposer de euh… de prendre une tasse de café avec moi, ça vous dirait ? demanda-t-il à ses nichons.

Un café. Décidément, c'était le thème de la soirée. Elle pouvait bien en boire, s'il le fallait, mais elle détestait le goût et ça lui donnait envie de faire pipi. Or elle aimait bien ne jamais avoir à aller aux toilettes.

Le vampirisme, ça avait ses avantages. Jamais en panne de papier toilette, pas de grippe, pas de règles.

Comme elle ne répondait pas, il finit par croiser son regard. Elle se pencha tout près, de façon à se retrouver nez à nez avec lui. Les ombres qu'elle avait autour des yeux effrayaient invariablement les gens ; le propriétaire ne faisait pas exception.

— J'essaie de trouver des raisons pour ne pas vous tuer, fit-elle. J'ai du mal.

Il déglutit avec peine.

— Ah.

Celui-là, exceptionnellement, aurait gagné à porter du Axe. Jo plissa le nez, et son esprit s'échappa vers le souvenir de la peau de Rune. Tellement tentante. Pourtant, même si elle en avait envie, elle ne pourrait pas boire le sang empoisonné du sombre fey.

Face à elle, l'homme se racla la gorge.

— Par hasard, euh... vous n'auriez pas l'argent que vous me devez ?

Jo avait des tonnes d'argent liquide, entassé dans un coin à côté de ses bandes dessinées, et elle pouvait en récolter autant qu'elle voulait.

— Et sinon, ajouta le propriétaire, on pourrait peut-être... trouver un moyen.

Rien que pour cette insinuation, il n'obtiendrait pas un sou. *T'as de la chance de rester en vie, petit bonhomme.*

Alors elle lui donna sa réponse standard.

— Reste dans les parages et je vais t'écorcher vif, histoire de finir mon couvre-lit en peau de mec.

Et elle lui claqua la porte au nez.

Un de ces jours, il allait falloir qu'elle l'entame, ce couvre-lit, sinon elle ne serait plus qu'une menteuse sans intérêt...

Elle flotta jusqu'au mini-frigo pour en tirer un sachet de sang. Il sentait le froid et le plastique. Si Rune était toxique, alors comment sa peau pouvait-elle sentir aussi bon ? Rien que d'y repenser, ses crocs s'acéraient. *Aïe.*

Elle avait senti de la puissance émaner de lui, à portée de bouche. Ce point qui pulsait dans son cou l'avait attirée comme bien peu de choses dans toute sa vie.

Ce n'était pas parce qu'il était vénéneux pour les autres qu'il le serait forcément pour elle.

Depuis quand les règles générales s'appliquaient-elles à Jo ?

Elle reposa les yeux sur son machin en os. Pourquoi gardait-il ce truc ? Il se passerait des années avant qu'elle ne soit à court de scénarios pour en imaginer l'usage.

À moins qu'elle n'aille à leur rendez-vous et l'interroge tout simplement.

8

— Tu es douée, femelle, je dois t'accorder ça, lança Rune en entrant dans la cour.

Sa voyeuse était assise sur la margelle de la fontaine et effleurait de ses doigts délicats la surface de l'eau. Ses ongles noirs scintillaient.

— Précise ta pensée. Je suis douée pour des tas de trucs.

À sa seule vue, Rune sentit son sang se mettre à lui courir dans les veines, pour se ruer vers son entrejambe. Dès qu'il l'avait sentie, à quelques rues de là, il avait dû s'obliger à ralentir le pas.

— Où tu as appris à voler comme ça ?

Elle haussa un sourcil.

— Sur le tas.

— À aucun moment je ne t'ai sentie approcher de ma... poche. Tu es voleuse de métier ?

— Disons plutôt que je suis entre deux boulots, là.

Et elle retroussa les lèvres, comme si elle souriait d'une blague destinée à elle seule.

— Tu es venu, alors. Ça signifie que tu vas prendre un café avec moi ?

— Rends-moi ce qui m'appartient, ordonna-t-il en s'approchant d'elle. Et je me contenterai peut-être de te donner la fessée.

— Je prends ça comme un non, pour le kawa, donc.

Elle redressa les épaules, fièrement, comme pour se préparer au combat.

Très étrange. Hormis Allixta, aucune femelle ne s'opposait à lui. Elles étaient trop occupées à essayer de le séduire.

— À quoi peut bien te servir une babiole aussi inutile ?

La voyeuse plongea une main dans la poche de sa jupe, dont elle tira le talisman.

— Je le veux juste parce que tu sembles y tenir beaucoup.

Rune fixa les yeux sur son porte-bonheur.

— Il n'a aucune valeur. (*Il est tout pour moi.*) Je le veux uniquement parce qu'il m'appartient.

— Oui, mais tu vois... C'est à moi qu'il appartient, maintenant. Vu que je te l'ai volé. Ça sert à quoi, d'ailleurs ?

— Ça ne sert à rien. Comme je viens de te le dire, ça n'a aucune valeur.

C'est juste l'objet auquel je tiens le plus aux mondes. Cette garce a un culot !

— Et ces symboles, ils veulent dire quoi ?

— Ça ne te regarde pas.

Il n'en savait rien lui-même !

Capturée et réduite en esclavage alors qu'elle était encore enfant, sa mère se rappelait seulement un nombre limité de runes qu'elle avait apprises à son fils. Ce talisman était sa seule possession, et pourtant même elle ne savait le déchiffrer.

À moins qu'Orion ne l'aide à en lire les inscriptions, Rune ne saurait jamais... Car la race démoniaque de sa mère s'était éteinte, et leur royaume était perdu.

Tout ce qu'Orion lui avait appris, c'était que la réponse se trouvait sur Gaia.

La voyeuse rempocha le talisman.

— J'envisagerai peut-être de te le rendre si tu réponds à quelques questions.

Rune sentait sa colère monter.

— Ce n'est pas toi qui dictes les règles.

— Si, c'est moi, à moins que tu renonces à récupérer ta « babiole ».

Et elle ponctua ses paroles d'un clin d'œil sardonique. Sa défiance était si peu habituelle que Rune sentit son sexe s'éveiller.

— Tu es une petite effrontée, pas vrai ?

— Effrontée, c'est quand on n'a pas les moyens de ce qu'on avance.

Certes, elle ne pouvait deviner qu'il faisait partie du Møriør, mais tout de même, elle aurait pu le craindre en tant que mâle bien plus costaud qu'elle. Il la dépassait d'une bonne tête et faisait au moins soixante-dix kilos de plus qu'elle.

— Tu creuses ta propre tombe. À moins que...

Il baissa les yeux vers ses lèvres.

— Peut-être ta bouche saura-t-elle me convaincre de ne pas te fouetter jusqu'à mettre ce joli petit cul à vif.

Elle éclata de rire.

Rune se pencha vers l'avant, possédé par le besoin irrépressible de la faire taire... en plaquant sa bouche sur la sienne. *Force-la au silence par un baiser.*

Sauf qu'elle ne resterait pas longtemps silencieuse, si elle hurlait de douleur. La frustration s'ajoutait à la colère.

— Je suppose que tu as aussi le choix de battre en retraite, fit-elle d'une voix traînante. Tu fais demi-tour et tu t'en vas. Et peut-être que la vue de ton joli cul me convaincra de ne pas le botter.

Il s'approcha encore.

— Tu es donc folle ?

À partir d'un certain âge, les immortels sombraient parfois dans la démence.

— Bien sûr, répondit-elle sur un ton amusé. Pourquoi pas ?

— Tu vas me rendre ce qui m'appartient, ordonna-t-il, dévoilant ses crocs. Sinon, je vais te faire souffrir.

— Souffrir ? Oh, cool !

Et elle s'étira le cou de gauche à droite, prête à en découdre.

— J'aime ça, une bonne bagarre.

— Pareille arrogance face à un mâle...

Elle lui balança un poing en direction du visage. Qu'il immobilisa sans effort. Sauf qu'il ne s'attendait pas à un autre coup sur-le-champ. Elle l'atteignit en plein estomac, avec une force étonnante.

Alors qu'il serrait son petit poing dans sa paume, elle l'attrapa par le bras de sa main libre. Ses ongles noirs s'étaient allongés et acérés pour devenir des griffes. C'était quoi, une démone ? Une succube ?

Elle lui enfonça les griffes dans le bras. Pour une femelle, elle était costaude. Enfin, rien dont il ne puisse se débarrasser.

— Méfie-toi, fillette. Si tu déchires ma peau, tu vas faire couler mon sang souillé.

Le sangfléau. Les vieilles colères remontaient à la surface. Il la plaqua au mur, si fort qu'il lui coupa le souffle.

Il en profita pour récupérer le talisman dans sa poche, dans un geste si preste que sa main devint floue.

Une expression choquée se dessina sur le visage de la voyeuse.

— Tu es rapide aussi !

— Aussi rapide que les feys. Tu n'es pas de taille à m'affronter.

Elle rua sous son emprise.

— Ah non ?

Sa tête plongea vers l'avant, et leurs fronts entrèrent en contact.

— Par les enfers !

Un coup pareil aurait dû briser son petit crâne telle une coquille d'œuf. Et Rune sentit du sang – une blessure ! – lui couler sur le front. Cela remontait à quand, la dernière fois où quelqu'un avait réussi à lui porter un véritable coup ?

— Tu as libéré mon poison, fillette. Fini de rire.

Elle riva les yeux à son sang.

— Regarde-le couler.

La poitrine pressée contre son torse, elle se mit à haleter. Rune sentit aussi ses tétons durcir contre son torse.

D'un revers de manche, il essuya le sang sur son visage. Il n'était pas toxique au toucher et ne lui causerait donc aucun mal à moins qu'il ne pénètre son système, mais mieux valait éviter tous les risques.

— Les règles ne s'appliquent pas…, marmonna-t-elle.

— Quelles règles ? demanda-t-il machinalement.

La couleur de ses iris avait viré du noisette à l'onyx – aussi noir que la nuit.

— Nom des dieux, dis-moi ce que tu es.

Il scruta son visage délicat, et de nouveau ce besoin inhabituel de l'embrasser le submergea.

— Je suis… assoiffée, répliqua-t-elle en s'agrippant à lui.

Une douleur dans son cou. Des crocs ? Une vampire !

— Putain, qu'est-ce que tu fabriques ? s'écria-t-il en la saisissant par les cheveux pour l'écarter. Tu veux mourir ?

Elle suçait sa morsure.

Une vague de plaisir brûlant le traversa tel un arc électrique, lui tirant un hurlement.

— AHHHHHH !

Son sexe durcit sur-le-champ, frémissant, prêt à gicler.

— Par les dieux ! Tu es en train de boire ta mort.

Une vampire se nourrissait à ses veines – ses veines ! – et c'était inimaginable.

— Hum.

Ses lèvres couleur rubis lui embrassaient la peau. Quand la petite langue ressortit en quête de plus de sang, Rune sentit ses yeux se révulser.

Jamais… autant… de plaisir…

Éperdu, il la laissa enfoncer les griffes en lui, la laissa enrouler ses membres autour de lui, faire de lui sa proie. *Le poison devrait déjà l'avoir atteinte.* Pourtant, elle ne faiblissait pas. Au contraire, son corps semblait prendre de plus en plus de forces, ses gémissements de plus en plus de virulence.

Elle balançait les hanches contre son torse, frottant son intimité contre lui. L'odeur de son excitation emplissait les sens de Rune.

On verra ça plus tard. Les poings toujours serrés dans sa chevelure, il lui attira la tête contre son cou.

— Alors suce-moi tout ton soûl, espèce de petite garce.

Ce qu'elle fit. Elle le perça plus profondément, gémissant contre sa chair.

À chaque aspiration, Rune se sentait perdre pied davantage. *Tiens bon.* Ses testicules se crispèrent, sa respiration s'alourdit. *Tiens bon !*

— Tu vas me faire jouir comme ça !

En elle... Il faut que je la pénètre. Elle doit être trempée.

Il ouvrit brutalement sa ceinture à armes. Malgré ses efforts pour regagner un peu de maîtrise de lui-même, il ne parvint qu'à s'attaquer rageusement à sa braguette. *La pénétrer, vite !*

Il hurla quand son sexe engorgé fut enfin libéré. Pantalon sur les cuisses, il cambra le bassin, envoyant sa hampe entre leurs deux corps. Il avait réussi à l'insinuer sous sa culotte en dentelle. Sa queue atteignit le mont doux et glabre au moment où elle prenait une nouvelle aspiration licencieuse.

Elle ne se lasse pas de mon sangfléau.

À cette idée, il frissonna contre elle, vacilla. Il était sur le point de jouir... sans même l'avoir décidé.

9

Le vin noir de Rune lui fusait dans les veines, véhiculant avec lui un feu incroyable à travers chaque millimètre carré de son corps. Une véritable drogue. Qui lui faisait tourner la tête et brûler les chairs ! Elle était ivre de sang. Ivre de désir.

Comment avait-elle pu se passer de mordre aussi longtemps ? Ses tétons percés durcirent encore. Son clitoris palpitait. Son string était trempé.

Le corps de Rune déversait sa chaleur alors qu'il frottait son sexe contre elle. Ses grondements lui résonnaient jusque dans les crocs, qu'elle avait douloureux. Il était sur le point de jouir ! Et elle n'était pas loin derrière. Elle ondulait contre lui, avide de contacts.

Une fois sa jupe remontée à la taille, il lui agrippa les fesses, enfonçant les griffes dans sa peau.

— Putain, putain, PUTAIN !

Jo sentit son membre pulser contre elle.

— Je ne peux plus me retenir !

Elle gémit, lui lacérant le dos pour l'attirer plus près encore.

— Vide-moi ! s'exclama-t-il, et son cœur battait fort, pompant le vin noir pour qu'elle le boive. Bois. Encore.

Jusque-là, elle l'avait goûté avec modération, sans trop savoir comment s'y prendre. À présent, son instinct avait pris le dessus. Elle aspirait à sa veine. Fort.

— Ahhhhh !

Tous les muscles de son corps se tendirent à l'extrême.

— Oui, suce-moi ! J'ai l'impression que ma queue va exploser !

Il grognait, grondait, balançait le bassin.

— Putain oui, putain que c'est bon...

Comme fou, il la pilonnait contre le mur, frénétique, son érection pressée entre leurs corps. Au bord de l'orgasme, elle balançait le bassin pour le rejoindre.

— Je ne peux plus me retenir... je ne peux plus résister !

Entre deux inspirations saccadées, des paroles en une langue inconnue s'échappèrent de sa bouche. Il y était ! Non, trop tôt !

— Ahhhh, grands dieux !

Ses hanches ruaient contre les cuisses de Jo.

— Je... je... je jouis !

Son corps entier tressaillit. Il renversa la tête en arrière pour crier.

Les muscles de sa gorge abreuvaient les crocs de Jo tandis qu'il hurlait à la lune, encore et encore...

Quand il ralentit peu à peu la cadence de ses hanches et lâcha un long grognement satisfait, ses cris résonnaient encore à travers la nuit. À travers la ville.

Toujours en feu, Jo continuait à se frotter discrètement contre lui. Pourvu que cette morsure ne prenne jamais fin. Elle l'avait fait, elle avait bu aux veines d'un autre ! Et sa peau mate était la cerise sur le gâteau de son sang exquis. Le boire s'apparentait à un acte sexuel – excepté que là, c'était bon. Le meilleur coup qu'elle ait jamais imaginé.

Avec cette morsure, elle avait trouvé le lien dont elle avait toujours rêvé.

Il lui relâcha les cheveux, alors elle retira les crocs de sa veine, à contrecœur et avec un ultime coup de langue qui le fit gémir.

Ayant repris son souffle, il posa les deux mains contre le mur. Il n'avait pas besoin de la soutenir, les griffes de Jo étaient enfoncées dans son dos, ses membres enroulés autour de lui. Et une joue posée contre son visage.

Plusieurs secondes s'écoulèrent ainsi. *Qu'est-ce que je dis ? Qu'est-ce que je fais ?* Elle espérait qu'ils en avaient fini de leur dispute. Après tout le sang qu'elle avait reçu, elle consentait sans mal à se séparer du colifichet qu'elle lui avait volé.

À présent, elle avait envie de jouir avec lui, et de le boire encore. Ou les deux en même temps !

Il éloigna la tête pour la dévisager, et chacun de ses traits exprimait sa sidération. Ses iris magenta s'assombrirent, des fissures noires s'étirèrent dans le blanc de ses yeux. Était-ce un trait caractéristique des sombres feys ? Super cool, en tout cas.

— Tu m'as fait jouir si fort que j'ai bien cru que j'allais répandre ma semence, avoua-t-il d'une voix rauque.

Quoi, il n'avait pas éjaculé ? Son sexe pulsait encore contre le ventre de Jo, mais en effet, sa peau était sèche.

Comme en transe, il leva une main pour la lui porter à la bouche. De son pouce bagué, il dessina le contour de sa lèvre inférieure, ramassant les gouttes de sang qu'elle avait laissées échapper. Puis il les lui offrit.

Elle sortit la langue et lui lécha le pouce. Délicieux.

Pourrait-elle jamais se satisfaire d'un autre sang que le sien désormais ?

— Suce, ordonna-t-il.

Quand elle aspira le pouce dans sa bouche, elle vit les paupières de Rune s'alourdir.

— Tellement, tellement beau, commenta-t-il. J'ignore comment c'est possible, femelle. Mais les projets que je fais pour toi... je vais te dévorer vive.

Jusque-là, Jo l'avait trouvé plutôt attirant. À présent qu'elle connaissait son goût, elle posait un tout nouveau regard sur ses traits anguleux. Sans compter qu'il était doté d'une force et d'une rapidité surnaturelles.

Comme moi.

Et qu'il semblait la kiffer grave. Elle devait bien l'admettre, elle aussi le kiffait. Ce qui était compréhensible, vu qu'elle avait encore son engin monstrueux coincé dans la culotte et qu'il posait sur elle un regard fasciné.

Depuis la nuit de noces qu'elle avait passée avec son jeune marié romantique, elle n'était plus intéressée par les liaisons d'un soir. Aujourd'hui, elle se sentait à nouveau transformée.

Cette connexion dont elle venait de faire l'expérience avec Rune, elle ne pourrait plus vivre sans.

— Est-ce que tu m'as fait les poches pour m'attirer ici ? Pour pouvoir te nourrir à mes veines ?

Elle relâcha son pouce.

— Non, je n'avais pas prévu ça. Je voulais juste quelque chose qui t'appartienne.

— Pourquoi ?

— Sans doute pour te connaître mieux.

En fait, instinctivement, elle connaissait déjà certaines choses de lui. Elle délaissa son regard pour poser les yeux sur la marque de sa morsure.

Il lui caressa la cuisse, remontant jusqu'à ses fesses, et Jo frissonna quand il traça le contour de son string.

— Tu as pris mon sang interdit, tu l'as bu, et au lieu de te tordre de douleur, tu es resplendissante. Tu as utilisé un sortilège ?

Elle savait que son sang était empoisonné, mais avait deviné confusément qu'il ne serait pas mortel. Du moins pas pour elle. Comme elle le soupçonnait, les règles ne s'appliquaient pas à elle.

— Je ne connais aucun sortilège. Si j'ai survécu, c'est sans doute parce que je suis super fortiche.

— Ça, tu l'es.

Il pencha la tête et une boucle noire tomba sur son front.

Jo fut prise d'une soudaine envie de l'empoigner par les cheveux et de l'embrasser jusqu'à ce que leurs lèvres en soient tuméfiées.

— Personne ne t'a jamais mordu ?

Une vampire. Il en existait d'autres. *Je suis l'une d'eux.*

Comment était-elle devenue vampire ? Tous les fantômes se transformaient-ils en vampires ? Elle entrouvrit les lèvres pour lui poser ses questions, mais il la devança :

— Je n'arrive toujours pas à croire ce qui vient d'arriver. Et pourtant, un immortel de mon âge ne s'étonne pas facilement.

Immortel ?

— Quel âge as-tu ?

— Sept mille ans.

Waouh ! Vivrait-elle aussi longtemps ? Le chiffre lui donnait le tournis.

— Tu dois être vieille, toi aussi, pour être aussi forte. (*Oh que non !*) Mais c'est bizarre, tu n'as pas l'odeur d'un vampire.

— Et ça sent comment, selon toi, un vampire ?

— L'agressivité et le sang, répondit-il en posant le front contre le sien. Tu avais très faim, ou est-ce que tu as juste aimé mon sang ?

Le ton était bourru, comme pour masquer une vulnérabilité.

— Comment je... Quel goût a mon sang, comparé aux autres ?

— Il est exquis.

Il retroussa les lèvres et esquissa son sourire prétentieux, légèrement en coin.

— Ce qu'on vient de faire, c'est assez tordu. Les Mythosiens considéreraient ça comme tabou.

Les « Mythosiens » ?

— Ouais, possible.

— « Possible », répéta-t-il d'une voix râpeuse. Non seulement tu te fiches de tout, mais en plus tu es en train de reluquer mon cou comme si tu voulais une deuxième tournée.

— Et une troisième et une quatrième.

Il arqua des sourcils circonspects.

— Tu as déjà bu aux veines d'autres spécimens de ma race ?

— Non, jamais.

— Alors, pourquoi l'avoir fait, là ? Je t'ai avertie que j'étais empoisonné.

Elle haussa les épaules.

— Tu sentais... bon.

— « Bon » ?

Il prononça le mot comme pour l'essayer, le faire rouler sur sa langue.

— Si tu me perces à nouveau avec ces crocs, je te pénètre avec ça, lança-t-il dans un coup de bassin qui frotta son sexe contre le mont de Jo. Histoire que tu ne sois pas lésée.

— Ah ! Ou… Oui, c'est logique.

Ainsi donc, elle n'était pas la seule à associer morsure et sexe.

Le sourire craquant s'élargit.

— Dis-moi ton nom.

— Josephine, répondit-elle dans un souffle.

Elle venait de lui donner son nom ?! Son vrai nom ?!

— Tout le plaisir est pour moi, Josephine.

Sur ces mots, il lui arracha sa culotte et se la fourra dans la poche.

En souvenir ? Parce qu'il s'apprêtait à la baiser et à la larguer dans la foulée ? Comme avec les autres femelles, il n'avait toujours pas retiré son arc. Bon Dieu, si ça se trouvait, il avait encore des sécrétions de nymphe sur lui ! Et Jo n'avait pas de préservatif. Bon, elle ne risquait pas de tomber enceinte – elle n'avait pas de règles – mais n'empêche…

— Cette fois, c'est à ton tour de jouir, annonça-t-il. Je vais te prouver que j'ai bien plus qu'un « potentiel » intéressant. D'ailleurs, je crois bien t'avoir promis de te faire voir des étoiles.

— J'aime bien les étoiles, murmura-t-elle.

Il se pencha vers elle. Pour l'embrasser ?

— Il se trouve que, depuis quelques minutes, je possède quelques tours de plus dans mon sac à malice. Et j'ai hâte de les explorer avec toi.

« Explorer ». Voilà qui ressemblait moins à du « j'te baise et j'te largue ». *Tu pourrais lui donner une chance.* Elle se pencha aussi, pour se rapprocher de lui...

Des gloussements résonnèrent à l'entrée de la cour. Rune s'écarta.

Deux femmes en robe du soir plus que décolletée sifflèrent dans leur direction. Une blonde et une rousse. Comme les quatre que Jo avait vues plus tôt, ces deux-là semblaient trop parfaites pour être humaines.

— Ah, des nymphes d'eau, constata Rune.

— On t'a entendu de l'autre bout de la ville, Rune ! s'exclama la blonde. On aurait cru que tu avais perdu la tête !

Il serra les mâchoires. Apparemment, il n'appréciait pas du tout le commentaire.

— Quand c'est bon, c'est bon, lâcha-t-il sur un ton nonchalant.

« Bon » ? *Connard.* Jo avait encore les oreilles emplies de ses hurlements.

— Puisque tu es si en forme, on peut se joindre à vous, suggéra la rousse.

Allô ! Ça n'était donc pas clair que le mec était pris, là ? Premier indice : elle était cul nu, avec les jambes nouées autour de sa taille. *Pas question, les monstres.*

— Bien sûr, mes colombes, mais plus tard.

Il ne vient quand même pas de leur répondre « plus tard », là, si ?

— On te retrouve après quelques rendez-vous, proposa la rousse. On a quelque chose que tu vas aimer.

— Revenez au lever du soleil, leur indiqua-t-il.

Quatre nymphes au coucher du soleil. Une vampire à minuit. Deux nymphes de plus à l'aube ?

Elles lui envoyèrent des baisers et s'éloignèrent en ondulant des hanches.

— Les nymphes, commenta-t-il en reportant son attention sur Jo. Elles sont invivables, mais on ne peut pas s'en passer.

Elle venait juste de faire jouir ce type, il avait encore la queue coincée contre elle, et il prenait rendez-vous avec d'autres femmes ?! Avec… avec des nymphes ! *Connard !*

Pourquoi se comportait-il comme ça ? Il avait réagi à elle avec bien plus de force qu'avec les autres.

Et pour ajouter encore à la confusion, le regard qu'il posait à présent sur elle était tendre. Au point qu'elle parvenait presque à s'imaginer qu'il la voyait vraiment, qu'il l'appréciait pour celle qu'elle était. Si l'on omettait un détail : il comptait en voir d'autres dans la foulée.

— Bon, où en étions-nous ?

— Eh bien, tu étais en train de t'arranger un rendez-vous coquin pour tout à l'heure, lui rappela-t-elle sèchement alors que ses griffes s'aiguisaient.

— Jalouse ? s'enquit-il d'un air déçu. Tu es déjà possessive avec moi.

Lui aussi semblait émerger de sa brume de désir, se réveiller d'une sorte de rêve.

— Ce n'est pas mon truc, la jalousie, reprit-il. Grands dieux, vampire, ça fait au maximum quinze minutes qu'on se connaît.

Il écarta le bassin et la laissa retomber au sol sans ménagement.

— Je ne t'ai même pas encore baisée, jeta-t-il en remontant son pantalon d'un geste brusque, se rhabillant si vite que ses mouvements étaient flous.

Elle rabaissa sa jupe.

— « Possessive » ? Comme si je te voulais pour moi ! (*Je te voulais pour moi, en fait. Je veux quelqu'un pour moi !*) Pour moi, tu n'es qu'un sac de sang ambulant avec une grande queue. Qui n'a pas été fichu de durer assez longtemps pour me faire jouir.

L'histoire de sa vie, d'ailleurs. Elle retroussa les lèvres, révélant ses crocs.

Avec un grognement, il la pressa de nouveau contre le mur.

— Tu me montres les crocs ? À moi ? Tu me défies à nouveau ? Tu n'as pas idée de ce que je pourrais te faire !

— Me faire ? À part me laisser en plan, tu veux dire ?

— Je t'ai nourrie, non ?

Et alors qu'il passait les doigts sur les traces laissées par sa morsure, il sembla soudain se rendre compte de quelque chose.

— Tu m'as mordu, tu as bu mon sang directement à ma veine. Voilà bien une chose dont je n'ai jamais eu à me soucier. La prise de sang a des conséquences, femelle. Que tu connais pertinemment.

Non, pas du tout !

En l'espace d'une fraction de seconde, elle vit son expression changer radicalement. Une détermination mortelle se peignit sur ses traits.

— J'avais tant de projets pour toi...

Et puis il afficha son fameux sourire, tout en glissant discrètement sa main libre vers sa lame. Une onde de choc traversa Jo. Il allait la poignarder parce qu'elle avait bu à la veine de son cou ?

Sacré tue-l'amour. Au sens propre du terme.

Salaud !

Dommage pour lui, il ne réussirait pas à la retenir.

— Bon, tant pis. Ce qui est fait est fait.

Les paroles étaient légères, mais le timbre de sa voix avait changé.

Comme celui de Jo quand elle s'apprêtait à tuer.

10

Rune jura pour lui-même. Une vampire avait bu à ses veines, pris son sang – et potentiellement ses souvenirs avec.

Après toutes ces années passées à protéger les secrets du Møriør, voilà qu'il avait laissé s'ouvrir une brèche dans ses défenses.

Une brèche de taille.

Il n'avait désormais pas d'autre choix que d'en éliminer la source. Il le savait, et pourtant il hésitait : ses désirs combattaient son sens du devoir. Josephine lui avait offert le plaisir le plus torride qu'il ait jamais ressenti.

Comment, il l'ignorait, toujours est-il qu'elle avait toléré son sang empoisonné. Mieux encore, il leur avait donné du plaisir à tous deux, et l'avait nourrie, elle.

Il était donc normal de vouloir creuser sur le sujet, du moins jusqu'à ce qu'il se lasse d'elle... ou qu'il en découvre une autre capable de boire à ses veines. Si pareille créature existait.

Ça ne t'a pris que sept mille ans pour dénicher celle-ci, sangfléau.

Et même s'il en croisait une autre, aucune ne pourrait égaler l'attirance que Josephine exerçait sur lui. En fait, il avait même du mal à imaginer une seule femelle qui le puisse.

Bref, décapiter cette femme lui faisait l'effet d'un beau gâchis. Sa main s'attarda sur sa lame.

— Est-ce que tu vois en rêve les souvenirs de ceux auxquels tu bois ?

Peut-être ne possédait-elle pas cette capacité ; c'était le cas de certains vampires.

— Je n'ai jamais fait ça.

Il était tenté de la croire.

— Tu n'es pas *cosaçad* ? Tu ne lis pas les souvenirs portés par le sang ?

— Non.

Les vampires de naissance étaient incapables de mensonge. S'ils essayaient d'en énoncer un, une atroce douleur les saisissait.

Bien sûr, dans le monde des immortels, chaque règle avait une exception.

Peut-être devrait-il ramener Josephine de force dans son repaire et la garder sous étroite surveillance. En plus de ses luxueux appartements au château de Perdishian, il possédait une seconde résidence dans le royaume de Tortua. Dont les murailles extérieures étaient protégées de manière à ce que nul ne puisse les franchir.

Il pourrait la détenir là un moment, le temps de s'assurer qu'elle ne constituait pas une menace.

Oui, mais si un *cosaçad* la buvait, elle, que se passerait-il alors ? Même en admettant qu'elle ne lise pas dans les souvenirs, elle les transmettrait peut-être.

Non, décidément, jamais il ne pourrait la laisser repartir arpenter les mondes. Ce serait donc une captive permanente ? Une femelle, dans son sanctuaire ?

À moins qu'il ne se débarrasse d'elle.

Nom des dieux, il n'avait pas de temps à perdre avec ce genre d'inepties ! Sa queue l'avait dirigé droit vers les problèmes, et il était toujours bien loin d'avoir tué Nïx.

Bon, il allait mettre la vampire à l'abri, réfléchir aux options qui s'offraient à lui, puis il reprendrait la quête de sa cible jusqu'au lever du soleil.

Il enroula un bras autour de Josephine, la serrant fort contre lui.

— Je vais t'emprisonner, femelle. Malheureusement pour nous deux, tu vas rester ma captive pour le reste de tes jours, si court soit le temps qu'il te reste à vivre.

— Lâche-moi, monstre ! hurla-t-elle en se débattant.

Il lâcha un soupir irrité.

— Je suis bien trop puissant pour que tu te libères. Même un démon millénaire ne parviendrait pas à glisser hors de mon étreinte.

Affirmation dont il avait la preuve.

— « Glisser » ?

— Ne joue pas les ignorantes, fillette.

Les yeux écarquillés de Josephine se plissèrent pour devenir deux fentes.

— « Fillette » ? Je n'ai jamais été une petite fille.

La sentant s'immobiliser, Rune passa de l'agacement à la sidération. Parce que, sous ses yeux, elle commençait à se dématérialiser – une sorte de téléportation, mais en plus lent.

— Impossible.

Elle était en train d'échapper à l'étau de ses bras.

Le visage encore plus pâle que d'habitude, les yeux encore plus sombres, elle afficha un sourire narquois devant son incrédulité.

Jamais il n'avait connu de vampire capable de contrôler sa téléportation à ce point.

— Je suis plus puissante que je ne parais, petit gars, ronronna-t-elle. Je me souviendrai que tu prévoyais de m'emprisonner au mieux, et de m'étriper au pire. Surveille tes fesses, parce que je ne vais pas te lâcher des yeux.

Et elle disparut.

Jo avait entendu parler de rencards autour d'un café qui tournaient mal, mais là... *Sans déconner, quel salopard !*

Après s'être dématérialisée pour échapper à son emprise, elle était devenue complètement invisible et s'était installée sur le mur opposé de la cour.

Elle pensait vraiment ce qu'elle lui avait dit : elle avait l'intention de surveiller chacun de ses mouvements. Cette nuit, elle en apprendrait plus sur son monde.

Sur mon monde.

Ce type était vieux – putain, carrément vieux, même ! – alors il aurait forcément des réponses.

Elle savait déjà qu'elle était une vampire, et qu'il y en avait d'autres. Que les sombres feys et les démons existaient.

Sur l'échelle de l'abominable, une mortelle devenue vampire, c'était quand même mieux qu'un démon, non ? *Salut, Thaddie, je suis une vampire, mais coup de bol, pas une démone. Pfiou !*

Elle se demanda une fois de plus si elle aussi vivrait plusieurs milliers d'années. Cette idée la déprimait.

Rune fit volte-face, une expression rageuse plaquée sur le visage. Il cracha quelques paroles dans cette langue bizarre qu'il avait utilisée plus tôt, puis il ajusta son arc à son épaule. Il leva les yeux vers le ciel, longtemps, comme pour évaluer l'heure, puis il se mit en route.

Pour me trouver.

Elle le suivit, flottant sous sa forme fantomatique d'un lampadaire à un autre...

Pendant des heures, elle l'observa qui passait en revue chaque ruelle, s'immobilisant, comme s'il reniflait en quête d'une piste. Ils s'étaient largement éloignés du Vieux Carré pendant ses pérégrinations, mais ils étaient de retour dans la cour où la nuit avait débuté.

À un moment donné, il avait lancé le poing contre le mur de briques d'un bâtiment abandonné. La force de son coup avait ébranlé la structure de deux étages, qui avait penché sur un côté, comme s'il l'avait déracinée. Sans un regard en arrière, il était reparti de son pas rapide et irrité, la main indemne. Quelle force incroyable !

Au fur et à mesure qu'elle observait Rune, Jo se retrouvait assaillie de questions encore plus nombreuses. Était-ce si important pour lui de la séquestrer ? Ses souvenirs avaient donc tellement de valeur ? Et d'ailleurs, est-ce qu'elle pouvait réellement les rêver comme un *cosaçad* ?

Ça ne lui était jamais arrivé. Mais il fallait dire qu'elle n'avait jamais bu de sang « directement à la veine ».

Et maintenant, elle n'avait qu'une envie : recommencer ! Sentir la chair se refermer autour de ses crocs avides. Sentir les muscles rouler sous ses griffes pendant qu'elle maintenait sa proie en place.

Depuis son poste d'observation dans un lampadaire, elle remarqua un joli blond qui déambulait dans la rue avec des amis. Tous portaient le couvre-chef des jeunes diplômés. Ils étaient soûls, et la chemise de chacun proclamait la même phrase, mais Jo ne parvenait pas à la déchiffrer.

Peut-être des diplômés de Tulane. Depuis son arrivée à La Nouvelle-Orléans, elle avait souvent erré dans ce campus. Elle avait observé les étudiants en train de lire, inconscients de la chance qu'ils avaient de posséder ce talent.

Le blond trébucha et tendit les mains vers le lampadaire qu'occupait Jo. Ses doigts attirants l'agrippèrent juste au-dessus des tétons. *Eh bien, bonjour jeune homme.*

Il avait la peau douce, les dents blanches. Quel effet cela ferait-il de le boire ? Récupérerait-elle des souvenirs de fêtes universitaires et de cours ?

Elle se passa la langue sur un croc, mais il ne s'aiguisa pas. Quelle déception ! Non, elle n'arrivait pas à s'imaginer en train de boire à ce mâle. Ni à aucun de ses amis.

En plus, même sous sa forme fantomatique, elle décelait l'immanquable relent du déodorant.

Elle lâcha un soupir, essayant de se convaincre qu'elle était rassasiée. Quand elle aurait de nouveau faim, alors peut-être... Mais la vérité, elle la connaissait : rien n'égalerait le sang noir de Rune. Comment allait-elle pouvoir se contenter des sachets qu'elle conservait dans son frigo ?

Cet enfoiré de Rune avait tout gâché. Rune signifiait sa ruine.

Ben oui, ça tombait bien. Ce serait son nouveau nom. Elle cracha à son intention, provoquant un sursaut effaré du blond.

— Hé, les gars ! Vzavez entendu ça ? cria-t-il d'une voix pâteuse à ses amis. La lampe èma crachédsus.

Les autres haussèrent les épaules et se remirent en route.

De retour dans la cour, Rune se passa une main sur le visage, semblant maudire le soleil levant.

11

Josephine avait disparu. Rune avait passé les rues au peigne fin, en quête à la fois d'elle et de Nïx, étendant ses recherches jusqu'au cœur de la ville sans jamais repérer l'odeur ni de l'une ni de l'autre.

Ses qualités de traqueur s'étaient-elles émoussées depuis la dernière Accession ? À trop se vautrer dans la chair des nymphes, un mâle pouvait connaître ces effets secondaires-là.

Il essaya de se remémorer son dernier marathon sexuel au sein d'une nichée ou d'un antre de plaisir, mais tout ce qu'il parvenait à visualiser, c'était le sourire hautain de Josephine.

Il savait ce qui lui arrivait. Il était de notoriété publique que les femelles vampires étaient hypnotiques, aussi enchanteresses que des succubes. Cela procédait d'un mécanisme de survie, une sorte d'outil de chasse, car ces deux espèces dépendaient des corps d'autres créatures pour se nourrir.

Ce soir, on s'était nourri de lui. Il aurait dû en être outragé, au lieu de quoi il sentait son sexe durcir si fort à cette pensée qu'il eut peur pour son pantalon.

Les nymphes avaient raison : il avait perdu la tête.

Non, non, Josephine l'avait ensorcelé. Et avec son string au fond de sa poche – rappel constant de son odeur, de son excitation – il était encore plus obsédé par elle. Heureusement, le temps réussirait à le débarrasser de cette sensation.

Il cesserait de penser à lui dévorer les lèvres.

Parce que oui, il pouvait le faire. Grands dieux, enfin il pouvait le faire sans tuer. Et cerise sur le gâteau, jamais il n'avait désiré embrasser une femelle autant qu'il brûlait d'embrasser Josephine, et cela avant même de savoir qu'il était en mesure de le faire.

L'aube approchait. D'après la rumeur, Nïx ne sortait que la nuit. Quant à la vampire, la lumière la pousserait à regagner sa cachette. Bref, il ne trouverait ni l'une ni l'autre aujourd'hui.

Même si Josephine pouvait s'être téléportée n'importe où dans l'univers, elle reviendrait.

Il plongea la main dans sa poche. À côté du string déchiré se trouvait le collier qu'il lui avait volé, celui qu'elle portait à ses lèvres, la première fois qu'il l'avait vue. Il le sortit et le tourna entre ses mains. Il le lui avait pris comme contrepartie – il avait les doigts aussi agiles qu'elle –, mais aussi parce qu'il soupçonnait ce bijou d'avoir une signification profonde.

Ces morceaux de métal, c'étaient des balles usagées.

Oh oui, elle reviendrait ! Il avait l'appât, mais comment la ferrer ? Manifestement, son emprise ne suffirait pas.

En quittant Tenebrous, Rune s'était équipé pour tuer une Valkyrie, pas pour retenir une vampire. Il n'avait pas de menottes anti-téléportation sur lui, et pas davantage dans son sanctuaire de Tortua.

Les nymphes lui avaient parlé d'un magasin du Mythos en ville. S'il y trouvait une paire de menottes, il n'aurait plus qu'à attirer la vampire grâce à son collier, suffisamment près pour la piéger.

Et une fois qu'elle serait sa captive, il lui ferait toutes ces choses interdites qu'il avait fantasmées.

Griffer, sucer, lécher.

Embrasser.

L'un de ses fantasmes les plus torrides était tout simple : prendre la bouche d'une femme et la faire gémir – de plaisir et non de douleur.

La dernière fois qu'il avait goûté des lèvres, ça avait été pour donner un baiser de mort. Chaque fois qu'il s'imaginait embrasser, désormais, il revoyait cette nuit-là.

Il rêvait donc qu'un autre baiser efface celui-là.

Plus tôt dans la soirée, quand l'une des nymphes s'était oubliée et avait cherché ses lèvres, ce souvenir lui avait donné la nausée. Et pourtant il avait continué à la pilonner.

Il rempocha le collier, mais ses doigts se trouvèrent comme aimantés par le string de soie de Josephine. Il porta son autre main à la marque de sa morsure, déjà presque refermée.

Si cela se trouvait, Nïx avait envoyé la vampire en mission d'espionnage. Les faiblesses des Møriør étaient peu nombreuses, mais pouvaient être exploitées par une fine stratège. Tout comme Orion le faisait avec ses ennemis.

Rune caressa encore le morceau de soie. Ce soir, il avait joui plus fort que jamais, et pourtant, toucher cette culotte suffisait à l'exciter de nouveau à un point tel que chaque pas devenait une souffrance. Peut-être devrait-il relâcher un peu de pression, histoire de retrouver sa capacité à réfléchir.

Une paire de nymphes d'eau à l'aube, voilà qui devrait faire l'affaire. Il se dirigea vers la cour. Où il lui suffit de mettre le pied pour que les nymphes l'y rejoignent.

Exactement ce dont il avait besoin, de quoi se changer les idées ! Une blonde et une rousse, l'idéal pour oublier une brune. S'il se rappelait bien, la blonde s'appelait Rosée, la rousse Rivière. Toutes les deux avaient l'air de filles qui avaient passé la nuit à baiser.

À quoi ressemblerait Josephine, pendant l'orgasme ? Il ne l'avait pas vue dans cet état-là, comme elle le lui avait fait remarquer. *Mais elle a tout de même bien gémi de désir en buvant à mon cou !*

Il remonta son col pour cacher sa morsure.

— Eh bien, mes colombes, vous n'auriez pas expédié vos rendez-vous en cours pour me rejoindre ?

Bien sûr que si.

D'ailleurs elles firent « oui » de la tête.

— On connaît quelques astuces pour accélérer les choses, vois-tu, expliqua la blonde.

Rune avait été forcé d'apprendre les mêmes trucs, lui aussi. Un souvenir lui revint en mémoire de la reine Magh : « Fais jouir tes clients, bâtard. Ou péris. »

Malgré une vague de révulsion, il parvint à afficher ce sourire qu'il adressait invariablement aux nymphes.

— Pourvu que jamais vous n'ayez à user de ces trucs sur moi...

Il laissa sa phrase en suspens, car ses oreilles le chatouillaient. Il jeta un coup d'œil alentour, sentant la proximité de la vampire. Mais il l'aurait flairée, si elle était proche.

Bons dieux, pourquoi ne parvenait-il pas à se la sortir de la tête ? Le charme qu'elle lui avait jeté fonctionnait donc même si elle n'était pas présente ?

— On a des infos pour toi, annonça Rivière. Vas-tu nous payer généreusement pour ça ?

— Bien sûr.

Il était le maître des secrets du Møriør, désormais, or les nymphes savaient beaucoup de choses.

— Ça concerne la femelle avec qui tu étais plus tôt dans la soirée, commença Rosée avec un regard rusé. Celle qu'on a entendue te rendre dingue.

— Tout le quartier t'a entendu, ajouta Rivière.

Rune ne prit même pas la peine de nier.

— Continuez.

— Que sais-tu d'elle ? s'enquit Rosée.

— Pas grand-chose. Dites-moi.

— Nous pensons… Nous pensons que c'est une vampire, souffla-t-elle.

— Qu'est-ce qui vous a donné cette impression ? demanda-t-il, feignant l'ignorance. Elle n'en a pas l'odeur.

— On l'a vue se battre, expliqua Rivière en frissonnant. Elle crachait, elle avait des crocs, et ses yeux sont devenus noirs. C'est pour ça qu'on n'a jamais essayé de la séduire.

Peu d'espèces s'abaisseraient à blesser une nymphe, mais certains vampires rêvaient de les vider de leur sang.

Que serait-il arrivé si elles avaient séduit Josephine ? Il la visualisa couchant avec elles deux – et, bien sûr, avec lui aussi – en même temps. L'idée de toutes les possibilités offertes par ces séduisantes grues pour lui donner du plaisir et s'en donner respectivement lui aurait d'habitude fourni de plaisantes images.

En l'occurrence, celles qu'il entrevoyait l'irritèrent. Josephine aurait déjà de quoi se satisfaire en couchant avec lui seul. La présence des nymphes ne ferait que les gêner.

— Des yeux noirs et des crocs, ce pourrait aussi être une démone, leur fit-il remarquer.

Rivière passa une mèche de ses cheveux derrière son oreille en pointe.

— Sauf qu'elle n'a ni cornes ni ailes.

Rosée acquiesça.

— De toute notre vie, jamais nous n'avons vu de femelle vampire, ajouta-t-elle, et voilà que les rues semblent en être envahies. Une Valkyrie halfelin, une Dace atteinte de la peste vampire...

— Savez-vous où réside la mienne ? l'interrompit-il.

La mienne. Il faillit éclater de rire. Voilà bien une expression que jamais il n'utiliserait pour une femelle.

— Quelque part en ville, je pense, avança Rosée. Elle vient dans le Vieux Carré pour jouer les pickpockets. Elle est kleptomane. Une fois, je l'ai vue errer dehors sous une pluie battante, l'air triste. Elle semblait désespérée de ne pas trouver quelqu'un à voler.

Josephine avait dit lui avoir volé son talisman car elle souhaitait le connaître. Apparemment, elle « connaissait » plein de gens. La petite gueuse avait le don de vous dépouiller de vos certitudes. S'il la laissait faire...

Et puis, qu'est-ce qui pouvait bien la rendre triste ? Elle était immortelle, puissante et belle.

— Tu as envie de remettre le couvert avec ta vampire, pas vrai ? osa Rosée avec un sourire malin.

Remettre ça ? Sentir à nouveau les crocs de Josephine lui percer le cou ? Pendant qu'elle lui

116

presserait ses tétons durs contre le torse et plante-
rait les griffes dans son dos...

Il haussa les épaules, malgré son sexe qui palpitait dans son pantalon.

— Si je la recherche, c'est uniquement pour
affaire.

Sitôt qu'elle reviendrait chercher son collier, tout
irait bien. *Bon, l'heure est venue de me changer les
idées.* Il fondit sur Rivière et la prit dans ses bras.

— Oh ! s'écria-t-elle. On dirait que quelqu'un
s'impatiente.

Elles n'avaient pas besoin de savoir que son érection ne leur était pas destinée.

— Je suis toujours impatient, non ?

— Rune, ton cou ! s'exclama-t-elle soudain, les
yeux rivés sur lui. Tu as... Elle t'a mordu ?

Rosée se précipita.

— Fais voir !

Elle resta bouche bée en découvrant la marque
de la morsure.

— C'est écœurant. Et tellement excitant !

Bons dieux, oui !

— Mais elle n'a quand même pas bu ton sangfléau, si ? l'interrogea Rosée.

— Bien sûr que non. Elle m'a juste mordillé de
la pointe des crocs.

— N'empêche, une morsure ! Elle est sacrément
culottée de t'avoir percé la peau. Et toi, tu es un
sacré coquin, de l'avoir laissée faire ! On savait que
tu aimais faire des folies, mais là, c'est gonflé ! On
pourra regarder, la prochaine fois ?

— Peut-être, répondit-il en leur offrant son sourire en coin. Mais seulement si vous êtes trèèèès
gentilles.

12

Quelle ordure ! Quelle. Ordure.

Depuis son point d'observation dans le mur de la cour, Jo n'en revenait pas. Ce type était le pire queutard qu'elle ait jamais vu.

Doublé d'un voleur, par-dessus le marché. Cet enfoiré l'avait délestée de son bien le plus cher, qu'elle gardait suspendu à son cou de monstresse, et ce sans qu'elle se rende compte de rien ! En le voyant entre ses mains, elle avait failli attaquer. Mais elle ne pouvait risquer de se faire capturer, or elle ignorait de quels autres prodiges il était capable.

Elle allait donc devoir attendre ici qu'il soit suffisamment occupé avec ces nymphes pour ne pas s'apercevoir qu'elle le volerait à son tour. Ça ne prendrait sans doute pas bien longtemps, les femelles étaient déjà en train de lui grimper dessus.

Elles trouvaient culotté qu'une vampire morde un sombre fey. Elles la trouvaient vicelarde, elle !

En voyant Rune attirer Rivière dans ses bras et la nymphe enrouler les jambes autour de sa taille, Jo sentit son ventre se serrer.

Ce spectacle la décida sur-le-champ : elle allait se forger une meilleure expérience en matière de sexe.

Si elle avait un peu plus roulé sa bosse, elle serait moins blessée par ce qu'elle voyait. Ces nymphes ne souffraient pas de la jalousie, elles. Or Rune avait prononcé le mot « jalousie » comme s'il s'agissait d'un juron.

Sauf que Jo était bel et bien jalouse. La connexion qu'elle avait cru partager avec lui n'avait en réalité eu lieu que de son côté.

Rien de nouveau, quoi.

Rune plaça la paume dans la nuque de la nymphe et l'attira vers son cou, du côté non marqué par sa morsure.

— Allez, ma colombe, mordille-moi. Sans déchirer la peau.

Jo se raidit. Qu'est-ce qu... ?

Il renversa la tête en arrière et ses cheveux retombèrent d'un côté, révélant la partie rasée de son crâne ainsi que son oreille pointue.

— Tu veux t'imaginer que je suis la vampire ? demanda Rivière.

Rosée pouffa.

— Exact, admit-il. Et ça m'aiderait si vous pouviez vous taire.

Il avait un sacré culot, ce connard ! Quant aux nymphes, elles n'avaient donc aucune fierté ? Et puis d'abord, pourquoi voudrait-il penser à elle, quand il avait été si prompt à la remplacer ?

Pour envisager son meurtre, en plus.

Bon Dieu, cet homme avait le don de la perturber.

Pendant que Rosée se débattait avec sa ceinture, Rivière lui mordit le cou.

— Plus fort, ma colombe, ordonna-t-il.

Oui, Jo avait vu des trucs étranges au cours de ses séances de voyeurisme, mais ce mâle qui essayait de revivre sa propre morsure... Là, c'était franchement bizarroïde. Malgré elle, ses crocs s'aiguisèrent en deux pointes acérées.

— J'ai dit plus fort, répéta-t-il d'une voix râpeuse.

Moi, je le mordrais si fort qu'il implorerait ma pitié.

— J'te 'ords aussi 'ort que j'peux, bafouilla la nymphe, la bouche collée dans le cou de Rune.

— Ça ne va pas, lâcha-t-il, frustré. Laisse tomber, Rosée.

Rivière – car c'était en fait Rivière – relâcha la peau et désigna sa comparse d'un geste du pouce.

— C'est elle, Rosée.

L'intéressée avait enfin réussi à détacher la ceinture de Rune et s'attaquait à sa braguette.

— Ouais, si tu veux, fit-il en agitant les griffes. Arrête, je suis sur le point de saigner.

— Waouh, c'est super excitant, souffla Rivière, qui pourtant s'écarta vivement.

Il plongea deux griffes dans la cicatrice de la morsure de Jo. Et en perçant son propre cou, il lâcha un grognement éperdu, fermant les paupières.

Gémissante, Rosée se débattait toujours pour lui ouvrir son pantalon.

Et alors qu'il continuait à beugler, le sang dégoulinait le long de son cou. Carrément excitant. Ce sang riche et sombre. *Le goûter encore, juste une fois...*

Fichue. Elle était fichue.

Mais contrairement aux nymphes, Jo avait sa fierté. Si elle voulait Rune, c'était uniquement pour récupérer ce qu'il lui avait pris. Et c'était pile le bon moment pour frapper.

Son odeur.

Rune rouvrit les yeux sitôt qu'il perçut son odeur sexy de mûre sauvage. Il l'imaginait ou quoi ?

Non, Josephine était en train de se matérialiser juste devant lui.

— Salut, Ruine...

Elle avait les épaules droites, le menton haut. Ses yeux noisette scintillaient.

Il lâcha Rivière. Et sans même baisser les yeux, il écarta la main de Rosée de sa braguette.

La vampire avait-elle vu ses tentatives de revivre sa morsure ? La façon dont il fantasmait sur elle, alors même qu'il la remplaçait par deux nymphes ? Au moins, il n'avait pas encore eu le temps de sortir son string...

— Pauvre Ruine. Je suis souvent imitée, fit-elle en désignant les nymphes, mais jamais égalée.

Pourquoi éprouvait-il de la culpabilité à cause de la présence de ces deux femelles, comme s'il l'avait trompée ?

Il était toujours loyal envers ceux qui comptaient pour lui. Or Josephine ne signifiait rien. Rien de plus qu'un mystère à résoudre, ainsi qu'un handicap à gérer.

Un handicap capable de mordre de façon exquise.

— Si tu n'avais pas décidé de me capturer, lança-t-elle d'une voix rauque, je t'aurais baisé le cou avec mes crocs, jusqu'à te faire hurler.

Quelle vilaine petite cochonne, celle-là. *Je la veux. MAINTENANT.*

Alors elle lui sourit, montrant ses petites canines acérées, et le cerveau de Rune se vida de toute pensée cohérente. Comme si ses jambes étaient plus réactives que lui, elles le portèrent vers elle.

— Josephine.

Quand elle lui agita son string déchiré sous le nez, il se figea. Elle lui avait encore fait les poches ? Pourtant, il ne l'avait sentie qu'à l'instant.

Comment ? *Comment ?*

Et puis, elle désigna son collier – qui avait retrouvé sa place autour de son cou menu et pâle.

Rune déglutit avec peine. Tous deux savaient quel autre objet il gardait dans ses poches.

Pour la deuxième fois cette nuit, elle souleva son talisman, un sourire railleur sur le visage.

Bluffe.

— Ce truc n'est qu'une babiole, vampire, fit-il en haussant les épaules.

— Tu serais donc menteur, en plus de tout le reste, Ruine ?

— Mon nom se prononce « rune », corrigea-t-il machinalement. Pas « ru-ine ».

— Bien sûr, « Ru-ine ». Allez, profite bien de ta fin de soirée. Mesdames, conclut-elle avec un hochement de tête en direction des nymphes.

Et elle commença à disparaître.

Rune plongea, les bras tendus, mais il ne subsistait plus de Josephine que l'écho de son rire.

13

La matinée était déjà bien avancée, et Jo tournait et retournait encore dans son lit, déterminée à ne plus penser au sang du sombre fey. Ou à quoi que ce soit d'autre le concernant, d'ailleurs.

Comme son sourire – en coin, avec une touche de mépris.

Ou son odeur – de cuir et d'arbres.

Et surtout pas son corps – mince, grand, avec des muscles durs qu'elle avait envie de mordre.

Elle s'était déjà fait jouir sous la douche en fantasmant sur lui, allant même jusqu'à enfoncer les crocs dans son propre poignet. Et quand elle avait goûté son sang mêlé au sien, elle avait joui encore et encore, au point de tomber à genoux dans la cabine de douche...

À présent, elle observait fixement son bijou, posé sur la table de chevet.

— Connard.

Elle enfonça le poing dans son oreiller.

Au début de la nuit, il s'était comporté avec la nymphe blonde sans aucune émotion, comme un robot, l'informant froidement qu'il jouissait. C'était tout juste s'il n'avait pas bâillé alors qu'il se vidait les bourses.

Avec Jo, il avait hurlé si fort que la ville tout entière l'avait entendu. Mais s'il l'avait préférée, elle, alors pourquoi persister à aller avec les autres ?

Ça avait été bien, eux deux.

Enfin pas longtemps. Jusqu'à ce qu'il décide de la tuer et tout ça.

Quand son tour arriverait-il de trouver un partenaire pour lui tenir la main ? Elle se languissait de son fiancé, à elle, de celui qui la regarderait droit dans les yeux en lui disant : « Tu es tout pour moi. »

Mais se languir, ça posait un problème. Chaque fois qu'elle était prise par ce genre de désirs et qu'elle parvenait à s'endormir, elle risquait sa version personnelle du somnambulisme.

Le fantomnambulisme.

Autrement dit, devenir intangible, passer à travers son lit, à travers le sol et s'enfoncer dans la terre. Sans rien pour la réveiller avant qu'elle n'ouvre les yeux dans le noir complet, obligée de hurler et de ramper vers la surface.

Et si jamais elle se rematérialisait sous terre, elle mourrait – enterrée vive.

Mais il y avait pire : et si elle flottait, au lieu de s'enfoncer ? Les étoiles semblaient lui faire signe de les rejoindre...

Enfin, Jo parvint à se détendre assez pour sombrer, et fit un rêve des plus étranges. Elle se trouvait dans un champ marécageux, à travailler dur sous un soleil de plomb. Elle essuyait son visage baigné de sueur d'un revers de son bras poussiéreux.

Non, ça n'était pas son bras. Ça n'était pas son visage.

Ceux de Rune ? Apparemment, elle visualisait une scène de son point de vue.

Les cloches du château sonnèrent. Il tourna vivement la tête en direction du carillon. Mon père est mort. *Rune ne ressentait aucun chagrin pour ce père distant qui lui avait laissé la vie sauve, sans jamais daigner adresser la moindre parole à son bâtard de fils.*

Les esclaves démons qui travaillaient dans ces marais aux côtés de Rune se détournèrent. À leurs yeux, un sangfléau qui mourait, c'était un sangfléau de moins, et bon débarras. Ils craignaient son poison. Ils se demandaient pourquoi on ne l'avait pas lapidé à mort dès sa naissance comme on l'avait fait pour tous les autres halfelins sombres feys.

Peut-être cela aurait-il mieux valu pour lui.

Parce qu'avec la mort du roi vient la mienne.

Depuis sa naissance, quinze ans plus tôt, il savait ses jours comptés. Pourtant, quand son père était tombé au champ de bataille, envoûté par un général sorcier, Rune avait cru qu'il lui restait au moins quelques semaines pour s'organiser.

À présent, la panique l'envahissait. Comment s'échapper ? Les gardes démons de la reine ne tarderaient pas à venir le chercher.

Pour lui couper la tête.

Il balayait les lieux du regard, affolé. Traverser les marais sans nourriture ni eau fraîche serait du suicide. Il dénuda un croc et fit couler son propre sang pour dessiner un sort d'invisibilité sur son avant-bras. Ses pouvoirs n'étaient pas encore très développés. Mais peut-être que cette fois, la combinaison des runes fonctionnerait.

Voyant couler son sang noir, les ouvriers rassemblèrent leurs jeunes à la hâte et s'enfuirent en le vouant aux gémonies.

Bouillant de frustration, il leur cria : « Je n'ai jamais demandé à être comme ça ! »

Concentre-toi. *Un autre symbole soigneusement dessiné. Exactement comme lui avait montré sa mère. Plus qu'un…*

Les gardes royaux se téléportèrent jusqu'au champ et le saisirent.

Il se débattit avec toute la force du désespoir, mais l'armure des gardes repoussait ses griffes et ses crocs. Les démons, qui étaient déjà en passe de devenir complètement immortels, s'avéraient d'énormes brutes. Ils lui lièrent les mains pour l'empêcher de griffer. Le muselèrent pour l'empêcher de mordre.

Ils m'emmènent jusqu'au bourreau.

Pourtant, après l'avoir rossé dans la boue, ils ne le transportèrent pas sur le billot. Ils le traînèrent aux bains publics, le déshabillèrent entièrement et lui frottèrent la peau comme on le ferait d'un animal crasseux.

Et la même phrase qu'il avait pensée chaque jour depuis aussi loin qu'il s'en souvenait lui traversa l'esprit : Que les dieux me donnent le pouvoir de détruire la maison royale de Sylvan. *Son colonisateur, esclavagiste et violeur de père avait succombé, mais qu'en était-il du reste de son exécrable lignée ? La reine désormais veuve et sa progéniture, les demi-frères et sœurs de Rune ?*

Les gardes lui enfilèrent un beau pantalon, une chemise bouffante et des chaussures qui lui serraient les pieds. Ils lui laissèrent les mains attachées mais retirèrent sa muselière, avant de le téléporter dans une grande salle emplie d'échos.

Peu habitué à la téléportation, Rune vacilla. C'était… *la cour royale ?* Ils devaient l'avoir emmené à la capitale, dans la Forêt des Trois Ponts. Les yeux écarquillés, il observa les richesses qui l'entouraient.

Une femelle seule l'attendait : Magh la Rusée, la reine qui le haïssait de tout son être et lui refusait jusqu'au droit d'exister.

Une simple griffure dans son cou suffirait à la mettre à genoux, mais avec les mains liées, il ne pouvait rien faire. Les gardes l'arrêteraient avant qu'il ait la possibilité de planter les crocs en elle.

Elle était assise sur son trône ouvragé et le scrutait de ses yeux bleus, froids et perçants.

— Tu refuses de te courber devant ta souveraine ?

Sa couronne, une tiare d'or poli, reposait bien trop confortablement sur ses cheveux d'un blond régalien.

Bouillonnant de rage, Rune la salua à contrecœur.

— Quel âge as-tu ? s'enquit-elle.

— Je survis aux marais depuis quinze ans.

Il était fort et endurci, capable d'endurer la charge de travail de deux démons adultes.

— Quelle bravade, bâtard !

— Mon nom est Rune.

Les yeux de la reine scintillèrent face à cette marque de défi.

— Ton visage n'est pas beau, et pourtant j'entends que tu as fait de nombreuses conquêtes parmi les femelles bien nées de ce royaume.

À la mention de ses succès, il fit appel à la patience apprise au contact de ces féodales écervelées en quête d'émotions fortes.

— Oui, ma reine, elles m'ont fait cet honneur.

Il avait couché avec toutes ces bien-nées dans l'espoir de découvrir ce qu'il était advenu de sa mère après qu'elle lui avait été enlevée. Malheureusement, aucune n'avait pu l'aider.

— Je vois que tu as la langue bien pendue. Ce doit être le cas pour que tu aies réussi à les convaincre de risquer le contact avec tes toxines. Je suppose,

ajouta-t-elle en penchant la tête, que tu dois t'abstenir de certains actes.

Comme les embrasser, où que ce soit. Si seulement il se trouvait une femelle sombre fey, une autre halfelin qui aurait été épargnée...

— *Mais qu'en est-il de ta semence ? poursuivait la reine. Es-tu démoniaque dans ce domaine ? Y a-t-il un sceau magique qui pèse sur ton membre ?*

Il n'en revenait pas de discuter de son sperme avec la reine.

— *Oui.*

Un démon pouvait connaître le plaisir de l'orgasme, mais pas répandre sa semence. Pas tant qu'il ne copulait pas avec la femelle qui lui était destinée ; alors seulement, le sceau magique disparaîtrait.

En d'autres termes, pour moi, ce sera jamais.

— *Je doute que les abominations dans ton genre puissent avoir une âme sœur, d'autant que nous avons exterminé tes semblables, sur Sylvan.*

Les griffes de Rune se désespéraient de déchirer la chair de cette garce. Cela dit, il craignait qu'elle n'ait raison. Combien de fois avait-il entendu que les sombres feys étaient des créatures qui jamais n'auraient dû exister, des aberrations de l'univers ?

— *Je souhaitais que mon mari obéisse aux conventions en se débarrassant de toi aussi. Il me semblait déraisonnable d'autoriser une créature aussi dangereuse à vivre, même sous le joug de l'esclavage.*

Que les dieux me donnent le pouvoir...

— *Mais désormais, je vois davantage en toi, et je comprends presque pourquoi ces idiotes encourent le risque de ton poison. Tu possèdes la sensualité torride des feys et l'intensité sexuelle des démons. Je ferai peut-être quelque chose de toi, au bout du compte, conclut-elle en posant les yeux au loin, derrière lui.*

Un frisson lui remonta l'échine et de nouveau il se demanda si la lapidation n'aurait pas été plus douce...

Jo rouvrit les paupières d'un coup.

Voilà qui n'était pas un simple rêve. C'était un souvenir de Rune ! Auquel elle avait assisté, comme de ses propres yeux. En comprenant ses pensées et sa langue aussi bien que les siennes propres.

Il avait deviné qu'elle lirait ses souvenirs à travers son sang. Eh bien, elle devait être – comment avait-il appelé ça ? – une vampire *cosaçad* !

Quels étaient donc ces souvenirs si précieux pour lesquels il était prêt à tuer ? En tout cas, pas des scènes comme celles qu'elle venait de revivre.

Jo brûlait de découvrir ce que cette reine sans cœur avait exigé de lui. À quoi Magh pouvait-elle bien utiliser sa sensualité et son intensité ?

Jo n'en revenait pas d'apprendre que Rune, si arrogant, avait jadis été esclave. Et elle se surprit à ressentir une empathie malvenue à son égard. Quelle haine il ressentait pour les feys ! Et quel mépris pour son propre sang ! Il voulait trouver une femelle de son espèce, aussi désespérément qu'elle-même voulait un partenaire.

Pas étonnant qu'il n'ait pas éjaculé sur elle. Pas étonnant qu'il ait été sidéré qu'elle se nourrisse de son sang. Avec elle, il pouvait enfin faire tout ce dont il avait toujours rêvé.

Et pourtant, il avait décidé de la tuer.

Elle replia les genoux contre sa poitrine, abasourdie par tout ce qu'elle venait d'apprendre. Non seulement il y avait d'autres monstres, mais ils remplissaient des mondes entiers.

Des royaumes de feys et de Wiccae. Des royaumes immortels, où s'ourdissaient intrigues et guerres.

Les démons avaient le pouvoir de se téléporter, de « glisser », comme ils disaient. Elle s'habituerait à leur jargon, à la longue. « Glisser », c'était disparaître et réapparaître, parcourir d'infinies distances.

Alors comment appelaient-ils ça, quand on se fantomisait, qu'on se dématérialisait ou qu'on se faufilait à l'intérieur des murs ?

D'ailleurs, en étaient-ils capables ?

S'il existait un monde de feys, y avait-il aussi un endroit pour les créatures comme elle ? Peut-être n'était-ce pas son assassinat qui l'avait transformée. Peut-être que ni elle ni Thaddie n'avaient jamais été humains. Et s'ils venaient de quelque royaume fantastique ? Peut-être d'une nation de vampires fantômes ?

Dix-sept ans plus tôt, les docteurs avaient attribué sa perte de mémoire à une blessure à la tête. C'était peut-être pour ça qu'elle avait oublié où elle était née.

Elle se redressa brusquement dans son lit. Si elle parvenait à le prouver de façon certaine, il lui faudrait aller récupérer Thaddie, lui expliquer leur origine, leurs pouvoirs et tout ce monde tellement bizarre ! Elle se dématérialisa, emplie de joie, et se rematérialisa aussitôt, les sourcils froncés.

Pour l'instant, elle n'avait pas grand-chose à lui expliquer.

Rune retournerait peut-être dans le Vieux Carré cette nuit. Des informations à saisir.

Désagréable prise de conscience : Rune l'Insatiable Enfoiré était peut-être la clé de son retour auprès de Thaddie.

14

Un vampire est en possession de mon talisman.

Rune aurait préféré se faire confisquer l'arc de Lumière-Noire. Toute la journée, il avait arpenté les rues de La Nouvelle-Orléans, rageur, en quête du moindre Mythosien à interroger au sujet de Josephine. Problème : la plupart s'étaient enfuis ventre à terre sitôt qu'ils avaient flairé son humeur. Même les nymphes s'étaient retirées dans leurs arbres ou leurs rivières.

Personne ne le volait. Personne n'était assez rapide, assez habile. Ça n'arrivait pas, point barre.

Et pourtant la vampire y était parvenue.

Par deux fois.

Après qu'elle avait disparu – en emportant son collier, qu'il ambitionnait d'utiliser comme appât – il avait interrogé les nymphes, au cas où elles auraient noté le moindre détail qui lui aurait échappé. Puis il avait utilisé les indices ainsi récoltés pour essayer de dénicher son repaire. Il avait été tenté d'aller quérir Darach, pour les capacités de traqueur du loup, mais il n'avait aucune envie de lui expliquer le pourquoi du comment de cette nouvelle quête. Et puis, le temps passait différemment, à Tenebrous, et se téléporter là-bas,

plus le retour, lui prendrait plusieurs jours ter-
riens.

Saleté de sangsue !

Il se surprit à toucher la marque de sa morsure
pour la énième fois. Un jour avait passé, et il était
toujours sidéré qu'elle l'ait non seulement mordu,
mais aussi bu.

Un vampire a consommé mon sang souillé.

Il perça la cicatrice de sa morsure en y plantant
la pointe de ses griffes, espérant recréer une fraction du plaisir... en vain.

Il avait réagi comme un dingue, ne se rappelait
même pas ce qu'il lui avait dit. Il pensait même lui
avoir parlé en langage démoniaque. En tout cas, il
avait hurlé si fort que sa gorge en était douloureuse.
Là-dessus, pas de doute.

Une partie de lui se réjouissait de cette réaction. Rien à voir avec celle d'un mort-vivant dont la
flamme était éteinte ! Avec Josephine, il avait ressenti des choses. Il devait avoir conservé quelques
braises qui couvaient tout au fond de lui, parce que
ça avait produit... des étincelles.

La façon dont il avait réagi à elle – et elle à lui –
l'amenait à s'interroger sur toutes les explications
possibles, y compris les plus bêtes et les plus tirées
par les cheveux.

Et si elle était son âme sœur ?

Quelle probabilité y avait-il pour qu'il rencontre
une femelle dont l'odeur le mettait à genoux, et qui
se trouvait en plus immunisée face à son poison ?
Elle lui avait dit : « Tu sentais bon. »

Non, non, il n'y avait pas d'âme sœur qui tienne
pour Rune. Des milliers d'années auparavant, il
en avait conclu que ceux de son espèce n'avaient

pas de partenaire attitré, qu'ils étaient destinés à rester seuls.

Jamais il n'avait rencontré de sombre fey en couple, et n'avait jamais non plus entendu parler d'une seconde génération de son espèce. Ses propres années de solitude avaient achevé de sceller l'idée dans son esprit.

Et même s'il avait bien une âme sœur, ce ne pouvait pas être Josephine la vampire. S'il avait réagi si violemment à elle et à sa blessure, c'était pour la simple raison qu'elle l'avait ensorcelé.

Son odeur l'attirait plus fort que celle de quiconque, certes, mais simplement parce qu'elle était dotée d'une odeur des plus attrayantes. D'ailleurs, les autres hommes, dans la rue, y avaient réagi avec tout autant de chaleur.

Aucun Møriør n'avait d'âme sœur. Accepter une faiblesse aussi évidente aux yeux de tous compromettrait la position de Rune. Or il préférerait se damner aux enfers plutôt que d'abandonner son siège autour de leur table.

Nombre d'immortels vendraient leur âme pour prendre sa place…

En fin d'après-midi, il se rendit au magasin du Mythos que les nymphes lui avaient indiqué. C'était une boutique délabrée dont la vitrine arborait un symbole du Mythos. L'enseigne annonçait : « Galerie Loa ».

Peut-être y trouverait-il des menottes. Et quoi qu'il en soit, il arriverait bien à dénicher quelque information.

Pas rasé et portant les mêmes vêtements que la veille, il entra d'un pas décidé. Une clochette tinta au-dessus de la porte. Tout un tas d'objets destinés aux mortels encombraient les rayons. Le supermarché mythosien devait se cacher au fond.

Une femme était assise derrière le comptoir, plongée dans un livre. Sa robe d'un blanc quasi pur collait à sa peau sombre, révélant une silhouette voluptueuse. Était-ce Loa, la propriétaire ?

Rune haussa les sourcils. *Eh bien, eh bien, tu viens de gagner un client fidèle, Loa.*

L'attirance qu'elle lui inspirait prouvait bien qu'il n'avait pas d'âme sœur. S'il avait trouvé sa femelle destinée, il ne serait pas en train de prévoir de coucher avec la plantureuse vendeuse à la première occasion !

— Où est-ce que je peux trouver des menottes, ma colombe ?

— Salle du fond. Les allées sont indiquées, répondit-elle sans lever les yeux de son livre.

— Je suppose que tu n'as pas croisé une Mythosienne du nom de Josephine ? Une petite brune d'environ un mètre soixante-cinq ? (*Corps incroyable, voix rauque.*) Plutôt directe. (*Plutôt garce.*) Avec des rangers aux pieds et plusieurs piercings. (*Y compris quelques-uns bien cachés.*)

La femme s'humecta le pouce et tourna sa page.

— Elle habite en ville et traîne dans le Vieux Carré, ajouta-t-il. Mais elle est cachottière quant à son espèce d'origine.

Josephine n'était pas la seule. En reconnaissant celle de Loa, Rune réprima un sourire. Il aurait parié qu'elle non plus ne souhaitait pas révéler sa race.

Sans jamais quitter son livre des yeux, un tome sur la neuroscience, Loa lança :

— Y a trop de passage pour se rappeler tout le monde, à cette époque du millénaire. L'Accession les attire. Interroge plutôt les créatures inférieures.

Son accent était chantant et traînant. Celui de Josephine aussi était traînant, mais d'une façon différente.

— Parmi tes produits, tu n'aurais pas une mèche de cheveux de Valkyrie, par hasard ?

Les nymphes avaient promis de lui en chercher une, néanmoins il n'avait guère d'espoir. Leur soutirer des informations dans le feu du moment, c'était une chose, mais...

— Autant commander une tête de Valkyrie, répondit Loa.

Bon, il se doutait que ce ne serait pas facile.

— Tu vends des informations ?

Enfin, elle leva les yeux.

— D'après ce que je vois, j'ai dans l'idée que tu n'as pas les moyens de te payer les informations qui figurent à mon catalogue.

Ah non ? La richesse de Rune était si étendue qu'elle en était incalculable. Il offrit un sourire à Loa en songeant à toutes les reliques accumulées au fil des âges, celles qui constituaient sa collection privée. Et c'était sans parler des secrets qu'il gardait !

Il se surprit à se demander comment Josephine réagirait devant ses trésors. Elle serait sacrément étonnée, ça, aucun doute. Comment pourrait-elle ne pas être impressionnée ?

— Tu as peut-être raison, répondit-il en se dirigeant vers le fond du magasin.

Il repéra la porte dérobée et entra.

Une foule d'odeurs l'assaillit. Toutes sortes de créatures du Mythos avaient dû faire leurs emplettes par ici récemment. Des affichettes recouvraient les murs : « Soldes Accession ! », « Ventes flash ! », « Meurtre de masse = Vente de propriété ! »

L'Accession était un événement magique qui se produisait approximativement tous les cinq siècles et affectait chaque immortel des royaumes de Gaia, mettant les Mythosiens en contact les uns avec les autres – pour le meilleur ou pour le pire. Certains immortels s'allieraient, d'autres se feraient la guerre. En général, la plupart des factions se combattaient.

Nïx tentait de changer les règles du jeu en transformant ce qui devait être une interminable guerre d'usure en une immense bataille intermythosienne opposant les différentes alliances immortelles.

Le Møriør – une fraternité de tueurs dont les faiblesses étaient rares – l'emporterait. Comme toujours. Aux yeux de leurs ennemis, ils étaient les Porteurs de Mort.

Rune s'enfonça plus avant parmi les rayons. Les allées étaient dénommées CONTRACEPTION, GLAMOUR, PRESTIDIGITATION... Il vit même une PRÉPARATION À L'APOCALYPSE qui lui fit hausser les sourcils. Ils la prévoyaient déjà ? Il bifurqua dans l'allée BONDAGE, où il choisit une paire de menottes dont l'étiquette indiquait :

Magiquement renforcées et à l'épreuve
de la téléportation
Testées par la maison des Sorciers
Est.937
Malédictions 1re classe, sortilèges, sorts et potions
On ne se déprécie pas !
info@maisondessorciers.com
Membre LBBB

Ces sorcières, c'était une sacrée engeance, quand on considérait qu'elles n'avaient jamais reçu la permission de leur reine pour fonder cette colonie sur

Gaia. Et sachant qu'elles n'avaient jamais payé la moindre taxe sur Akelarre, leur domaine d'origine.

La plupart des Mythosiens préféraient affronter une déité vengeresse plutôt que la bureaucratie d'un collecteur d'impôt.

En l'an 937, vous avez fichu la pagaille. Et Allixta est arrivée dans la foulée.

Il examina les menottes, évaluant leur pouvoir magique. Pas mal. Il pourrait les customiser avec ses propres runes, en accentuer et en diriger le pouvoir, tout comme il le faisait avec ses flèches.

Oui, si la petite sangsue revenait ce soir, il la capturerait. Et une fois qu'il l'aurait sous sa coupe, alors peut-être parviendrait-il à se l'ôter de la tête et à se concentrer sur sa mission.

À la caisse, il fourra les menottes dans une poche arrière et jeta quelques pièces d'or sur le comptoir. Il avait échangé ces pièces plus récentes dans les Autreroyaumes, mais elles restaient anciennes. Il n'avait pas d'autre choix que de les utiliser.

Au moment où il procédait au paiement, il perçut un son. Quelque chose de grand bougeait sous le vieux plancher de ce magasin, quelque chose... qui ondulait sur le sol. Il méprisait les serpents. Il frémit intérieurement au souvenir de la vipère transformée avec qui il avait été forcé de coucher.

— Loa, tu héberges des serpents, là-dessous ?

Elle plissa ses yeux d'ambre.

— Oui, pour les sombres feys qui posent trop de questions.

— On me prend en général pour un fey au sang pur, comment as-tu deviné que j'étais sombre fey ?

— Tes canines un chouïa trop longues. C'est ce que me souffle mon sang démon.

137

— Certes, mais je pourrais être croisé avec un vampire.

— Tes yeux sont couleur prune.

Il lui sourit.

— Observatrice. Et moi qui pensais que tu m'ignorais royalement.

— Aucune menace n'échappe au regard de Loa.

Elle devait posséder une immense connaissance de ses clients, alors. Des secrets bons à prendre.

— Comment savais-tu, pour les yeux ? Tu n'as pas dû rencontrer beaucoup de mes semblables.

Le peu de sombres feys qu'il avait rencontrés étaient nés d'un mélange différent entre fey et démon. Démon de rage et fey de glace, fey de forêt et démon de fumée, etc.

Leurs caractéristiques et niveau de toxicité variaient, mais tous étaient dotés d'yeux couleur prune.

L'expression de Loa se fit calculatrice.

— Peut-être bien que j'ai vu une sombre fey femelle dans cette ville. Elle est même jolie à regarder, si ça se trouve.

Rune se raidit.

— Combien pour acheter des informations sur elle ? s'enquit-il aussitôt.

Pour une raison bizarre, le visage éthéré de Josephine apparut dans son esprit.

— Quel intérêt pour moi de faire affaire avec toi ? répliqua Loa.

Il posa les avant-bras sur le comptoir et se pencha vers elle. Plongeant ses yeux dans les siens, il frotta la pointe d'un de ses crocs contre sa lèvre inférieure.

— Et pourquoi ne souhaiterais pas un autre type d'échange avec moi, ma colombe ? demanda-t-il.

138

Les pupilles de la femelle se dilatèrent tandis qu'elles se focalisaient sur sa bouche. Sa respiration s'accéléra. Elle cilla à plusieurs reprises, puis son regard se fit dur.

— Tu es un sangfléau, avec une cicatrice de morsure de vampire dans le cou, qui achète des menottes et les paie avec de l'or trop ancien. Tu as raison, je ne vois pas ce qui pourrait m'inquiéter là-dedans.

Malgré tout ça, elle était intéressée. Sans aucun doute.

— C'est une longue et drôle d'histoire. (*Que je ne te raconterai jamais.*) Il faudrait qu'on dîne ensemble.

Haussement de sourcils.

— Ah oui ?

Il baissa la voix jusqu'au murmure :

— Oui, et à ce moment-là, je saurai trouver les arguments pour te convaincre de traiter avec moi. Encore et encore.

Loa croisa les bras sur sa poitrine généreuse.

— Je ne pense pas...

— Ah-ah, ma colombe, je connais les femelles, et celle que j'ai sous les yeux a besoin d'un peu plus qu'une piécette...

Il laissa sa phrase en suspens. Ses muscles se crispèrent.

Parmi toutes les odeurs qu'il percevait dans cette boutique, l'une d'elles attira son attention.

Valkyrie.

15

Au fond, je n'ai peut-être pas plus de fierté que les nymphes, songeait Jo en observant sa robe neuve dans le miroir.

Un fourreau écarlate. Sans bretelles. Très, très courte.

Quand elle avait décidé de retourner au Vieux Carré pour affronter Rune, elle avait passé sa garde-robe en revue – un portant de fringues vintage – sans rien y trouver d'aussi sexy que les tenues des nymphes.

Inacceptable.

Alors elle avait filé dans une boutique d'occasion pour y faire un peu de shopping. Ou plus précisément, un peu de vol à l'étalage. Puis elle s'était réchauffé un mug de sang à boire pendant qu'elle se préparait. Elle fronça les sourcils. La tasse était encore pleine, son contenu avait refroidi. L'odeur la révulsait.

Tant qu'elle ne dépensait pas trop d'énergie, elle pouvait bien sauter un repas.

Elle se tourna de face au miroir. Puis de dos. Elle avait opté pour un modèle de soutien-gorge sans bretelles et à balconnets qui cachait les piercings de ses tétons et lui remontait les seins presque jusque sous le menton. Elle s'était coiffé les cheveux en grosses boucles et avait redessiné ses yeux d'une touche d'eye-liner smoky. Un coup de vernis à ongles clair et brillant faisait scintiller ses griffes. Après s'être mordillé les lèvres jusqu'à les rendre rouge sang, elle avait enfilé des hauts talons à lanières.

Son collier de balles plongeait dans son décolleté. Un bracelet en argent encerclait l'un de ses bras nus au-dessus du coude. Elle avait choisi d'accrocher à ses lobes des boucles d'oreilles chandelier, et ses habituels anneaux à spirale en haut des oreilles.

Elle avait pris du plaisir à se faire percer, même sous la ceinture. Chaque morsure de douleur lui apportant la preuve qu'elle était bien sur terre, incarnée. Ou quelque chose de cet ordre. Et ses bijoux l'aidaient à s'en souvenir.

Autre avantage de la chose, tous les types qu'elle avait fréquentés avaient perdu les pédales en voyant ses piercings. Et voulu les tâter de la langue sur-le-champ.

Elle se brossa les cheveux une dernière fois et afficha un sourire pour le miroir. Elle ne s'attendait pas à ce qu'après un seul regard dans sa direction, Rune songe : « Comment ai-je pu tourner le dos à un canon pareil ? Peut-être devrais-je l'épargner ? » mais elle espérait quand même susciter un scrupule ou deux.

Elle posa les yeux sur son truc en os posé près du lit. La seule chose dont elle était certaine à son sujet, c'était que cet objet était tout sauf une babiole.

Elle n'avait pas de poche où le mettre, mais n'aimait pas l'idée de le laisser sans surveillance. Si d'autres monstres possédaient des sens aussi développés que les siens, ils le renifleraient où qu'elle le cache. Avec un haussement d'épaules, elle fourra l'objet dans le seul endroit sûr qui lui vint à l'esprit : le décolleté confortable entre ses seins rehaussés.

Parce que jamais elle n'en autoriserait l'accès à Rune.

Aussi prête qu'elle le serait jamais, Jo « glissa », comme ils disaient, jusqu'au Vieux Carré et directement vers la cour. Avait-elle vraiment envie d'y découvrir Rune enfoncé jusqu'à la garde dans une nymphe ? Si jamais elle le surprenait encore en train d'essayer de revivre sa morsure, elle pourrait se moquer de lui.

À l'approche du portail, elle se rendit invisible. Mais la cour était vide. Après un coup d'œil dans les parages, elle se téléporta sur une toiture surplombant Bourbon Street. Le Vieux Carré était un quartier animé, le samedi soir, mais il fallait dire que chaque nuit apportait son lot de spectacles : les touristes qui visitaient la ville, les groupes de musique, ceux qui essayaient de vous inciter au repentir...

Au bout d'un moment, un couple qui passait bras dessus bras dessous dans la rue attira son attention. La femme, aux cheveux bruns coupés court, n'avait qu'une seule chaussure. Et elle portait ce qui ressemblait à une chauve-souris, accrochée à l'arrière de son chemisier champêtre, qui regardait par-dessus son épaule. Le visage de cette femme était captivant, ses yeux dorés semblaient briller dans la pénombre.

Pas humaine, à coup sûr. Les monstres sortaient du bois !

En plus de l'étrangeté de la femme, quelque chose chez elle mit Jo sur ses gardes. Seulement parce qu'elle était paranormale ?

Jo prêta alors attention à l'homme, très grand, qui l'accompagnait. Mais son chapeau de cow-boy l'empêchait de voir son visage. Il portait des santiags et marchait d'un pas confiant, roulant des mécaniques.

— Tu as déjà joué les appâts, mon chou ? demanda la femelle.

— Non, m'dame. Jamais.

Accent texan ?

Jo pencha la tête au son de cette voix, à l'ironie du ton. Le couple tourna à l'angle d'une ruelle déserte.

En mode fantôme, elle investit une autre toiture d'où elle le distinguait mieux. Quand elle aperçut son visage, elle sentit son sang se glacer.

Thaddie !

Mon frère !

Il avait l'air plus vieux que sur les derniers articles de journaux qu'elle avait collés dans son cahier, mais c'était bel et bien lui !

Un homme. Il n'avait plus rien du petit garçon qu'elle transportait dans son SacàThad et qui vénérait son Spiderman.

Elle porta une main à sa poitrine, serrée par une douleur vive.

Que faisait-il à La Nouvelle-Orléans ? Une compétition sportive l'avait peut-être amené en ville. À moins qu'il ne soit là en touriste, avec des copains d'école.

Mais dans ce cas, que faisait-il en compagnie d'une non-humaine ? *Traîner avec des monstres, ça n'est pas acceptable, Thaddeus.*

S'il devait fréquenter ce genre de créatures, alors elle avait sacrifié une vie avec lui pour rien ?

Non, elle allait l'éloigner de cette femme. Et de cette ville. Un ennemi risquait de découvrir son lien avec Thad. Un ennemi, comme par exemple...

Un mouvement dans son champ de vision.

Rune. Sur le toit de l'immeuble voisin.

Sa longue silhouette mince était accroupie et, tel celui d'un prédateur, son corps semblait prêt à bondir. Sur quoi ? Des stries noires lui zébraient les yeux.

Jo regarda tour à tour Thad et Rune. *Danger.* Elle devait détourner l'attention du sombre fey. Qu'il cesse d'observer son frère.

Elle s'apprêtait à se téléporter auprès de Rune quand elle le vit tendre une main vers son carquois. Il toucha les plumes de ses flèches, comme pour choisir parmi elles. À une vitesse stupéfiante, il retira une flèche noire, la mit en place et tira sur la corde.

Jo n'en revenait pas. Il visait Thaddie !

Elle fixa les yeux sur un point dans le ciel au-dessus de Rune et se téléporta. Après plusieurs rotations dans les airs, elle plongea, poing tendu vers lui, se matérialisant dans le même mouvement.

Elle allait envoyer bouler ce sombre fey du haut de son toit jusqu'au sous-sol... et l'y enterrer.

16

Sur le point de mettre un terme à des milliers d'années de vie, Rune se fixa sur sa cible et tira sur la corde de son arc.

Il avait choisi sa flèche préférée, celle que Sian appelait la « fatale » en riant. Fichée dans le cou d'une cible, elle coupait sa tête proprement.

Rune prit une inspiration régulière. Il était sur le point de relâcher le doigt qui maintenait sa corde quand il perçut l'odeur de Josephine.

Au-dessus de lui ?!

Une fraction de seconde plus tard, il entendit son cri de fureur.

Elle fonçait sur lui telle une fusée, les yeux noirs de rage. Était-elle l'alliée de Nïx ? Sa protectrice ? Machinalement, il tourna son arc vers la nouvelle menace.

Bon sang !

Il n'eut que le temps de retirer sa flèche de son arc…

Josephine le heurta de plein fouet à la vitesse d'un météore.

Il bascula en arrière sous l'impact. BOUM ! Dans une explosion assourdissante de tuiles et de bois, la toiture s'ouvrit sous lui.

Josephine lui enfonça les griffes dans la gorge, le maintenant immobile tandis qu'elle lui martelait le visage. Il encaissa les coups rageurs, se débattant pour assurer la prise de son poing serré sur son arc.

Ils volèrent à travers un grenier. Elle continuait à cogner. Ils passèrent à travers le sol du grenier pour atterrir dans l'appartement du dessous.

Rune veillait en priorité à ne jamais lâcher son arc. Ce qui ne lui laissait qu'une main pour se défendre, et le mettait donc dans l'incapacité d'atteindre ses menottes. Pourtant, il n'arrivait pas à se décider à assommer son assaillante.

Tandis que le sol de l'appartement suivant cédait sous eux, il aperçut une famille pétrifiée en train de dîner, fourchettes immobilisées au-dessus des assiettes.

CRAC ! Nouvel étage. Dans cet appartement-là, un type pilonnait une fille, musique à fond. Ils ne remarquèrent même pas l'intrusion.

Quelle situation enviable ! Rune, lui, se faisait rosser par une femelle qu'il ne pouvait se résigner à blesser.

BOUM ! Encore un étage franchi. Leur vitesse allait ralentir, mais avec une lueur sauvage dans les yeux, Josephine les téléporta, accélérant à nouveau. Elle voulait l'enterrer, ou quoi ?

— Arrête-toi, vampire ! Si je te téléporte, tu vas t'envoler...

Elle le frappa en pleine bouche.

Ils passèrent à travers un dernier étage, rompant un réseau de canalisations. Rune cogna le sous-sol de plein fouet, son dos ouvrant une brèche dans les fondations. Josephine atterrit sur lui.

Sous l'impact, ses poumons se vidèrent de tout leur air. Il prit une inspiration emplie de poussière de ciment et d'humidité, toussant sous son agresseur.

Elle se redressa et s'assit à cheval sur lui, semblant évaluer les dégâts qu'elle avait causés à son visage.

Le bâtiment vacillait dans un grondement. Ils s'immobilisèrent tous les deux. Une seconde s'écoula. Puis une autre. La structure tenait bon.

— C'est quoi, ce bordel, femelle ?

Il devait bien l'avouer, plus que les tremblements de l'immeuble, c'étaient les hurlements de Josephine qui l'avaient effrayé. Il essaya de détecter l'odeur de la Valkyrie. Rien.

— Par tous les dieux !

Même si Nïx n'était pas capable de voir son propre destin, elle allait peut-être commencer à s'intéresser à celui de Rune. Avait-elle aperçu son visage ?

Si c'était le cas, elle serait capable de prédire où il frapperait à chaque fois.

Mais la situation n'était pas désespérée. Josephine était de mèche avec Nïx, ce qui signifiait qu'il pourrait utiliser sa nouvelle prisonnière pour atteindre la Valkyrie. Peut-être même Nïx négocierait-elle la libération de Josephine.

Sans compter les informations qu'il parviendrait à extorquer à la vampire. Encore un bon prétexte pour la capturer. Dans sa poche arrière, les menottes n'attendaient que ça.

Une fois qu'il l'aurait enfermée, il l'obligerait à lui rendre son talisman, puis il utiliserait l'un de ses talents particuliers.

L'interrogatoire.

— Tu vas me le payer cher, vampire.

Elle prit son élan pour lui assener un nouveau coup. Grâce à sa vitesse, il lui saisit le poignet. Et alors qu'il le tenait bien serré, il remarqua son apparence. La vapeur des canalisations d'eau rompues avait humecté sa peau de porcelaine, dont sa robe courte ne cachait pas grand-chose. Le fourreau écarlate contenait tout juste ses seins ronds et remontait très haut sur ses cuisses.

Elle portait des bijoux, du maquillage et des chaussures sexy. Habillée comme une croqueuse d'hommes. *Habillée comme ?* Josephine la vampire était la définition même de la croqueuse d'hommes.

Le sang afflua dans son sexe à cette pensée. *Elle a fait de moi son repas, la nuit dernière.*

Le sentant durcir sous elle, Josephine se démena d'un air outré, et sa micro-jupe révéla une vue de rêve.

Sa croqueuse d'hommes avait laissé sa culotte à la maison.

Putain. De. Merde.

Un voile passa sur la vision paradisiaque. Brûlant de goûter ses lèvres, il la saisit par la nuque, l'attira à lui...

Paf ! Un autre coup en pleine bouche.

— Pour pas changer, tu penses encore au sexe !

— Après des préliminaires pareils ? Évidemment !

— Des préliminaires ? Dans tes rêves !

Il baissa les yeux vers son entrecuisse et remonta vers son visage.

— Rien que de doux rêves.

— Tu es un vrai...

Elle laissa sa phrase en suspens, et fixa le regard sur la lèvre inférieure de Rune. Et en la voyant se lécher un croc d'un air lascif, il ne put réprimer un sourire triomphal.

— Ma vampire aurait-elle soif de sangfléau ? N'est-ce pas qu'elle me trouve délicieux ?

La savoir assoiffée de son sang lui gonflait la poitrine, et le sexe encore plus.

— Pas besoin d'user de tant de violence, femelle. Il te suffit de demander très gentiment et je te permettrai de te nourrir. Une beauté comme toi saurait me convaincre de faire à peu près n'importe quoi, au nom du plaisir.

Elle secoua vivement la tête, mais son souffle s'était accéléré, ses seins laiteux se soulevaient vite et fort sous le regard hypnotisé de Rune.

Manifestement, elle bataillait pour garder le contrôle d'elle-même. Ce qui signifiait qu'il pouvait la faire basculer. Elle se pencha sur lui pour l'agripper par les épaules et sa robe remonta un peu plus haut encore.

L'odeur de son excitation submergea Rune, balayant d'un coup toute pensée cohérente. Oubliées, sa cible et sa mission. Oubliés, les faiblesses, les dieux, les guerres. Plus rien ne comptait en cet instant.

Elle lui enfonça les griffes dans les épaules. La vampire clouait sa proie au sol ? Qu'elle se rassure, cette proie-là n'avait pas l'intention de bouger.

Il relâcha son arc pour lui glisser une main entre les jambes et prendre en coupe sa petite chatte toute douce. Et quand sa paume rencontra la chair chaude et offerte, il lâcha un grognement.

— Femelle, je vais te faire jouir jusqu'à ce que tu ne puisses plus marcher.

Elle cligna les yeux.

— Rune ?

Rien qu'entendre son nom sur sa langue lui tira un frisson.

— Donne-moi tes lèvres, Josephine.

Grands dieux, comme il avait besoin de ce baiser !

D'un geste brusque, elle lui retira la main de son entrejambe et lui assena un nouveau coup de poing.

— Ne me touche pas !

— Par les enfers, femelle ! s'exclama-t-il en lui saisissant les poignets. Que je ne te touche pas ? Parce que je suis sombre fey ?

Tout en parlant, il se hissait vers elle, agrippé à ses poignets.

— Il ne subsiste plus aucune barrière entre nous maintenant que tu as bu à mon cou.

Ses mains étant bloquées, elle se défendait avec les jambes, resserrant les cuisses autour de la taille de Rune, lui plantant les genoux dans les flancs.

Son projet de lui prendre les lèvres et d'enfoncer son sexe en elle étant visiblement mal embarqué – pour l'instant – il sortit les menottes. Rapide comme l'éclair, il lui attacha un poignet au sien.

En se rendant compte de ce qui lui arrivait, elle haleta et tenta de se téléporter. Elle essaya même ce glissement au ralenti qu'elle lui avait déjà fait, mais cette fois, rien ne fonctionnait. Les liens de métal la retenaient. Un peu plus tôt, alors qu'il suivait Nïx à l'odeur, il avait rapidement tracé des runes sur ces menottes, dirigeant leur pouvoir contre Josephine seule. Si elle ne pouvait plus se téléporter, lui en était toujours capable.

Alors qu'elle se débattait pour se libérer, il aperçut un éclair blanc entre ses seins.

— Ah, voilà mon trésor, fit-il en tendant la main vers son talisman – sans résister au plaisir d'une caresse.

Il lâcha un grognement. *La taille parfaite pour ma main.*

Elle se mit à le gifler, si bien qu'il dut la lâcher à contrecœur, sans oublier de récupérer son talisman. Et hop, dans sa poche, à la place qui était la sienne.

— Retire-moi cette menotte, Ruine !

Il éclata de rire.

— Aucune chance, ma colombe.

Et il tira sur la chaîne, l'obligeant à se rapprocher de lui.

— Et au passage, je m'appelle Rune.

Elle continuait à se débattre.

— Qu'est-ce que tu fais ?

— Exactement ce que je t'ai promis la nuit dernière.

Ses yeux s'écarquillèrent.

— Tu vas m'emprisonner ? Jusqu'à ce que tu te décides à me tuer ?

— Jusqu'à ce que la mort nous sépare, Josie, répliqua-t-il d'une voix rauque.

17

Rune sait se téléporter ?

Jo chancela quand ils réapparurent sur le toit du bâtiment. La téléportation de Rune était plus dure, plus rapide que la sienne, donnant un peu l'impression d'avoir été projetés d'un canon.

Par comparaison, sa téléportation à elle ressemblait plutôt à la mise en route du moteur ronronnant d'une Cadillac. Sauf qu'avec ces menottes, elle était coincée ! Elle ne réussissait même pas à se changer en fantôme.

Rune récupéra sa drôle de flèche à côté du trou béant dans le toit. Alors qu'il observait la rue déserte, des sirènes de police retentirent dans le lointain. Elles se dirigeaient vers eux.

Il jura à mi-voix.

— Tu as attiré l'attention des humains, constata-t-il en secouant la tête. Imprudente femelle.

Et il les téléporta de nouveau.

Quand Jo ouvrit les yeux, ils se trouvaient dans une pièce au sol de verre qui réverbérait les sons. Au-dessous d'eux, une autre pièce au sol de verre, et ainsi de suite.

Elle en resta bouche bée. Chaque étage était peuplé de créatures en tous genres. Une véritable foire aux monstres.

Certains avaient des ailes, d'autres quatre jambes. Elle voyait des êtres à la peau luisante, écailleuse ou couverte de pus. Elle reconnut des centaures d'après les BD qu'elle avait lues, et des démons cornus aperçus dans les souvenirs de Rune.

Des femelles étaient dispersées parmi les mâles. La plupart avaient de la poitrine et portaient peu de vêtements.

Tous semblaient en état d'ébriété, gobelets en main, pince ou tentacules. On entendait une drôle de musique, une bruyante ambiance de fête.

— Qu'est-ce que c'est que cet endroit ?

Aucune de ses séances d'espionnage ne l'avait préparée à pareilles scènes. Soudain, elle se rendit compte que ça copulait un peu partout. Son cœur se mit à battre plus fort. Elle espérait du moins qu'il s'agissait d'actes sexuels, autrement ces créatures étaient en train de se matraquer à mort.

— Ah, ce qui t'attend te rend nerveuse, murmura Rune, qui se méprenait sur son inquiétude. Tu as raison. Car tu vas bientôt découvrir une chose pour laquelle je suis très, très doué.

— Où m'as-tu emmenée ?

Et comment allait-elle retourner auprès de son frère ?

Depuis sa résurrection (ou sa transformation ?) elle s'était souvent demandé pourquoi on l'avait dotée de toute cette force, de cette rapidité, de ces talents. *Pour pouvoir le protéger.*

Encore fallait-il être en mesure de l'atteindre.

Mais enfin, pourquoi Rune s'en prendrait-il à Thaddie ? Comment son petit frère s'était-il retrouvé mêlé à pareil danger ? Telle sœur, tel frère ? S'était-il fourré dans de sales draps ?

Elle se consolait en songeant que chaque seconde que Rune passait auprès d'elle donnait à Thad du temps supplémentaire pour s'échapper. Peut-être devrait-elle chercher à en gagner coûte que coûte.

— Nous sommes à Tortua, l'antre du plaisir, expliqua Rune. J'ai une résidence ici. Et là, nous sommes dans l'observatoire.

Et les monstres qui se trouvaient au-dessous, ils « observaient » sous sa robe aussi ?

— Chaque étage peut voir ceux d'en dessous, mais pas ceux du dessus, précisa Rune, lisant dans ses pensées.

Elle leva la tête et son regard se heurta à un dôme opaque.

— J'occupe le très convoité dernier étage. Bienvenue dans ta nouvelle maison.

Quoi ?! Rune comptait la détenir dans un « antre du plaisir » ?

— En d'autres termes, tu as une piaule dans une maison close. Pas étonnant, au fond, pour un sombre fey…

Un muscle se crispa dans sa large mâchoire.

Oh-oh, aurais-je touché une corde sensible ?

— Une vampire mieux avisée essaierait de me convaincre de l'épargner. Et pas de m'insulter.

— Tu ne me tueras pas.

Comment le pourrait-il ? Elle avait pris six balles en pleine face. À moins qu'un pieu en bois ne fasse l'affaire ?

— Ah non ? s'étonna-t-il.

— Tu aimes trop mes morsures.

Non qu'elle ait l'intention de lui en accorder une autre. Et peu importait qu'elle soit passée tout près de recommencer, dans ce sous-sol. Si elle avait été tentée, c'était uniquement parce qu'elle n'avait pas bu depuis vingt-quatre heures et dépensé beaucoup d'énergie.

— Je pourrais les remplacer par celles d'un autre vampire.

Son ton désinvolte la rendait nerveuse. La nuit dernière, il lui avait dit à demi-mot qu'il l'avait épargnée seulement parce qu'elle continuait à éveiller son intérêt.

Et elle avait vu à quelle vitesse il passait d'un regard tendre à un regard létal.

Cela dit, il existait un moyen sûr de rester en vie et d'empêcher l'assassinat de Thad : supprimer Rune en premier.

— Combien de gens as-tu tués ? s'enquit-elle.

— Trop pour pouvoir les compter.

Tu m'étonnes. Il faudrait pourtant qu'elle prenne le dessus. Serait-il aussi dur à tuer qu'elle l'avait été elle-même ?

— Viens.

Il se tourna vers un solide mur de briques et pressa sur un symbole gravé dans la pierre. Les briques disparurent pour former une large ouverture. Un portail !

Un étrange souvenir apparut soudain à l'esprit de Jo, telle la lueur d'un phare – trop brillante un instant, et disparue l'instant d'après.

Mais elle se remémora un lieu où régnait le chaos le plus total, en proie aux flammes et aux séismes. Malgré le vent qui lui brouillait la vue, elle avait aperçu une main pâle tendue vers le ciel. Au-delà, les étoiles marbraient la nuit. Derrière elle, un mur de portails.

Non, pas des portails... des trous noirs.

Alignés par rangées de trois, les uns au-dessus des autres, noir sur noir. Tels des yeux d'araignées. Et quelqu'un hurlait : « C'est la fin du monde ! »

Était-ce le souvenir de Rune ? Ou le sien ?

Avant qu'elle ait le temps de s'appesantir davantage, il la poussa à travers le portail. Qui se referma derrière elle dans un grincement.

Un pont de pierre s'étendait devant eux, éclairé par des torches et flanqué de grilles. D'autres symboles avaient été gravés dans diverses pierres.

Rune déverrouilla la menotte à son poignet et tendit la main pour faire de même avec le sien. Il allait la détacher ? Pour de vrai ?

Il fourra les menottes dans sa poche, puis sembla attendre qu'elle s'enfuie. *Ravie de t'avoir rencontré, connard.* Elle commença à se téléporter vers le Vieux Carré. Tout se passait bien, quand elle se heurta soudain à une sorte de frontière qui la renvoya au point de départ.

Rune éclata de rire. Il tira son colifichet de sa poche – encore un point pour lui. Avec un sourire narquois, il le lança en l'air et le rattrapa dans sa grande paume, avant de le rempocher.

— Tu es vraiment un connard.

Et dire qu'elle avait eu un coup de cœur pour lui ! Elle n'en revenait pas.

— J'ai des protections tout autour de cette résidence. Je suis le seul à pouvoir les franchir. Tout ce qui se trouve à l'intérieur de mon repaire y reste, y compris le son de tes hurlements – au cas où tu envisagerais d'appeler à l'aide. À supposer que quelqu'un t'entende, il ne pourrait pas entrer car tout ce qui est à l'extérieur y reste.

En admettant qu'elle ait de la chance et parvienne à l'éliminer, elle serait prisonnière ici.

— Tu peux dire « au revoir » à ton projet ridicule de me tuer, poursuivit-il en l'entraînant plus loin. Je vois bien que tu réfléchis à toutes les possibilités.

Pas encore toutes. Pouvait-elle se déplacer sous sa forme de fantôme à l'intérieur de ces limites ? Et si oui, peut-être serait-elle en mesure de s'incarner en lui ? Il ne parviendrait jamais à se débarrasser d'elle. Et un jour ou l'autre, il serait bien obligé de quitter cet endroit.

Ses talons étaient lourds tandis qu'ils traversaient le pont. Jo observa ce qui se trouvait au-delà de la grille, mais ne vit que l'obscurité – aussi sombre qu'un trou noir.

Mais pas question de laisser deviner sa frayeur à Rune.

— Ça se trouve où, Tortua ? Dans le Pacifique sud, un truc du genre ? C'est ici qu'ils filment Koh-Lanta ? « Le feu représente la vie ! »

— Oh, tu es loin, très loin de la Terre, ma colombe. Mais tu vas aimer, c'est la nuit perpétuelle, ici.

Pas sur Terre. Il allait falloir… Il allait falloir réfléchir à ça plus tard.

Rune posa une paume à plat sur un symbole élaboré gravé dans un pilier, et un deuxième portail s'ouvrit sur une vaste chambre avec suite.

L'espace, agréable, avait été décoré dans des teintes taupe – même si on ne leur donnait sans doute pas ce nom-là, ici. Et c'était mille fois plus joli que sa « maison » à elle.

— Pas mal, commenta-t-elle néanmoins. Même si la suite ressemble plus au chalet de chasse d'un sang-bleu qu'au lupanar d'un sang-noir.

Il pencha la tête, l'air mystifié.

— Je tiens ta vie entre mes mains, et mon emprise se desserre à chaque insulte.

Je vais bientôt pouvoir flotter loin de toi, alors.
Elle se ressaisit.

Dans le salon adjacent, un feu brûlait dans une grande cheminée de briques. D'autres symboles embellissaient les pierres, ici aussi. À plusieurs endroits sur les murs, des marques semblables avaient été gravées, aux emplacements où l'on aurait pu trouver des interrupteurs.

Un énorme lit surélevé dominait la pièce, entouré de quatre épais piliers qui supportaient de lourds rideaux ouverts, révélant des draps froissés.

— C'est ton lit ?

Elle n'avait aucun mal à imaginer ce qui avait pu se produire entre ces draps. Quelques instants plus tôt, Rune lui avait posé la main entre les jambes, dans ce sous-sol, et avait essayé de l'embrasser. Pourtant, il s'était probablement adonné à une véritable orgie ici même aujourd'hui.

— Et alors, quoi, mon lit ?

— Je l'aurais imaginé plus grand, répondit-elle. Je doute que tu puisses mettre plus de cinq ou six nymphes, là-dedans.

— Ça dépend si j'ai envie d'être à l'aise avec elles ou pas.

— Tu n'attends pas de moi que je dorme là, quand même ?

— Et si c'était le cas ?

Elle se frappa le front du plat de la paume.

— J'ai oublié ma lampe à ultraviolets et ma combinaison de protection. Mais tu dois avoir des préservatifs quelque part.

Il s'approcha un peu plus d'elle.

— Des préservatifs ? Je suis moitié démon, ma colombe. Même si j'avais besoin d'en porter, ajouta-t-il, penché vers elle, j'aurais du mal à en trouver à ma taille. Comme tu t'en souviens très bien.

Elle roula des yeux et s'écarta de lui. Quand il s'approchait trop près, elle se sentait faiblir. Comment pouvait-elle continuer à désirer un coureur de jupons tel que lui ? Surtout après qu'il avait menacé de la tuer ?

À cause de son sang. Rien que son sang.

Il traversa la pièce pour aller presser un symbole sur le mur au niveau de la tête de lit. Et dans la seconde, le lit en bataille se retrouva parfaitement refait et repositionné.

Ne flippe pas, Jo.

— Pratique.

Il haussa les sourcils.

— D'autres commentaires ?

— Pas pour l'instant.

Elle se dirigea vers le feu d'un pas nonchalant pour se réchauffer. Sa robe était encore mouillée, et sa peau humide – et dénudée pour l'essentiel. En plus, elle avait toujours froid, quand elle avait soif.

Elle porta son attention sur un confortable fauteuil placé devant le feu. À côté, une boîte contenait des plumes et des hampes à flèches.

C'était donc ici qu'il fabriquait ses flèches. Seul.

— Ton salon ne comporte qu'un siège ?

Était-il solitaire, comme elle ? Peu lui importait, mais…

Il dut percevoir quelque chose dans son expression, quoi, elle l'ignorait, en tout cas cela provoqua une tension chez lui.

— Une amie nymphe a décoré cet endroit pour moi. Les choix en matière de style n'indiquent rien de moi.

Il détacha le carquois fixé à son mollet, avant de l'accrocher au mur.

— Hum-hum.

Les choix en matière de style en disaient donc très long sur lui. À coup sûr.

Il décrocha aussi son arc, qu'il suspendit à un crochet au-dessus de l'âtre.

— Il y a une barrière protectrice au-dessus de mon arc, là. Si tu essaies de le toucher, tu te retrouveras les quatre fers en l'air. Et si tu as envie d'essayer malgré ma mise en garde, préviens-moi, que je voie ça.

Enflure !

— Quoi qu'il en soit, cet endroit est une résidence secondaire.

— Le bordel pour les week-ends de Ruine.

Avec un regard irrité, il appuya sur un autre symbole, et une large porte s'ouvrit sur une immense bibliothèque. Les rayons montaient sur au moins trois étages. Ces livres lui apparaissaient comme autant de coffres remplis d'infinis trésors, et tout le monde hormis elle semblait en avoir la clé.

Un autre symbole ouvrit une deuxième pièce adjacente, dotée d'une gigantesque piscine. Entourée de colonnes en marbre. Des torches s'enflammèrent en même temps, leur lueur se reflétant sur la surface de l'eau. De la vapeur émergeait d'une pièce dans le fond.

Cool !

— Imitation de bains romains.

Il observait les lieux comme s'il les découvrait pour la première fois.

— Chaque fois que je me dis que les mortels manquent totalement d'inspiration, il arrive un siècle pour me détromper...

— Tu as combien de pièces ?

— Autant que je veux. C'est infini.

Là encore, pratique.

— C'est donc ici que tu penses me détenir.

— Plutôt agréable comme cachot, non ?

Et il posa sur elle son regard satisfait, celui qu'il arborait quand il manipulait les nymphes avec sa queue, celui qui donnait envie à Jo de lui taillader le visage.

— Tu n'as pas la moindre idée de ce à quoi ressemble ma maison, à moi. (*Au Lit-où-on-dort-pas.*) Par comparaison, conclut-elle en relevant le menton, je trouve cet endroit… vieillot.

— Heureusement pour moi, je me fiche comme d'une guigne de tes goûts de riche.

Il entrouvrit les lèvres, puis sembla se raviser sur ce qu'il s'apprêtait à dire.

— Suis-moi, fit-il en se tournant dans une autre direction pour ouvrir une nouvelle zone.

Quand ils traversèrent le couloir, Jo trébucha. *Bordel de merde !* La pièce était emplie d'antiquités. Des armures, des statues, des bijoux, des vases, des armes de toutes sortes.

— Ça vient d'où, tous ces trucs ?

— J'ai collecté ces pièces inestimables au fil de ma vie.

Jo collectait des trucs, elle aussi. À la différence que tout ce qui était exposé ici était vraiment « inestimable ». Elle n'avait jamais mis les pieds dans un musée, et aurait volontiers exploré cet endroit pendant des jours entiers.

— « Collecté » ? Ou volé ?

Il s'appuya de l'épaule contre un mur.

— Ce sont des prises de guerre.

— Tu es une sorte de soldat ?

— Je suppose qu'on peut appeler ça comme ça. Alors, tu trouves toujours ma maison « vieillotte », vampire ?

Son opinion lui importait donc ? Étonnant.

Elle parvint à hausser négligemment les épaules.

— Pas mal.

Il semblait brûler de l'étrangler.

— Maintenant que tu me retiens prisonnière ici, c'est quoi, ton plan ? Ma mort est programmée à un moment donné, c'est ça ?

Il soupira.

— Non. J'étais en colère et voulais te punir de m'avoir fait rater mon tir. Ce n'est pas tous les jours que j'ai l'occasion d'abattre Nïx.

Son changement abrupt de tactique la mettait à cran...

Mais une minute... Il visait la femme ? Cette Nïx ?

Et pas Thad !

Rune s'approcha d'elle.

— Je me suis rendu compte que me battre était la dernière chose que j'avais envie de faire avec toi. Oublions ce qui s'est passé entre nous tout à l'heure. Disons que de l'eau a passé sous les ponts.

— Ah oui ?

— Tu ne me crois pas ?

Il lui passa un doigt replié sous le menton.

— Jusqu'à ce que la mort nous sépare ?

— J'ai envisagé de te tuer, c'est vrai, mais j'ai depuis repoussé cette option de façon définitive.

Pour une raison qui lui échappait, Jo le croyait. Du moins sur ce point.

Il repoussa ses cheveux humides par-dessus son épaule, révélant son oreille. Elle vit un voile lui passer sur les yeux. Décidément, ce gars-là faisait une fixette sur ses oreilles.

— On pourrait s'asseoir devant le feu et ouvrir une bouteille de vin. Tout ce que je te demande, c'est de me dire depuis combien de temps tu es de mèche avec Nïx et les autres Valkyries.

Les Valkyries existaient ? Bizarre. Pourquoi ne pas avouer à Rune qu'elle n'avait jamais rencontré cette devineresse avant ce soir ? Nïx lui était apparue comme une amie de Thad, mais si c'était bien le cas, alors pourquoi la femelle avait-elle parlé d'« appât » ? Était-elle en train de l'entraîner dans un piège ?

Que pouvait-on attendre d'autre de la part de ces monstres ? Jo avait rencontré peu d'entre eux, mais jusque-là ils ne lui avaient pas fait bonne impression.

Son instinct premier lui soufflait de répondre : « Je ne connais pas Nïx. Mets-lui une flèche entre les deux yeux. » Mais alors Rune devinerait qu'elle avait essayé de protéger Thad.

Or elle ne pouvait prédire comment le sombre fey utiliserait ce genre d'informations contre elle. Et elle ne faisait confiance à personne – dans le meilleur des cas. Non, mieux valait garder cette information secrète pour le moment.

Ce qui lui laissait donc une seule option : gagner la confiance de ce mâle, pour ensuite le convaincre de la laisser partir. *Coucherai-je avec lui pour obtenir ma liberté ?* À la pensée du corps de Rune sur le sien, de ses assauts, elle frissonna de nouveau.

— Tu dois être gelée. Tu auras tout le temps de répondre à mes questions une fois que tu te seras réchauffée, dit-il, aussi attentionné que possible. Il y a un peignoir, à l'extérieur de la salle de bains. Ce sont les carreaux de céramique gravés qui contrôlent le débit de l'eau.

Jo savait comment gérer Ruine le connard prétentieux. Mais Rune le gentil la déboussolait. Enfin, elle n'allait pas refuser un moment de calme pour réfléchir à tout ça. Beaucoup de choses s'étaient produites ce soir, mais les faits étaient simples :

Elle et Rune avaient une ennemie en commun.

Il la regardait présentement comme s'il s'apprêtait à la dévorer.

Il n'essayait pas d'assassiner son frère.

Ni elle.

Où ces nouvelles informations la menaient-elles ? Comme une idiote, elle se sentait sur le point de craquer à nouveau pour ce mec. Et si elle parvenait à construire une (sorte de) relation avec lui (s'il arrêtait de se taper des nymphes) ?

Et puis, si l'on ajoutait à ça la possibilité que Thad revienne dans sa vie...

Deux liens se trouvaient à portée de sa main ! Deux personnes qui la verraient, si elle se mettait à flotter, à flotter...

— À moins que tu ne préfères rester auprès de moi pendant que je dîne, ajouta-t-il tandis qu'il la détaillait avec avidité. Je sais ce que j'aimerais voir à mon menu.

18

Assis à table devant l'âtre, Rune mangeait sans goûter sa nourriture, tant son esprit était fixé sur la vampire. Celle qui se baignait nue dans sa salle de bains.

S'il l'y avait rejointe, ç'aurait sans doute été le bain le plus torride de toute sa longue vie.

Deux choses l'en avaient empêché. *Primo*, ç'aurait sans doute été le bain le plus torride de toute sa longue vie, or il devait garder le contrôle. Si elle le mordait à sa guise...

Secundo, il avait décidé de l'attacher à son lit, fermement, afin qu'elle ne puisse pas le mordre. Il avait l'intention d'user de sa froideur habituelle quand il l'interrogerait, mais deux précautions valaient mieux qu'une.

Contrairement à ce qu'elle pensait, il ne recevait pas de partenaires sexuelles ici. Cet endroit était son sanctuaire. Son lit n'ayant pas été équipé d'entraves, il avait dû bricoler ses menottes pour l'occasion. Une fois la tâche accomplie, il avait opté pour une douche rapide et un coup de rasoir dans une autre salle de bains.

Il n'en revenait toujours pas d'avoir une femelle chez lui. Si un autre Mørïør la découvrait, quel qu'il soit, il la tuerait. Josephine était l'alliée d'une enne-mie, ce qui faisait d'elle une ennemie du Møriør. Sans compter qu'elle constituait une brèche dans leur sécurité.

La tuer était la solution la plus logique. Surtout une fois qu'il aurait tiré d'elle quelques informa-tions sur Nïx.

Pourtant, le démon en lui se rebellait contre cette idée. Même son côté fey, rationnel, exigeait qu'il cherche d'abord à savoir pourquoi Josephine pou-vait boire son sang. Et pourquoi elle le troublait aussi viscéralement.

Tout était différent avec elle. Quand elle avait fait sa remarque sur son unique siège, il s'était retenu de justesse de répliquer qu'il avait des alliés pour lesquels il était prêt à mourir. Qu'ils vivaient en communauté, et qu'il venait ici justement pour jouir d'un peu de répit.

Bon sang, les informations étaient censées venir *à* lui, pas *de* lui !

À la jolie vendeuse, Loa, il n'avait eu aucune envie de raconter ses secrets. Jamais de toute sa vie il n'en avait divulgué un seul. Alors pourquoi en allait-il différemment avec Josephine ?

Il n'avait pas grand appétit, n'avait jamais res-senti une telle impatience d'interroger un sujet. *Concentre-toi, Rune.* Il plongea la main dans sa poche pour en tirer son talisman. Il le fit tourner dans sa paume, observant une fois de plus ses sym-boles indéchiffrables.

Il avait reçu ce talisman le jour de la mort de son père, le jour où Magh avait statué sur son avenir. Il avait signalé à cette garce la faille dans son projet de le transformer en assassin...

— *Je ne peux pas me téléporter.*

S'il en avait été capable, il se serait enfui depuis longtemps.

— Tu possèdes du sang démon, tu apprendras auprès de mes gardes.

Super. Il allait apprendre à se téléporter, puis il utiliserait cette capacité pour se libérer. Il n'aurait pas cru Magh la soi-disant Rusée aussi stupide...

— Je te permettrai peut-être de retrouver ta mère, si tu me sers bien.

Comme frappé en plein ventre, il vacilla.

— Elle est toujours... en vie ?

Pendant des années, il l'avait crue morte, le destin le plus logique pour une esclave qui avait brutalement disparu dans la nuit. Il visualisa les yeux bleus si vifs de sa mère. Elle avait toujours un sourire aux lèvres pour lui, malgré les souffrances continuelles qu'elle parvenait à lui cacher.

— Toi ou tes hommes de main, vous l'avez tuée.

— J'en aurais été ravie, fais-moi confiance là-dessus, mais elle vit toujours.

— Je... Je ne te crois pas.

Que les dieux me donnent la force...

— Ah non ?

Magh claqua des doigts. L'un de ses gardes se téléporta jusqu'à Rune et lui tendit un petit sac. Dont le matériau artisanal portait encore les traces de l'odeur de sa mère, mêlées de peur.

Rune fouilla le sac. Un parchemin avait été enroulé autour du talisman de sa mère, son unique bien. Il ouvrit le mot, retrouvant l'écriture familière et la langue démoniaque, mais des parties du message étaient abîmées, illisibles.

Mon fils chéri, je te prie d'accepter ce talisman en gage de mon amour. Il te rappellera toujours l____

____.

Je ne connais pas les runes, mais je crois qu_____. Tu dois _____

_____ constamment et ne jam_____

Ne laisse jamais la reine m'utiliser pour te ____ _____. Force et pouvoir émanent de la lignée de notre famille, et les années corroboreront ces véri_____

*Ne l'oublie jamais. Je t'aime tant, je ne veux qu_*

Rune déglutit, relevant les yeux à contrecœur pour dévisager Magh.

— Où est ma mère ?

La reine haussa ses sourcils blonds.

— Je ne peux te le dire, ou je perdrais mon avantage.

— La lettre est tachée, accusa-t-il en agitant le parchemin. Je ne peux même pas tout lire.

— La pauvresse pleurait quand elle l'a écrite. Je te dis qu'elle vit, je n'ai pas dit qu'elle était heureuse. Certaines destinées sont pires que la mort.

Rune en avait le souffle coupé. Il ferait tout ce que cette garce maléfique lui ordonnerait pour libérer sa mère.

Et il l'avait fait.

L'ancienne reine ne s'était pas trompée quant à son potentiel d'assassin et de séducteur. Sa première cible avait attiré Rune dans son sanctuaire, baissant toutes ses protections. Erreur fatale.

Il était plus vénéneux que quiconque aurait pu l'imaginer.

Une fois la mission accomplie, Rune était retourné auprès de Magh tel un chien bien dressé, laissant derrière lui un corps contorsionné et une flaque de son propre vomi.

Mais après des années de loyaux services, Magh s'était bien ri de lui en l'envoyant dans un bordel où...

Soudain, un frisson le parcourut. Il balaya la pièce des yeux, avec l'impression qu'il n'était plus seul.

De longues secondes s'écoulèrent. Un nouveau frisson lui remonta l'échine ; et puis la sensation disparut. Étrange. Qu'est-ce qui avait pu l'affecter ainsi ?

Josephine revint dans la pièce peu après, le tirant de ses pensées. Elle portait un peignoir blanc et son collier. Ses petits pieds étaient nus, et un minuscule anneau d'argent cerclait l'un de ses orteils menus.

Rune releva les yeux. L'eau n'avait pas fait disparaître le maquillage qu'elle portait toujours. Les mêmes ombres surlignaient ses yeux et ses pommettes, et sa peau quasi translucide restait aussi pâle que l'albâtre. Elle devait s'entourer d'un sort qui modifiait son apparence.

Rune admira ensuite les anneaux plantés en haut d'une oreille. Quelle femelle attirante !

— On ne voit pas beaucoup d'immortels avec des piercings. Du moins pas chez les êtres libres.

En tant qu'esclave, il en avait été épargné car personne n'avait très envie de faire couler son sang.

— Pourquoi ?

— Il y a longtemps, ils étaient utilisés pour marquer les esclaves.

— Ah ouais ?

Elle prit place en face de lui à la table, plongeant dans le sien un regard étonnamment direct – comme pour le défier. Décelait-il une touche d'effronterie dans ses yeux ?

Étrange. Il avait pourtant toutes les cartes en mains.

— Alors, ce bain ?

— La pression de l'eau était bonne. C'est toujours un plus.

De la vapeur s'élevait de ses cheveux humides et le feu flambait, pourtant elle se frotta les bras pour les réchauffer. Sans doute la soif.

Rune fronça les sourcils. Elle avait bu tout son soûl la veille, et les anciens vampires pouvaient se passer de nourriture pendant de longues périodes.

— Tu as perdu du sang au cours de la journée ? Tu as nourri quelqu'un, peut-être ?

Jamais il n'avait envisagé qu'elle puisse avoir un partenaire ou un enfant – car jusqu'à présent, ces détails ne l'avaient jamais préoccupé avec les sujets de ses interrogatoires.

Aujourd'hui, il se surprenait à se demander si elle avait bercé un bébé pour l'endormir, si elle lui avait donné un biberon de son sang chaud. Une mère ferait n'importe quoi pour retrouver sa progéniture.

Les mères étaient capables de sacrifices. La sienne en avait fait, en tout cas.

Et si elle avait un enfant, elle avait une âme sœur.

— Je n'ai jamais nourri personne.

Donc pas d'enfant. Pourquoi cette nouvelle le soulageait-elle autant ?

Il appuya sur une rune incrustée dans la table. Assiettes et couverts disparurent. Une autre rune, et un service à vin se matérialisa.

Josephine sursauta, les yeux écarquillés comme une non-initiée. Vivait-elle sans magie ? Ce serait pour le moins primitif.

— Tu ne sors pas souvent du royaume des mortels, pas vrai ?

Il remplit un gobelet de vin, qu'il lui tendit.

— Le vin, ça n'est pas vraiment mon truc.

— Je pourrais l'adoucir avec mon sang.

Voilà bien une phrase qu'il ne pensait jamais prononcer un jour.

Elle pencha la tête, comme surprise par l'idée.

— J'ai un allié vampire qui se nourrit de vin au sang et d'hydromel.

— Un vampire ?

Pourquoi le cœur de Josephine s'était-il mis à battre plus vite à la mention de ce détail ? La plupart des créatures de son espèce savaient réguler les battements de leur cœur. Peut-être était-elle plus jeune qu'il ne l'avait cru.

Mais alors, comment s'était-elle téléportée avec une telle précision ? Il ne tarderait pas à découvrir tous ses secrets.

— L'hydromel, ça ne date pas des temps anciens, ça ? demanda-t-elle.

Rune dut réprimer un sourire.

— Blace est un très, très vieux vampire.

Le plus vieux qui existe, en fait.

— Il vient te rendre visite ici parfois ?

— Non, jamais.

Il avait caché à tous l'existence de cet endroit, y compris à ses alliés.

— Ah.

Elle avait l'air déçu. Pourquoi s'intéressait-elle à un autre vampire ?

— Si toi et moi nous parvenons à devenir amis, peut-être que je pourrai te présenter à lui.

— Et qu'est-ce qu'il faudrait, pour qu'on devienne amis ?

— Il nous faudrait établir un minimum de confiance réciproque. Partager des informations sur nous.

— Ça me va. Je suis curieuse de beaucoup de choses. Comme ces symboles, partout. Qu'est-ce que c'est ?

Il pouvait bien lui accorder quelques réponses, s'il obtenait quelque chose en retour.

— Des runes. Ma mère appartenait au peuple des démons runiques. Ils avaient le pouvoir de maîtriser et de décupler leurs pouvoirs magiques à l'aide de ces symboles. Il se trouve que par naissance je possède aussi des pouvoirs magiques de fey.

— Donc si je gravais ces symboles, ils ne feraient pas ma vaisselle ?

— Non, ils doivent être alimentés par un pouvoir magique.

Un pouvoir puissant. Il avait dû attendre ses soixante-dix ans au moins, avant de compter sur ses pouvoirs.

— Il existe combien de runes ? Comment on les apprend ?

— Avant de mourir, ma mère m'a appris toutes celles dont elle se souvenait. Mais il en existait des milliers d'autres.

Chacune consistait en des formes relativement élémentaires superposées ou liées de différentes façons, parfois très complexes.

Il les avait toutes mémorisées, afin de savoir les reproduire en détail, avec un soin si méticuleux que sa mère avait pris l'habitude de l'appeler Rune. Il ne se souvenait même plus de son nom de naissance. Sa mère lui avait aussi appris à lire et enseigné diverses langues. À l'âge de neuf ans, il maîtrisait les langages fey et démoniaque.

— Il en *existait* des milliers d'autres ? Et ils sont passés où, ces symboles ?

— La race des démons runiques est éteinte.

Sa vieille fureur bouillonnait sous la surface. Quand enfin il s'était libéré du joug de Magh pour partir cn quête d'autres démons de son espèce, ils avaient déjà été éradiqués. Jamais il ne connaîtrait son peuple.

Une pensée apaisante surgit dans son esprit. *Le Møriør est mon peuple, à présent.*

— Pourrais-tu utiliser des runes pour neutraliser ton poison ? s'enquit Josephine.

En théorie, les runes pouvaient tout accomplir.

— Si je connaissais les symboles et les combinaisons correctes, oui.

— Dis-m'en plus sur les runes.

Là, elle essayait de gagner du temps, pas de doute. La plupart des gens s'ennuyaient quand il commençait à disserter sur le sujet – qu'il était le seul à adorer.

— Tu en as sur le corps, non ?

— En effet. (Comme elle le verrait bientôt.) Certaines sont des symboles de protection, d'autres m'aident à me téléporter.

— Pourquoi as-tu besoin d'aide ?

Atterrir sur une cible mouvante telle que Tenebrous s'avérait un défi pour tout un chacun. Et puis...

— Je n'ai pas grandi avec ce talent.

Les gardes de Magh lui avaient enseigné l'art de la téléportation... en le jetant dans des rapides du haut d'une montagne à de multiples reprises. Avec le temps, il avait fini par apprendre comment éviter la chute.

— J'utilise aussi certaines runes pour communiquer.

Chaque fois que quelqu'un dessinait les symboles de contact de Rune, le bandeau tatoué autour de son poignet droit s'allumait. En bleu si le Møriør avait besoin qu'il rentre au château ; en blanc si ses espionnes nymphes l'alertaient du retour de Nïx à Val Hall.

— La liaison peut aller aussi loin que les Autreroyaumes.

— Les quoi ?

— « Autre », au sens de mystérieux et d'étrange. Or ces royaumes le sont en effet. Ma résidence officielle est le château de Perdishian, à Tenebrous. C'est la capitale des Autreroyaumes et la base de mon alliance.

Ce qui n'était pas un secret.

— Ça ressemble à quoi ? Ta maison, là-bas, elle est mieux que celle-ci ?

Mieux que… ? Cette femelle pouvait être d'un vexant !

— Je t'en dirai peut-être plus… quand tu m'auras parlé de toi. Par exemple, est-ce que tu as une âme sœur ou une famille ?

Une lueur triste passa sur le visage de Josephine.

— Ni l'un ni l'autre. Je suis une solitaire.

Une vampire solitaire ? Sans même un repaire ? C'était peut-être comme ça que Nïx l'avait recrutée. Mais lui aussi pouvait jouer à ce jeu-là. S'il réussissait à la mettre dans leur camp, il apporterait à Orion une puissante femelle vampire, un atout certain.

— Et toi, tu as une Mme Rune que tu trompes régulièrement ? demanda-t-elle.

Il lui offrit un sourire sec.

— Je suis un solitaire.

— Pas de petits Rune qui courent autour de toi ? Il faudrait une autre sombre fey pour les concevoir ?

Il n'avait pas la possibilité d'enfanter de descendance. Il préféra donc répondre de façon détournée.

— Ceux de mon espèce sont très rares au sein des Autreroyaumes. Sur Gaia, les mélanges entre races sont mieux tolérés. Même entre feys et démons.

— Tu es déjà sorti avec une sombre fey ?

— Non.

Mais il avait failli, une fois. Le propriétaire de son premier bordel, un porc doublé d'un sadique, avait acheté deux femelles très rares, et en avait promis une à Rune s'il satisfaisait une cliente particulièrement perverse sur toute la durée d'une saison. *J'ai dû faire de ces choses...*

Bref, il avait été à deux doigts d'embrasser la sombre fey... avant d'être arraché à elle, sans que le marché soit respecté. Et son maître avait bien ri.

Cet enfoiré avait ensuite revendu les deux femelles. Une fois libéré, Rune les avait recherchées, mais en vain.

Pourtant, aussi fort qu'il ait désiré ce baiser, ce n'était rien à côté de celui de Josephine. Une pensée qui le mit mal à l'aise, alors il répondit :

— Je suis sur la piste d'une sombre fey dans ta ville, justement.

La vampire sembla réfléchir à cette information.

— Donc tu n'as jamais pu faire ce que tu voulais au lit ?

— Correct.

Il rêvait de mêler sa langue à celle d'une autre tandis qu'ils échangeraient des gémissements de plaisir. Il avait faim de pouvoir s'agenouiller devant une femelle, de goûter son miel chaud pour la première fois, directement à la source. Il déglutit. Avec celle-ci, il le pourrait.

— Mais on apprend à ne pas regretter ce qu'on ne peut avoir.

Mensonge.

Elle lâcha un rire amer.

— C'est des conneries.

— Tu sembles parler d'expérience. Qu'est-ce que tu regrettes de ne pas avoir ?

Elle s'abîma dans la contemplation de la ceinture de son peignoir.

Cul-de-sac. Pour le moment.

— Parle-moi de Nïx.

Elle releva la tête.

— Pourquoi tu la pourchasses ?

— Je suis assassin de métier.

Il était tueur depuis plus longtemps qu'il avait été prostitué.

— Elle est ma cible car elle cherche à nous abattre, mes alliés et moi.

Elle détruirait Gaia tout entière et tous les royaumes qui s'y rattachaient, si on la laissait faire.

— Qui sont tes alliés ?

— Des frères. Pas de sang mais de choix. Nous sommes alliés depuis presque le début de ma vie.

— Mais ce ne sont pas des sombres feys ?

— Ce sont des immortels de diverses espèces.

Quoiqu'ils n'aient pas grand-chose de commun en apparence, chaque Møriør cherchait quelque chose sur Gaia.

Quand Rune lui avait demandé ce qu'il désirait, Blace avait répondu : « Je veux mon sang. » Réponse naturelle pour un vampire, sans doute.

Allixta, quant à elle, entendait trouver et punir les sorcières rebelles qui s'étaient installées sur Terre sans sa permission.

Sian refusait de donner une réponse plus précise que : « Sur Gaia se trouve mon avenir. »

Avant d'être recrutée comme membre du Møriør, Allixta avait jeté à Sian un sort qui lui causait une souffrance insupportable. Dans son délire, le démon avait marmonné des paroles concernant une fey traîtresse dotée d'un œil ambre et un violet.

Sian aspirait peut-être à se venger. Il était le seul être parmi les connaissances de Rune à mépriser les feys autant que lui.

Et Orion ? Leur seigneur espérait empêcher une apocalypse…

— Assez parlé de moi, Josephine. Je ne sais même pas d'où tu viens.

— La Terre, répondit-elle. Du Texas, à la base.

Voilà qui expliquait son accent traînant.

— Tu ne crains pas la peste vampire, dans le royaume mortel ?

Elle était probablement immunisée, vu la facilité avec laquelle elle avait supporté son poison.

Pourtant, elle semblait n'avoir jamais entendu parler de la maladie qui avait décimé les femelles de sa race.

— Peu de choses me font peur, répondit-elle en frottant son collier.

— Ce sont des balles.

Elle retira sa main.

— Et alors ?

Les gardait-elle parce qu'on lui avait tiré dessus ? Les crocs de Rune s'aiguisèrent, le démon en lui éveillant son instinct protecteur. Sa moitié fey, cependant, fut prompte à lui rappeler qu'il avait envisagé de décapiter Josephine ; et qu'il n'avait pas encore statué sur son avenir.

— Qui t'a tiré dessus ?

— Peu importe. C'était il y a longtemps.

— Ce sont des balles modernes. Qu'est-ce que tu entends par « longtemps » ?

Elle leva le menton.

— C'est du passé.

— Je me demande si ton amie Nïx s'est mise en colère, quand on a vidé un chargeur de pistolet sur toi. Une oracle comme elle aurait peut-être pu te mettre en garde, non ? Ou était-elle trop occupée à exaucer les souhaits de ses autres amis ?

Josephine se contenta de le dévisager.

— Dis-moi comment tu l'as rencontrée, insista-t-il, sans davantage de succès. Tes parents sont morts au cours de la dernière Accession ? Quel était ton nom de famille ?

Silence.

— Tu refuses de répondre à mes questions ?

Avec un soupir, il se leva.

— J'ai d'autres moyens de te faire parler. Sur ce, il est temps d'aller au lit...

19

Jo se leva, tourna le dos à Rune et vint se placer devant le feu. *Temps d'aller au lit ?*

Après sa douche, elle avait testé sa capacité à se transformer en fantôme, et oui, elle pouvait s'incarner en Rune, même dans son repaire haut perché. S'il tentait de la forcer à quoi que ce soit cette nuit, elle aurait un endroit où se cacher.

À l'intérieur de lui.

Il n'avait rien à voir avec ses enveloppes précédentes. Elle avait senti sa puissance dès leur première rencontre, mais en lui, elle avait été complètement enveloppée par sa force. Elle avait même perçu sa chaleur. Les battements de son cœur l'avaient bercée...

Était-il en train d'ôter ses bottes, derrière elle ? Il se déshabillait !

Ne te retourne pas, ne te retourne pas.

— Et quelles sont les autres façons dont tu userais pour me faire parler ?

— Elles impliquent la torture sexuelle, répondit-il d'une voix plus rauque encore.

Quoi ?!

— Tu comptes user de fouets et de chaînes sur moi ?

— Seulement si tu aimes ça.

Il énonçait les faits d'un ton neutre, comme s'il n'en doutait pas un instant.

— De manière plus générale, je manierai le refus d'orgasme.

Exactement comme il l'avait fait sur cette nymphe qu'il était en train de pilonner. Sitôt que la blonde avait accédé à ses *desiderata*, il lui avait accordé son orgasme. *Les filles obéissantes sont récompensées, hein ?*

— Tant que tu ne m'auras pas donné d'informations sur Nïx, je te maintiendrai au bord du précipice pendant des heures, des jours même, si c'est nécessaire.

Jo fronça les sourcils face aux flammes. Il disait ça comme si c'était désagréable ? Avant la nuit dernière, les rencards qu'elle avait menés à terme s'étaient systématiquement terminés par elle en train d'expliquer à son partenaire comment la faire jouir. Et comme à tous les coups il échouait lamentablement, elle finissait par s'exclamer « Oh, putain ! » et par s'y employer elle-même.

En additionnant toutes ses expériences, sa vie sexuelle devait se monter à une quarantaine de minutes, soit moins longtemps qu'un épisode de *The Walking Dead*.

Trois mecs. Sept tentatives. À la suite de quoi elle avait chaque fois regretté de n'avoir pas passé plutôt la soirée devant la télé. Et depuis environ un an, elle avait carrément lâché l'affaire.

La « maintenir au bord du précipice », cela impliquait que Rune l'amène bel et bien tout en haut. Pendant des heures.

En plus, chaque seconde qu'elle passait en sa compagnie l'empêchait, lui, de partir en chasse, de tuer par accident quelque connaissance innocente d'une certaine Valkyrie.

Où est-ce que je signe ? Si elle approchait en effet de l'orgasme, elle réussirait à le séduire pour qu'il la fasse jouir. Elle n'avait peut-être pas des tonnes d'expérience, mais ses enveloppes en avaient, et elle observait sans cesse les gens en train de le faire. Si elle se fiait à la façon dont Rune réagissait à sa morsure, elle pensait être en mesure de lui préparer une bonne surprise.

Voilà comment elle voyait les choses : en gros, ils s'apprêtaient à se livrer une bataille dans laquelle chacun essaierait de prendre la main. À cette différence près que ce serait agréable.

Elle était remontée à bloc ! Sa seule inquiétude, c'était que Rune ne soit pas en mesure de tenir assez longtemps pour rendre la bagarre intéressante.

— Ah, les battements de ton cœur s'accélèrent, femelle. Tu as raison d'avoir peur. Tes secrets sont sur le point d'être révélés.

Mon Dieu, cette voix ! Chuchotante mais grondante. Jo se mit à haleter. *Surtout, ne te retourne pas…*

Évidemment, elle se retourna. Quand avait-elle réussi à se retenir de regarder ?

Rune était planté près du lit, en train de déboutonner sa chemise. Dans la cour, elle avait vu ses fesses à tomber par terre et entraperçu son sexe. Après leur rendez-vous, il avait remonté son pantalon si vite qu'elle n'avait pu que deviner le tout. Mais jamais elle n'avait vu son torse.

Les pans de sa chemise s'ouvrirent, révélant des runes tatouées. L'une d'elles encerclait son nombril, une autre s'étirait sur sa clavicule. Alors qu'elle examinait ce torse, ces pectoraux durs, elle sentit ses propres tétons pointer sous le tissu de son peignoir.

À la lueur du feu, il avait la peau mate, à l'exception de quelques cicatrices plus claires sur son torse et ses abdominaux. Ces marques – ajoutées à ses tatouages – contribuaient juste à lui donner encore un peu plus l'allure d'un mauvais garçon.

Il portait son jean bas, révélant une ligne de poils noirs qui descendait depuis son nombril...

— Si mon cœur bat plus vite, c'est parce que je me prépare à l'action, répliqua-t-elle en retirant son collier, pour le poser sur la tablette.

La seule chose qu'elle était en mesure de lui dire sur Nïx, c'était qu'elle n'avait rien à lui dire. Mais elle aimait qu'il se concentre sur la Valkyrie et pas sur Thad. Alors elle ferait en sorte que cela continue ainsi.

— À moins que tu préfères continuer à parler au lieu d'agir ?

Une lueur surprise passa sur son visage.

— Et bien entendu, je te refuserai mon sang, ajouta-t-il.

Ah. Moins bien. S'il s'agissait de n'importe quoi d'autre que de la sécurité de Thad, elle serait prête à chanter comme un canari pour obtenir le sang de Rune.

Mais il y avait Thad.

Alors ce soir, elle l'emporterait. Et une fois cela fait, peut-être pourrait-elle jouer aussi sa liberté. Si seulement elle arrivait à lui faire accepter un pari...

— Viens au lit, Josephine. Nous sommes deux adultes. Nous savons tous les deux ce qui est sur le point de se passer.

Quand d'un coup d'épaule il fit tomber sa chemise, les muscles de son torse roulèrent d'une façon irrésistible, révélant chaque tendon contracté. Miam ! Ses épaules étaient larges, ses bras longs et forts...

Jo écarquilla les yeux en découvrant son bras droit. Recouvert d'une manche de tatouages représentant des runes entremêlées, depuis le poignet jusqu'à l'épaule.

Hyper sexy, Rune. Hyper sexy. Ses biceps généreux se gonflèrent quand il jeta sa chemise. Et alors que son sexe durcissait, le jean forçait l'érection à gonfler le côté du tissu. Jusqu'à sa hanche.

Il était conscient de l'effet qu'il provoquait sur elle, et ses lèvres s'étirèrent en ce sourire en coin mi-narquois, mi-ravi. Le sourire diaboliquement sexy qui la faisait haleter, celui qui affirmait : « Je suis sur le point de faire des choses cochonnes à chaque millimètre carré de ton corps. »

Pour mieux attiser son désir, il se passa la pointe de la langue à la commissure des lèvres. Un mouvement infime qui concentra toutes les pensées de Jo sur cette bouche – un effet évidemment escompté.

Que ferait-il avec cette langue ? Ces lèvres ? Lui donnerait-il un baiser de sang ?

Les pupilles assombries dans le magenta le plus sombre, Rune aussi passait le corps de Jo en revue, comme pour prévoir tous les endroits qu'il s'apprêtait à tester.

Là, elle commençait à goûter la torride sensualité de son côté fey. Elle se surprit à sourire en retour.

Avant de se retrouver trop embarquée dans la chose, mieux valait lancer son défi.

— Tu veux faire un pari ?

— Sur quoi, ma colombe ? demanda-t-il en s'attaquant à sa braguette tendue.

— Tu vas essayer de me tirer des réponses. Et je vais essayer de résister. On devrait parier sur qui va gagner.

— J'ai des milliers d'années d'expérience dans ce domaine. Et personne n'a jamais réussi à me résister – même quand j'avais une main liée dans le dos. Autant te prévenir, tu n'as pas la moindre chance.

— Tu es donc tortionnaire sexuel depuis des années ?

— En plus d'être assassin, je suis aussi maître des secrets. Souvent je les acquiers au cours de mes propres interrogatoires. Fais-toi une raison, femelle, je vais gagner.

— Si tu en es si certain, alors promets que tu me libéreras si tu perds.

Comme ça elle pourrait retourner chercher Thad. Commencer son nouveau travail de surveillance et de protection sur lui.

— Et toi, que me donneras-tu quand je gagnerai, en plus de tous tes secrets ?

Pour protéger celui qu'elle aimait, elle résisterait à ce type. Si elle échouait, est-ce que le reste compterait ?

— Tout ce que tu voudras.

Manifestement, le sombre fey envisageait la possibilité avec plaisir. Le magenta de ses iris se mit à saigner sur le blanc de ses yeux.

— Voilà une offre radicale. Tu n'as pas idée des actes que je pourrais commettre sur ton corps…

Ses paroles auraient dû intimider Josephine. Au lieu de quoi, elle se pencha vers lui, l'air intéressé.

— Qu'est-ce qui t'empêche de les commettre maintenant ?

— Jamais je n'ai forcé une femelle de ma vie. Je n'en ai jamais eu besoin. Je ne vais pas commencer avec toi.

184

Elle releva le menton.

— Tu relèves le pari ou non ?

— Oh oui, je le relève.

— Qu'est-ce qui m'assure que tu ne vas pas te rétracter ?

— Nous allons jurer sur le Mythos, bien entendu. Comme le faisaient tous les immortels des royaumes.

— Oui, bien entendu, répondit-elle aussitôt.

L'ignorance qu'elle montrait malgré elle des choses les plus élémentaires ne cessait de surprendre Rune. Peut-être ressemblait-elle aux Abstinents, cette armée de vampires mâles issus de mortels, une bande de militaires complètement incultes concernant le Mythos. Même si elle n'était pas une humaine transformée, elle avait peut-être été élevée parmi eux.

Elle agita la main dans sa direction.

— Tu commences.

— Très bien. Je jure sur le Mythos de te libérer de ma prison si tu parviens à me cacher tes secrets.

L'idée même qu'il puisse perdre était ridicule, mais il allait jouer le jeu.

— Bien. Je jure sur le Mythos de te laisser me faire tout ce que tu voudras si tu obtiens mes secrets.

Tout ce que je voudrai. Son sexe palpitait d'impatience. Par quoi commencerait-il ? Comment décider ? *L'affamé à qui l'on propose un banquet...*

— Oh, et une dernière chose.

— Hum ?

Il la dévorait tranquillement des yeux.

— On ne peut pas avoir de relation sexuelle.

Son regard remonta aussitôt pour se river au sien.

— Répète ?

— Je ne peux pas le faire cette nuit.

Ne pas être en elle ? Il s'apprêtait à lui opposer une fin de non-recevoir, mais la curiosité l'emporta.

— Pourquoi ça ?

— Je ne couche que dans une relation exclusive. Or tu es aussi inclusif qu'un gars peut l'être, et puis je ne veux pas que tu me mettes enceinte.

— Une femelle vampire n'est fertile que si elle consomme de la nourriture depuis un certain temps. C'est ton cas ?

Elle détourna les yeux. Pas de déni ? C'est vrai qu'elle l'avait invité à prendre un café. Elle vivait dans le royaume des mortels, elle avait peut-être mangé pour se mêler aux humains.

Rune déglutit. Son corps était peut-être en effet prêt à recueillir une semence. Qu'est-ce que cela changeait, de toute façon ?

— Quoi qu'il en soit, j'ai un sceau démon. Je ne peux pas éjaculer en toi à moins que tu ne sois mon âme sœur. Ce qui est impossible.

Il savait que sa race de sang-mêlé avait été abandonnée par le destin. Mais si, par quelque miracle, une créature telle que lui avait une âme sœur, et si, par une autre espèce de miracle, Josephine se trouvait être cette femelle unique, rien ne serait plus désastreux que de la faire sienne.

Sa semence attendait d'être libérée depuis sept mille ans, sa puissance – et sa capacité vénéneuse – augmentant avec l'âge, tout comme le reste de son corps. Il risquait de se produire un truc ou deux s'il la répandait.

Josephine résisterait à son poison le plus concentré et tomberait enceinte.

À moins que son sperme ne soit si mortel qu'elle périsse alors qu'il serait encore fiché en elle.

Mais Josephine n'était pas sienne. Donc ce genre de conjectures relevait de la théorie pure.

Elle se tourna face à lui.

— Qu'est-ce que tu entends par « âme sœur ».

— Ce que j'entends par l'un des concepts les plus universels du Mythos ?

— Ce que tu entends par l'âme sœur chez les démons. C'est sans doute différent pour les vampires.

Elle marquait un point.

— L'âme sœur est l'unique femelle, de tout temps ou de tout monde, avec laquelle le démon mâle est entièrement compatible. Le destin les rapproche, puis les unit pour l'éternité. Mais encore une fois, je ne suis qu'à moitié démon.

— « Pour l'éternité », répéta-t-elle, les yeux scintillants comme si le concept lui plaisait. Donc tu comprends qu'une femme est tienne parce que tu es capable de jouir en elle ?

— Un démon doit recevoir quelques indications avant la possession elle-même. Des réactions très fortes à une femelle spécifique, par exemple. Il sent qu'il y a une bonne chance que son sceau soit détruit. Malgré cela, la plupart des démons essaient beaucoup, beaucoup de femelles différentes. C'est un processus connu sous le nom d'« essayage ».

— Ah, donc tu as fait de nombreux « essayages » de nymphes.

— Non, je ne pense pas que les sombres feys aient une âme sœur. Nous sommes des anomalies, hors de portée du destin.

De nouveau Josephine prit cette expression de défi.

— N'empêche, je ne veux pas prendre le moindre risque.

Rune serra les poings tandis que le démon en lui s'échauffait.

— « Le moindre risque » ?

Parce que porter sa descendance serait une telle catastrophe ? Se croyait-elle trop bien pour lui ?

— La pénétration, c'est donc tout ce que tu as dans ton sac à malice ? demanda-t-elle. Il y a des tas de trucs qu'on peut se faire.

La promesse alléchante que sous-entendait ce « tas de trucs » apaisa le démon.

— Alors marché conclu.

Elle sourit.

— Génial.

« Génial » ?

Elle se précipita vers le lit, bondissant dessus pour s'affaler sur le dos.

— C'est parti pour le jeu des questions-réponses.

20

Jo se tourna sur le flanc, tête soutenue par sa main tandis qu'elle regardait Rune déboutonner sa braguette.

Elle avait tellement hâte de le voir nu !

Sans jamais la lâcher de ses yeux ensorcelants, il passa les pouces dans la ceinture de son jean et le fit descendre, plus bas, plus bas...

Plus bas...

Et son sexe fut libéré, émergeant sous le regard gourmand de Jo. Le dard épais jaillit au milieu d'une touffe de poils noirs, la peau douce étirée sur des veines proéminentes.

Affolant.

Ses testicules sombres semblaient lourds. Elle eut soudain envie de les prendre dans sa paume, de les soupeser, les malaxer et l'écouter grogner. Les bourses se tendirent devant ses yeux.

Rune retira complètement son jean pour se tenir complètement nu devant elle, aussi arrogant que jamais.

La vue de sa silhouette mince et musclée, de sa peau tatouée, la stupéfia. Elle prit son temps, laissant remonter le regard depuis ses poils sexy jusqu'à son beau visage et ses yeux pénétrants. Son torse basané. Le relief mouvant de son torse semblait appeler ses griffes.

Comme si Rune appréciait la caresse du regard de Jo sur son corps, il durcit encore plus. Le sang afflua à son sexe, si vite que l'érection tressauta. L'épaisse couronne se tendit vers elle.

Les crocs de Jo s'aiguisèrent à la vue de ce membre veineux. Elle en tâta la pointe du bout de la langue en s'imaginant en train de l'effleurer.

Le sombre fey frissonnerait-il si elle y dessinait une ligne sanglante et la lapait ? Jamais elle n'avait connu de baiser de sang, et pourtant son esprit était déjà rivé à l'idée d'une fellation de sang.

Oui, elle allait bien s'amuser avec ce gars-là, cette nuit. Ses lèvres s'étirèrent en un sourire. Le meilleur. Rencard. De sa vie.

— Tu apprécies ce que tu vois, dit-il d'une voix devenue rauque.

Et c'était un constat, pas une question. Auquel Jo acquiesça avec joie. Au moment où elle se rendait compte combien elle mouillait, Rune inhala et se crispa. Sentait-il à quel point il l'affectait ? Bien sûr que oui, il le sentait.

— Tu es prête.

Avec une grâce inquiétante, il s'allongea de l'autre côté du lit, deux mètres dix de corps sculpté midémon, mi-fey. La promesse d'une longue, longue goulée de sang.

De la pointe d'une griffe, il se perça un doigt. Une perle noire apparut.

Jo riva les yeux sur cette goutte. Dont l'odeur emplit l'air, lui tournant la tête.

— Viens la chercher, ma colombe, la somma-t-il en repliant son doigt percé.

Puis il traça une ligne juste à l'endroit où le pouls s'affolait dans son cou !

Les crocs de Jo la faisaient souffrir tant elle avait envie de mordre.

— Regarde comme tes petites canines s'aiguisent. Tu meurs d'envie de prendre ce qui est interdit, pas vrai ?

Les yeux fixés sur la ligne de sang, elle s'agenouilla et le chevaucha, n'en revenant pas qu'il lui offre son sang aussi aisément. Elle se pencha, prête à lécher...

Il la saisit par le bras avec sa vitesse surnaturelle et la rejeta sur le dos, emprisonnant ses poignets dans un étau de métal.

— Quoi, putain ?

Les menottes, encore ? Il les avait attachées à une chaîne insérée dans le mur. Jo se débattit pour se libérer, en vain.

— Ça ne faisait pas partie du marché, Ruine !

— C'est moi qui commande, vampire. Toi, tu suis. Et ne t'avise pas de m'appeler encore Ruine.

— Connard !

Son rire sombre la fit frémir des pieds à la tête.

— Tu souhaites revenir sur notre défi ?

— Ça ne fera que rendre ma victoire plus jouissive !

— Vampire, je vais t'obliger à me supplier.

Il se pencha vers elle, comme pour vérifier ses menottes, approchant la ligne de sang de son visage.

— Oh, l'enfoiré !

La goutte de sang avait séché sur son pouce, mais l'odeur restait. Il le lui essuya sur le visage, le long de ses pommettes et de sa mâchoire. Jo ferma les paupières, la tête lui tournait.

— Ma vampire aime son sangfléau, elle le trouve à son goût.

Oh oui, bon Dieu, oui ! Elle rouvrit les yeux brusquement au moment où il lui passait son autre main sur la poitrine. À travers le tissu fin de sa robe, il caressa l'un de ses seins.

Elle les sentait enflés, aussi douloureux que ses crocs.

Elle s'humecta les lèvres.

— Putain, gronda Rune, tu me fais bander quand tu fais ça.

Son accent était plus prononcé que jamais.

— Tu voudrais m'embrasser ?

— J'en ai eu envie. J'en ai rêvé. Mais tu volerais mon sang à même ma langue, pas vrai ?

Impossible de le nier, quand elle était en train de lécher l'un de ses crocs acérés.

Elle crut l'entendre réprimer un grognement.

— Alors je t'accorderai un baiser, en récompense pour m'avoir fait confiance. Sitôt que tu m'auras tout dit, je prendrai tes lèvres et te donnerai du sang. Mais pas avant.

Il secoua la tête et posa une main sur la ceinture de son peignoir.

— Je suis impatient de voir le reste de ton corps.

Elle aussi voulait sentir son regard, elle en haletait d'impatience. Lentement, il la dénuda.

À la vue de ses mamelons, des stries noires lui zébrèrent les yeux. Vacillant, il se redressa sur les talons.

— Tu as les tétons percés ? Tu as été esclave de plaisir ?

Avait-elle décelé une note d'espoir dans le ton ?

— Non, je n'ai jamais été esclave.

Se penchant, il approcha la bouche de l'une des pointes érigées, si près qu'elle sentait son souffle chaud.

Jamais ses tétons n'avaient été aussi durs.

— Oh, bon Dieu...

Elle ne savait plus où donner de la tête, tant elle était affamée de découvrir chaque détail de lui. Ses lèvres sensuelles. Ses yeux hypnotiques. Avait-il serré les poings ? Son sexe, en tout cas, palpitait contre elle.

— C'est toi-même qui t'es fait faire ça ?

Elle fit « oui » de la tête.

— Coquine, va, fit-il en donnant un coup de langue sur un mamelon.

Une onde électrique la traversa.

— Ahhh !

Il l'humidifia. Souffla dessus. Elle se cambra vers ses stimulations torrides.

— Est-ce un amant qui t'a demandé de te percer ?

Il écarta les genoux, et son sexe tendu balança dans le mouvement.

— N-non. J'aime bien, c'est tout.

Il la dévisagea, comme pour évaluer son honnêteté. Sans la lâcher des yeux, il se pencha de nouveau... prit une pointe dure entre ses superbes lèvres... et suça. Nom de Dieu, sa sensualité incandescente agissait à plein.

Malgré ses propres gémissements, elle perçut le cliquetis des dents de Rune sur son anneau, un son dont il parut se délecter. Il suça plus fort, tirant sur le téton jusqu'à l'inconfort – comme elle en avait toujours rêvé.

Bien qu'il ne l'ait pas touchée en dessous de la ceinture, elle se demanda si elle pourrait jouir juste comme ça. Elle était trempée, son clitoris palpitait.

Son ventre se crispa, appelant son érection pour le remplir.

Il lui malaxait à présent les deux tétons, y plantant ses griffes noires. Quelque chose dans la possessivité avec laquelle il étreignait son corps l'excita encore plus. Pantelante, elle se sentit dangereusement proche de l'orgasme. Et elle qui pensait danser sur la crête du plaisir pendant des heures !

— Aussi sucrés que des mûres sauvages, murmura-t-il contre son téton.

Puis il abandonna la pointe humide et se fraya un chemin de baisers vers son autre sein.

— Tu es déjà toute proche, constata-t-il d'un ton plus satisfait que jamais. Je n'ai pas encore touché ta petite chatte, et te voilà trempée.

Ses lèvres planaient juste au-dessus de son autre téton.

Jo se cambra vers sa bouche.

— Rune...

— Patience, vampire. On a des jours et des jours devant nous.

« Des jours » ? Elle allait tomber dans les pommes. Mourir. Se consumer.

Il posa l'extrémité de sa langue sur la pointe en même temps que ses doigts trituraient le petit bouton.

— Oh oui !

Le sexe de Jo tremblait, impatient, ses griffes s'enfonçaient dans ses propres paumes. Si près de jouir...

Alors que Rune aspirait goulûment, elle ferma les paupières et les sons voluptueux l'assaillirent. Ses gémissements désespérés. Le cliquetis des menottes.

Les succions humides de la bouche de Rune...

Les émotions fortes avaient tendance à provoquer sa fantomisation. Mais elle ne la redoutait

194

pas, en l'occurrence, maintenue qu'elle l'était par les menottes, par chaque palpitation, chaque onde de plaisir lui rappelant qu'elle était plus que des molécules d'air.

Oui, elle était bien réelle. Charnelle. Comment pourrait-elle flotter ailleurs, quand cela signifierait rater ça ?

Ayant délaissé ses deux tétons mouillés et enflés, il déposa une ligne de baisers le long de son buste jusqu'à son nombril percé. Avec un nouveau grognement, il fourra le nez contre le petit bijou.

Ondulant des hanches, Jo écarta les genoux.

— Je sens ta moiteur, siffla-t-il en haletant. J'ai besoin de la voir.

À une vitesse aveuglante, il passa les griffes dans les pans de son peignoir et lui arracha le vêtement.

Une fois certain qu'elle était nue et pantelante, il quitta son visage des yeux pour descendre vers ses seins, son nombril et son sexe. Là, il fronça les sourcils en découvrant le minuscule anneau planté au-dessus de son clitoris, comme pour mieux voir.

— Dieux tout-puissants.

Jo déglutit. Tout à l'heure, elle aurait tué pour l'avoir entre ses jambes ; à présent, elle était nerveuse.

Car Rune semblait sur le point de la consumer, littéralement.

Elle resserra les genoux dans un réflexe protecteur.

— Ah-ah, fit-il, lui rouvrant les cuisses en un éclair. Ne te cache jamais de moi.

Tel un animal, il glissa entre ses jambes.

Se pourléchant les lèvres, il écarta délicatement ses replis moites. Ses narines se dilatèrent, son sexe tressauta, qu'il enveloppa de sa grande main serrée pour se donner une caresse machinale.

— Je vais te manger toute crue, ma coquine.

21

Le sexe luisant de la vampire s'offrait à lui. À ses mots, elle ondula du bassin, le tentant de ses lèvres écartées, de son odeur enivrante.

— Tu as percé ta petite chatte pour moi, grogna-t-il avec la voix d'un dément.

Il se pencha pour titiller l'anneau avec sa langue.

Elle devint comme folle, repliant les jambes de part et d'autre de sa tête.

— Oui, Rune !

Leurs regards se croisèrent par-dessus son mont. Le sien était brillant, d'un noir scintillant.

— Tu... Tu es excitant, balbutia-t-elle entre deux halètements. C'est... c'est tellement cool !

« Cool » ? Elle ne tarderait pas à changer d'avis.

Même s'il aurait pu jouer avec cet anneau pendant des décennies, l'odeur de son excitation l'attirait vers sa fente.

Du miel. Tout chaud, recueilli à la source.

Pour la première fois qu'il lui serait donné de se délecter de cet acte, il le ferait avec le plus joli sexe qu'il ait jamais imaginé. La couvrant de sa bouche, il enfonça la langue et prit sa première lapée.

— Aaahhh !

Elle se tortillait malgré ses liens.

Rune sentit ses yeux se révulser. Il planta les griffes dans ses fesses, puis paniqua et les rétracta.

Non, non, ma vampire peut supporter ça. Elle semblait même apprécier. Alors il ressortit les griffes et l'agrippa par les hanches. Gémissant, elle ondulait contre sa bouche.

— Putain, tu es si mouillée. Tu en avais besoin, pas vrai ?

Comment allait-il se refréner de plonger dans cette moiteur étroite ? La pression qui lui serrait le sexe le fit grincer des dents. Son gland enfla, la fente de Josephine était hypersensible. Il avait les bourses aussi douloureuses que s'il venait de prendre un coup de pied. Était-ce la sensation que l'on éprouvait, quand elles s'emplissaient de semence ?

En tout cas, l'attente était insupportable. *J'en veux plus !*

Il enroula la langue pour récolter une nouvelle gorgée de son miel. Jamais il n'en aurait assez. Ses petites lèvres s'ouvraient pour lui, telle une offrande. Il en suçota une, puis l'autre.

Elle l'observait, les paupières lourdes.

— Tu n'avais jamais fait ça avant, on dirait, commenta-t-il, manière de cacher sa propre inexpérience en la matière.

— Qu'est-ce que tu en penses ?

La dynamique du pouvoir, se rappela-t-il. Sauf qu'il avait envie de rugir sa découverte, de la partager.

— Tu es carrément addictive, lâcha-t-il d'une voix râpeuse.

Et il donna un nouveau coup de langue. Et un autre. Et un autre. *Je ne m'en lasse pas !*

— Oh ! Oh oui, ohhh !

Je la mange, et c'est merveilleux. Il la colla au matelas en se jetant à bouche que veux-tu dans son festin.

Elle secouait la tête, éperdue, ses longs cheveux éparpillés sur les draps. Elle allait jouir et il s'en fichait. Rien ne pouvait l'arracher à ce délice.

— Oh oui, oh oui !

Elle tirait sur les menottes comme une forcenée, se tortillant sous ses baisers.

— Tu vas y arriver !

Il leva les yeux sur son corps. Ses tétons percés tremblaient, sa bouche s'ouvrait sur ses cris.

— Tiens, prends, Josie, souffla-t-il entre deux coups de langue. (Sa propre voix ressemblait à celle d'un fou.) Viens pour moi.

Et sa vision se brouilla jusqu'à ce qu'elle semble vaciller devant lui.

— Rune, je... je jouis !

Elle hurla son plaisir ; il goûta son orgasme ; il perdit la tête.

Enfouissant le visage entre ses jambes, il grogna, suça, dévora, la pénétra avec sa langue, gronda tandis qu'il la consumait.

Son sexe était une révélation. Son corps était tout.

Les tressautements de son érection lui ordonnèrent de balancer les hanches, de se caresser, de plonger, de pénétrer son enceinte mouillée avec son sexe plutôt que sa langue. Il ruait contre le matelas, baisait frénétiquement le lit. N'importe quoi pour mettre un terme à cette pression insupportable. Les frottements brûlaient son gland. Ses bourses lourdes remontèrent.

Je vais déjà jouir ? Contrôle-toi, retiens-toi !

À nouveau elle approchait de l'orgasme, et il n'en avait toujours pas assez de son miel délicieux.

— ENCORE ! lui ordonna-t-il en enfonçant les griffes dans ses fesses.

Elle obéit dans un hurlement, s'arc-boutant contre sa langue affamée pour lui donner plus.

Les sensations parcouraient l'échine de Rune, de haut en bas et de bas en haut. Son sexe pulsa violemment entre le matelas et son ventre. Le plaisir le fouetta, un plaisir inouï... tellement fort, tellement...

Il lâcha un cri guttural contre son intimité trempée. DÉLIVRANCE.

Il renversa la tête en arrière. Son cri se fit rugissement de guerre, tandis que, vague après vague, le plaisir lui soulevait le corps, le propulsant dans un territoire dont il ignorait tout jusqu'à ce jour.

Il avait perdu tout contrôle. *Quel contrôle ?* Il s'abandonna. Se brisa.

Son dos se courba, son sexe pulsait comme pour expulser sa semence. Des secousses à faire cesser les battements de son cœur.

Encore et encore et encore.

Peu à peu, le plaisir exquis s'apaisa et les hurlements refluèrent dans sa poitrine. Alors que le monde tournoyait tout autour, il posa la tête sur la cuisse pâle et tremblante de Josephine le temps de reprendre son souffle. Il n'y avait plus qu'eux deux dans tout l'univers, il en était certain.

Il se pourlécha les lèvres, et trouva dans son goût la preuve que ce qu'il venait de vivre était bien réel. Une heure s'écoula, une journée, une éternité. Peu lui importait ; il avait besoin de repos. Et pas parce qu'il était repu, non, uniquement parce que son orgasme semblait l'avoir changé.

— Rune ?

L'accent traînant de Josephine le tira de sa torpeur. Grands dieux, qu'avait-il fait ? Tant de choses étaient en jeu, et il n'avait même pas posé la moindre question !

Au prix d'un énorme effort, il se rassit. Puis s'agenouilla et se passa l'avant-bras sur la bouche. Il l'avait vue nue et avait perdu l'esprit sur-le-champ, nom des dieux ! Comme s'il n'avait pas vu des femelles nues pendant toute sa vie. Comme s'il ne s'enorgueillissait pas de ses prouesses.

Il avait joui en se frottant aux draps. La vieille reine en aurait bien ri. Il serra les crocs. *Reprends le contrôle de la situation. Recommence du début.*

Il observa le corps de Josephine, prêt pour le prochain round. Où était donc passé son légendaire détachement ? Pour la première fois de sa vie, il ne savait pas par quel acte sexuel continuer. Le sport en chambre, ç'avait toujours été une histoire de limites frustrantes pour lui : *j'peux pas faire ça, j'peux pas toucher ça, j'peux pas mettre ma bouche là...*

À présent, l'éventail des possibles était vertigineux. Son répertoire habituel ne l'avait pas préparé à ça.

— Bon, ça, c'est fait, commenta-t-il d'une voix éteinte.

Rauque. Abîmée par son hurlement de guerre.

— Et dire que j'étais à deux doigts de tout te révéler, fit-elle en haletant. Non, vraiment, j'te jure. (Elle ponctua ses paroles d'un sourire éblouissant.) La prochaine fois, c'est sûr. On s'y remet ?

Il allait lui faire ravaler ses paroles.

— Tu viens juste d'attiser un peu plus ma détermination, vampire.

22

Jo n'aurait peut-être pas dû narguer le sombre fey. Pendant sans doute des heures, voire des jours, il l'avait titillée sans merci.

Encore et encore, il l'emmenait juste au bord du précipice, jouant patiemment avec elle. Et chaque fois qu'elle allait atteindre le point de non-retour, il s'arrêtait. Parfois il se perçait la peau lui-même, épiçant l'air dans l'unique but de la rendre dingue.

De la taille jusqu'en bas, le corps de Jo n'était plus qu'une exquise douleur. Les menottes lui irritaient les poignets, ses yeux étaient humides de larmes roses, son esprit divaguait.

Mais...

Elle était une femme de chair, une femme ardente, vide, surexcitée. Et elle adorait ça.

Relâchant l'un de ses tétons qu'il avait à la bouche, Rune se pencha entre ses seins, une expression menaçante sur le visage. Tout en la tourmentant, il l'avait questionnée inlassablement, en vain.

— Tu dois avoir tellement soif, susurra-t-il en se lacérant la pulpe de l'index.

L'odeur la frappa de plein fouet. Sa soif était comme une brûlure.

— Rien qu'une goutte, Rune...

Elle enfonça les griffes dans ses propres paumes, jusqu'à faire couler le sang. Avec un cri, elle se perça la lèvre inférieure du bout d'un croc.

— Parle-moi de Nïx.

Elle secoua la tête.

— Impossible.

Il fit glisser le doigt sur sa poitrine, lui peignit la peau. Son sang était brûlant, telle une marque au fer rouge. Il passa sur un mamelon enflé, et elle ne put réprimer un gémissement.

Descendant le long de son corps, il s'installa confortablement entre ses cuisses, pour la énième fois.

Elle geignit dans l'attente de ce qui allait suivre – de l'orgasme qu'elle n'éprouverait pas.

— Regarde-moi cette délicieuse petite fente.

Il avait découvert l'effet que lui faisaient ses mots cochons.

— Ma queue te remplirait tout entière, vampire, te ferait crier pitié.

Il taquina son ouverture du bout de la langue, lui offrant un baiser dévorant.

— Alors, tu as envie que je te baise avec mes doigts, ma colombe ?

— Oh oui, baise-moi !

Il inséra un doigt, et le sexe affamé de Jo se resserra autour de lui, comme pour essayer de le capturer.

— Ta petite chatte est si jolie, si étroite.

Il avait la voix profonde, à l'image du doigt qu'il fichait en elle.

— Heureusement que je ne te baise pas encore.

« Pas encore. »

Il agita le doigt en elle.

— Voilà quelque chose qui va te plaire, affirma-t-il en touchant un point bien particulier.

Des flashs lumineux apparurent devant les yeux de Jo.

— Oh, mon Dieu oui, encooooore !

Il avait réussi : il lui avait fait voir des étoiles.

— C'est ça, bébé, murmura-t-il en continuant à frotter ce même point. Tu mouilles comme une folle pour moi. C'est bon, hein ?

— Hum... Ahhhhh !

Il se pencha pour laper son clitoris, sans cesser ses caresses à l'intérieur.

Une femme bafouillait des paroles incompréhensibles, des sons. *C'est moi ?*

— Tu en veux plus, Josie, ajouta-t-il, plus bas.

Quand il l'appelait « Josie », elle avait des frissons partout. Elle hocha la tête. *Je ne suis que désir.* Du désir incarné sous la forme de Jo.

Rune insinua un deuxième doigt en elle.

— Si douce, si chaude et si excitée.

Quand il plongea les deux doigts, elle renversa la tête, les bras tirant sur ses menottes.

— Tu sens comme tu es trempée ? Tu ne ferais pas n'importe quoi pour jouir sur ma main ? Dis-moi juste comment tu as rencontré Nïx.

Et il recommença à sucer son clitoris sensible, le happant entre ses lèvres, puis entre ses dents.

Pantelante, elle secoua la tête.

Il suça.

— Pourquoi a-t-elle frappé les miens ?

Il mordilla.

— Quels sont tes liens avec les Valkyries ?

Jo hocha la tête.

Il lâcha un grognement frustré.

— Tu es la créature la plus étrange que j'aie jamais rencontrée. Tu devrais me mépriser. Je sens comme ton clitoris est gonflé, il palpite contre ma langue. Ta petite chatte appelle ma queue. Comment peux-tu ne pas vouloir mettre un terme à cette torture ?

— Que ça ne finisse jamais. Jamais...

— Ah non ? Alors c'est que tu ne souffres pas assez.

Et il entreprit de mouvoir ses doigts plus vite en elle.

Cette sensation de plénitude la secoua, ses yeux se révulsèrent tandis qu'elle imaginait le sexe de Rune qui la pénétrait. Si proche... si proche. Elle ondula du bassin sur ses longs doigts, s'empalant sur eux.

Il gronda.

— Nom des dieux, Josephine, tu veux vraiment souffrir ainsi ? Tu aimes ça ?

Elle leva la tête pour lui répondre, en toute honnêteté :

— Toi. C'est toi que j'aime beaucoup.

Une larme lui dégoulina sur la joue.

— Je t'aime vraiment beaucoup.

Jamais Rune ne s'était torturé lui-même en torturant autrui.

Il avait l'impression que son sexe allait exploser. Son cœur n'avait cessé de battre follement, ses poumons de chercher leur air. Il savait à présent ce que ses victimes avaient traversé.

Et encore, jamais il ne s'était déchiré la peau – hormis volontairement. Les poignets de la vampire, en revanche, étaient en sang.

— Nom des dieux, femelle !

La blesser ne faisait pas partie du plan. Il dégagea les doigts qu'il avait fichés en elle et se leva du lit.

Elle n'avait peut-être pas envie que tout ça prenne fin, mais contrairement à celui de Rune, son corps à elle souffrait d'autre chose que de désir frustré. Des larmes roses avaient coulé de ses yeux. Sa peau était blême de soif, ses yeux noirs et vitreux pour la même raison. Quant à ses crocs, ils étaient aussi acérés que des dagues.

Il ne pouvait continuer à lui faire du mal. Ce qui signifiait qu'elle avait gagné. Il ravala un juron démoniaque et fracassa le mur d'un coup de poing. Elle l'avait battu.

— Rune ?

Son visage délicat montrait son état d'épuisement.

Pliant les doigts, il sortit les clés de ses menottes, puis retourna auprès du lit pour la délivrer. Il savait comment elle voudrait fêter sa victoire, son regard prédateur venait de se river sur le cou de Rune.

Il la libéra et elle se hissa à genoux pour le repousser contre le matelas. Il la laissa faire. Où allait-elle le mordre en premier ? Vu comme elle était affamée, elle risquait de le vider de son sang. Son érection palpita à cette idée, alors même que son esprit se rebellait.

Elle a gagné.

Il songea qu'il pouvait encore l'amener au bord du précipice. Sauf qu'il n'en avait plus envie.

La torturer, ça me torture.

Elle le chevaucha, s'asseyant juste sur son sexe douloureux. Son intimité trempée le tourmentait, lui rappelait ce qu'il ne pouvait avoir. Allait-elle se ruer sur lui ?

Elle semblait résister à ce désir. Pourquoi ne s'emparait-elle pas de son membre ? Elle se faisait languir elle-même ? *Je ne la comprends pas !*

Elle se pencha enfin vers l'avant et lui prit le visage entre ses mains tremblantes. Il n'avait aucune idée des pensées qui traversaient sa jolie tête. Elle ne laissait rien transparaître...

Elle vint lui déposer un baiser sur la joue.

Rune sentit une expiration lui échapper brutalement. Pourquoi faisait-elle ça ?

Puis elle l'embrassa tendrement sur le menton. Le bout du nez. Le front. Elle joua avec le point sensible d'une oreille.

— Est-ce que tu me... remercies ?

Elle s'écarta.

— Oui.

— De t'avoir fait du mal ?

Elle secoua la tête, et les boucles soyeuses de ses cheveux tombèrent en cascades sur ses épaules.

— D'avoir permis que je me sente en vie.

Il plongea le regard sur sa bouche. Il devait l'embrasser, ne pouvait plus attendre. Il la prit par la nuque.

— J'ai envie de prendre ta bouche depuis le soir où je t'ai sentie pour la première fois.

Mensonge. Il en avait eu envie toute sa vie.

Embrasser sans tuer ?

Elle lécha ses lèvres charnues, comme pour l'inviter.

— Prends-la, Rune.

Il attira sa tête vers lui, plus près. Leurs regards se nouèrent. Quand seul un petit centimètre séparait encore leurs lèvres, il déglutit. Le moment était chargé de sens.

— Si longtemps j'ai attendu...

Et il l'attira encore.

Contact.

Ses lèvres douces et tremblantes touchèrent les siennes. Il s'immobilisa, baignant dans ce luxe, la buvant de tous ses sens.

Au bout d'un moment, il glissa la langue dans la chaleur accueillante de sa bouche. Il avait beau savoir qu'elle était immunisée contre lui, l'habitude le rendait nerveux.

Comme pour le rassurer, ce fut sa langue à elle qui vint à la rencontre de la sienne. Quand elle le lécha, juste une fois, il sentit s'éveiller chaque millimètre carré de son corps. Son sexe tressauta si fort qu'il la souleva.

Elle gémit de plaisir. Seulement de plaisir.

Le son le plus érotique que ses oreilles aient jamais entendu.

Il resserra son étreinte autour de sa nuque, sentant ses mains commencer à trembler alors qu'il approfondissait leur baiser. Il réclama sa bouche avec possessivité, enroula la langue autour de la sienne, au point qu'ils partagèrent les souffles de leurs poumons. Au point que les battements du cœur de Josephine tambourinèrent aux oreilles de Rune, en rythme avec les siens.

Ce baiser était parfait. Ses lèvres étaient parfaites.

Il en avait eu tellement envie. Et c'était tellement meilleur que dans ses rêves. Il gronda, avide d'en avoir plus.

Amoureusement, elle lui prit de nouveau le visage en coupe, et il sentit quelque chose se vriller dans sa poitrine. Ses lèvres... ses lèvres lui apprenaient à désirer. À ressentir à nouveau.

Cette femme. Cette vampire. Avec son baiser lent et doux.

Lui aussi voulait lui apprendre. Lui montrer en quoi il était un homme désirable. Lui montrer qu'il avait assez de force pour eux deux. Elle écouterait ce baiser, tout comme elle avait écouté son sang.

Il lui lécha un croc. À l'instant où son sang toucha la langue de Josephine, elle se raidit.

Tous deux s'immobilisèrent. Poum… poum… poum…

— Humm ! s'écria-t-elle enfin en le lapant.

Il replongea dans leur baiser, offrant autant qu'elle lui offrait.

Pourtant, elle ne s'était toujours pas hissée sur lui. L'agrippant par les hanches, il l'attira le long de son érection.

Il n'en fallut pas plus.

Elle hurla contre sa bouche. Sous l'effet de l'orgasme, elle lui suça fort la langue et se mit à onduler du bassin contre lui, glissant son sexe trempé de la base au gland.

Extase.

Il frissonna, instantanément au bord de la jouissance. Les raisons qui l'empêchaient de plonger fort en elle, de l'assaillir de coups de boutoir, de s'abandonner à l'instant commençaient à disparaître.

Elle lâcha sa bouche pour se hausser au-dessus de lui, balançant les hanches en fermant les paupières. Du sang coulait à la commissure de ses lèvres. *Tout oublier.*

— Tu me boirais pour l'éternité, si je te laissais faire, grommela-t-il d'une voix épaisse. Comme une petite gloutonne.

— Oui, admit-elle dans un gémissement, remontant ses cheveux au-dessus de sa tête. Je te mordrais jour et nuit.

— Tu ne boirais plus que moi, pour toujours.

Elle se pourlécha les lèvres alors qu'elle lui glissait les mains le long du corps en une envoûtante caresse.

— Plus que toi.

— Déjà tu ne peux plus vivre sans mes baisers.

— Je ne peux plus… peux plus…

Le sang coulait sur son menton, gouttant sur ses seins. Le sang de Rune n'avait jamais été aussi noir que sur sa peau d'albâtre.

Tel du papier couvert d'encre, sa peau était désormais marquée par lui. Marquée par son odeur. Elle était sa possession.

Son obsession.

Et pourtant il ne savait rien d'elle. Il tendit la main pour emprisonner sa gorge délicate entre ses doigts.

— Dis-moi quelque chose, femelle, n'importe quoi que je ne sache pas de toi.

— Ton sang n'est pas souillé, murmura-t-elle, hébétée. Je sens en lui le goût du paradis.

Rune sentit ses poumons se vider d'un coup. Ses doigts s'engourdirent. Ses bras retombèrent.

— Bouge sur moi, lui ordonna-t-il. Fais-moi jouir !

Tandis qu'elle roulait lascivement des hanches, ce besoin fou de plonger tout au fond d'elle devint irrésistible. Son corps hurlait le besoin d'être soulagé.

Sur le point de basculer, il leva les yeux vers sa femelle. Cheveux épars, yeux assombris par le désir, lèvres noircies par son sang. Sexe, nombril et tétons percés. Seins ronds frémissants.

Jamais il n'oublierait cette image. Pas même s'il vivait encore sept mille ans. Car jamais il n'avait rien vu d'aussi sidérant.

Elle pourrait me donner envie d'avoir une âme sœur.

Mais elle était encore affaiblie, n'avait pas bu assez. Le besoin irrépressible de jouir que ressentait Rune le disputait à un autre besoin, inexplicable, de prendre soin d'elle. Il se trancha le cou et l'attira vers lui.

— Bois.

Les bras autour d'elle, il attendit ses crocs.

— Je ne veux pas en prendre trop.

— Bois ! ordonna-t-il. Nourris-toi de mon corps jusqu'à ce que le tien soit repu.

Il grogna quand elle enfonça lentement les crocs, pénétrant sa chair comme elle ferait l'amour avec lui, tout en douceur.

Les paupières lourdes, il fixa le plafond, bataillant pour comprendre ce qu'il faisait et ce qu'il éprouvait. Au moment où sa morsure le fit jouir, il faillit hurler encore une fois. Au lieu de quoi il l'agrippa fermement et la balança sur lui en même temps qu'elle se nourrissait.

23

La tête posée sur le torse de Rune, avec son cœur qui lui battait contre l'oreille, Jo essayait de rester éveillée pour rejouer les événements dans sa tête.

Tout le plaisir qu'il lui avait offert en l'interrogeant, et ensuite au cours des heures ayant suivi son repas.

Toutes les choses qu'elle avait apprises. Sur la vie, sur lui, sur elle-même.

Avant même d'avoir commencé, il lui avait dit que les vampires devaient se nourrir pour être fertiles. Jamais elle n'avait pensé pouvoir procréer. À présent, la possibilité existait.

Ces quatorze années perdues avec Thad l'étaient irrémédiablement, mais peut-être pourrait-elle avoir un bébé qui lui rappellerait son petit frère. Peut-être, un jour, deviendrait-il un oncle aimant.

La possibilité. Un avenir lumineux commençait à s'ouvrir devant elle. Avec cette pensée en tête, elle glissa dans un sommeil épuisé.

Peuplé de rêves. Encore des souvenirs de Rune ? De vagues impressions filtraient à travers sa conscience…

La reine Magh qui le découvrait dans son habit de cour, sa fierté devant « l'arme sexuelle » qu'elle avait façonnée.

L'inquiétude de Rune en devinant le désir dans les yeux de sa marâtre, et puis la fureur de celle-ci pour lui avoir inspiré un tel sentiment.

Les nuits sans sommeil avant sa première mission. Accompagné d'une délégation de Sylvan, il s'était rendu dans la nation wiccae d'Akelarre, se faisant passer pour le fils d'un ambassadeur fey. Sa présence était censée montrer la bonne volonté d'un royaume en reconstruction envers un autre.

Sauf que sa cible n'était pas celle qu'il avait cru. Même pour sauver sa mère d'un destin pire que la mort, Rune n'était pas certain de pouvoir accomplir cette mission-là.

Car Magh n'en avait rien à fiche d'assassiner le sorcier qui avait maudit son mari. Non, elle voulait ce sorcier en vie, et qu'il souffre mille morts une fois qu'elle aurait fait assassiner sa fille bien-aimée.

Une jeune fille qui venait tout juste d'avoir seize ans. L'âge de Rune.

« Tu as été invité à sa fête d'anniversaire. Séduis-la, bâtard, lui avait ordonné Magh. Qu'elle tombe amoureuse de toi, comme toutes les autres. Elle mourra le cœur plein d'amour, l'esprit plein de rêves et le corps plein de ton poison… »

Les compliments au dîner, les mots doux murmurés durant la partie de cartes. Il ne fallut pas longtemps à la jeune sorcière pour s'éprendre de lui. Elle était jolie de visage, quoique paraissant plus jeune que son âge.

Rune avait-il jamais été aussi naïf ?

— Je te veux comme cadeau d'anniversaire, lui murmura-t-elle à l'oreille, avant de lui donner les indications pour se rendre dans une alcôve cachée près de sa chambre à coucher. Je lèverai les barrières de protection magiques pour toi, promit-elle.

Il s'efforça de sourire. Elle était gardée, tel un trésor, par une multitude de sortilèges et de sorciers sentinelles. Rien ne pouvait l'atteindre.

Rien, sauf moi.

Il suivit ses instructions et trouva l'alcôve. Une fois sur place, il fit les cent pas. Sa mère lui pardonnerait-elle de l'avoir sauvée en perpétrant des assassinats ordonnés par Magh, sa belle-mère ? S'il lui avouait : « J'ai pris la vie d'une jeune innocente pour te libérer », *la culpabilité serait-elle trop dure à supporter pour sa mère ?*

Une porte coulissa. Les yeux brillants, la petite sorcière passa la tête par l'entrebâillement. Elle avait troqué sa robe du soir contre une tenue de nuit et détaché ses cheveux.

— La voie est libre.

Elle avait éliminé ses propres protections, fait tomber les barrières tout comme elle avait lâché ses cheveux.

Elle le prit par la main et guida la mort jusqu'à sa chambre.

Qui ressemblait à un palais à elle toute seule, remplie qu'elle était de charmes et de bijoux inestimables. Au moins ses seize années de vie avaient-elles été généreuses.

Elle alla s'asseoir sur son lit et tapota les couvertures à côté d'elle.

Comment allait-il se tirer de cette situation ?

— Peut-être allons-nous trop vite. Tu es encore jeune.

S'il n'obéissait pas à Magh, il ne pourrait pas retourner à Sylvan. Où vivrait-il alors ? Ici ? Peut-être que s'il avouait la vérité à la sorcière, elle serait émue et prête à l'aider ?

Et abandonner ma mère ?

— *Ne raconte pas n'importe quoi, fey. Je suis assez grande. Surtout à compter de cette nuit. Seule une chose pourrait rendre mon anniversaire plus magique,* ajouta-t-elle d'une voix mélancolique.

Je ne peux pas. Par les dieux, je ne pourrai pas.

— *Revoyons-nous une autre fois, ma colombe. Je connais le chemin jusqu'à ta chambre, désormais, je reviendrai chaque nuit.*

Ses yeux s'emplirent de larmes.

— *Je te veux maintenant.*

— *Je suis encore là pour des semaines.*

— *Mais je n'aurai pas d'autre soirée d'anniversaire,* fit-elle, et les larmes dégoulinaient sur ses joues.

À voix basse, la sorcière et Rune continuèrent leur querelle.

— *J'appelle les gardes, si tu t'en vas,* le menaça-t-elle en désespoir de cause.

Il n'en revenait pas. Tous les nobles sont-ils aussi fourbes ?

— *Je vais le faire !* promit-elle en prenant une profonde inspiration.

Il bondit sur elle et lui posa un doigt sur les lèvres. Il pouvait toujours copuler avec elle sans la tuer. C'était ce qu'il avait fait avec toutes ses autres conquêtes. Sauf que les autres femelles étaient plus matures, elles connaissaient les risques et comment les éviter. Cette fille-là n'en savait rien.

En entendant les nouvelles sentinelles prendre leur tour de garde devant la porte, Rune jeta un coup d'œil par-dessus son épaule. Il ferait mieux de se téléporter. Mais alors elle devinerait ce qu'il était. Et puis, où irait-il ?

Il reporta son attention sur elle.

— *J'ai besoin que tu m'écoutes attentivement...*

Elle avait sa bouche tout près de la sienne. Elle venait de fondre sur lui, pour presser ses lèvres entrouvertes contre les siennes.

Elle lui avait volé un baiser.

Il la repoussa brutalement et se téléporta vers un service à vin, dont il se versa un gobelet à la hâte. Peut-être les histoires que l'on racontait sur son poison étaient-elles exagérées. Qu'en savaient-ils, d'ailleurs ? Il retourna auprès d'elle dans la seconde.

— Bois !

Les yeux écarquillés par la terreur, elle avala le liquide tant bien que mal. Déjà le poison avait pénétré son système. Ses membres se tordaient, ses muscles se crispaient.

Et la douleur sur son visage...

Rune regarda la vie déserter son jeune corps, et les battements de son pouls affolé disparurent peu à peu. La jeune sorcière périt en quelques secondes.

La rumeur n'était donc pas exagérée. Il était plus létal que quiconque l'avait même imaginé.

Se retournant, il vomit encore et encore, jusqu'à ce que son estomac soit complètement vide. Il s'essuya la bouche et soudain, il comprit : il venait de s'engager sur un chemin sans aucune possibilité de faire machine arrière...

Jo s'éveilla et ouvrit les yeux, surprise de ne pas se trouver dans une chambre magique remplie de babioles de jeune fille et de mort.

La respiration profonde et régulière, Rune lui caressait les cheveux.

Secouée par ce souvenir tellement réel, Jo se raidit. Et si les choses n'avaient fait qu'empirer pour lui ? Quand il était encore plus jeune que Thad aujourd'hui, Magh l'avait transformé en arme fatale, en amant au baiser mortel. Elle avait utilisé la mère de Rune contre lui, cette mère qui signifiait tout pour lui, exactement comme Thad était tout pour Jo.

Qu'aurait-elle fait, elle, pour sauver son frère ? *N'importe quoi.*

Absolument n'importe quoi.

Voulait-elle revivre d'autres souvenirs ? Viendraient-ils la hanter chaque fois qu'elle boirait le sang de Rune ?

Peu importait ce qu'elle voulait. Elle eut beau essayer de combattre le sommeil, elle finit par sombrer à nouveau, bercée par le battement régulier du cœur de Rune.

Un nouveau rêve commença à se jouer dans son crâne. Elle était à la cour de Sylvan. Elle entendait l'eau des fontaines, sentait le parfum des bouquets de roses et de la cire des bougies. Magh était assise sur son trône, les yeux posés sur Rune, devenu adulte.

Elle l'avait fait venir car elle en était arrivée à une conclusion : son utilité avait atteint ses limites...

— *Tu as fait ton travail de façon si admirable que je n'ai presque plus d'ennemis. Et comme ceux qui restent ont entendu parler de toi, ils sont sur leurs gardes et redoutent le célèbre fey aux paroles mielleuses qui disparaît dans la pénombre.*

— *Et l'espionnage ? Les interrogatoires ?*

— *Même problème. Qui ciblerais-tu ?*

— *Dans ce cas, j'ai rempli ma part du marché que tu m'as imposé,* répondit-il, alors que l'impatience montait en lui. *Tu as juré de nous réunir, ma mère et moi.*

— *En effet, bâtard,* admit-elle.

Trop facile. Rune avait passé suffisamment de temps parmi les feys pour apprendre leur rationa-

216

lité, il savait donc que son espoir était illogique. De Magh, il ne pouvait attendre que la tromperie. Au bout du compte, elle le ferait souffrir.

Si la mère de Rune se trouvait dans un camp pour esclaves, Magh l'enverrait là-bas et ferait de lui un esclave aussi, mais peu lui importait. Il visualisa les yeux bleus si tendres de sa mère, et le sourire qu'elle gardait toujours pour lui.

Ensemble, sa mère et lui s'échapperaient. Ils recommenceraient leur vie. Tous les meurtres, tout le dégoût, toute la haine accumulés au fil de ces années finiraient par disparaître.

Magh claqua des doigts pour appeler un garde.

— Emmène-nous auprès de la mère du bâtard.

Ils allaient vraiment être réunis ? Enfin ? *Le cœur de Rune battait follement*, tandis qu'ils se téléportaient vers un royaume enveloppé par la nuit et balayé par les vents. Plissant les yeux pour se protéger des rafales, il ne vit rien qu'une montagne de boue.

— La voilà, indiqua Magh en désignant le monticule.

— Qu... Quoi ?!

Ses gardes démons se téléportèrent devant Magh.

— Elle est enterrée là, avec des centaines d'autres. Depuis des siècles.

Le choc submergea Rune.

— En tant que favorite de mon mari, elle jouissait de sa protection, mais ta situation à toi était précaire, expliqua Magh d'une voix distante. Ta mère savait que je te gardais à l'œil, que je ne tarderais pas à frapper. Elle m'a suppliée de t'épargner. Je lui ai juré de le faire, à condition qu'elle accepte de t'abandonner sans faire de remous, pour devenir esclave de plaisir dans un bordel éloigné. Elle aurait fait n'importe quoi pour te sauver la vie ! Hélas, la pauvre chérie n'avait *pas encore atteint son immortalité – ce qu'elle devait savoir. (Magh soupira.) Ah, les sacrifices que nous consentons, nous autres mères ! Ne t'inquiète pas, elle n'est pas restée longtemps dans cet enfer. Après quelques séances un peu… rudes, elle a fini brisée.*

Magh examina la pointe de ses cheveux blonds.

— Sa vie fut courte, sa mort brutale, et désormais ses os ne sont plus que poussière.

Enterrée.

Brutale.

Poussière.

Ses poumons se comprimèrent. Ses jambes vacillèrent. Alors que Rune s'agenouillait devant le charnier, les gardes de Magh le saisirent au collet et lui lièrent les poignets.

— Passons à la nouvelle étape de ta vie, lança-t-elle sur un ton joyeux. Je t'ai trouvé une autre occupation, bâtard.

— Que les dieux me donnent la force, cracha-t-il.

Le collier l'empêchait de se téléporter, les entraves de se débattre.

— Je te détruirai, toi et toute ton engeance.

— Oh, je pense que ton nouvel emploi te tiendra bien trop occupé pour cela…

24

Contre son torse, la respiration de Josephine était légère. Rune lui passa les doigts dans les cheveux, découvrant cet « après » tout nouveau pour lui. Il n'était jamais resté dans les parages, après avoir usé sexuellement d'une femelle. Et encore moins après un interrogatoire.

En caressant ses boucles soyeuses, il sentit de nouveau les mûres sauvages, qui lui rappelèrent son enfance. Il se remémora les brefs moments où il s'était échappé dans les hautes prairies, au cœur d'un vallon rempli de baies. Leur goût était plus sucré encore que leur irrésistible parfum.

Du sucre sur les lèvres et le vent bruissant dans les feuilles, il s'était allongé au milieu des fruits, heureux, rêvant de ne jamais revenir vers ces marais étouffants.

Le goût de Josephine était plus sucré que tout ce qu'il avait pu imaginer...

Et même s'il avait perdu son défi face à elle, il était étonnamment détendu. Elle n'avait pas gagné en soi, c'était lui qui avait perdu le contrôle. Mais comment s'en blâmer ?

Sa morsure procurait à la jolie vampire un avantage injuste.

Quand ses crocs avaient pénétré la chair de Rune, avec cette lenteur exquise, et que sa langue était sortie, prête à laper, il avait bien failli perdre la tête. Encore maintenant, il en frissonnait.

Après qu'elle s'était abreuvée de lui, il avait ressenti une sorte d'hébétude, ne souhaitant plus que l'explorer. Pendant les heures où ils s'étaient mutuellement donné du plaisir, il avait écouté chaque accélération de sa respiration. Il avait attendu le fameux rougissement au niveau de ses seins qui signalait la montée de l'orgasme. Il avait guetté la dilatation de ses iris.

Par le passé, ces réactions lui avaient servi de repères pour jauger si son sujet était prêt à parler.

Cette nuit, chacune des réponses de Josephine avait été une découverte. Celle d'une femme qui l'agaçait, le revigorait, le captivait.

Il avait fourré le nez dans ses petites oreilles jusqu'à ce qu'elle frissonne. Il avait passé la langue sur la petite fente dans sa lèvre inférieure. Il lui avait pris la bouche – à son gré, quand l'envie le prenait – tant de fois que ses propres lèvres en étaient tuméfiées. Il se passa un doigt dessus.

Pendant une éternité, son dernier baiser avait été fatal.

Plus maintenant. Il n'y avait pas de barrière entre Josephine et lui. Ni entre leurs corps, ni entre leurs désirs.

Rune l'Insatiable était-il donc repu ? Son sexe était toujours dur, avide d'en découvrir plus, et pourtant il aurait pu jurer qu'il était presque somnolent. Peut-être pas repu, mais satisfait.

Encore et encore, il s'était demandé si elle pouvait être son âme sœur. S'il en avait une. Mais quand bien même Josephine le serait, rien ne changerait. Il n'avait pas l'intention de se caser avec une femme. Le Møriør requerrait toujours ses talents, qui incluaient le recueil d'informations auprès de ses cibles par des moyens honnêtes ou pas.

Et il n'était pas question de faire une croix sur son besoin brûlant d'éradiquer la lignée royale de Sylvan.

Bien que Magh soit morte depuis longtemps, elle survivait à travers sa vile engeance, à l'instar de son fils aîné, le roi Saetthan. Il ne restait plus que quatorze d'entre eux. Dont la plupart vivaient sur Gaia pour se cacher de lui.

Avec chaque Accession, des secrets étaient révélés.

Les Møriør l'aideraient à pourchasser ces feys, tout comme Rune aiderait ses alliés dans leurs entreprises. Non, pas question d'abandonner son rêve alors qu'il était si proche de l'atteindre. Ce qui impliquait que Josephine ne pourrait plus jamais dormir aussi paisiblement dans ses bras ; car il projetait de l'utiliser contre Nïx. Au bout du compte, il parviendrait à ses fins.

Alors mieux valait savourer cet instant.

Josephine s'agita contre lui. Comme de nombreux vampires, elle avait un sommeil profond. Elle ne s'était pas réveillée quand il lui avait tracé une rune dans le dos, qui l'aiderait à la traquer de façon temporaire.

Il vit ses yeux bouger derrière ses paupières. Rêvait-elle de ses souvenirs ? Que penserait-elle de son passé ? Il n'avait pas honte d'avoir été utilisé.

Seulement de s'y être soumis, à la longue...

Des heures s'écoulèrent pendant lesquelles Josephine continua à dormir profondément. Rune s'occupa en dessinant les contours de son visage à couper le souffle et en imaginant lesquels de ses souvenirs elle visitait, si elle en avait la capacité.

Quand elle s'éveilla enfin, elle cligna ses cils épais pour révéler le brun éclatant de ses yeux. Elle se redressa.

— Tu vas vraiment me laisser partir ? Je dois retrouver... Je dois retourner chez moi.

Rune ravala son irritation. Sa première pensée était donc de s'échapper. S'il avait donné autant de plaisir à une autre femelle, il aurait été dans l'incapacité de se débarrasser d'elle, à présent.

Pas avec Josephine.

— Je t'ai fait une promesse.

— Laisse-moi m'habiller.

Elle sauta du lit, lui offrant une vue éblouissante de son fessier ferme, et se rua vers la salle de bains.

Il s'empara de son jean, regrettant de n'avoir pas répondu : « Après un autre tour de piste ». Il finissait d'accrocher sa flèche quand elle revint, attachant son collier.

Elle avait volé l'une de ses chemises, dont elle avait noué les pans et retroussé les manches pour la porter par-dessus sa robe. Ses cheveux étaient relevés en une queue-de-cheval désordonnée. Même comme ça, elle était absolument ravissante.

— Tu es prêt ? s'enquit-elle.

Il lui prit la main.

— Bien sûr.

Pendant de longues secondes, elle considéra leurs mains jointes.

— Josephine ?

— Euh, oui. Tu peux me téléporter dans le Vieux Carré ?

Ce serait la nuit, là-bas, environ minuit.

— OK.

L'instant d'après, ils se tenaient dans une ruelle à l'écart de Bourbon Street.

Elle scruta les environs, puis se retourna vers lui.

— Bon. On y est.

— On y est. Allez, file, petite colombe, retourne sur ton perchoir.

Elle leva le regard vers lui, semblant hésiter à lui lâcher la main. La lumière vacillante d'un lampadaire à gaz se refléta dans ses yeux.

— Et voilà, c'est tout ? Tu passes de la décision de me tuer à celle de me libérer comme ça ?

— Je pensais que tu représentais un risque pour moi. Ce n'est plus le cas.

— Compris.

Elle ouvrit la bouche pour ajouter autre chose, la referma, puis essaya de nouveau.

— Je sais bien que tu es du genre à coucher puis à filer sans demander ton reste, mais pour info, j'aurais bien aimé te revoir.

Oh, tu vas me revoir. Et bientôt. Il pourrait suivre sa rune traqueuse n'importe où. Il allait se servir d'elle pour localiser Nïx, voilà tout.

Cependant, même en sachant qu'il retrouverait bientôt sa vampire, Rune était réticent à la laisser partir. Ils combattaient peut-être dans les camps opposés d'une guerre entre immortels, pourtant il n'en avait pas terminé avec cette femelle. Il saurait la convaincre de revenir dans sa couche – même une fois qu'il aurait tué son alliée.

Il se résigna à lui lâcher la main.

— Peut-être nos chemins se croiseront-ils à nouveau.

Il crut percevoir une touche de tristesse dans ses yeux.

— Bien sûr. Peut-être. Pas de problème.

Et elle s'éloigna dans la rue.

Une fois qu'elle eut tourné à l'angle, il dessina une nouvelle combinaison de runes sur son avant-bras, un sort destiné à masquer son odeur et à le rendre invisible.

Il se téléporta sur les toitures pour la suivre, migrant d'un bâtiment à un autre. Elle commença par arpenter le quartier. Puis elle s'arrêta, comme pour flairer une odeur. Et elle redémarra au galop, scrutant chaque rue qu'elle croisait.

Pas de doute, elle était pressée de retrouver Nïx afin de lui divulguer tout ce qu'elle avait appris sur lui. Bizarrement, il ressentit un pincement au cœur à cette idée, avant de se rappeler que tous les coups étaient permis en amour comme à la guerre.

Mais une minute... N'était-ce pas l'odeur de la Valkyrie ? Oui, Nïx était là, qui filait Josephine en cachette, avec sa chauve-souris sur l'épaule.

Les yeux rivés sur son ennemie, Rune effleura les plumes de ses flèches, afin de sélectionner sa fatale.

Il la sortit du carquois et banda son arc, le positionnant contre son menton. Jamais un tir n'avait été plus facile.

Pourtant, sa curiosité de fey le poussa à attendre. Peut-être parviendrait-il à entendre leur conversation, et ainsi à découvrir exactement ce que Nïx savait sur les plans du Møriør. Ses secrets étaient là, à portée d'oreille. Il pourrait toujours abattre la Valkyrie ensuite.

Suivre les ordres d'Orion à la lettre et la tuer sur-le-champ ? Ou écouter ?

Les vieilles habitudes avaient la peau dure. Il remisa sa flèche dans son carquois, puis se laissa tomber au sol pour espionner.

25

Après avoir quitté Rune, Jo avait repéré l'odeur de Thad, mais toujours juste hors de sa portée.

Se trouvait-il dans une voiture ? Un tramway qui s'éloignait du Vieux Carré ? Non, dans l'autre sens !

Elle sprinta en direction du Mississippi, suivant sa trace jusqu'à un entrepôt industriel au bord du fleuve. Des piles de rails bordaient un carré de ciment défoncé. Jo se téléporta à travers le périmètre de sécurité pour se retrouver au milieu de la zone et scruta l'obscurité. Où était-il ?

Elle avait complètement perdu sa piste.

— Bon sang !

Il fallait qu'elle le retrouve, elle allait le retrouver.

Si c'était possible, elle était encore plus déterminée qu'avant à atteindre Thad pour s'assurer qu'il allait bien. Les souvenirs de Rune, dans lesquels elle avait vu la déchirure qu'il avait vécue en étant séparé de sa mère bien-aimée, l'avaient dévastée. Et puis apprendre la mort de cette femme, ressentir le chagrin de Rune... Jo s'était réveillée en panique, obsédée par l'idée de retrouver son propre frère bien-aimé.

En parallèle de son inquiétude pour Thad, elle souffrait pour Rune, ce tueur malgré lui qui avait seulement cherché à sauver sa mère.

Que ne ferait-on pas pour ceux que l'on aime ?

Elle espérait que Rune avait pris sa revanche sur cette saleté de reine et vengé le meurtre de sa mère – sinon plus. Quand Magh avait mentionné la « nouvelle occupation » de Rune, Jo en avait eu le frisson...

— Hé, Lady Lanuit !

Jo fit volte-face pour découvrir la femme aux cheveux noirs plantée derrière elle. Nïx. Jo ne l'avait pas entendue approcher.

C'était donc elle, la cible de Rune.

— Qu'est-ce que tu veux ? demanda Jo en jetant un coup d'œil derrière Nïx. Où est Thad ?

— J'ai mis ton beau garçon à l'abri.

Elle avait la même chauve-souris sur l'épaule, et ce soir elle portait une botte à chaque pied. Ses étranges yeux dorés brillaient encore plus que l'autre fois.

Sur son tee-shirt était inscrite une phrase, dont Jo était incapable de déchiffrer le message.

— « À l'abri » où ?

Si besoin, elle n'hésiterait pas à abattre cette... Valkyrie.

Une brise soufflait du fleuve, qui souleva les cheveux noirs ébouriffés de Nïx.

— Il est en sécurité. Enfin, à peu près. Si tu coopères, Josephine, peut-être t'autoriserai-je à le voir.

— Tu « m'autoriseras » ?

Cette garce n'avait pas idée de ce qu'elle disait. Jo ne coopérait pas, elle serrait jusqu'à ce que les choses se brisent entre ses poings. Elle écrasait, façon Hulk. Si Nïx ne la conduisait pas auprès de Thad, la Valkyrie recevrait une leçon que jamais elle n'oublierait.

— Comment tu connais mon nom ?

— Je suis une oracle très importante, l'une des meneuses de l'armée des Vertas et future déesse. Il ne me reste plus qu'une toute petite tâche à accomplir, compléta l'autre avec un rire. Cela fait quelque temps que je t'observe. Oh, toutes les choses que je sais !

— Tu m'as espionnée ?

— Tu as déjà vu le film *Broken Arrow* ? Évidemment que oui, c'est un grand classique. Enfin bref, moi, je ne quitte jamais mes bombes atomiques des yeux. Sauf quand je le fais.

Complètement timbrée, celle-là.

— Qu'est-ce que Thad fabrique avec toi ? Il sait qui tu es ?

— Il le sait. Et moi, je sais qui il est, lui.

La bouche de Jo était soudain très sèche.

— C'est-à-dire ?

Thad est-il comme moi ? Mais la Valkyrie demeura muette.

— Tout ce que tu dois savoir, reprit Jo, c'est qu'il est quelqu'un de bien.

Bénévolat, travaux d'intérêt général, générosité.

Nïx se fendit d'un large sourire.

— Si tu le dis.

— Qu'est-ce que tu entends par là ?

— J'ai des projets pour Thaddeus lors de cette Accession. Nous avons tous notre rôle à jouer.

Des projets ? *Des projets ?* Cette garce de Valkyrie était morte.

— Personne ne fait de projets pour lui. Personne ! Pigé ? insista-t-elle en s'approchant de Nïx. Tu vas me conduire jusqu'à lui. Maintenant.

— Impossible.

Jo dévisagea la femelle, plus petite qu'elle.

— Tu dis me connaître ? Non, non. Sinon tu saurais que je suis sur le point de briser tous tes os, un par un, jusqu'à ce que tu me révèles où il est.

Nïx gardait son expression amusée.

— Briser tous mes os ? Un par un ?

Un éclair zébra le ciel non loin de là.

— En voilà une idée fascinante.

Par les enfers ! Depuis son poste d'observation au sommet d'une pile de rails, Rune écoutait, incrédule.

Il s'était complètement fourvoyé au sujet de Josephine : elle ne protégeait pas Nïx, elle protégeait le mâle. Et elle avait cru qu'il était la cible de Rune !

Non, elle n'était pas de mèche avec Nïx, mais elle était peut-être amoureuse de ce Thad. C'était quoi, d'ailleurs, ce nom ridicule ?

Rune se remémora le mâle. Il était grand. Du genre que les femelles devaient trouver séduisant. Plus que séduisant.

Si Josephine était amoureuse d'un autre, alors tous les plaisirs auxquels elle s'était adonnée dans son lit n'étaient qu'un stratagème pour retourner auprès de cet autre mâle.

Rune serra les crocs. Elle avait proposé de le laisser lui faire tout ce qu'il voulait si elle perdait son pari, tout ça parce qu'elle était désespérée de retourner auprès d'un autre. De ce que Rune en comprenait, une femelle pouvait en effet devenir plus forte si elle confiait son cœur à quelqu'un.

Josephine savait depuis le début qu'elle ne perdrait pas leur pari.

La petite garce ! Pour la première fois depuis que Magh l'avait isolé, il avait donné à une femelle

228

du plaisir sans artifice. Sans l'utiliser à ses propres fins. Alors finalement, cette nuit, c'était lui qui avait été... utilisé.

« Je t'aime vraiment beaucoup », avait-elle prétendu, une larme sur la joue. Des conneries !

La Valkyrie et elle commencèrent à se tourner dangereusement autour.

— Tu es bien sûre de vouloir défier quelqu'un comme moi ? demanda Nïx. Tu es une jeune créature, si tendre encore. À peine un quart de siècle d'âge.

Quoi !? Bordel de merde, Josephine n'avait que vingt-cinq ans ?

Il l'avait mise dans son lit. Il l'avait dévorée et lui avait offert son sang interdit à la source. Tu parles d'une série de tabous. *Grands dieux, je me dégoûte moi-même.*

— Oh oui, j'en suis absolument sûre, répondit Josephine à la Valkyrie.

— Nous sommes donc sur le point d'en découdre ? Non, non, car cela signifierait que les deux parties vont assener des coups. Or tu ne frapperas pas.

Josephine haussa les sourcils.

— Rappelle-toi juste une chose : tu aurais pu éviter ça.

— Très bien. (Nïx se tourna vers sa chauve-souris.) Bertille, observe !

La créature prit les airs.

Josephine possédait une force spectaculaire, mais elle était trop jeune pour se confronter à une si vieille Valkyrie. Nïx allait lui faire mordre la poussière.

Rune aurait dû laisser les choses suivre leur cours, permettre que Nïx punisse Josephine pour ses manigances. Mais il avait un meurtre à accomplir. Il prépara son arc.

— Tu ferais n'importe quoi pour retrouver Thad, pas vrai ? fit la Valkyrie d'une voix taquine. Mais tu ne comprends pas. Il n'est pas à toi, il est à moi.

Un nouvel éclair zébra le ciel non loin de là.

Le corps de Josephine tremblait – de rage. Nom des dieux, elles allaient donc se sauter à la gorge pour ce fichu mâle !

— Voilà précisément ce qu'il ne fallait pas dire, salope, lança Josephine, avant de se jeter sur la Valkyrie.

— Je sais !

Nïx pivota, évitant son assaillante.

— Tu l'as toujours considéré comme ta propriété exclusive.

Josephine se téléporta vers Nïx, mais la Valkyrie, qui avait anticipé son mouvement, lui échappa.

— Je t'attraperai. Je te briserai.

— Josephine, petite chose rare et merveilleuse. Un tel potentiel inexploité. Tu es la mort et la mort en une même enveloppe. Il n'en existe qu'une poignée de ta sorte.

La vieille radotait ? Ou énonçait-elle des vérités, ne serait-ce que partielles ? Si Josephine possédait un potentiel rare, elle aurait peut-être plus de valeur pour le Mørіør que Rune ne l'avait supposé au départ.

Elle s'immobilisa.

— Dis-moi ce que tu sais !

— Tu viens de très, très, très, très, très, très, très, très loin. Tu te rappelles le temps où les flammes remplaçaient les mers. Une main qui retenait la nuit. Les étoiles brisées et les yeux d'araignées.

À l'énoncé de ces élucubrations, Josephine blêmit et vacilla sur ses pieds.

Il est temps de mettre fin à tout ça. L'électricité craquait dans l'air tandis que Rune tendait la corde de son arc et relâchait sa flèche. *La fatale...*

La fin d'une très ancienne immortelle.

Une série d'éclairs tomba du ciel. Des lances blanches entremêlées, formant une cage de protection autour de Nïx.

La flèche de Rune se désintégra.

26

Jo tournoya sur elle-même, sidérée. Une immense cage venait de descendre du ciel, l'emprisonnant avec la Valkyrie.

Première pensée : *Je suis foutue.*

Deuxième pensée : *Je ne suis pas foutue, je suis Jo.*

Nïx, pour sa part, ne semblait pas remarquer les éclairs aveuglants.

— Tu as connu la beauté indicible.

Les yeux de la Valkyrie passèrent du doré au brillant argenté, la couleur des éclairs.

— Sur le chemin qui t'a menée jusqu'ici, tu as vu des choses que personne d'autre n'a contemplées dans l'univers.

— Qu'est-ce que tu racontes ?

Jo avait soudain la sensation que sa tête se partageait en deux. Autour d'elles, les nuages s'amoncelaient. Les vents battaient le terrain vague, secouant les piles de rails et agitant le fleuve. Les embruns sifflaient contre la cage d'éclairs.

La chauve-souris de Nïx voletait et jouait autour des arcs en hurlant.

Faisant fi de toute cette bizarrerie, Jo se concentra sur la Valkyrie qui s'interposait entre elle et Thad.

— Tu vas me donner des réponses, Nïx !

Et elle se téléporta derrière la femme, ramenant son bras en arrière. À l'instant où elle se matérialisait pour porter son coup, Nïx fit volte-face et lança le poing, qui frappa Jo en pleine poitrine.

Les os craquèrent ; le corps de Jo fut projeté en l'air, où la chaleur des arcs entremêlés la brûla. Elle commença à perdre le contrôle et atterrit, complètement matérialisée, s'écrasant sur le ciment. Dont la poussière soulevée lui couvrit le visage.

Au loin, le cri d'un homme retentit. *Rune ?*

— Reste au sol, gamine, indiqua Nïx. Ce n'est pas mon premier combat en cage. Ce ne sera pas le dernier.

— Va te faire foutre !

Jo se téléporta dans les airs pour attaquer Nïx. La Valkyrie l'évita de nouveau.

— Personne ne t'a appris à te battre comme une immortelle.

La voix chantante de Nïx redoubla la rage de Jo, qui se précipita sur elle, plongeant sous le poing de Nïx...

Juste une feinte. Mais le genou de la Valkyrie heurta Jo en plein visage. Sa pommette craqua, et de nouveau elle mangea le ciment.

— Tout ça ne fait que corroborer ta prédiction, ricana Nïx.

Jo crachait du sang, pourtant elle attaqua de nouveau. Mais la Valkyrie était trop rapide. Elle cognait sur elle comme sur un punching-ball.

Concentration. Vitesse. *Douleur.* Jo s'écrasa contre l'autre paroi de la cage, atterrissant sur le flanc. Ses côtes rôtirent.

En un instant, Nïx était plantée au-dessus d'elle.

— Reste au sol, gamine.

Gamine ?

— Ahh !

Bondissant sur ses pieds, Jo fit à nouveau face à son assaillante.

— Tu n'as pas idée de la moitié de tes capacités. Ton plus grand atout, tu le redoutes. Le sol devrait être ton meilleur ami.

Jo sauta et parvint enfin à attraper Nïx !

La Valkyrie les fit tournoyer en l'air pour redescendre la plaquer au sol.

Jo essaya de se fantomiser. En vain. La douleur nuisait encore à son contrôle. Elle se débattit pour se libérer de la Valkyrie, mais celle-ci était décidément trop rapide, trop forte.

De nouveaux éclairs lumineux pleuvaient autour d'elles. L'un d'eux frappa derrière Nïx. Sans même tourner la tête, la Valkyrie s'en saisit.

La lumière aveuglait Jo, qui parvint néanmoins à distinguer Nïx, en train de modeler l'éclair... en une lame de feu !

— Pourquoi prendre ta forme tangible pendant un combat ? demanda la Valkyrie en lui appuyant cette chaleur insupportable contre la gorge.

Jo ne pouvait pas se battre contre cette arme de feu, elle ne pouvait qu'essayer de la supporter. Pour une fois, elle n'était pas la prédatrice de la nuit. Elle était la proie.

— Pourquoi te matérialiser ? insista Nïx en enfonçant sa lame plus fort, brûlant la peau de Jo. Réponds-moi.

Elle va me trancher la tête. Je parie que ça me tuerait.

— C'est le... le seul moyen de frapper.

— Tu te trompes. Je vais te donner un conseil au sujet de tes pouvoirs : ton esprit est ton arme la plus puissante. Utilise-le pour frapper ; utilise-le pour te défendre. Comme l'a fait la femme, jadis.

— Qu... Quelle femme ?

Un nouveau souvenir apparut, le rayon lumineux du phare...

— *C'est la fin du monde !* hurla quelqu'un.

Le ciel tombait. Échec. Les étoiles blessées voletaient vers leur mort, aussi brillantes que les éclats d'un silex.

Jo était accrochée au bord d'un vortex, ses griffes plantées dans le sol. Tout autour d'elle, des trous noirs s'ouvraient dans un sifflement, formant un mur, noir sur noir sur noir.

Comme des yeux d'araignées.

Aucune idée de l'endroit où ces gouffres l'aspireraient... pourtant s'engager dans l'un d'eux était leur seule chance de survie.

Une force supérieure détruisait leur royaume. Ils avaient entendu des rumeurs sur un être capable d'anéantir des royaumes par la seule force de sa volonté.

Mais une femme au visage pâle et aux yeux maquillés de noir combattait cette force, essayant de sauver le monde... Sa main délicate se tendit pour émettre son pouvoir.

— *Je ne peux pas faillir !*

La douleur surgit, ramenant Jo au présent avec brutalité. Nïx lui avait cassé le bras !

— Pourquoi ? hurla-t-elle.

— Ah, voilà, j'ai de nouveau ton attention, fit la Valkyrie en souriant. N'oublions pas que c'était ton idée, au départ, de briser des os. Je ne fais que te rendre hommage.

Jo se sentait prisonnière de son propre corps, et pourtant elle avait l'impression de perdre la tête. Elle crut entendre Rune hurler de nouveau.

— Qui est la... femme ? Celle de mon rêve. Où... ?

— Elle a joué son rôle, tout comme tu joueras le tien, répondit Nïx. Ils croient connaître le mien. Ils pensent que je cherche à accélérer le temps de l'apocalypse. Ils pensent que « Nïx » signifie « destruction ». Ils pensent que « Nïx » signifie « néant ».

— Qu... Qui ? cracha Jo.

— Le Møriør. Les Porteurs de Mort. Des croquemitaines que l'on doit redouter alors qu'on ne le sait même pas. Des cauchemars de chair et de sang. Imagine tes os pulvérisés, cela ferait sans doute à peu près cet effet-là...

CRAC. Jo hurla quand Nïx lui cassa l'autre bras.

— ASSEZ !

— Leur royaume de désolation approche, poursuivit la Valkyrie, sans prêter la moindre attention à la douleur de Jo. À l'intérieur de leur château... monstres et diables. Un dragon qui pourrait brûler le monde. Un banni vénéneux qui se glisse à l'intérieur de tes fantasmes les plus secrets. Un démon malveillant revenu des enfers. Ils veulent nous transformer tous en esclaves.

Elle rit.

— Même si ça a l'air super drôle et excitant, le Destructeur n'a strictement rien d'amusant. Bientôt, il nous tiendra tous dans la paume de sa main.

Nïx pencha sur Jo son visage tordu mais beau, l'épée de feu toujours à la main.

— Il dit que les mondes sont telles des sphères de verre. Quand il les manipule, il y laisse sa marque. Parfois juste une infime trace.

236

Son expression se fit maléfique, sa voix se mua en un hurlement strident.

— Parfois il détruit tout. *Retour à la poussière* !

Un éclair zébra le ciel. Le ciment explosa. Les eaux du fleuve bouillonnèrent. La poussière souffla dans les yeux de Jo, les embruns lui brûlèrent le visage.

Nïx jeta son épée de feu et se pencha pour venir lui murmurer à l'oreille :

— Chacun d'eux possède des capacités légendaires. Ensemble, ils atteignent le synchronisme parfait. Sur un champ de bataille, s'ils sont interconnectés, ils vaincront. Mais si on ne les bat pas, on peut au moins les apaiser.

— Je... ne comprends pas.

— Si tu veux revoir Thaddeus vivant, murmura la Valkyrie, tu dois te renseigner sur Orion.

— Je ne sais même pas... qui c'est.

— Et pourtant, il va changer ta vie de tant de façons.

CRAC.

Le fémur gauche de Jo.

— AHHHHHHHH ! Arrête ! Pourquoi ?

— Parfois il faut se montrer cruel pour être bon.

— Tu... es folle !

— Tout doux.

L'œil vide, Nïx lui tapota le visage, ses griffes acérées comme des rasoirs lui déchirant la joue.

— Chuuut. Je veux que nous soyons amies.

Impossible de se défendre, avec des membres brisés.

— Je... Je vais le faire.

Je dirais n'importe quoi.

Nïx se posa l'index sur les lèvres. De son autre main, la Valkyrie agrippa le cou de Jo et serra.

Des points noirs apparurent devant ses yeux tandis qu'elle fixait ce monstre. Sa conscience l'abandonnait.

Délire. Vais mourir.

Qui sauverait Thad des griffes de la Valkyrie ?

27

Je ne peux pas l'atteindre. Plus de flèches...

Une fois que toutes ses tentatives pour transpercer la cage avaient échoué, Rune avait attaqué les éclairs à mains nues, essayant d'arracher leurs lignes jusqu'à ce que ses doigts soient en feu.

La lumière lui brûlait la cornée. Il ferma les yeux pour qu'ils se régénèrent plus rapidement. Incapable de voir, il ne pouvait plus que se battre, brûler et entendre.

Le craquement des os de Josephine. Sa respiration étranglée.

Dans un rugissement de fureur, il se remit à frapper les éclairs avec une force décuplée. Nïx allait sans doute le repérer. Et elle serait alors en mesure de surveiller le moindre de ses mouvements, diminuant ses chances de réussir son assassinat.

Mais il s'en contrefichait. Pour atteindre Josephine, il se battait contre cette cage...

Les éclairs commencèrent à se dissiper.

D'un revers de la manche il s'essuya les yeux, clignant les paupières à plusieurs reprises pour retrouver la vue. Au loin, Nïx avait disparu et Josephine était allongée, immobile au sol.

Il se téléporta jusqu'à elle. Tombant à genoux auprès de son corps en lambeaux, il constata que les dégâts étaient encore pires qu'il ne l'avait craint.

Os cassés, crâne fracturé, peau brûlée et lacérée.

Rune avait souffert assez de blessures internes pour les reconnaître dans cette petite femelle. Ses organes saignaient à l'intérieur. Avec un juron, il la souleva. Sa tête roula dans une position peu naturelle. Nïx lui avait brisé le cou.

— Putain de Valkyrie, hurla-t-il dans la nuit, je vais te tuer !

Il téléporta Josephine jusqu'à Tortua et la déposa dans son lit. Déchirant le reste de ses vêtements pour l'en débarrasser, il grimaça en découvrant son corps nu.

Si elle était réellement jeune à ce point et n'avait pas encore atteint sa transition vers une complète immortalité...

La vampire pouvait mourir. *Aussi brutalement que ma mère.*

Rune se trancha le poignet pour en faire couler le sang entre ses lèvres pâles. Elle ne se réveilla pas et refusait d'avaler. Il lui fallait un soigneur. Comment en trouver un ? Les immortels n'en avaient pas grand usage ! Tout ce qu'ils avaient à faire en général, c'était de se reposer jusqu'à ce que leur corps se régénère.

Les oreilles de Rune tremblèrent. Les battements de son cœur accélérèrent alors que ceux de Josephine ralentissaient. Elle risquait de périr avant même qu'il ait eu le temps de revenir avec de l'aide. *Réfléchis, Rune !*

En théorie, il possédait assez de pouvoirs magiques pour la soigner, mais pour y accéder, il devait exécuter un sort en dessinant une suite de symboles. Saurait-il se rappeler l'ordre précis et la forme de ces runes ?

Il avait déjà utilisé des enchantements en vue d'une régénération accélérée après une bagarre avec un client de bordel violent, mais c'était il y avait des milliers d'années.

Tout en fouillant dans son cerveau, il collecta plusieurs gouttes de sang noir à son poignet, avant de poser son index sur la poitrine de Joscphine tout en se concentrant. *Rappelle-toi...*

Jo s'éveilla et cligna plusieurs fois les paupières pour découvrir ce qui l'entourait. Son corps la faisait souffrir le martyre.

Elle était chez Rune ? C'était donc bien lui, sur les rives du fleuve ! Il avait dû la sauver des griffes de la Valkyrie.

Portant une main à son front, elle grimaça. Son vertige lui donnait l'impression que le lit ondulait sur des vagues. Elle osa un coup d'œil plus bas. Son corps était recouvert de bandages, et d'étranges marques dépassaient aux extrémités.

Elle essaya de comprendre, mais sa tête semblait à la fois bourrée de coton et pleine de vide. Plus elle se concentrait sur les bandages, plus sa vision se brouillait. Bientôt, elle vit tout en double.

Deux Rune apparurent près du lit. Deux visages à l'air épuisé.

— Tu es réveillée, constata-t-il, s'asseyant à côté d'elle tout en remontant sa manche. Tiens, bois.

Pourtant, son attitude était froide. Pourquoi ? Il savait désormais qu'elle n'était pas de mèche avec Nïx.

— Comment m'as-tu retrouvée ?

— Je ne t'ai jamais perdue. Je t'avais relâchée dans l'unique but que tu me conduises à la Valkyrie.

— Comme un appât ?

— Ose prétendre que tu n'aurais pas fait de même, répliqua-t-il, sur un ton encore plus glacial. Apparemment, tu es plutôt douée pour utiliser les gens.

— De quoi tu parles ?

— Oublie ça. Tu as besoin de te nourrir.

Il lui tendit son poignet. Mais la douleur ravivait la nausée de Jo.

— Je ne peux pas. Pas encore.

Il haussa les épaules.

— Tu es en voie de rétablissement, tu te régénères toute seule. Tu aurais dû me révéler que tu ne connaissais pas Nïx, ajouta-t-il après une hésitation.

Impossible de déchiffrer son expression.

— Ça aurait changé quelque chose ?

— Absolument, oui. Que voulait-elle dire quand elle t'a qualifiée de « rare » ?

— Je n'en ai aucune idée, murmura Jo. C'est toi qui m'as bandée ?

— Oui. Et j'ai même fini par réussir à te faire boire, ces deux derniers jours.

Elle avait bu et ne s'en souvenait même pas ? *Attends...*

— Deux jours ?

Il fallait qu'elle retourne auprès de Thad, il était encore entre les pattes de cette femme !

— Je suis restée inconsciente si longtemps ?

Elle s'assit et la pièce se mit à tournoyer. La douleur lui vrilla le corps, et son esprit se brouilla aussitôt. Elle retomba sur le matelas.

— Tu as une fracture du crâne, entre autres réjouissances. Il est trop tôt pour que tu puisses te lever.

— Ah.

Se remettre d'une salve de balles en plein visage avait été plus facile, par comparaison.

— Je vais avoir un mal fou à assassiner cette oracle, maintenant qu'elle observe le moindre de mes mouvements. Et d'après ce qu'elle a dit, ça fait un moment qu'elle te surveillait.

— Faut croire.

Le cerveau embué de Jo ne lui permettait pas de se rappeler les propos tenus par Nïx, uniquement la dérouillée qu'elle lui avait flanquée.

Rune lui prit la main, caressant le bord d'un bandage en lin.

— Le mâle pour qui vous vous battiez, toutes les deux, murmura-t-il sans lever les yeux. Ce Thaddeus. Tu croyais que c'était lui que je visais, cette fameuse nuit.

Elle hocha la tête, puis grimaça sous l'effet de la douleur qui irradia dans son cou. La nausée déferla sur elle par vagues. L'envie de vomir augmentait.

— Tu m'as attaqué de toutes tes forces pour le protéger. Tu dois vraiment beaucoup tenir à lui.

Perplexité.

— Bien sûr que je tiens à lui.

Rune se leva d'un bond et se mit à arpenter la pièce.

— Qui est-ce ? Qu'est-ce qu'il est ?

Jo essaya de suivre ses mouvements, mais l'effort était insurmontable. *Qui est Thad ?* Elle n'en savait rien. Était-il comme elle ?

Thad était plein de bonté.

— C'est l'homme le plus gentil que je connaisse.

Elle entendait sa propre voix s'éloigner de plus en plus.

— Pendant notre défi, tu as pu me résister parce que tu voulais retourner auprès de lui.

— Oui.

— Tu refuses de me dire de quelle espèce il est ? Alors qui est-il pour toi ?

Tout.

— Je mourrais pour lui, bredouilla-t-elle.

Des lignes noires zébrèrent les yeux de Rune.

— Tu l'aimes ?

— Quoi ?! (Question idiote.) Plus que tout.

Rune s'affala au bord du lit. Puis se releva tout aussi abruptement. Il plongea la main dans sa poche, où il trouva quelque chose qu'il fit rouler dans sa paume. Son colifichet ?

— Tu l'aimes au point d'avoir bu à mes veines ? Et puis tu m'as offert ton corps pour une nuit ? Que penserait-il, s'il savait que tu ne peux plus te passer de mon sang interdit ?

Quel rapport ?

— Tu ne peux pas comprendre.

— Le démon en moi réclame son dû, marmonna-t-il tandis qu'elle sombrait dans le sommeil. Je m'en vais donner du plaisir à un harem de nymphes.

28

Rune avait la tête qui martelait, les oreilles qui sifflaient.

Josephine l'avait utilisé, en soupirant son nom et en jouissant sur sa langue. Elle lui avait donné son premier vrai baiser. Mais toutes ces réactions, elle les avait feintes afin de pouvoir retourner auprès de celui qu'elle aimait.

Qu'elle aimait. Elle avait donné son cœur. Les femelles du Mythos ne faisaient pas cela à la légère. *Et moi qui m'inquiétais de la voir s'attacher à moi !*

La nuit où elle lui avait fait rater son tir, elle était habillée en croqueuse d'homme... parce qu'elle savait qu'elle verrait Thad. Le corps dans lequel Rune s'était perdu appartenait à un autre.

Il porta les mains à ses tempes et serra. Il avait prévu de s'en aller retrouver les nymphes dans leur repaire, mais il n'arrivait pas à se convaincre de partir. Sa migraine empirait, et une agressivité inhabituelle lui retournait les tripes. Nom des dieux, cette nuit avec elle avait signifié quelque chose, pour lui !

Soupirs partagés, découverte, barrières brisées. Ç'avait été différent, tellement plus profond qu'avec quiconque auparavant. Qu'en était-il pour elle ?

En temps normal, c'était lui qui utilisait les gens. L'artifice était sa spécialité à lui. Il serra les crocs, arpentant la pièce. Il avait besoin de sexe, de sexe brutal, une bonne baise bien rude. Il voulait faire mal à Josephine. Il en avait besoin.

Il pourrait retourner à La Nouvelle-Orléans et abattre son mâle. Du carquois qui ne le quittait jamais, il tira une flèche grise. Celle qu'ils appelaient « l'effaceuse ». Avec ce prodige fiché dans la poitrine, ce mâle ne serait plus qu'un lointain souvenir.

Fais-le, et va pisser sur sa tombe, chuchota le démon en lui.

Elle est trop jeune pour savoir ce qu'est l'amour. Trop jeune pour toi ! Réfléchis et calme-toi, arguait le fey en lui.

Elle avait peut-être un homme, mais Rune la tiendrait éloignée de lui. Il ne pouvait libérer quelqu'un comme elle, qui représentait un tel risque pour sa sécurité.

L'un des symboles sur son bras se mit à rougeoyer et à picoter. Alerte. Quelqu'un avait franchi son périmètre de sécurité. *Un intrus dans mon sanctuaire.*

Il visualisa Josephine – petite et vulnérable dans son lit. *Protège-la,* lui commanda le démon en lui. Crocs dénudés, il décrocha son arc et se téléporta à l'observatoire. Là, son front se plissa plus fort encore. Il avait un invité.

Sian buvait à une flasque tout en regardant une orgie, sa fidèle hache de guerre rangée dans le fourreau à son flanc.

— Comment as-tu trouvé cet endroit ? lança Rune en guise de préambule. Et comment as-tu franchi mes barrières de sécurité ?

Il balança son arc sur son épaule.

Sian s'éclaircit la gorge.

— Tu nous as caché l'existence de cet endroit, mais en lisant dans ton esprit, j'en ai découvert suffisamment.

Le visage extraordinaire du démon était marqué par la fatigue, et ses yeux verts d'habitude si vifs étaient injectés de sang.

Combien de temps lui restait-il avant que son apparence commence à changer ? À la mort de son jumeau, Sian était devenu roi de Pandemonia et de tous les Enfers, autrement dit son apparence physique allait passer de la perfection absolue à son état intrinsèque, à savoir le plus monstrueux qui soit.

Il tendit sa flasque à Rune.

— Du breuvage ?

La boisson préférée des démons. Rune trouvait son goût âpre, pourtant jeune homme il en avait bu dans l'unique but d'avoir plus de points communs avec eux. L'habitude lui en était restée. De sa poche, il sortit sa propre flasque.

Il la porta à sa bouche et en avala une généreuse goulée.

— Qu'est-ce que tu fais là ?

Sian allait-il sentir le parfum de Josephine sur lui ? Et si oui, comment Rune lui expliquerait-il qu'il portait l'odeur d'une seule femelle ?

— Tu aurais pu me contacter. (Son tatouage au poignet s'assombrit.) Le moment n'est pas bien choisi.

— Tu dois avoir des milliers de nymphes dans le besoin qui t'attendent.

— Mille et une, le corrigea Rune.

Bientôt. Pendant deux nuits, il n'avait pas connu le soulagement, jouant les vigiles pour une femelle qui ne voulait pas de lui. Deux nuits d'abstinence ? Voilà pourquoi il était aussi agressif.

Mais apparemment, il n'était pas le seul dans ce cas.

— Tu as une mine d'enfer, démon.

— Ce sera bientôt le cas au sens propre, répondit Sian d'un ton amer. J'en suis désormais le roi, il faut bien que je m'adapte au rôle.

Rune ne ressentait que de l'empathie pour Sian. Lui-même abhorrait les changements, il en avait subi tant de fois au cours de sa vie que plus jamais il ne souhaitait avoir à revivre ça.

— Combien de temps te reste-t-il ?

Sian ne répondit pas à sa question, trop concentré qu'il était sur une scène olé olé qui se déroulait au-dessous – une démone recevant en elle trois mâles à la fois.

— Par les dieux, l'attention des femelles désirables va me manquer. Elles se ruent sur moi, pour l'instant. Bientôt, elles me regarderont avec horreur.

Il n'existait qu'un remède pour un démon tel que lui, et il était si peu plausible que Rune nourrissait peu d'espoir pour son ami.

— Tu ressembleras à Goürlav ?

Feu le jumeau de Sian, un géant à la peau verte et aux iris jaunes en forme de fente, était considéré par la plupart des gens comme répugnant.

Sian secoua sèchement la tête.

— Je ressens déjà quelques changements. Je serai un monstre unique, une toute nouvelle sorte. (Il reprit une gorgée de son breuvage.) Je me suis renseigné sur mon frère, je ne comprenais pas pourquoi il s'était inscrit à un tournoi pour remporter un royaume, alors qu'il régnait déjà sur la démonarchie de Pandemonia.

La source de tous les démons.

— Et alors, pourquoi a-t-il fait ça ?

— Il y avait aussi une reine en jeu, une jeune sorcière qui s'était donnée en récompense.

Sian croisa le regard de Rune.

— Tu ne comprends pas ? Il rêvait d'avoir une femme qui s'offre à lui de son plein gré et ne voyait pas d'autre moyen d'en obtenir une.

Sian but longuement à sa flasque, puis baissa les yeux dessus.

— Les spectateurs de ce tournoi le considéraient comme un monstre, alors que tout ce qu'il désirait, lui, c'était une compagne. Bientôt, ce sera moi la créature hideuse et en manque d'affection. J'en connais une que ça amusera follement.

— La fey ? Celle aux yeux vairons ?

Sian releva la tête.

— Nous avons bien peu de secrets les uns pour les autres.

— C'était ton âme sœur ?

— Je ne l'ai jamais essayée, alors je ne peux l'affirmer de façon certaine. Mais j'avais un très fort pressentiment que oui, elle était mienne.

— Une fois, tu l'as traitée de traîtresse.

— Aussi fourbe qu'elle était ravissante.

Sian se frotta le crâne, un geste qui lui était coutumier – et qui en disait long. Un démon infernal adulte tel que lui aurait dû arborer des cornes noires et lisses, mais les siennes avaient été coupées alors qu'il était trop jeune pour qu'elles se régénèrent. Malgré toutes les années écoulées, il ressentait toujours leur absence. Tels des membres amputés.

Armes de défense et d'attaque, les cornes étaient aussi des organes sexuels, très sensibles au toucher. Leur amputation était un cauchemar.

— Je donnerais n'importe quoi pour me venger.

Sian renversa sa flasque, la vidant de ses dernières gouttes, puis il s'essuya la bouche du revers de la main.

— Mais cessons de revenir sur le passé. Je suis venu t'appeler à la bataille.

Encore mieux que la visite d'une couvée de nymphes !

— Contre qui ?

— La démonarchie de Glace. Ils se sont mis à effectuer des sacrifices à d'anciennes déités, pour tenter de les réveiller.

Les idiots. Ils n'avaient pas idée de ce qu'ils faisaient. Les Møriør étaient parfois confrontés à ce genre de problème, tous étaient assez vieux pour avoir connu personnellement la plupart des dieux avant leur endormissement. Ces démons de glace étaient en train de jouer avec des puissances plus maléfiques que le Møriør ne le serait jamais.

Nïx conduisait-elle cette faction à l'intérieur de la Ligue des Vertas ? Si tel était le cas, elle les menait droit à l'apocalypse. Et cela ne l'empêcherait pas de faire porter le chapeau à Orion et au Møriør ?

Peu de gens connaissaient cette vérité sur le Møriør : les Porteurs de Mort ne causaient pas l'apocalypse, ils l'annonçaient.

Sian rempocha sa flasque vide et se leva.

— J'ai visité ce royaume il y a des éternités, je connais notre point de rendez-vous.

— Eh bien, allons-y.

250

Rune agrippa Sian par l'une de ses épaules sombres, et le roi des Enfers les transporta vers les terres gelées des démons de glace. Ils atterrirent sur un plateau couvert de neige.

Un vent glacial soufflait. Un croissant de lune illuminait au-dessous d'eux des rangées de guerriers, qui s'étendaient jusqu'à l'horizon.

Darach, Blace et Allixta étaient déjà sur la saillie, ainsi que le chat-panthère de la sorcière. Les moustaches de Curses étaient recouvertes de gelée blanche.

Avec ses yeux aussi bleus que les glaciers alentour, Darach semblait sur le point de se transformer.

Blace était aussi impassible que toujours. Personne n'aurait pu deviner qu'il se préparait à plonger dans la mêlée.

Rune les observa tour à tour. L'un de ses comparses avait-il déjà convoité une femelle au point d'en être complètement perturbé ? S'étaient-ils jamais demandé si elle pourrait être leur âme sœur ?

Avaient-ils jamais été utilisés par l'objet de leurs désirs ?

— Ah, voilà le sangfléau, commenta Allixta, qui se débattait pour conserver son chapeau sur sa tête en dépit du vent. L'assassin qui n'est même pas capable d'abattre une Val...

Elle laissa sa phrase en suspens quand Rune se posa la pointe d'une de ses flèches sur les lèvres, les yeux plissés dans une expression menaçante.

Silence, sorcière, ou tu mourras cette nuit. Et il était peut-être bien assez fou pour mettre sa menace à exécution.

Malgré ses paumes rougeoyantes sous l'effet de ses pouvoirs magiques, elle se détourna, refusant le défi. Attitude intelligente.

— Nous ignorons qui peut nous espionner depuis ces rochers escarpés, les avertit Blace. Alors parlons en silence.

Ils communiquaient souvent par télépathie en présence d'autres créatures.

— *La Valkyrie t'a échappé, Rune ?*

— *Ce n'est que partie remise, vampire. J'ai les choses bien en main.*

Blace haussa un sourcil.

— *Dans ce cas, qu'est-ce qui te met dans un tel état d'agitation ?*

Le vampire reconnaissait-il si aisément le moindre émoi chez les autres parce que lui-même l'éprouvait rarement ?

— *Si je suis agité, cela ne durera pas.*

Rune entendait célébrer cette victoire avec une nichée entière de nymphes.

Blace tira son épée, puis se tourna vers Sian.

— *Tu n'hésiteras pas à tuer ceux de ton espèce ?*

Le vampire se radoucirait-il, avec l'âge ?

Sian prépara sa hache de guerre.

— *C'est le Møriør, mon espèce.*

Exactement ce que pensait Rune ! Sian savait où porter sa loyauté. Pourquoi Rune avait-il laissé la vie à Josephine, après qu'elle avait pris son sang ?

Parce qu'elle me rend faible. Il avait risqué sa place au sein du Møriør pour une femelle qui ne voulait même pas de lui.

Pourtant son alliance signifiait tout à ses yeux. Il porta son attention sur les bataillons de guerriers démons en dessous. Chacun de ces mâles était parti

252

pour défaire les frères de Rune. Pour leur voler la victoire.

Voler le triomphe dont je jouis depuis que j'ai rejoint le Møriør.

— *On a offert une chance de se rendre à cette armée ?*

— *On leur donne toujours cette chance.*

Sian fit tournoyer sa hache.

— *Allons, et finissons-en.*

Rune hocha la tête.

— *Bonne bataille, Møriør.*

Et alors qu'il attendait la charge de Blace, Darach et Sian, les pensées de Rune dérivèrent sur un lointain souvenir.

Il s'entraînait dans la cour de Perdishian, en proie à une frustration grandissante. Au loin, Kolossós, l'un des premiers à rejoindre Orion, avait dû s'énerver sur quelque chose, et le sol – ainsi que la cible de Rune – avait tremblé.

Orion était alors apparu aux côtés de lui.

— *Comment se passe ton entraînement, archer ?*

— *Je ne comprends pas pourquoi je ne suis pas autorisé à prendre une épée et à laisser cet arc à un autre, avait-il répondu, en désignant de la pointe de sa flèche Blace et Sian, qui ferraillaient ensemble. Le vampire m'apprendrait.*

Car si Rune maîtrisait l'épée, alors il serait en mesure d'affronter son demi-frère Saetthan à armes égales. Saetthan portait l'épée de leurs ancêtres, une arme qui se transmettait de génération en génération. Son métal ancien avait été forgé dans les flammes d'un monde en train de naître : Titania, le deuxième des trois grands royaumes feys.

Saetthan était fier de cette arme, et à juste titre. Sauf qu'il avait toujours aimé faire étalage devant

Rune de tout ce qu'il recevait en tant qu'héritier légitime de Sylvan.

— Serais-tu en mesure d'égaler les talents de Blace ? lui avait demandé Orion. Et de devenir notre épéiste ?

Les qualités de Rune étaient prometteuses, mais jamais il ne serait meilleur que Blace.

À cet instant-là, Uthyr s'était envolé au-dessus d'eux, lâchant une salve de feu. Le gigantesque dragon avait traversé les flammes pour réchauffer et nettoyer ses écailles. Encore un Møriør doté d'une fantastique puissance.

Orion avait levé ses yeux insondables.

— Pourquoi ne pas apprendre à cracher le feu, pendant que tu y es ? avait-il lancé.

Rune avait froncé les sourcils. Déjà qu'il ne se sentait pas légitime, dans ce groupe... Blace était le plus vieux vampire, plein de la sagesse des âges. Sian était le prince des Enfers, fils du premier démon et Møriør de deuxième génération après la mort de son père.

Et Rune ? Un tueur de la pénombre et un prostitué.

— Tout comme les Møriør sont les membres d'une même entité, cet arc doit devenir une partie de toi.

Continuant à se promener autour de lui, Orion avait ordonné :

— Retire le cuir de tes mains.

Ses protections d'archer ?

— Mais je vais me déchirer la pointe des doigts ! s'était exclamé Rune.

Sans se retourner, Orion avait explicité sa pensée :

— Pensais-tu devenir l'Archer sans douleur ?

Rune fut tiré de sa rêverie par le rugissement terrifiant de Sian.

Au combat !

Sian et Blace se ruèrent à travers les rangs de l'armée, rencontrant peu de résistance. Rune tirait des flèches stratégiques pour couvrir ses deux comparses, même s'ils n'avaient pas grand besoin d'aide. Dans la forêt glaciale en dessous, Darach hurla, signe qu'il était sur une piste.

Au bout d'un quart d'heure, la victoire était proche.

— *Envoie ta ravageuse, Rune !* ordonna Blace. *Flanc gauche.*

Rune sortit une flèche blanche de son carquois.

— *Tu as bien configuré tes flèches magiques de façon à ce que le Møriør y soit immunisé ?* s'enquit Allixta, méfiante.

Sa nervosité était compréhensible.

— *Tu le sauras bientôt.*

Rune tira sur la corde de son arc au maximum, visant un gros rocher sur le champ de bataille. Il s'ajusta en fonction des vents, jaugeant la direction grâce à la pointe hypersensible de ses oreilles.

Sans un bruit, il libéra sa flèche.

Qui fendit l'air. Quand elle se planta dans la pierre, le rocher gelé explosa.

Des vagues de chaleur et de pression se répandirent depuis la cible, brûlant la neige, frappant les démons les plus proches et balayant tout sur des kilomètres à la ronde.

Autour de Sian et de Blace, leurs adversaires tombaient à genoux avec des hurlements de douleur, le corps brisé. Bientôt, leurs os furent réduits en poussière et ils se retrouvèrent à grouiller au sol. Aucun d'eux ne se régénérerait ; tous deviendraient un fardeau immortel pour ce qui resterait de ce peuple.

La bataille était finie. La ravageuse les assurait toujours d'une victoire décisive dont on parlerait pour des éternités.

À la vue de ses ennemis qui gesticulaient, impuissants, Rune se sentit encore plus perturbé. Il comprenait la nécessité d'accomplir ce massacre, cette démonstration de force calmerait leurs ennemis et empêcherait des conflits à venir. Et de toute façon, si le Møriør ne l'avait pas emporté, tous ces démons auraient succombé quand même.

N'empêche, il n'aimait pas ça.

Nïx avait décrit le Møriør comme le mal absolu, une alliance de monstres et de diables. Cette Valkyrie malveillante était de longue date l'alliée des feys ; aurait-elle défini Magh, en apparence si belle, comme un monstre ?

Sian et Blace se téléportèrent du lieu du chaos pour les rejoindre. Les visages étaient graves, personne ne fêterait cette victoire-là.

Rune raccrocha son arc.

— *Je me demande pourquoi Orion n'a pas détruit ce royaume tout simplement au creux de sa main.*

Grands dieux, il avait vraiment exprimé ça aux autres ?

Apparemment, oui. Orion se matérialisa sur-le-champ et planta son regard troublant dans celui de Rune. Ce soir, le Destructeur avait l'apparence d'un démon, dans le genre horrible, à l'image de ce qu'avait été le jumeau de Sian, Goürlav – plus de trois mètres soixante de haut, un épais blindage en guise de peau, des rangées de cornes et des crocs qui lui descendaient des mâchoires. Ce qui ne changeait jamais, en revanche, c'étaient ses yeux noirs. Glaçants.

— *Cette démonarchie a une valeur stratégique, elle est pleine de ressources. Aurais-tu d'autres doutes, archer ?*

Feignant la nonchalance, Rune haussa les épaules.

— *Aucun, seigneur. Si mon devoir est accompli ici, je demande la permission de me retirer.*

— *Je t'en prie.*

Et comme toujours, l'expression démoniaque d'Orion ne révélait rien.

Rune était tenté de retourner auprès de Josephine, mais il était incapable de prévoir l'attitude qu'il aurait. Il ne se remettrait à chasser Nïx qu'une fois la nuit tombée à La Nouvelle-Orléans. Il ne lui restait donc qu'une chose à faire.

Il se téléporta à la nichée des Dryades, ses nymphes préférées. Elles vivaient dans le tronc creux d'un arbre, aussi vaste qu'un immeuble. Chaque nymphe y avait son appartement, son « nid », comme elles appelaient ça ; il y en avait partout à l'intérieur de l'arbre, y compris dans ses branches. Le lieu de rassemblement principal était un bar situé à la base du tronc.

Sitôt que Rune fit son apparition, les nymphes applaudirent. Elles étaient toutes seins nus, avec leur corps voluptueux peint de motifs floraux et orné de bijoux d'ambre.

Les autres mâles présents froncèrent en revanche les sourcils, sachant que Rune venait de leur prendre leur tour.

— Bien le bonjour, mes colombes.

Il offrit aux nymphes son sourire le plus coquin. Elles s'agglutinèrent autour de lui pour le flatter, espérant être les heureuses élues.

Exactement ce dont il avait besoin ! Il avait déjà baisé la plupart d'entre elles, ce qui expliquait pourquoi elles rêvaient qu'il recommence.

Pas comme Josephine, qui s'était éveillée d'une nuit passée dans son lit avec une question sur les lèvres : « Tu vas vraiment me laisser partir ? »

Ici, il était le premier choix des nymphes, le mâle ultime que toute femelle désirait. Ici, son seul souci était de décider quelles nymphes il honorerait de sa queue.

Un second choix ? Pas parmi ces beautés.

29

— Rune ? appela Jo dès qu'elle se réveilla, seule dans son lit.

Elle essaya de faire fonctionner son corps, bougeant les bras et les jambes.

Elle était complètement guérie ! L'heure était donc venue de retourner à La Nouvelle-Orléans.

Comme Rune ne répondait pas, elle se leva et observa ses nombreux bandages. Il s'était occupé d'elle. Alors où était-il maintenant ?

Elle alla vérifier dans les autres pièces qu'il lui avait montrées. Aucune trace de lui. Elle se rappelait vaguement lui avoir parlé, quand elle souffrait le martyre, mais pas grand-chose du contenu de leur échange.

Jusqu'à ce qu'il revienne, elle était donc à nouveau prisonnière chez lui. Ce qui signifiait que Thad restait sans protection, sous le contrôle d'une garce diabolique. Jo frissonna rien qu'au souvenir de la façon dont Nïx lui avait brisé les os : comme de vulgaires brindilles.

La Valkyrie voulait qu'elle espionne un certain Orion et vienne lui rapporter les informations récoltées à son sujet. Nïx avait prétendu que ce type exerçait une grande influence sur son existence.

C'était peut-être vrai, n'empêche que Jo n'avait pas la moindre idée de qui il était.

L'esprit toujours occupé par cette bagarre et le sens à lui donner, Jo se dirigea vers la salle de bains. Au fur et à mesure qu'elle déroulait les diverses couches de bandages, certains détails filtraient dans sa conscience. Rune l'avait utilisée comme appât pour retrouver Nïx ! Oui, mais il l'avait aussi sauvée à la fin. Sinon, pourquoi la Valkyrie se serait-elle arrêtée en si bon chemin ?

Il avait hurlé quand Nïx la torturait, comme pour exprimer sa rage de la sauver. Comme s'il se souciait de son sort.

Elle baissa les yeux sur son corps nu. Et couvert de runes noires. Il avait pris la peine de dessiner sur elle des formes compliquées à l'aide de son sang noir.

Ce nectar délicieux.

Elle passa le doigt sur chaque dessin, adorant porter les marques de Rune sur sa peau. Elle aurait guéri toute seule au bout de quelques jours, mais il l'ignorait. Elle se remémora sa panique, la crainte qui résonnait dans sa voix grave.

Le sombre fey commençait à ressentir des choses pour elle !

Après leur nuit ensemble, les sentiments de Jo s'étaient peut-être eux aussi transformés en quelque chose de plus profond que la simple attirance du départ. Les rêves qu'elle avait faits de son passé l'avaient affectée également. Le voir si vulnérable, si jeune et pourtant si insolent, ça l'avait touchée. L'amour qui le liait à sa mère l'avait émue.

Quand il l'avait téléportée jusqu'au Vieux Carré en lui disant de filer chez elle, une vague de déception l'avait balayée.

Hum. Mais ça faisait partie d'un plan.

Dans la cabine de douche spacieuse, elle appuya sur des carreaux de carrelage et de l'eau chaude tomba du plafond. Elle n'avait pas envie d'effacer les symboles de Rune sur son corps, mais elle avait besoin d'enlever les toiles d'araignées tendues dans sa tête.

Elle se plaça donc sous le jet et baissa les yeux vers l'eau qui s'écoulait. Le sang ruisselant de sa peau colorait l'eau telle de l'encre, et réveillait son appétit. À son retour, Rune lui donnerait-il un nouveau repas ? Elle faillit gémir à cette perspective.

Pouvait-elle lui faire suffisamment confiance pour lui révéler le chantage exercé par Nïx ? Peut-être pourraient-ils travailler de concert sur leur problème valkyrie commun ?

Après sa douche, elle enfila un peignoir et se dirigea tranquillement vers le dressing de Rune pour lui chiper un autre maillot de corps. Ses vêtements étaient en désordre, souvent déchirés et usés. Elle adorait son look je-m'en-foutiste.

Mauvais garçon et tombeur bien membré ? Carrément, oui !

Mais bon, Jo n'avait pas le temps de soupirer après un bourreau des cœurs tel que lui. Rien ne comptait plus que de tirer Thad des griffes de Nïx. En s'habillant, elle se repassa chacune des paroles de l'autre folle. Certaines étaient plus frappantes que d'autres.

« Le sol devrait être ton meilleur ami... Pourquoi prendre ta forme tangible pendant un combat ?.... Ton esprit est ton arme la plus puissante. Utilise-le pour frapper ; utilise-le pour te défendre... »

Étaient-ce des indices, que Nïx lui avait distillés pour l'aider dans sa mission d'espionne ? Même si elle se méfiait de la Valkyrie, Jo comprenait le sens profond de ses paroles. Nïx lui avait dit la vérité. Super. Maintenant, il ne lui restait plus qu'à trouver comment utiliser son esprit pour frapper.

La Valkyrie avait aussi mentionné une femme. Parlait-elle de celle que Jo avait vue dans son cauchemar au réveil ? Celle qui utilisait son pouvoir pour déchirer les cieux ?

Bien qu'elle ne soit pas du genre à faire facilement confiance (doux euphémisme), Jo devrait peut-être révéler à Rune tout ce qu'elle avait appris et qu'elle se rappelait. Bon sang, où était-il ?

Un autre souvenir la frappa. Juste avant qu'elle s'endorme, il lui avait dit partir... donner du plaisir à un harem de nymphes !

Elle écarquilla les yeux.

— Salaud !

Il était au lit avec une autre femelle en cet instant même. Ou plutôt avec d'autres femelles, au pluriel. Non, apparemment Rune ne commençait pas à ressentir des choses pour elle.

Quel connard de première.

Qu'est-ce qu'il leur trouvait, à ces nymphes ? Elle serra les poings et la lumière autour d'elle vacilla. Les meubles vibrèrent.

Elle haleta. Voilà qui n'était plus arrivé depuis des années, depuis ce jour à la morgue. Si longtemps qu'elle avait même oublié.

Venait-elle de déplacer les meubles par la seule force de son esprit ? Il n'y avait qu'un moyen de le découvrir. Elle retourna au musée de Rune, celui qu'il avait rempli de ses précieuses reliques. Ses souvenirs « inestimables ». Quel meilleur endroit pour tester un pouvoir encore non maîtrisé ?

Elle repéra un petit vase à l'autre bout de la pièce. Elle inspira, expira, puis s'imagina en train de le soulever...

Le vase tremblait !

Putain de merde, elle était dotée du pouvoir de télékinésie ! La vision du monde en train de s'effondrer et de la femme aux yeux sombres lui apparut plus clairement : cette dernière avait usé de sa main pour contrôler sa télékinésie.

Jo tendit alors la paume en direction du vase et essaya de le soulever. L'objet se brisa. *Oh-oh, j'espère qu'il n'y tenait pas trop, à celui-là.* Elle se tourna vers une autre antiquité, une boîte délicatement ouvragée posée sur un piédestal de marbre.

User de la télékinésie pour appuyer serait forcément plus facile que de soulever. Elle se concentra sur son objectif : aplatir la boîte en abaissant la paume. La boîte – et le piédestal – furent écrasés.

Génial !

Sauf qu'elle n'arrivait pas à contrôler une sorte de rayon précis comme cette femme. Il lui fallait plus d'entraînement. La collection de Rune constituait un excellent stand de tir.

Elle se tourna vers un buste de taille moyenne, représentant sans doute quelque auteur de livres. Jo ne savait pas lire. *Trouduc.*

BOUM ! Elle éclata de rire en voyant les éclats de marbre atterrir partout dans la pièce. OK, pas encore très précis, mais bon, la destruction façon Hulk, c'était plus le style de Jo, de toute façon.

Mais restait encore le véritable test : serait-elle capable d'exercer sa télékinésie en se fantomisant ?

Elle se dématérialisa. Flottant tel un petit grain de rien du tout, elle posa les yeux sur les trésors accumulés là. Lequel choisir ? Rune les avait décrits comme des prises de guerre, mais elle pariait que certains étaient des cadeaux de femmes qu'il avait baisées.

En se l'imaginant au lit en compagnie de jolies nymphes, posant sur elles son regard de séducteur, une vague de pouvoir émergea de son esprit tel un éclair.

Le son de la destruction lui résonna aux oreilles. *Craquements, déchirements, explosions.* Une fois que la poussière fut retombée, elle cligna les yeux, incrédule. Elle avait tout détruit dans la pièce !

Le retour de Hulk !

Rune, si fier de son intérieur, serait furieux en découvrant l'étendue des dégâts. Lady Lanuit balaya les lieux de ses yeux perçants.

Je vais tout réduire en miettes. Il paierait pour avoir brisé son cœur.

Elle passa dans la pièce suivante, histoire de « s'entraîner » un peu plus. Jusqu'à présent, elle était une tueuse redoutable. Avec ces nouveaux talents, elle deviendrait imbattable.

Elle fronça les sourcils. Nïx avait sous-entendu que Thaddie était comme elle. Si c'était bien le cas, comment supportait-il des changements pareils ?

Avec l'aide de la Valkyrie ?

Jo avait été obligée de laisser MamB élever Thad ; il faudrait lui passer sur le corps pour qu'elle laisse Nïx prendre le relais.

Changement de plans, Nïx. Oui, Jo allait se frayer un chemin jusqu'à Thad, mais pas de la façon qu'avait envisagée la Valkyrie. Jo n'allait épier personne, non, elle allait faire ce qu'elle préférait au monde.

Avant que Rune ait une autre occasion de le faire…

Je vais te tuer, Nïx.

30

Rune avait le visage enfoui entre deux des plus jolis seins de nymphes du Mythos, il en avait plein les mains, et il déposait une ligne de baisers vers le téton pointé.

Exactement ce dont il avait besoin.

Son pantalon ne tarderait pas à disparaître, dernier rempart entre lui et le fourreau exquis de sa partenaire, prénommée Dalliance.

Elle était l'incarnation même du jeu amoureux. Depuis des millénaires. Avec ses longs cheveux noirs et ses grands yeux gris, elle était dotée d'un corps pour lequel les hommes étaient prêts à tuer, littéralement.

Elle cambra le dos, prête à l'accueillir, les doigts plantés dans ses cheveux. Rune referma les lèvres autour d'un téton, mais ses dents ne heurtèrent pas de piercing. Pas d'anneau de métal tiède pour lui taquiner la langue.

« Souvent imitée, jamais égalée. »

Concentre-toi sur ce que tu fais ! Il savait ce qu'aimait Dalliance, il aurait pu la satisfaire les yeux fermés. Entre eux, ça remontait à loin ; ils avaient partagé clients et public, copulant ensemble pour le divertissement des autres lors de représentations privées.

De loin en loin, ils se retrouvaient, en souvenir du bon vieux temps. Aujourd'hui il l'avait préférée, elle toute seule, au lieu de toute une bande.

La différence entre Dalli et lui ? Elle avait choisi la branche dans laquelle elle travaillait.

La nuit où Magh avait vendu Rune à un bordel, il venait de voir la tombe de sa mère, et ce qu'il avait appris sur son destin l'avait dévasté.

Et puis il avait découvert celui qui l'attendait, lui.

— *Cela fait si longtemps que tu te prostitues, je me suis dit qu'on allait rendre ça officiel. Ici, tu donneras du plaisir à tes clients, bâtard. Ou tu périras. À la fin de chaque nuit, un garde brandira une épée au-dessus de ton cou. Si tu as été une bonne putain, tu garderas la vie sauve. La première plainte que l'on fera à ton encontre sera la dernière. Alors mieux vaut te dépêcher, l'aube approche et je ne vois personne qui ait l'air particulièrement satisfait, dans la longue file d'attente plantée devant toi...*

La première créature attendant son tour était hideuse, et pourtant il savait qu'il devrait trouver le moyen de la satisfaire, d'enfouir son dégoût et d'oublier la colère brûlante que lui inspirait la mort de sa mère.

Faire jouir ou périr. Durant les années suivantes, nombre de ses clients n'avaient savouré leur plaisir qu'en le voyant battu et en sang.

Concentre-toi. Dalli ne tarderait pas à remarquer sa distraction. Il reporta ses pensées sur la vampire pour rester dur.

Son esprit passait d'une image d'elle à une autre. Ses petits crocs. Ses courbes incomparables qui semblaient faites pour lui seul. Son visage éthéré quand elle allait jouir. Ses yeux noisette qui s'illuminaient quand elle souriait.

Oui, il l'avait fait sourire. Elle avait souri dans ses bras. Elle l'avait remercié.

Non ! Elle en aimait un autre ! Tout ça n'avait été qu'un jeu, pour elle. Ce qui s'était passé durant leur nuit ensemble était faux de A jusqu'à Z.

Dalli toussota et se rassit.

— Ça fait deux fois que je prononce ton nom, Rune, mais tu n'es même pas là, avec moi.

Il ne prit pas la peine de le nier.

— Je m'en rends toujours compte, quand tu t'absentes : tes yeux se troublent.

Elle en savait plus sur ses premiers siècles de vie que n'importe quelle autre créature encore vivante. Elle seule était au courant qu'il redoutait de s'engourdir au point de ne plus jamais se sentir vivant.

— Où est le problème, Dalli ? Mon sexe est assez dur, non ?

— Oh, je t'en prie. Je t'ai vu dur pour une démone de pus.

Il s'écarta et s'assit au bord du lit de la nymphe, se prenant la tête entre ses mains.

— J'ai beaucoup de choses en tête, c'est vrai.

Il se leva et se mit à arpenter la pièce sans un bruit, pieds nus sur le tapis moelleux de son nid.

Elle renfila son peignoir.

— Tu veux bien me raconter ce qui ne va pas ?

— Ça n'est pas important.

Peut-être, au fond de lui, avait-il deviné qu'il ne serait pas dans le coup. Peut-être avait-il choisi Dalli car il avait plus besoin d'une amie que d'une bonne partie de jambes en l'air.

— Manifestement si, c'est important.

Quelques rayons de soleil filtraient à travers la fenêtre creusée à même le tronc, jouant avec ses beaux yeux gris.

— Tu veux bien te confier à moi ?

Il secoua la tête. Comment pourrait-il expliquer une créature telle que Josephine ?

— Je ne te demande pas où tu t'en vas quand tu n'es pas là, lui dit Dalli. Je ne te demande pas ce que tu fais de ta vie, ni quels sont tes projets à venir.

Elle savait qu'il était maître des secrets au sein d'une alliance ignorée de tous, sans qu'il lui ait donné plus de détails.

— Raison pour laquelle nous sommes toujours amis.

— Je ne t'ai jamais posé ces questions, reprit-elle comme s'il n'avait rien dit, parce que je voyais bien que tu n'étais pas complètement dégoûté de la vie.

Il s'immobilisa.

— Pourquoi le serais-je ?

Dalli se leva et se dirigea vers son service à vin pour leur en verser deux gobelets.

— Quelqu'un de ton âge sans âme sœur, sans enfants... ça finit par user l'âme.

— Tu parles d'expérience ?

Elle avait presque le même âge que lui, c'était la plus vieille nymphe qu'il ait jamais rencontrée.

— Aujourd'hui, on parle de toi. Et là, je te vois complètement dégoûté de la vie, malheureux comme les pierres.

Il fronça les sourcils.

— J'ai juste envie de baiser. C'est pour ça que je suis ici.

— Je ne crois pas, non. Ça doit venir d'une femelle.

— Qu'est-ce qui te fait dire ça ?

Elle lui tendit un verre, puis se dirigea vers le sofa avec le sien.

— Ne me prends pas pour une novice.

S'étant assise, elle lui fit signe de venir la rejoindre.

— Je suis dans le jeu du désir depuis très, très longtemps, Rune.

Il se passa des doigts agités dans les cheveux.

— Il y a une fille. Elle me chamboule complètement.

— Je crois que tu ferais mieux d'apporter la bouteille.

Bonne idée. Saisissant le goulot, il s'approcha de Dalli et déposa la bouteille sur une table basse en ambre. Puis il s'affala à côté de la nymphe.

— Je la connais depuis quatre jours seulement. (Sur les millions qu'il avait vécus.) À l'échelle de ma vie, c'est un battement de cils.

À l'échelle de celle de Dalli aussi.

— Tu penses que cette fille pourrait être la bonne ?

Peut-être. Non. *Non !*

— Jamais je n'aurai d'âme sœur. Je n'attends pas de femelle qui me serait destinée.

— À cause de ton poison ? Je sais à quel point tu le méprises.

Je le hais plus que tout. Et pourtant, l'espace d'un instant, cette haine avait disparu – parce que Josephine s'épanouissait chaque fois qu'elle se nourrissait de lui. Elle n'en était jamais repue. Cela étant, pas question de dépendre d'une vampire, juste parce qu'elle tolérait son sang haï !

Pas question de vouloir quelqu'un qui en aimait un autre.

Et même si Josephine le choisissait au bout du compte, quel avenir auraient-ils ? Jamais il ne lui serait fidèle, il ne s'imaginait pas passer les prochains millénaires à copuler avec la même femelle.

Surtout quand sa valeur au sein du Møriør dépendait justement de sa capacité à coucher avec d'autres.

Il vida son gobelet et le reposa. *Oublie la vampire.*

— Allons, viens, faisons-le.

Il se frotta le sexe de la paume, jusqu'à ce qu'il soit assez dur.

— Ça te dérange que je sois engagé ailleurs ou pas ? Je vais te faire ronronner. Comme toujours.

— Tu en es sûr ?

Je veux être en Josephine. À l'intérieur de la chaleur de soie qu'il avait fait jouir avec sa langue. *Je veux voir sa réaction quand je la pénétrerai pour la première fois.*

— À cent pour cent.

Dalli retroussa les lèvres.

— Mieux vaut que tu me racontes tout. Dis-moi son nom. Je veux tout savoir sur elle.

Il lâcha un soupir résigné.

— Très bien. Elle s'appelle Josephine.

Il leur versa à tous deux une bonne rasade de vin.

— Et alors, qu'est-ce qu'elle a de spécial ? demanda Dalli, l'air tout excité. Qu'est-ce qui la rend différente des autres femelles ?

Comment mettre en mots ce qu'il ressentait ?

— C'est une contradiction ambulante. Elle est puissante mais jeune. Elle semble lasse du monde par moments, alors même qu'elle est si jeune. Elle est follement secrète, et pourtant sa franchise confine à la brusquerie.

Il se souvint du moment où elle lui avait confié : « Toi. C'est toi que j'aime beaucoup. » Comment avait-elle pu être aussi crédible dans la jouissance ?

— Quand tu dis « jeune »... ?

Rune hésita, avant d'admettre :

— Un quart de siècle.

Dalli manqua s'étouffer avec son vin.

— Je sais. Et pire encore, Dalli, c'est une vampire.

— Comment est-ce possible ? Les femelles vampires sont si rares.

— Je ne sais pas grand-chose – *rien, en fait* – sur elle. Mais c'est une vampire, ça, c'est certain.

L'excitation de Dalli se calma net.

— Rune, je suis vraiment désolée. Pas étonnant que tu sois si triste, lui dit-elle en posant une main sur la sienne. Ta Josephine pourrait peut-être boire du sang en sachets ou quelque chose comme ça. Ne pas se nourrir de son partenaire représenterait un grand sacrifice, mais je suis certaine qu'elle serait prête à essayer pour toi.

— Elle boit mon sang noir, lâcha-t-il par-dessus le bord de son gobelet. Elle en raffole, ajouta-t-il sans pouvoir contenir une pointe de satisfaction.

— Quoi ?! Comment est-ce possible ?

— Elle prétend qu'elle est super fortiche, comme elle dit, et que ça explique tout.

Les yeux de Dalli se firent joyeux.

— Je l'aime déjà. Elle a fait sa transition ?

— Elle a été blessée récemment. Je l'ai couverte de runes, mais je pense qu'elle se serait régénérée sans mon aide.

Il n'en revenait toujours pas de s'être rappelé ces combinaisons de runes après si longtemps. *C'est vrai que j'en avais eu souvent besoin dans ce bordel.*

— Il n'y a donc aucune limite physique entre vous deux ? Tu peux être pleinement avec elle ?

— Jusqu'à présent, rien ne nous en empêche.

Même s'il ne l'avait pas encore pénétrée. Si elle était bien son âme sœur...

— Ça doit forcément signifier qu'elle est tienne. Tu l'as trouvée, Rune ! Tu te rends compte de la chance que tu as ?

La « chance ». Voilà bien un mot qui n'avait jamais été utilisé pour décrire un être tel que lui.

Dalli observait son visage.

— Tu es... engagé quand tu es avec elle ?

— « Engagé » ? Quand je jouis avec elle, je hurle si fort que j'en ai mal aux cordes vocales. Je dis les choses avant même de les penser. Je parle en langue démoniaque, figure-toi !

Il renversa la tête en arrière contre le dossier du canapé et fixa le plafond feuillu.

— Je perds totalement le contrôle. La première fois que j'ai goûté son sexe, j'en ai eu le souffle coupé.

Ces lèvres charnues... l'anneau affolant qu'elle avait au clitoris...

— Elle mouille comme une folle, poursuivit-il, perdu dans ses souvenirs. Quand elle jouit sur ma langue, c'est la meilleure des récompenses pour moi. Et dieux tout-puissants, quand elle me perce la peau de ses petits crocs acérés, mon cœur tambourine et mes testicules se tendent si fort que j'en ai mal. Ça ne m'est jamais arrivé avant. Mon sexe me donne l'impression qu'il va exploser...

Dalli s'éclaircit la gorge.

Rune cilla, sidéré : il se caressait ! Voyant Dalli sourire, il retira sa main en grognant.

— Voilà, tu vois, c'est exactement ce que je t'expliquais : plus aucun contrôle !

— Tu ne peux pas jouer sur les deux tableaux, Rune. Tu ne peux pas craindre de perdre ton contrôle et t'abandonner totalement à elle.

Elle avait raison.

— Je pense que tu en pinces pour elle.

— Je serais amoureux, tu veux dire ? Ceux de ma race n'aiment pas, on en est incapables. Et moi encore plus que les autres, vu mon passé.

Il avait vécu avec la menace de cette épée au-dessus de sa tête pendant des éternités, avant qu'un maître juste ne soit arrivé qui l'avait libéré et lui avait offert un pourcentage de ses gains. Insensible à toutes formes de violence et d'abus et incapable d'envisager la moindre alternative, Rune avait répondu : « Pourquoi pas. » À ses yeux, il ne valait pas mieux qu'une putain que l'on paie.

Jamais il ne s'était autorisé à songer à l'avenir. Ses sentiments étaient flétris, aussi froids que des cendres.

L'étaient-ils encore ? Josephine l'avait excité, l'avait rendu fou. Le contrôle avait cédé à la frénésie. Ravivait-elle des braises enfouies parmi les cendres ?

Avec elle, il avait été projeté dans un espace encore jamais exploré.

Je veux y retourner.

— Par le passé, tu as toujours dû te mettre à distance pour survivre, commenta Dalli. Mais plus aujourd'hui.

Pour survivre à ses clients. Et à Magh. En apprenant qu'il était volontaire pour se laisser utiliser, elle avait été folle de rage. Diabolique jusqu'au trognon, elle l'avait capturé de nouveau pour l'emprisonner au fond d'un cachot. En fait, elle le désirait et se haïssait pour ça. Alors la vraie torture avait commencé…

— Arrête ça tout de suite, l'interrompit Dalli, réclamant son attention. Arrête de revivre le passé.

Tu peux repartir de zéro avec Josephine. Quelqu'un de jeune t'aidera à voir les mondes à travers des yeux nouveaux.

— Je ne veux pas repartir de zéro.

Magh l'avait transformé tant et tant de fois que le moule aurait dû se briser. Il était passé d'esclave à tueur, à putain involontaire, à souffre-douleur royal. Et tout ça à cause d'une femme diabolique. Il en avait assez de changer.

Pourtant, après ce premier orgasme avec Josephine dans son lit, ne s'était-il pas senti transformé ?

— Quoi qu'il en soit, toutes ces élucubrations ne servent à rien.

Les cendres qu'il avait au fond de lui s'étaient enflammées pour la mauvaise femme.

— Elle veut… quelqu'un d'autre.

Il vida son gobelet et se releva pour recommencer à faire les cent pas.

— Un connard qui porte des bottes de cow-boy.

Le mâle de Josephine la cherchait-il ? Se demandait-il pourquoi elle n'était pas revenue dans son lit profiter d'un nouveau clair de lune ?

— De quelle espèce est-il ?

— Je n'en sais rien.

Trop concentré sur sa cible, Rune n'avait prêté qu'une vague attention au compagnon de Nïx. *Thaddeus*. Incapable de se rappeler son odeur, il se représenta son apparence physique.

— Plutôt beau, je suppose.

— Tu as l'air jaloux.

— Je ne suis pas jaloux, je suis furax. Elle m'a trompé. On a passé une nuit ensemble, et c'était… différent. Je ne l'ai même pas baisée.

Souffles mêlés, franchissement des limites. Tout pour de faux.

— Elle a joué avec moi exactement comme je jouais avec mes clients, en leur faisant croire que je les aimais, eux et eux seuls.

— Qu'est-ce qu'elle a fait ?

— Je la croyais à moitié entichée de moi. Alors que du début à la fin, elle ne faisait que penser à retourner auprès de celui qu'elle veut vraiment.

— Dans ce cas, bats-toi pour emporter son affection. Toi et moi, nous savons que tu es le meilleur coup aux mondes. Dévoile-lui ton arsenal – tout ton arsenal – et elle sera tienne.

Rune s'immobilisa.

— Tu as raison. Si je lâche tout, je vais l'amener à me manger dans la main.

Oui, il allait l'obliger à l'aimer, lui, au lieu de l'autre. Et une fois ce but atteint, il lui rendrait la monnaie de sa pièce.

Non pas qu'il soit blessé, bien entendu. Il était juste irrité.

— Voilà, c'est ça, l'idée !

Il fronça les sourcils.

— Admettons que je l'emporte, je pense qu'elle est du style jaloux. Elle attendrait donc de moi que je devienne monogame, or j'en suis incapable.

Dalli lui offrit un sourire contrit.

— La monogamie, ça n'est pas si mal. La plupart des êtres veulent un partenaire dévoué qu'ils puissent appeler « leur » amour.

— Pas les nymphes.

— Peut-être aimons-nous la liberté un peu plus que tout.

Son regard se fit distant. Rêvassait-elle à quelqu'un en particulier ?

— Dalli ?

Elle releva la tête.

— Au fait, je te suggère de prendre une douche avant d'y aller. Se présenter encore imprégné de l'odeur d'une nymphe ne serait pas la meilleure entrée en matière, surtout si elle est du style jaloux.

— Il va falloir qu'elle s'y habitue, car je coucherai avec d'autres, un point c'est tout.

— Rune, fais-moi confiance, vas-y.

— OK, OK, mais juste cette fois.

Il enleva son pantalon et se dirigea vers la salle de bains.

Alors qu'il passait devant elle, le sexe à l'air, Dalli soupira.

— Il va me manquer.

— Crois-moi, ma colombe, il ne s'en va nulle part. Rune l'Insatiable ne pratique pas la monogamie.

31

— Cette petite garce de vampire !

En retournant d'un pas nonchalant dans les ruines du musée de Rune, Jo l'entendit marmonner :

— J'aurais mieux fait de me taper Dalli.

C'était censé vouloir dire quoi, ça ?

Il fit volte-face.

— C'est quoi, ce bordel, nom des dieux ?

Souriante, elle haussa les épaules.

— J'sais pas.

— Je ne te comprends pas ! Tu savais la valeur que j'accordais à ces objets.

Il avait la pointe des cheveux encore humide d'une douche récente. Avec combien de nymphes avait-il baisé, cette fois ?

— Tu savais que cette collection était inestimable.

— Ouais.

Comment pouvait-elle continuer à le trouver séduisant ? Avec son pantalon de cuir noir et sa tunique blanche, il était plus beau que jamais. L'arc jeté sur son épaule et le carquois accroché à sa jambe ne faisaient qu'augmenter son *sex-appeal*. Magnifique à l'extérieur. Mais à l'intérieur...

Son expression se fit menaçante.

— Tu crois vraiment que je ne vais pas te punir ?

Essaie toujours. Tu risques de ne pas aimer ce qui va t'arriver. Jo n'était pas particulièrement encline à lui montrer ses pouvoirs – à quoi bon, puisqu'elle ne le reverrait plus jamais ? – mais elle le ferait si la situation s'envenimait. Elle se dirigea vers la chambre et la cheminée.

— Je suis prête à être libérée.

Il la suivit.

— Tu as tout détruit parce que tu ne pouvais pas partir ? Tu n'es pas prisonnière ! Les barrières magiques sont là plus par mesure de protection que pour autre chose.

— Si je ne suis pas prisonnière, alors laisse-moi partir.

Elle s'assit sur l'accoudoir du fauteuil préféré de Rune.

— Sans répercussions… ?

Il posa un regard avide sur son corps uniquement vêtu d'un tee-shirt, comme s'il venait juste de se rendre compte qu'elle était nue en dessous. *Il est vraiment insatiable.*

— J'aurais pu détruire ta bibliothèque aussi.

Elle n'y avait pas touché ; même si elle ne savait pas lire, elle vénérait les livres. Peut-être d'autant plus qu'elle n'avait jamais pu plonger dans leurs mystères.

— La seule raison pour laquelle je ne suis pas en train de te tanner les fesses, là, c'est que tu vas me rembourser… en monnaie sexuelle.

Il vint se planter devant elle, la dominant de toute sa hauteur.

— Et tu n'as pas idée du montant de ton addition, Josephine.

Elle éclata de rire.

— Tu n'es pas sérieux.

Il recula, l'air perplexe.

— C'est moi qui ai subi un préjudice ! Moi ! En remerciement pour t'avoir téléportée à l'abri et soignée, tu as saccagé ma maison. Je t'ai sauvé la vie !

Elle se leva pour bien lui montrer qu'elle n'était pas intimidée.

— Je t'en prie. J'aurais guéri seule.

— Tu es jeune. Il y avait une chance que tu n'aies pas encore été figée dans ton immortalité.

— « Figée » ? C'est-à-dire ? On appelle peut-être ça différemment, là d'où je viens, ajouta-t-elle en le voyant froncer les sourcils.

— Quand un Mythosien atteint sa puissance maximale et cesse de vieillir. Quand il est capable de se régénérer de ses blessures et autres amputations. La transition vers l'immortalité totale.

— Ah oui. Et toi, tu t'es « figé » quand ?

— Quoi ? J'avais vingt-neuf ans.

— Tu penses donc que vingt-neuf ans, ce serait un bon âge pour moi aussi ?

Si tel était le cas, comment avait-elle régénéré son visage et son cerveau à l'âge de onze ans ? Encore une question à ajouter à sa liste.

— C'est dans la moyenne, pour une femelle. Les mâles se figent plus tard. Comment se peut-il que tu ignores ce genre de choses ? Tu fais partie des Abstinents, pas vrai ? Et bien sûr, tu es encore davantage protégée par ton âge.

Les « Abstinents » ?

— Et selon toi, c'est quoi, un « Abstinent » ? Il se peut qu'on se donne un autre nom, entre nous.

— Un ordre de vampires qui étaient jadis mortels et vivent toujours comme les humains. Ils refusent de boire à même les veines, comme les autres vampires, et ne connaissent pas le Mythos. Si tu as été élevée en leur sein, ça explique pas mal de choses.

— Pigé.

Vu ce qu'elle avait en commun avec ces Abstinents, elle allait peut-être essayer de les trouver.

— Tu ne nies pas ? Ma chair serait donc la première que tu aies goûtée ? ajouta-t-il d'une voix devenue rauque.

Il haussa ses sourcils noirs, ses yeux magenta scintillant.

Jo sentit son corps réagir à ce regard. *Il vient d'en baiser une autre, bon sang !* Mais pas question de laisser transparaître la jalousie qui la tenaillait.

— Je suis prête à être relâchée.

— Pour aller où ? Tu es bien pressée de m'abandonner, commenta-t-il d'un ton maussade.

Quel culot ! Il venait de se taper une nichée de nymphes et de prendre une bonne douche revigorante pour se remettre de ses aventures !

— J'ai une vie, des choses à faire.

— Plus précisément : tu dois retrouver ton mâle.

— De quoi tu parles ?

Il tira une flasque de la poche de son pantalon et but une longue goulée.

— L'homme que j'ai vu avec Nïx ; il est à toi.

— Je peux te promettre que non.

L'expression menaçante de Rune disparut une fraction de seconde, avant de revenir, plus impressionnante encore.

— Dans ce cas, pourquoi avoir dit que tu l'aimais ? Ah, ce n'est pas réciproque ? Ça doit faire mal. Je me demandais pourquoi tu étais habillée en croqueuse d'homme, l'autre nuit. Tu cherchais à l'impressionner !

280

Jo songea un instant à lui raconter la vérité sur son frère, mais à quoi bon ? Elle n'avait aucune raison de le faire, après tout. Moins Rune en savait sur elle, mieux c'était.

— J'en ai assez de parler de ça.

— Je ne te laisserai pas partir avant de t'avoir mise dans mon lit.

Bon Dieu, elle ne comprenait plus rien à ce type !

— Tu n'as pas eu ta dose de nymphes ?

— Je n'ai baisé personne depuis le jour où je t'ai rencontrée ! Quatre jours !

Elle lui renvoya un regard outré.

— Ah oui ? Et pourquoi tu as pris une douche, alors ?

— Je suis allé dans une nichée de nymphes, oui. J'ai passé un moment avec une vieille amie et on a un peu fricoté. Mais je n'ai pas continué, conclut-il, comme si les mots sortaient malgré lui.

— Et je devrais croire ça ?

Je veux le croire.

Haussement d'épaules.

— Je me fous que tu le croies ou pas.

Il disait donc la vérité ! Leur nuit ensemble avait bien signifié quelque chose pour lui. Il avait été honnête – à peu près – avec elle. Parce qu'il craquait déjà pour elle !

En parlant de craquer... Et si elle était son âme sœur ? Si le destin décidait effectivement des couples qui se formaient ? Rune lui avait expliqué qu'une âme sœur était la femelle de tous les temps et tous les mondes avec laquelle un démon était le plus compatible.

Compatible ? Ça oui ! Il avait réagi à elle bien plus intensément qu'à toutes les nymphes avec lesquelles elle l'avait vu. Et puis, Jo était la seule immunisée contre son poison.

Non, mais sans dec. Ce gars ne pouvait pas embrasser une autre femelle sans la tuer. *Ding ding ding.*

Il croyait en revanche que les sombres feys n'avaient pas d'âme sœur, mais Jo écarta cette hypothèse d'un revers mental de la main – les hommes croient souvent des conneries.

Elle se mordit la lèvre inférieure en songeant à son musée. Elle avait probablement trouvé sa moitié, et elle venait de détruire toutes ses possessions. Peut-être devrait-elle lui parler de sa télékinésie ?

— Tu es beaucoup, beaucoup trop jeune pour moi, lâcha-t-il, interrompant ses pensées. Et tu as une sacrée tendance à la jalousie. Tu as annihilé mes biens, tel un chiot fou sorti tout droit du chenil des enfers. Et pourtant je crois que j'ai toujours envie de coucher avec toi.

Il détourna légèrement les yeux pour ajouter d'une voix bourrue :

— Et plus d'une fois.

— C'est ta façon de me demander qu'on sorte ensemble ? C'est pour ça que tu m'as été fidèle ?

— « Fidèle » ? répéta-t-il, l'air soudain atterré. Tout doux, vampire. Je ne veux pas te donner l'impression que je pourrais devenir monogame un jour, parce que ça n'arrivera jamais. Si on passait du temps ensemble, il nous faudrait travailler sur ta jalousie.

Jo avait envie de l'étrangler !

— C'est toi qui parles de jalousie ? Alors qu'elle te dévore quand tu penses à mon « mâle » ?

— N'importe quoi. Je suis furieux car je n'apprécie pas d'être utilisé. Tout ce qu'on a fait au lit...

les choses que tu as dites. Ce n'étaient que des mensonges.

— Comme quoi ?

— Tu as dit que tu me boirais, moi et seulement moi, pour l'éternité. Tu as dit que tu ne pourrais pas vivre sans mes baisers. Tout ça, ce n'étaient que des belles paroles pour pouvoir retourner plus vite auprès de ton mâle.

Rune pouvait bien le nier autant qu'il voulait, il était jaloux. Ce qui signifiait qu'il tenait à elle.

Peut-être qu'après autant d'années il n'était pas capable de s'envisager autrement qu'en célibataire et qu'il se battait contre ses sentiments. Après tout, il était parti dans l'intention de baiser, et il n'avait pas été capable d'aller jusqu'au bout. S'il repartait dans le même but à l'avenir, se produirait-il la même chose ? Ce serait encore pire s'il tombait amoureux d'elle !

Les pensées de Jo dérivèrent vers le mariage qu'elle avait investi sous sa forme fantomatique. Une fois que Rune l'aimerait autant que ce jeune marié romantique aimait son épouse, jamais plus il ne serait capable d'aller coucher ailleurs.

Encore fallait-il qu'elle-même apprenne à lui faire confiance comme cette jeune épouse à son charmant petit mari.

Quoi qu'il en soit, le chemin de Jo était tout tracé : faire tomber Rune amoureux d'elle. Peut-être en travaillant main dans la main à assassiner une certaine Valkyrie, ça créait des liens.

— Qu'est-ce que ça peut bien te faire si j'étais avec une nymphe ? demanda Rune. Tu es amoureuse d'un autre. Tu es déjà prise.

De nouveau, Josephine roula des yeux.

— Non.

Il n'en revenait pas d'être en train de se quereller avec elle comme ça. La tombée de la nuit approchait à La Nouvelle-Orléans. Il aurait plutôt dû aller sur le terrain et traquer sa cible.

— Pourtant tu veux qu'il te prenne, ce mâle.

Il serra les poings. *Tuer Nïx. Tuer celui que la vampire veut comme amant. En une seule et même nuit.*

— Tu as décidé de le séduire, admets-le.

Elle se dirigea vers la cheminée, mais il constata son expression incrédule quand elle se détourna.

Une minute... Et si ce mâle était lié à elle d'une autre façon, par le sang par exemple ? Elle n'était pas assez vieille pour avoir un fils de cet âge. Peut-être un frère.

Il alla la rejoindre auprès du feu. Passant un doigt sous son menton, il lui releva le visage pour l'observer de près. Elle ne ressemblait pas vraiment à Thad. Mais s'il retirait son maquillage, surtout autour des yeux...

Ils avaient la même couleur d'yeux, si unique.

Le sifflement dans les oreilles de Rune commença à s'apaiser. Peut-être que ça le travaillait bien plus qu'il n'avait voulu l'admettre.

— C'est ton frère.

Elle haussa les épaules. Mais il commençait à comprendre la signification de ce haussement d'épaules : « Oui, Rune. » Soudain, la destruction de ses objets précieux ne lui causait plus qu'une vague irritation.

Elle ne s'était pas servie de lui. N'avait pas menti.

— Pourquoi ne pas me l'avoir dit plus tôt ?

— Parce que je ne voulais pas que tu t'en serves comme monnaie d'échange.

— On n'est pas ennemis, Josephine.

284

Elle n'a pas de mâle. Cette nuit, il allait l'embrasser jusqu'à ce que ses lèvres soient douloureuses.

— C'est mon petit frère. On n'est jamais trop protecteur.

Cette nouvelle apportait avec elle toute une série de nouvelles complications.

— Thaddeus est l'allié de Nïx ?

L'expression de Josephine se durcit.

— Pas pour longtemps.

— Tu essaies peut-être de le protéger, mais je ne pense pas que ce soit réciproque. Il savait que Nïx allait t'attaquer ?

Elle secoua la tête.

— Il ne sait même pas que je suis vivante.

— Je ne comprends pas.

— On a été séparés quand il était encore bébé.

— Quel âge a-t-il ?

S'il était son frère cadet, Thad ne pouvait pas avoir plus de vingt-quatre ans, puisqu'elle-même n'avait pas vécu plus d'un quart de siècle. Rune sentit sa nuque s'enflammer.

— Il a dix-sept ans.

Beau bébé pour son âge. Mais il n'avait probablement pas encore atteint son immortalité. Ce qui faisait de lui un point faible évident pour Josephine : elle tenait à une personne qui pouvait aisément être tuée.

— Comment avez-vous été séparés ?

Quand les immortels avaient des enfants, ils avaient en général tendance à garder leur famille unie. *Contrairement à mon propre père.*

— Rune, je t'apprécie. Et j'ai adoré ce qu'on a fait ensemble au lit.

Le regard de Rune se posa sur sa poitrine avant de remonter jusqu'à ses yeux. Il savait bien que cette nuit avait été différente !

— Mais pourquoi est-ce que je devrais t'en révéler plus ? Donne-moi une raison.

Ses yeux étaient presque... implorants.

— Parce que tu peux me faire confiance.

Elle lâcha un soupir, manifestement déçue.

— Voilà tout à fait le genre de truc que dirait une personne indigne de confiance.

Rune ne releva pas. Il projetait de lui faire goûter le sang à l'hydromel à la première occasion.

— Je connaîtrai bientôt tes secrets. Les alliés de Nïx sont loyaux, ajouta-t-il avant qu'elle puisse réagir à son affirmation. Ton frère pourrait choisir de rester à ses côtés.

— Alors, ça, ça ne risque pas d'arriver.

— Qu'est-ce qui te rend si sûre de toi ?

Les yeux de Jo scintillèrent, les iris aussi noirs que la nuit.

— Parce que je vais la tuer.

32

— J'admire ton optimisme, seulement elle t'a rossée, fit remarquer Rune en reprenant une gorgée à sa flasque. Elle s'est amusée avec toi.

— Notre prochain affrontement sera différent, lui assura Jo. Je suis prête, maintenant.

— Tu es une très, très jeune vampire qui ne devrait jamais chercher à se battre avec un primordial.

— Comparé à toi, même le Big Bang est jeune. Et puis, c'est quoi, un « primordial » ?

— Tu ne sais pas ça non plus, l'Abstinente ? C'est le premier-né d'une espèce, ou du moins le plus vieux encore en vie.

— Tu es le primordial des sombres feys ?

Une ombre passa sur le visage de Rune.

— Je ne le saurai peut-être jamais.

— Peu importe qui elle est... Je l'aurai.

— Admettons que tu parviennes à la battre, pourquoi est-ce que je t'abandonnerais mon assassinat ?

— Tu agis pour des raisons personnelles ? demanda Jo.

— Non, pour des raisons *cruciales*. Elle joue avec des forces qu'elle est trop jeune et trop folle pour comprendre, des forces qui peuvent jeter l'univers

tout entier dans le chaos. Elle flirte avec l'apocalypse. Et il se trouve que j'appartiens à un groupe
qui s'oppose à elle.

— Qu'est-ce qu'elle voulait dire, quand elle a
évoqué le « Møriør » ?

— C'est le nom de mon alliance. Je suis un Møriør.

— Tu n'es pourtant pas un cauchemar sur pattes.

Et pas non plus un Porteur de Mort. Encore fau-
drait-il que Rune parvienne à garder son matériel
dans son slip un peu plus d'une minute, pour être
« Porteur de Mort ».

— Et tu n'es pas une bombe, répliqua-t-il. On
peut se mettre d'accord pour dire que Nïx affirme
des trucs ridicules ?

La Valkyrie avait dit qu'elle garderait l'œil sur Jo
et Thad – ses armes nucléaires.

— Tu vis dans un château avec des monstres ?

Il se passa une main sur le menton.

— Cette partie-là est vraie. Mais ça n'a aucune
importance.

— Quoi ?!

Son mec potentiel vivait avec des monstres ?
Voilà qui promettait de placer les problèmes habituels de colocataires à un niveau inégalé.

— On parle de Nïx.

— OK.

Elle se renseignerait sur ses monstres plus tard.

— Qu'est-ce qu'elle cherche, avec moi ?

Et avec Thad ?

— Tout dépend de qui tu es. Nïx t'a décrite
comme « rare ». Tu es à moitié vampire, alors
quelle est ton autre moitié ? La première fois qu'on
s'est rencontrés, tu m'as interrompu dès que je t'ai
posé la question. Comme si j'avais atteint les limites
de mon utilité. Mais tu le sais ou pas ?

Ce qu'il lut sur son expression, quoi que ce soit, sembla le sidérer.

— Comment est-il possible que tu n'en saches rien ? Si tu as été élevée par un seul parent, il ne t'a rien appris sur l'autre ? Tu as dit que tu étais une solitaire. La génération qui te précède a disparu ?

Jo n'arrivait pas à se résoudre à partager son histoire. Trop tôt. Si encore il lui avait fourni une bonne raison de lui faire confiance. Rien qu'une...

— Je découvrirai bientôt tes secrets, Josephine.

Deuxième fois qu'il affirmait ça. Qu'est-ce qui le rendait si sûr de lui ?

— Puisque tu peux boire mon poison, tu pourrais être une espèce magique, poursuivit-il. Comme les sorceri ou les Wiccae. À moins que tu ne sois fey. La plupart des feys ont des pouvoirs magiques.

Elle se remémora son souvenir du premier assassinat de Rune.

— Tu es peut-être ennemi avec les Wiccae ou les sorceri. Tu es peut-être à moitié fey, mais pas très fan des feys, d'après ce que je sais.

Elle se demandait s'il allait admettre sa haine pour les feys.

— Je les méprise, mais je ne ferais pas de toi mon ennemie juste parce que tu aurais du sang fey. Et pour ce qui est des Wiccae, j'ai juré allégeance à une sorcière. Elle appartient au Møriør. Quant aux sorceri, je m'en contrefiche.

Il reprit une goulée à sa flasque, l'air concentré sur ce mystère.

— Les vampires hybrides sont peu communs, mais ce mélange suffirait-il à attirer l'attention de la primordiale des Valkyries ? Quand je tuerai Nïx, ajouta-t-il en plongeant dans ses yeux, cette information risque de mourir avec elle.

Et ne jamais savoir ?

— Du moment que Thad est sauf, je m'en fiche.

— Laisse-moi me charger de Nïx. Comme je te l'ai dit, je suis assassin de métier depuis des milliers d'années.

— J'ai besoin de m'assurer que tu ne tueras pas mon frère par accident. Je vais le surveiller de près. Alors soit on y va ensemble, soit j'y vais seule.

Rune appuya l'épaule contre le manteau de la cheminée, examinant ses griffes noires. Ses bagues d'argent brillaient dans la lumière du feu.

— Dans ce cas, je te garde enfermée ici.

— Connard ! Je redeviens donc ta prisonnière ? Et après tu te demandes pourquoi je ne te confie pas plus d'informations sur moi ?

— Je veux que tu nettoies tout ce bazar. Et en plus...

Il se téléporta et, une fraction de seconde plus tard, revint chargé d'un énorme livre. Qu'il posa sur le fauteuil près de la cheminée.

— Tu pourras lire ceci et te renseigner sur le Mythos.

Attends, que je vérifie un truc.

— Qu'est-ce qu'il y a dans ce bouquin ?

— Tout ce que tu as toujours voulu savoir sur les immortels.

Jo retroussa les lèvres. *Évidemment.* Le trésor dont elle avait le plus besoin, mais qui lui restait inaccessible.

— Pas question, Rune. Rien ne compte plus à mes yeux que de protéger mon frère.

— Je ferai de mon mieux pour qu'il ne finisse pas en victime collatérale, promit-il avec un sourire narquois.

Quelle arrogance ! Elle se souvint alors qu'il semblait vraiment prendre ces promesses sur le Mythos très au sérieux. Pourquoi ne pas tenter le coup ? Et puis, il adorait quand elle buvait à ses veines, alors…

— Si on n'est pas associés dans l'assassinat de Nïx, si je ne peux pas aller partout où tu iras pour tout ce qui concerne cette mission, alors je jure sur le Mythos de ne plus boire de sang.

— Non ! Dis-moi que tu n'as pas dit ça !

Elle crut le voir chanceler.

— Tu vas être liée par cette promesse, obligée par elle, même si tu décides d'agir différemment plus tard. Car ton serment était vague et tu n'as donné aucune limite de temps.

— Ben alors, c'est quoi le problème ?

— Admettons que je revienne ici dans cinq secondes avec la tête de la Valkyrie et la sécurité de ton frère en bonus. Tous tes problèmes seraient réglés. Pourtant, comme tu ne m'aurais pas accompagné, tu ne pourrais plus boire de sang… Plus jamais. Ta promesse t'empêcherait d'en ingérer, tu en serais incapable !

Il exagérait, là. Non ? Pas possible que quelques pauvres paroles aient un tel pouvoir.

— Conclusion, je suis obligé de m'associer avec toi, ou bien je te laisse mourir de faim. Devine quelle option j'envisage, vampire ! ajouta-t-il en pointant un doigt vers elle. Tu ne devrais pas parler comme ça à tort et à travers, surtout pas d'une manière aussi imprécise ! C'était immature, comme réaction. Ce qui est compréhensible, cela dit, étant donné ton âge.

— Je te signale que je n'avais jamais fait de pareilles promesses avant, OK ?

— Et malgré tout, tu refuses de lire le *Livre du Mythos* et de t'éduquer ?

Oh, bon Dieu, il n'y avait rien qu'elle souhaite plus !

— J'ai du mal à croire que de simples paroles pourraient me faire mourir de faim.

Il sortit le fameux colifichet qu'il gardait toujours dans sa poche.

— Jure sur le Mythos que tu ne me prendras jamais ce talisman sans ma permission.

— Ah, donc il est passé de l'état de babiole sans importance à celui de talisman ? (Elle fit un pas vers lui.) Dis-moi ce que c'est.

— Je le ferai peut-être le moment venu. Si tu promets.

— Bien. Je jure sur le Mythos de ne jamais te le prendre sans ta permission.

Il le lui tendit.

Quand Jo approcha la main, celle-ci vira sur la droite, comme repoussée par une force invisible. Sidérée, elle réessaya. Même résultat.

— Donc ma promesse est blindée, conclut-elle en levant le menton. Tant mieux. Ça signifie qu'on va travailler ensemble à tuer Nïx.

— J'ai déjà fait ça tout seul une fois ou deux, vampire.

— Et tu as déjà échoué deux fois, avec elle. Je suis responsable du fiasco de ta tentative depuis le toit…

— Parce que j'ai choisi de ne pas te tuer.

Il redressa les épaules, manifestement peu habitué à essuyer des critiques sur ses talents.

— En une fraction de seconde, j'aurais pu t'abattre et tirer une seconde flèche pour la Valkyrie.

— Tu n'as même pas pu tirer sur elle pendant qu'elle m'attaquait. Je suppose que tu as essayé ?

Quand il hurlait son nom.

Elle le vit serrer les dents.

Voilà, elle le tenait !

— Bon, c'est réglé. On fait équipe pour cette mission.

— Je vais veiller à ce que ce soit une mission très courte. On commence maintenant, ajouta-t-il en s'approchant encore d'elle.

— J'ai besoin d'aller récupérer des vêtements chez moi, d'abord, fit-elle en désignant ses pieds nus.

— Je n'ai pas encore dit tout ce que m'inspiraient tes actes – ma colère n'est nullement apaisée – mais je suis curieux de découvrir ta maison, vu que tu as trouvé la mienne « vieillotte ».

— Et après, on partira chez Nïx ?

Jo essayait de se figurer la piaule d'une Valkyrie cinglée.

— Elle vit dans une autre dimension ?

— Elle réside pas loin de La Nouvelle-Orléans, dans une propriété appelée Val Hall. Mais nous n'avons pas besoin d'y aller. J'ai des espions qui surveillent les lieux à chaque minute de la journée. Ils m'alerteront si elle y retourne.

— Comment ?

— Cette rune s'allumera, dit-il en désignant un bandeau tatoué autour de son poignet droit. Mais espérons qu'elle s'en abstiendra. Les spectres qui gardent Val Hall rendent cet endroit extrêmement sûr pour elle.

— Des « spectres » ?

— Des créatures spectrales femelles. Elles volettent autour du manoir et repoussent les intrus.

— Comment on les tue ?

— On ne peut pas, elles sont déjà mortes.

Il lui prit le bras.

— Il serait plus aisé que je te montre. Mais ne lâche pas un mot concernant nos intentions. Les nymphes cachées autour de Val Hall t'entendraient.

« Cachées » ?

— Et alors ?

— Et alors, si elles acceptent de m'aider, c'est pour deux raisons : *primo*, je les baise ; *secundo*, elles croient que si je cherche Nïx, c'est pour coucher avec elle. Il ne vaut donc mieux pas qu'elles nous entendent nous quereller sur le meilleur moyen de l'éliminer.

Sur ce, il la téléporta sur une bande de bayou envahie par la végétation et la brume.

La mousse sur les chênes. Le brouillard qui enveloppait tout. Des éclairs s'abattaient autour de la propriété, l'entourant de grilles de feu sans cesse renouvelées.

— Nous sommes en territoire valkyrie, à présent. Des êtres qui émettent des éclairs avec leurs émotions. Et qui s'en nourrissent aussi.

— Ils les contrôlent tous aussi bien que Nïx, pour fabriquer des cages et des lames ?

Il secoua la tête.

— En tant que primordial de cette espèce, elle a dû apprendre à les maîtriser.

— Cet endroit ressemble au laboratoire d'un savant fou.

— Tu n'as encore rien vu.

Tandis que Rune et elle approchaient d'une clairière, un vaste et sinistre manoir apparut. Sur fond d'éclairs de feu, des femelles fantomatiques vêtues de haillons rouges voletaient dans les airs, encerclant la bâtisse.

— Les spectres ?

— Aussi connues sous le nom d'Antique Fléau, expliqua Rune. Aussi fortes que de l'acier au titane, et encore plus vieilles que moi. On ne peut pas passer sous elles, on ne peut pas voler au-dessus d'elles, on ne peut pas se téléporter au-delà d'elles. Impossible de les surprendre.

Jo leva le visage pour humer l'air. Thad était ici ! Gardé par ces créatures ? Elle venait de se tendre pour faire « quelque chose », quand Rune l'agrippa par l'avant-bras pour la re-téléporter à Tortua.

— Pourquoi partir ? s'écria-t-elle en dégageant son bras. Thad est là-dedans ! Je peux défier Nïx, elle sortirait peut-être pour m'affronter !

— Elle n'est pas à Val Hall.

— On peut attendre qu'elle se pointe.

— Les autres Valkyries ne le toléreraient pas. Je pourrais te protéger, mais je ne serai pas en mesure de faire quoi que ce soit pour ton frère tant qu'on n'aura pas géré les chiennes de garde. Si tu provoques la colère des habitantes de Val Hall, elles risquent de se venger sur lui.

Jo lâcha un grognement frustré.

— Je n'arrive pas à croire que Thad est là-bas, grommela-t-elle, résignée à attendre.

Au moins, elle n'avait pas senti de peur chez lui. Nïx et lui étaient donc bien potes.

— Si Nïx n'y est pas, alors qui le surveille ?

— Ses sœurs valkyries. Qui doivent le couver pour le convaincre de se joindre à leur alliance.

En d'autres termes, elles lavaient le cerveau de son petit frère.

— Il y a forcément un moyen de franchir la garde de ces spectres.

Si la téléportation ne fonctionnait pas, alors se changer en fantôme et passer sous leur nez ne marcherait sans doute pas non plus.

— Pour le moment, notre meilleure option, c'est la chasse. Tu dois te montrer patiente.

— Patiente ? Ça n'est pas ma qualité première. Tu as un plan B ?

Il plongea son regard perçant dans le sien.

— Toujours.

Pourquoi ce simple mot lui envoyait-il un frisson le long de l'échine ?

33

Josephine prit Rune par la main pour le téléporter jusqu'à chez elle – sans doute quelque imposant manoir ou autre majestueux château. Alors qu'elle entamait leur glissade, il les vit s'effacer avant le voyage. La téléportation façon Sian était toujours rapide et fluide, tandis que celle de la vampire laissa Rune chancelant.

Il fronça les sourcils en découvrant son nouvel environnement, une petite pièce miteuse à la moquette rouge usée jusqu'à la corde et une peinture écaillée sur des murs couleur cendre. Une couverture à motifs floraux bien criards était posée sur le lit, et l'air conditionné ronflait.

— Où est-ce que tu nous as emmenés ?

— Dans ma piaule.

— C'est ici que tu vis ? Mais c'est un trou à rat ! Et tu as eu le culot de traiter ma maison de « vieillotte » ?

Dans un angle de la pièce, près d'une pile de bandes dessinées, s'élevaient plusieurs liasses de billets.

— Si tu as de l'argent, pourquoi ne pas prendre une résidence plus agréable ?

Celle-ci était pitoyable et démoralisante. Le seul point positif qu'il lui concédait : tout était d'une propreté impeccable.

— J'aime bien échapper aux radars. Peu m'importe si c'est moche ici.

Une table de pique-nique occupait un pan de mur entier, couverte de divers objets : un téléphone, une tiare, des perles en plastique, un bâton métallique avec un appareil photo à son extrémité...

— Les immortels dotés de pouvoirs ne vivent pas comme ça, c'est tout.

— Oui, ben je n'ai pas de carte d'identité, OK ?

— Je pourrais t'en obtenir une en une heure.

Rune se mordit l'intérieur de la joue. Josephine n'aurait jamais besoin de carte d'identité, car il ne pourrait la laisser se promener librement dans le monde. Elle détenait toujours ses souvenirs.

— C'est donc ici que dort la belle Josephine. Depuis cette première nuit où tu as bu mon sang, tu as rêvé de moi ? Revécu des scènes de mon passé ?

— Oh oui, constamment. J'adore te regarder baiser deux cents nymphes à la fois et mettre des tannées à des chiots.

— Je n'ai jamais frappé aucun chiot !

Roulant des yeux, elle se dirigea vers un portant chargé de vêtements sombres, à divers stades d'usure. Elle sélectionna un jean noir et un tee-shirt sans manches orné du logo d'une marque quelconque, qu'elle jeta sur le lit.

— Pourquoi étais-tu habillée en croqueuse d'hommes, l'autre nuit ? (Pas pour séduire Thaddeus, du coup.) Tu avais mis cette minuscule robe pour m'impressionner.

— Arrête de te la péter.

Mais elle ne niait pas.

Un miroir en pied était accroché à la porte de la salle de bains. Avait-elle observé son reflet avant de se lancer à sa recherche ?

— C'est peut-être aussi pour ça que tu as fait ton serment – ta carte maîtresse – parce que tu as trop envie d'être auprès de moi. Et nous voilà bloqués ensemble pour tout le temps que va durer la mission.

Il aurait dû être furieux qu'elle ait abattu cette carte ; pourtant, il se surprit à esquisser un sourire.

Et pour une raison qu'il ignorait, son sexe commençait à durcir.

— Crois ce qui te chante, Rune, je t'ai expliqué pourquoi j'avais fait ce serment.

Pour protéger son frère.

Si Nïx trouvait quelque valeur au frère et à la sœur, alors le Møriør serait bien avisé d'en faire autant. Vu qu'il rencontrait des difficultés à assassiner l'oracle, il pouvait toujours l'affaiblir en recrutant les armes qu'elle visait : Josephine et Thaddeus.

Peu importerait alors que Josephine connaisse ses secrets et ceux de ses alliés, puisqu'elle deviendrait elle aussi leur alliée.

Il s'approcha de la table à pique-nique, dont il lut l'inscription : « Parc public de la Paroisse d'Orléans ». Il examina un téléphone décoré de sequins, puis passa à l'objet suivant.

— C'est quoi, tout ce bazar ? demanda-t-il en faisant tournoyer une tiare en plastique autour de son doigt.

— Des souvenirs de mes expériences, répliqua Josephine en lui arrachant l'objet des mains, pour le reposer délicatement à sa place.

— Donc tu m'as volé mon talisman en souvenir de moi ?

Haussement d'épaules. Celui qui signifiait : « Oui, Rune. »

— Comment tu fais pour voler aussi aisément ?
Et dans ce cas, pourquoi ne pas dérober des objets
de grande valeur ?

— Comme tes reliques ? Ces trucs-là, ce ne sont
que des AC. « Appels au cambriolage », précisa-
t-elle devant son regard perplexe. Tu connais le
principe du cambriolage, des gens qui pénètrent
sur ton territoire pour te piquer tes affaires ?

Il avait remarqué l'antivol sur la porte de sa
chambre de motel. Cette créature était peut-être
hybride, elle n'en était pas moins aussi possessive
en matière de territoire que tous les vampires qu'il
avait rencontrés.

Elle se dirigea vers une commode, dont elle
ouvrit un tiroir plein de sous-vêtements pour y
choisir deux morceaux de tissu et de dentelle noirs.

— C'est quoi, ton talisman, d'ailleurs ? Je t'ai vu
le faire rouler dans ta poche.

— Je commencerai à te parler de mon passé sitôt
que tu m'auras raconté quelque chose sur toi.

Il s'assit sur le lit, toujours d'aussi bonne humeur.
Comment pouvait-il se sentir à ce point serein, avec
tout ce qu'il avait perdu ? Pendant des millénaires,
sa collection avait été sa seule quête non létale.
Peut-être masquait-elle seulement ses manques
dans d'autres domaines.

Pas d'ancêtres à découvrir avant lui ; pas de descendance après lui ; pas d'espoir d'âme sœur.

À présent, en regardant la vampire sur le point
de se déshabiller, il n'arrivait même plus à se rappeler quelle était la pièce favorite de sa collection.
Laquelle était sa dernière prise. Au moins, elle avait
épargné sa précieuse bibliothèque.

— Je devrais tout détruire ici, pour me venger,
grommela-t-il néanmoins.

Elle lui offrit un sourire par-dessus son épaule.

— Essaie et on verra bien où ça te mène.

Il s'allongea sur le lit, les mains croisées derrière la tête, inhalant le parfum de mûres sauvages sur son oreiller.

— Alors comme ça, tu me croyais parti fricoter avec les nymphes et tu as détruit mes affaires ? Tu as dû piquer une sacrée crise de jalousie.

La possessivité l'avait toujours insupporté. Étrangement, celle de Josephine faisait durcir son sexe encore un peu plus.

Néanmoins, il lui ferait passer cette sale habitude.

— Raison pour laquelle on doit travailler sur tes problèmes de jalousie...

Il laissa sa phrase en suspens car elle venait d'ôter la chemise qu'elle lui avait empruntée et se retrouvait nue devant son miroir ébréché.

Rune caressa son sexe devenu douloureux. Quand il parvint enfin à détourner les yeux de ce fessier, il croisa le regard de Josephine dans la glace. Il avait la vue obstruée par des stries noires.

— Si on s'associe pour cette mission, on va aussi s'associer d'autres façons.

— Comment ça ?

Elle se glissa dans un minuscule string, et il remarqua la lumière qui jouait avec le métal de ses piercings aux tétons.

Il fallait qu'il les suce, qu'il les suce si fort qu'elle le sentirait encore le lendemain.

— Prépare-toi à du sang et à des jeux en chambre.

Une fois cette mission accomplie, ils ne quitteraient pas le lit pendant des semaines.

— Tu remets le sujet du sexe sur la table ? Je ne suis pas à la recherche d'un coup sans lendemain. Je t'avertis : le prochain gars avec qui je coucherai, ce sera pour la totale. Relation, confiance, engagement, amour. La totale.

Si jeune, si immature.

— Que connais-tu de toutes ces choses ?

Elle agrafait à présent un soutien-gorge en dentelle sur des mamelons qui ne devraient jamais être cachés.

— J'ai vu l'amour, et je veux le vivre à mon tour.

La buveuse de sang aux rangers rêvait d'histoire romantique ?

Quelle femme fascinante. Il émit pourtant un grommellement mécontent.

— Quand deux personnes sont liées par une connexion inviolable, expliqua-t-elle, les yeux brillants, cette relation agit comme un réacteur, elle leur offre force et chaleur, plus un sentiment d'appartenance. Ça les rend surpuissants. Ce sont eux, les véritables super-héros.

Elle en parlait avec tant de passion qu'il se surprit presque à y croire. Et puis il se rappela la réalité.

— Les sombres feys n'aiment pas. Nous en sommes incapables.

Elle lui jeta un regard furibard en saisissant son jean.

— Ne me raconte pas tes conneries à la Spock. Tout le monde en est capable.

— Spock ?

— *Star Trek*, la série télé, ça te dit quelque chose ? Spock, c'est le monsieur très rationnel aux oreilles en pointes.

— Alors ce Spock est un fey ? Ils sont connus pour posséder ces deux caractéristiques.

Rune était assez versé dans la culture populaire de ce monde depuis que ses sources d'information

– à savoir les nymphes – l'étaient. Pourtant, il n'était pas sûr à cent pour cent de connaître ce Spock.

Josephine roula des yeux.

— Bref, jamais je ne coucherai avec toi si on n'a pas une relation exclusive.

— Et si l'on suit ta drôle de logique, pendant combien de temps suis-je censé rester sans prendre une autre femelle ?

Il avait déjà du mal à envisager ne serait-ce qu'une journée de monogamie...

— Si tu as une relation sexuelle avec moi, ce sera une façon de me dire que tu désires une relation, un engagement, un lien entre nous. Que tu ne t'imagines plus jamais coucher avec une autre femelle.

Penchant la tête, il la regarda mouler ses fesses exquises dans son jean. Ensuite seulement les paroles atteignirent son cerveau.

— Selon tes critères, tout acte sexuel devient impossible entre nous, conclut-il, en sachant cependant qu'il la mettrait bientôt dans son lit.

Oui, il réussirait à la séduire, à la rallier à sa conception des choses.

La séduction, c'était sa spécialité.

Elle enfila un tee-shirt délavé.

— Tant pis pour toi.

Toute sa vie, des gens avaient tenté de le changer. Magh l'avait façonné, refaçonné à l'envi. Même Orion avait participé à sa transformation. Ce dont Rune lui était reconnaissant, d'ailleurs, mais à présent il en avait soupé de changer pour les autres. Il était satisfait de ce qu'il était devenu. Ou du moins n'était-il pas « complètement dégoûté de la vie », comme l'avait formulé Dalli.

N'importe quel mâle tuerait pour avoir son existence, voyager dans les mondes, guerroyer et baiser une femelle différente chaque nuit.

Et voilà que cette vampire voulait le changer une fois de plus ?

— Tu me connais depuis quatre jours – dont deux durant lesquels tu dormais. Et pourtant tu crois me connaître suffisamment bien pour entamer une relation ?

Elle haussa les épaules. « Oui, Rune. »

— Je sais juste que je ne coucherai plus avec personne sans perspective d'engagement.

— Je réussirai à te convaincre du contraire, affirma-t-il en reposant sa flasque. Comme je te l'ai dit, on va travailler sur ton problème de jalousie.

— Rune, je jure sur le Mythos de ne jamais avoir de relation sexuelle avec toi si on n'a pas de relation…

Il se téléporta en une fraction de seconde pour lui plaquer la paume sur la bouche. « Exclusive » ?

— Ne prononce pas ce mot. Tu ne le penses pas vraiment.

Elle se dégagea de son étreinte.

— Tu as l'air terrifié, mon pauvre !

— Tu n'as donc pas retenu la leçon ? Il ne faut pas jouer avec les serments.

— OK, OK. Mais tu sais ce que j'en pense. Et tu sais comme je peux être entêtée.

— Les démons ont besoin de se soulager plusieurs fois par jour, l'informa-t-il.

S'il ne la croyait pas vraiment Abstinente, il pensait néanmoins qu'elle en savait sans doute aussi peu qu'eux.

— Or là, ça fait plusieurs jours que je ne l'ai pas fait.

Pas depuis les quatre nymphes.

En repensant à ce rendez-vous, il ne ressentait même pas un sursaut sous la ceinture. En revanche, imaginer Josephine collée contre le mur de cette cour tandis qu'il balançait entre ses cuisses le rendit tellement dur qu'il en eut mal.

— Tu ne veux même pas essayer de me convaincre, moi, en couchant avec moi ?

Elle sauta dans ses rangers.

— Je passe mon tour.

Peu importait. Sa résistance actuelle rendrait la victoire finale d'autant plus appréciable. Il se tourna vers la commode et ouvrit un tiroir. Qui contenait un sac à dos et un cahier dont dépassaient des photos. Elle avait dessiné des formes abstraites sur la couverture.

Elle vint se placer à côté de lui et referma le tiroir d'un coup de hanche.

— Je suis prête.

— Maintenant je sais où fouiller la prochaine fois que je viendrai ici.

Tant de secrets à découvrir pour un maître en la matière tel que lui.

— Tu ferais mieux de t'arranger pour que ce retour n'ait rien à voir avec l'assassinat de Nïx, autrement je ne boirai plus jamais.

Et s'il se rendait dans une nichée de nymphes et que Nïx se montrait ? S'il tuait la Valkyrie dans ces circonstances, l'assassinat déclencherait le serment de Josephine ! Autant dire qu'il ne pouvait plus la quitter. À nouveau, il ressentit l'importance de tuer Nïx.

— Alors, viens. On doit se mettre en chasse. Et puis, j'ai hâte de quitter cet endroit pitoyable.

— Va te faire voir, Ruine.

Il sentit ses épaules se crisper.

— Je t'ai déjà dit de ne pas m'appeler comme ça.

Elle ne se rendait pas compte des risques qu'elle prenait à le défier ainsi, quand il était encore dur de l'avoir regardée se changer et que sa moitié démon souffrait du manque de sexe. Quand leur avenir se retrouvait plus imbriqué d'heure en heure. La pression augmentait de tous côtés.

— Alors ferme-la.

Elle écarquilla les yeux.

— Ferme-la toi-même, Ruine.

Dieux qu'elle était sexy quand elle s'énervait !

— Je ne plaisantais pas, quand j'ai menacé de te tanner les fesses, fillette.

Une image qui ne fit que déchaîner un peu plus son démon.

Elle lâcha un rire hautain.

— Essaie toujours, vieux schnock.

Cette provocation... Elle en appelait à tous les besoins les plus primaires qui le tenaillaient de la coller sur un lit et de la soumettre. De la couvrir et la baiser jusqu'à ce qu'enfin cette pression soit évacuée.

— Tu ne pourrais plus t'asseoir pendant des jours.

— Je te mets au défi, Ruine.

Et elle le bouscula en montrant les crocs dans un large sourire.

Comme actionner un interrupteur.

Le démon en Rune réagit de façon irrépressible. Il sauta sur elle, l'agrippant par la nuque d'une main, tandis qu'il lui plaquait l'autre sur les fesses et l'envoyait voler contre le mur avec lui. Les parpaings craquèrent. Il fit courir les lèvres dans son cou.

— Tu me défies ?

Elle cesserait de faire la maligne si je la marquais.
Elle serait trop occupée à jouir, à s'abandonner.

— Alors que je suis tellement plus fort que toi ?

Elle respecterait le mâle qui la maîtriserait.

— Le mur est encore intact. C'est tout ce que tu as dans la culotte ?

Il lui fourra une main entre les jambes.

— Tu vas voir ce que je vais lui faire, à ta culotte... AHHHH !

Elle venait de lui enfoncer ses crocs acérés dans le cou.

Il renversa la tête en arrière.

— Tu ne peux plus te passer de moi ! gronda-t-il, déjà en train de se retenir de jouir.

Elle hocha la tête, lapant et suçant.

— Ah, bons dieux, oui bébé. Bois-moi. Je veux que tu m'avales tout entier.

Usant de sa poigne sur ses fesses pour la maintenir immobile, il balança son sexe gonflé contre son entrejambe. *J'ai besoin d'être sur elle ; en elle.*

Elle aussi avait faim de ce contact et voulait les rapprocher toujours plus. Les griffes enfoncées dans son dos, elle lui noua les jambes autour de la taille.

Cette minuscule créature veut faire de moi sa proie. Cette pensée lui vrilla les testicules.

— Suce-moi. Vide-moi !

— Hmmm.

Elle répondait à ses frottements, accélérant les mouvements de son bassin.

— Ah, je te sens ! Ta petite chatte est tellement mouillée. Douce, glissante. Je n'arrête pas de penser à ton goût.

Il essayait de se retenir, de prolonger leur plaisir. Mais il l'entendait déglutir tandis qu'elle le buvait, il imaginait son sang chaud qui emplissait ce petit corps sensuel, qui courait partout à travers lui.

— Oh putain ! gronda-t-il. C'est trop bon ! Tu vas jouir pour moi ?

Elle geignit contre son cou, suçant avec avidité, frottant, frottant...

— Plus fort !

Le sexe de Rune pulsait, ses testicules se serraient.

— Tu as dit que tu me baiserais avec tes crocs. Fais-le.

Elle enfonça les griffes plus profondément, et le mordit plus fort.

Alors le cerveau de Rune se renversa. Son sexe tressauta dans son pantalon. Il poussait contre elle, encore et encore, les mots se déversaient de sa bouche malgré lui. Le plaisir le torturait, le fouettait, lui faisait trembler les jambes.

Josephine interrompit sa morsure pour renverser la tête en arrière. Ondulant toujours contre lui, elle hurla, et il vit le cri sortir de sa gorge pâle.

— Voilà, lui dit-il à l'oreille d'une voix râpeuse. Tu aimes la façon dont je te fais jouir...

Après un dernier frisson, elle rouvrit les yeux et les plongea dans les siens. Ses iris étaient noirs, ses lèvres gonflées quand elle passa la langue dessus pour goûter encore le goût qu'il y avait laissé.

Ils retinrent leur souffle, bougeant encore l'un contre l'autre avec langueur. L'instant était empreint de... quelque chose. Rune craignait de prononcer des paroles qu'il regretterait. Ou qu'elle regretterait.

Pourtant, il n'arrivait pas à la relâcher...

On frappa à la porte et elle répondit par un feulement.

À contrecœur, il la reposa au sol, avant de rajuster son sexe encore terriblement sensible.

— Je t'en prie, dit-il, curieux de la voir interagir avec autrui – il ne l'avait vue que face à Nïx.

Elle se téléporta jusqu'à la porte et l'ouvrit sur un humain. Mâle.

— Vous avez vraiment envie que je vous écorche vif, lâcha-t-elle. Contribuer à ma couverture en peau d'homme. Revenez dimanche, c'est mon jour de couture.

L'homme était blême et il empestait l'urine. Il lui tendit un morceau de papier.

— Une femme du nom de Nïx a laissé ce message pour vous tout à l'heure.

34

Jo arracha le mot des mains du propriétaire, avant de lui claquer la porte au nez.

— Alors, montre ce que t'a écrit la Valkyrie, demanda Rune.

Bonne question. Elle lui tendit le papier.

— Trop en colère pour le lire.

Il déplia la feuille et lut à voix haute :

— « Attrape-moi si tu peux. Je suis sur un bateau pour la Chine, histoire de récupérer du thé de haute qualité. La plus haute. »

Il releva les yeux sur Jo.

— Elle veut qu'on parte à sa poursuite.

— Tu penses vraiment qu'elle s'en va là-bas ?

Et eux, ils allaient vraiment se lancer à ses trousses ? Jo n'avait jamais quitté son bon vieux Sud. Elle n'était jamais allée plus loin que le Texas à l'est et la Floride à l'ouest. Mais après une bonne dose du sang de Rune – et un orgasme à tomber – elle se sentait prête à tout.

— Je le crois, oui. Elle est trop folle pour craindre ses ennemis, et elle aime jouer. Elle est pire que Loki. (*Qui ça ?*) Si elle nous laisse des messages, on peut être à peu près certains qu'elle observe le moindre de nos mouvements.

— Dans ce cas, elle va prévoir chacune de nos tentatives, non ?

— Sans doute, admit-il en froissant la feuille. Nom des dieux !

— Alors qu'est-ce qu'on fait ?

— On part à sa poursuite là-bas, dit-il en lui jetant un regard plein de regrets. Ce qui ne signifie pas que j'abandonne mon projet.

— Elle commettra peut-être une erreur.

— Je suppose que tu n'as jamais eu l'occasion de visiter la Chine, au cours de ta brève vie ?

— Nan.

Il se passa les doigts dans les cheveux.

— Je ne peux pas non plus nous téléporter jusque là-bas.

— Comment tu le sais ? Tu as essayé ?

— Je le sais car les Mythosiens ne peuvent se téléporter que vers des endroits où ils se sont déjà rendus, ou dans des endroits visibles, répondit-il sur le ton que l'on emploierait avec un enfant.

— Je le savais. Attends... Vieux comme tu es, tu n'es jamais allé en Chine ?

— J'ai passé la plupart de ma vie dans les Autreroyaumes. Sur Gaia, je ne suis qu'en visite, je ne suis jamais allé qu'en Australie et en Amérique.

— Comment on va voyager, alors ? Je n'ai pas de passeport.

Impossible de prendre l'avion. Elle ne pouvait même pas s'inspirer de Nïx et embarquer sur un bateau.

— On va y aller grâce à un autre démon, quand on en aura trouvé un qui a déjà visité la Chine. Moyennant finance, il acceptera de nous téléporter.

Il alla se planter devant sa liasse de billets et l'empocha, laissant une poignée de grosses pièces d'or en échange.

— Pour le voyage.

— Et on fait comment pour trouver un démon ?

— Ils aiment bien traîner dans les nichées de nymphes.

— Ça m'aurait étonnée que la solution à notre problème n'implique pas des nymphes.

Quand Rune avait une idée en tête, il ne l'avait pas ailleurs. Il tendait les mains vers ses nymphes, comme un accro aux jeux les tendrait vers ses dés.

— C'est quoi, ton problème, avec elles ? s'enquit-il, l'air incrédule.

— Eh bien, on leur accorde peut-être moins de valeur, là d'où je viens.

— Les nymphes sont cachées partout. Si tu dois tenir une conversation secrète, ne le fais pas près d'un arbre, d'un rocher ou d'une flaque, car une nymphe pourrait fort bien se cacher à l'intérieur.

— Celles qui surveillent Val Hall pour toi sont à l'intérieur des chênes ?

Voilà qui ressemblait étrangement à de la fantomisation !

Il hocha la tête.

— Ce sont les Dryades, les nymphes des arbres.

— Il y en existe de différentes sortes ?

— Oui, basées sur les éléments. Aussi loin que remonte la mémoire des immortels, les nymphes sont toujours restées neutres durant les guerres mythosiennes, ne se battant que pour se défendre. Leurs nichées sont des zones de paix ct attirent toutes les espèces immortelles, ce qui signifie que tu peux y observer tes ennemis sans te soucier de mourir. Ou que tu peux y dégoter un démon d'accord pour te téléporter dans un autre pays.

— Tu as l'air sacrément admiratif.

Il poursuivit, comme si elle n'avait rien dit :

— La neutralité leur permet de vivre très longtemps et d'acquérir une grande sagesse. Cela explique également qu'elles soient aussi nombreuses. Certains prétendent que les nichées sont la colle qui maintient le Mythos en un seul morceau.

— En tout cas, elles semblent te coller, toi.

Il lui offrit un mince sourire.

— On pourrait aller faire un tour à la nichée des Nephele.

— Les « Nephele » ?

— Les nymphes des nuages. Leurs visiteurs sont plus interdimensionnels. Mais au préalable, il nous faut localiser Nïx de façon plus précise, en trouvant quel est l'endroit le plus élevé où l'on cultive le thé en Chine. Allume ton ordinateur et cherche-nous ça dans Google.

Il fronça les sourcils, avant de commenter :

— Je n'arrive même pas à croire que je viens de prononcer cette phrase.

— « Google » ?

— J'ai appris son existence de…

— Laisse-moi deviner : des nymphes ?

— Quelques-uns de leurs « clients » m'ont appris que Google était une sorte d'oracle. Si tu poses précisément la bonne question, il te fournit une réponse correcte.

Jo s'abîma dans l'observation de la bordure décousue de son tee-shirt.

— Je n'ai pas d'ordinateur, je fuis plus ou moins la technologie.

Elle était profondément embarrassée par son illettrisme, et ne souhaitait pas que Rune le découvre avant d'être tombé raide dingue d'elle.

À de multiples reprises, elle avait imaginé ce qui se serait produit si elle avait accepté l'offre d'adoption de MamB ; pour vivre avec une bibliothécaire, nom de Dieu, une prêteuse de livres.

À l'heure qu'il est, Jo saurait lire. On ne lui aurait pas tiré dessus. Et elle n'aurait pas ressuscité.

Sauf qu'à présent, elle était encline à penser que sa transformation était de toute façon inévitable. En allait-il de même pour Thad ? Les preuves s'amoncelaient.

Et s'il était comme elle, comment MamB réagirait-elle en voyant son cher fils boire du sang ?

— Si tu n'as pas d'ordinateur, alors allons dans une bibliothèque, suggéra Rune.

Jo y allait souvent – mais seule. En compagnie de Rune, elle aurait énormément de mal à cacher son incapacité à lire, dans un endroit pareil.

— Ou on pourrait aller dans un cybercafé près de la fac.

Toujours un peu risqué.

— Je te suis.

Devant le café, Jo regarda Rune s'extraire d'une foule d'admiratrices. Les femmes s'étaient mises à faire la queue pour lui montrer comment utiliser Google.

Je viens de jouir avec ce gars, n'avait cessé de penser Jo. Et pourtant, il avait offert à chacune de ces filles son sourire à faire fondre les culottes.

Grâce à l'une d'elles, ils avaient découvert l'existence du mont Hua, l'une des plus hautes montagnes de Chine. Rune pensait que le mot de Nïx faisait référence au salon de thé situé au sommet de ce mont Hua.

Pour l'atteindre, il fallait en faire l'ascension sur une série de planches branlantes clouées à flanc de montagne. La grimpette était considérée comme l'une des plus dangereuses au monde. Certains passages particulièrement traîtres du sentier portaient des noms comme « le Précipice de Mille Pieds », « l'Épervier Glissant » ou « l'Arête du Dragon noir ».

Les mortels qui entreprenaient cette ascension avaient souvent des accidents mortels. Jo était surexcitée à la perspective de partir dans un endroit aussi exotique. Rune, quant à lui, semblait beaucoup moins enthousiaste.

Tout ce qu'il leur restait à faire à présent, c'était de trouver un démon qui accepte de les emmener en Chine.

Rune finit par émerger.

— Allons quelque part à l'abri des regards, que je puisse nous téléporter.

Si elle avait été seule, Jo aurait disparu sous les yeux de n'importe qui. Avec un haussement d'épaules, elle se mit en marche à ses côtés.

— L'employé du cybercafé en connaissait un rayon en ordinateurs, et toi, comme par hasard, tu as choisi une étudiante pour t'aider ?

Jo était prête à parier que Rune n'aimait pas la compagnie de ses congénères masculins. D'ailleurs, elle ne l'imaginait pas entouré de beaucoup de copains mâles.

— Cette mortelle nourrissait à mon endroit un intérêt sexuel, ce qui la rendait particulièrement motivée pour répondre à mes questions.

— Tu ramènes toujours tout au sexe ?

— Quand je veux obtenir quelque chose de quelqu'un ? fit-il avec un clin d'œil. Oui.

Pouvait-elle vraiment s'attendre à autre chose ? Rune l'Insatiable usait de la séduction comme d'une arme depuis une éternité. Et il continuait aujourd'hui.

Jo lui répondit par un froncement de sourcils. *Il a une raison précise de vouloir me séduire, moi aussi ?*

35

— Les Nephele sont proches, annonça Rune.

Il avait téléporté Jo jusqu'à une prairie, sous un ciel parsemé d'étoiles.

Sans les lumières de la ville, les étoiles semblaient tellement plus brillantes. Après ce flashback pendant sa bagarre avec Nïx, Jo se demandait si elle les regarderait jamais de la même façon. Plus le temps passait, plus elle était persuadée que les réponses concernant son passé résidaient dans les étoiles.

— La nichée est droit devant, indiqua Rune en désignant un épais nuage de brouillard. Elles aiment s'accoupler avec des créatures terrestres, à tel point qu'elles ont posé leur nuage sur le sol.

Comme un banc de brume.

Il la prit par le coude et ils se dirigèrent dans sa direction. *Ça y est. J'y suis. Dans le Mythos.* Elle était en mesure de gérer ça.

— D'après toi, pourquoi Nïx est allée sur le mont Hua ? murmura-t-elle, plissant les yeux pour essayer de percer la brume.

— Tu n'as pas lu l'histoire ?

Elle détourna le regard.

— J'ai oublié.

— Les pèlerins cherchaient l'immortalité dans les sommets de cette région. Il se peut que la légende contienne un brin de vérité, et que quelque chose l'y attire. Ou bien elle veut s'essayer à une ascension mortelle. Mieux vaut ne pas tenter de comprendre les motivations des fous, ou tu risques de devenir fou toi-même.

Des bruits de musique et des éclats de rire émanaient du brouillard. Des grognements résonnaient, pareils à des roulements de tambours.

— Tu penses vraiment qu'elle est dingue ?

— L'humain qui nous a transmis cette note empestait la peur. Elle a dû lui faire une petite démonstration de ses pouvoirs, se dévoiler, et ce, sans raison apparente. Ça prouve bien sa folie, non ?

— C'est donc si mal de notre part de montrer nos pouvoirs devant les humains ?

Comme écraser les testicules d'un type d'une main, tout en continuant à mâcher son chewing-gum ? Devant tout le voisinage ? Assez pour récolter un surnom de super-méchante ?

— Tu plaisantes ? S'il est une loi du Mythos que respectent toutes les factions, c'est bien celle-là. Les dieux feraient pleuvoir sur nous les pires châtiments, si la moindre infraction était commise. Se montrer devant les humains est censé porter horriblement malchance. Si ce n'est pire.

Décidément, la chasse ne réussissait pas à Jo, elle n'en retirait que des ennuis. Et pourtant, elle ne réussissait pas à arrêter. Pourquoi ?

— Tu as déjà attiré l'attention sur toi ? demanda Rune. Hormis en me propulsant à travers les étages d'un immeuble ?

Elle haussa les épaules.

— Il m'arrive d'infliger quelques petites punitions à certains humains. Quand je m'installe quelque part, j'ai l'impression que ça devient mon territoire et du coup, que les gens qui y habitent sont un peu à moi aussi. Si les maquereaux, les dealers de drogue et les caïds touchent à ma propriété, je les pourchasse. Je leur fais du mal. Je les élimine parfois.

Rune ne parut pas surpris.

— Les vampires sont des créatures territoriales, c'est de notoriété publique.

Ah oui, on est comme ça ? Pas étonnant qu'elle ait toujours éprouvé ce besoin de chasser !

— Je suis un peu la protectrice des prostituées.

Elle le sentit se crisper à ses côtés.

— C'est censé être drôle ?

Elle cilla.

— Non, c'est la vérité.

D'ailleurs, elle allait devoir planifier une visite de vérification sans tarder.

— Et donc, pourquoi les dieux sont-ils furax quand on fait notre *coming out* ?

— Ici, on est dans le monde des mortels. Même si les Mythosiens aiment penser que c'est aussi le leur, eh bien, ça n'est pas le cas. Ils se sont introduits ici par la force en colonisant la Terre. Les dieux veulent bien fermer les yeux, tant que les Mythosiens ne changent pas le cours de l'histoire des humains.

— Pourquoi ces créatures viennent ici, alors ?

Le brouillard était de plus en plus épais, l'herbe plus mouillée.

Rune lui posa sa paume chaude dans le bas du dos pour la guider. Ça n'était pas aussi agréable que lorsqu'ils se donnaient la main, mais prometteur tout de même.

— Gaia est un royaume paradisiaque, expliqua-t-il. La vie est très facile, ici, comparée au royaume de bien des espèces. Les immortels se rassemblent dans certaines villes connues pour leur population riche en Mythosiens. Comme La Nouvelle-Orléans. Les communautés déjà bien établies leur sont plus utiles.

Voilà qui expliquait pourquoi Jo avait croisé tellement plus de monstres là-bas.

— Combien y a-t-il de dimensions ?

— Certains disent que leur nombre est infini. La plupart d'entre elles restent inexplorées.

« Infini ». Waouh. Ce ne serait pas trop cool d'explorer de nouveaux mondes ? Surtout si ce gars restait à ses côtés.

— On approche de la nichée.

Rune remonta son col pour cacher sa morsure.

— Ça te gêne ?

Il se tourna vers elle et sa voix se fit plus profonde.

— Au contraire. J'ai une magnifique vampire qui ne se lasse pas de me percer de ses crocs.

Pas faux.

— Mais je ne veux pas révéler ce que tu es, poursuivit-il. De toutes les espèces avec lesquelles fraternisent les nymphes, les vampires sont parmi les moins appréciées. On raconte que l'un d'eux a bu une nymphe à mort. Tes yeux sont clairs et tu ne sens pas le vampire, alors tu ne devrais pas avoir de mal à passer pour un membre d'une autre espèce. En plus, je ne veux pas révéler ton immunité à mon sangfléau, pas avant d'avoir découvert quelle est l'autre moitié de ton hybridation.

— Je vois. J'essaierai de ne pas vider une nymphe de son sang pendant notre visite.

Un groupe de femelles sortit de la brume non loin d'eux, le pas traînant et le rire facile. Elles portaient des robes si fines qu'on les aurait crues taillées dans le brouillard lui-même. Des bijoux en argent pendaient à leurs oreilles tels des voiles, et elles en avaient aussi dans les cheveux.

Jo, elle, portait jean et rangers, ainsi qu'un tee-shirt « Red Flag » miteux.

Les nymphes rejoignirent un groupe de robustes démons aux cornes incurvées couleur coquillage. Qui leur donnaient un sacré look de durs à cuire. Jo pencha la tête, se demandant comment elles étaient au toucher.

Elle sentit le regard de Rune posé sur elle. D'habitude, elle pouvait épier les gens tout à loisir. Maintenant, c'était lui qui la regardait observer les autres.

Plus loin dans la prairie, ils croisèrent un autre groupe. Jo cilla. Non, elle devait rêver.

Des centaures montant des nymphes en pleine extase.

— Comment ça se peut, ce truc ?

Elle avait aperçu des centaures, sur Tortua, mais les voir ainsi en pleine chevauchée, si on pouvait dire, lui fit serrer machinalement les cuisses.

Rune détourna les yeux.

— Un corps d'immortel est capable de choses incroyables.

— Je parie que tu assistes à des scènes d'orgies nymphomanes comme celle-ci tout le temps.

Mieux, il jouait le premier rôle dans ce genre de scènes.

— Pas toi ? Les Mythosiens ne sont pas prudes. Et l'on voit des nymphes se faire baiser un peu partout dans le Mythos. Surtout dans des royaumes de poche comme celui-ci.

— « De poche » ?

Il lâcha un soupir.

— Je ne me rappelle pas la dernière fois où j'ai rencontré quelqu'un d'aussi peu au fait des choses du Mythos. Un royaume de poche, c'est une dimension qui partage les caractéristiques de Gaia. Même soleil, même lune, mêmes étoiles, même météo, etc.

Il pencha la tête.

— Manifestement, tu as été très protégée, et puis tu n'as que vingt-cinq ans. Ce qui me pousse à me demander combien d'amants tu as connus.

Elle releva le menton.

— Trois.

Il éclata de rire.

— Trois ? Preuve supplémentaire que tu as été élevée parmi les moines. Trois, répéta-t-il, comme on répéterait la chute d'une bonne blague. Et c'était il y a combien de temps ?

— Un certain temps.

Que penserait-il, si elle lui avouait qu'elle n'avait eu qu'une poignée de rapports sexuels en tout et pour tout ?

— Et toi, tu as couché avec combien de maîtresses ?

— Trop pour pouvoir les compter.

— Tu m'as donné la même réponse quand je t'ai demandé combien de gens tu avais tués.

Toute sa bonne humeur sembla le quitter d'un coup.

— Tu serais étonnée d'apprendre comme ces deux chiffres sont liés, répondit-il en lui jetant un drôle de regard.

Non. Non, elle ne serait pas surprise. Elle connaissait certains détails. Elle envisagea un instant de lui avouer ses rêves, mais se rappela que, quatre jours plus tôt, il avait porté la main à son couteau en la soupçonnant d'être une *cosaçad*.

Ça ne serait pas idéal pour leur relation naissante, s'il décidait à nouveau de la tuer.

Ils approchaient d'une clairière dans la brume, au beau milieu de la prairie. Le brouillard flottait au-dessus, tel un auvent géant. En son centre, une fontaine débordait de vin. Des nymphes étaient attroupées autour, comme des top-modèles à une soirée œnologie.

— Rune ! couina l'une d'elles.

Les autres crièrent son nom en tapant des mains avec excitation. Quand elles se mirent à sauter sur place, leurs robes vaporeuses glissèrent. Et hop, les seins à l'air !

Elles se comportaient comme si une rock star venait d'arriver.

Soudain elles étaient tout autour de lui, à jouer des coudes pour avoir la meilleure place, écartant Jo de leur cercle. Le couvrant d'exclamations énamourées, elles lui caressaient les bras et le torse, chacune lui promettant moult secrets. Oui, ces filles-là avaient son numéro.

Et moi qui me croyais capable d'amener Rune à tomber amoureux de moi... Ma pauvre fille. Pourquoi diable un mâle abandonnerait ce style de vie ?

— Mes colombes, je suis ici pour trouver un démon, leur expliqua-t-il.

Elles se turent.

— Un démon capable de me téléporter sur tous les continents de Gaïa, poursuivit-il.

— J'en connais un, lança une nymphe coiffée d'un empilement de tresses au sommet du crâne. Combien vaudrait une information pareille ?

323

La meuf était en train d'inciter Rune à la baiser ? Et lui, il le ferait ?

— Ça vaudrait en effet une petite faveur, répondit-il d'une voix suave. Je peux trouver un démon tout seul, mais si je m'adresse à vous, mesdames, c'est pour gagner du temps. Ce qui signifie donc que je ne peux pas m'attarder ici aussi longtemps que je le ferais d'ordinaire.

Jo l'imaginait bien « s'attarder ». Ça fonctionnait comment, une orgie avec un seul homme ? Comme une sorte de buffet à volonté pour nymphes ? Ou bien elles attendaient chacune leur tour, comme le soir où elle les avait vues dans la cour ? Ses crocs s'aiguisèrent en même temps que son humeur s'aigrissait.

Elle avait beau apprécier Rune, jamais elle ne partagerait un homme. Alors s'il n'était pas capable de la garder dans son pantalon, elle serait obligée de passer à autre chose. Ce qui risquait de poser un problème dans l'éventualité où ils seraient liés par le destin et tout ça.

Puis elle se rappela que rien ne comptait plus que de libérer son frère. Bientôt Thaddeus referait partie de sa vie. S'il était comme elle, alors elle lui enseignerait tout ce qu'elle savait sur la fantomisation et la télékinésie. Le reste, ils l'apprendraient ensemble. Cet espoir lui donna le vertige. Son avenir s'annonçait carrément brillant.

Alors pourquoi se soucier que toutes ces femmes tripotent Rune ? Certes, elle avait le béguin pour lui, mais les coups de cœur, ça passait.

— Je te le dirai, mais seulement si tu jures sur le Mythos d'assister à notre prochaine Bacchanale, insistait la nymphe aux tresses.

— Facile, répondit Rune avec pompe. Je jure sur le Mythos d'y assister… à moins qu'une urgence ne survienne.

Bien joué.

— Et tu porteras le costume traditionnel ? s'enquit une autre avec excitation.

— Comment pourrais-je assister à une Bacchanale dans une autre tenue ? répliqua-t-il en leur offrant son fameux sourire.

Une nymphe se pâma.

— Je connais un démon d'orage nommé Deshazior, fit la nymphe aux tresses, en se rengorgeant. Il était pirate jadis, mais officie désormais comme transporteur. Il a voyagé partout sur Gaia.

Un pirate ? Intéressant.

— Et où puis-je le trouver, ma colombe ?

— Son équipage et lui aiment bien traîner dans un endroit appelé *Laffite*. C'est à La Nouvelle-Orléans.

Voyant Rune perplexe, Jo intervint :

— Je sais où c'est.

Les nymphes se tournèrent vers elle, les sourcils froncés. Comme si elles venaient tout juste de se rendre compte de sa présence.

— Qui est-ce, Rune ? s'enquit miss Tresses.

Aucune jalousie dans le ton, rien qu'une légère marque d'intérêt.

— Qui, moi ? fit Jo en frottant ses griffes noires contre son tee-shirt. Juste la nana qui l'a fait jouir dans son froc. Deux fois.

36

— Allez... Allez... Bouge-toi de mon passage.

Josephine écartait les passants, tandis que Rune et elle traversaient le Vieux Carré. L'enseigne du *Laffite* était droit devant eux.

Les mortels s'écartaient. Sentaient-ils à leur façon qu'ils avaient affaire à une prédatrice ?

— Allez... allez... bouge ton cul.

Pas de « excusez-moi » poli, pour la vampire. En lui cédant le passage, les mâles la dévisageaient, manifestement émus par son physique et sa silhouette d'un autre monde.

— Je peux passer devant, suggéra Rune, de plus en plus irrité par la réaction des hommes.

— Ça va. Je me débrouille.

Il n'aurait jamais cru être aussi attiré un jour par une femelle effrontée – surtout pas une qui se ferait un plaisir d'aller raconter à une nichée de nymphes qu'il avait joui deux fois dans son pantalon.

— Tu t'es bien amusée ? avait-il lâché d'une voix râpeuse sitôt qu'ils s'étaient retrouvés seuls.

À quoi elle avait répondu par un haussement d'épaules. « Oui, Rune... »

— Tu as couché avec toutes ces... comment tu les appelles, déjà ? Ces Nephelles ? lui demanda-t-elle quand la foule se fit moins dense.

— Nephele. Je suis quasi certain de les avoir toutes baisées. J'aime répandre l'amour autour de moi. Et si je ne le fais pas, elles se vexent.

Chose à éviter absolument.

L'enfer n'était rien à côté de la furie d'une nymphe négligée.

Apparemment, il avait possédé chaque Dryade de la nichée de Dalli à l'exception d'une seule, la jolie Meliai, qui fulminait d'avoir été délaissée ainsi. Avant qu'il quitte Dalli, un peu plus tôt, la nymphe était passée, espérant se joindre à eux. Mais quand il l'avait repoussée, elle avait prétendu posséder une clé qui lui permettrait de franchir le barrage des spectres... Et qu'elle ne l'échangerait que contre du sexe.

Pour l'instant, les runes à son poignet ne montraient aucun signal d'alerte émanant des nymphes de Val Hall. Tant que Nïx ne serait pas rentrée à résidence, les spectres ne constituaient qu'un souci mineur...

Josephine s'était immobilisée, l'obligeant à se retourner.

— Quoi ?

— « Baiser » ? « Répandre l'amour » ? Je tourne en rond, avec toi. Parfois je me dis que tu es la meilleure chose qui me soit arrivée depuis l'invention du sang en sachets. Et d'autres fois, comme maintenant, je me demande bien ce que je te trouve.

Elle passa devant lui pour se diriger vers l'une des portes du bar bondé.

Rune la suivit des yeux. Elle ne pouvait pas mentir ; elle pensait vraiment ce qu'elle venait de dire.

Tout comme les informations venaient à lui, les femelles s'agglutinaient autour de lui. Il n'avait qu'à se tenir à leur portée et les situations se solutionnaient d'elles-mêmes. Allait-il devoir prêter attention à tout ce qu'il disait, à présent ?

Non, non. Sitôt qu'il aurait couché avec la vampire, elle se montrerait plus docile. Il la rattrapa.

Une fois à l'intérieur, il jeta un coup d'œil à la ronde, à l'affût de potentiels ennemis. Le domaine fey de Sylvan était un royaume de poche de Gaia. Tôt ou tard, Rune tomberait forcément sur des chasseurs de primes de Sylvan, voire sur le roi Saetthan lui-même.

Il visualisa le visage de son frère, si semblable au sien. Bien que Saetthan ait hérité des cheveux blonds de Magh et de ses yeux bleus, il tenait sa haute stature et ses traits de leur père.

Saetthan était la cible prioritaire de Rune, d'autant qu'il s'était octroyé le rôle de protecteur des quatorze membres encore en vie de la lignée de Magh.

Rune ne décela la présence d'aucun fey dans le bar, mais à l'abri d'un coin sombre, au fond, un groupe de cinq démons occupait une table. Chacun possédait des cornes de formes différentes indiquant son espèce d'origine.

— Je pense que voilà notre contact, chuchota-t-il à Josephine en désignant le plus grand du menton.

Le mâle en question était doté d'un torse colossal et de grandes cornes pointées vers l'avant, typiques des démons de tempête. Debout, il devait mesurer plus de deux mètres dix.

— Je vais rencontrer un démon pour de vrai, souffla Josephine en pressant le pas.

Rune la suivit.

— Tu es déjà avec un démon. Je suis moitié démon, je te rappelle.

— Ouais, mais tu n'as pas des cornes trop cool comme ce mec.

Je devrais, pourtant. Rune les avait espérées toute sa vie, tout comme il avait rêvé de posséder le sang rouge des démons.

Il posa le regard sur la vampire. Et qu'en serait-il s'il avait le sang rouge, d'ailleurs ? Si attirée qu'elle soit par son sangfléau, se pouvait-il qu'elle lui en préfère un autre ? Et si c'était exclusivement le sangfléau qui l'attirait chez lui ? Plus tard, il exigerait de savoir quelle sorte de sang elle préférait.

Une fois devant la table, Rune s'adressa au démon de tempête.

— Tu es Deshazior ?

— Ouais, c'est moi, répondit l'autre avec l'accent typique des pirates.

L'énorme patte qui lui servait de main se referma autour d'une chope de breuvage.

— On a entendu dire que tu pouvais nous aider à voyager.

Sans plus prêter attention à Rune, le démon se tourna vers Josephine.

— Alors comme ça, on cherche à faire une balade, beauté ? demanda-t-il, accompagnant ses paroles d'un regard appuyé sur l'ensemble de son corps.

Rune n'appréciait pas cette attitude. Deshazior devait bien se douter qu'elle était avec lui. Au mieux, l'intérêt évident du démon était irrespectueux. Au pire, il pouvait être pris comme une marque d'hostilité vis-à-vis de Rune.

— Oui, on cherche un moyen de se rendre quelque part, répondit-elle.

Le démon se leva, bien trop près d'elle, puis tendit une main.

— Je m'appelle Deshazior. Mais tu peux m'appeler Desh.

Elle le laissa engloutir sa petite main dans la sienne, qui était énorme.

— Josephine, répondit-elle en tordant le cou pour lever vers lui un regard quasi hypnotisé. Et tu peux m'appeler Jo.

Jo ?

— Ah, ma jolie Jo, viens donc dehors avec moi, qu'on discute un peu, dit-il en lui relâchant enfin la main. J'ai besoin de savoir où je peux t'emmener et quand. Même si je sais déjà que j'irais n'importe où avec toi.

Sans rire, démon ? Rien de plus balourd en rayon ? Comme si ce pirate avait la moindre chance !

Aucun des deux ne lui accorda la moindre attention quand ils se dirigèrent vers la sortie. Une fois près de la porte, Jo lança :

— Oh, attention ! Penche-toi sinon tu vas te cogner les cornes !

Deshazior lui jeta un regard torride.

— Et elle est attentionnée, en plus ?

Discrète ou pas, elle devait bien se douter que la moindre référence aux cornes d'un démon pouvait être interprétée comme une invitation !

Dans la rue, Deshazior désigna Rune.

— Je suppose que c'est un fey, lui. Mais toi, qu'est-ce que tu peux bien être ?

— Une vampire.

Elle disait ça au démon, alors qu'à lui, elle refusait de révéler la moindre information ?

— J'ai jamais trop aimé les vampires, fit Deshazior. Jusqu'à ce que je rencontre un petit bout nommé Jo, ma première femelle vampire. Vous êtes toutes aussi splendides ? demanda-t-il en la désignant des pieds à la tête.

Un grand sourire éclaira le visage de Jo. Elle rayonnait.

— Et vous, les démons, vous êtes tous aussi charmeurs ?

Deshazior se pencha encore un peu plus près d'elle.

— J'ai été dur avec ceux de ton espèce par le passé. Tu veux me punir pour mes erreurs ?

Elle se pencha aussi, les yeux dans les siens.

— Ose recommencer, sale rat, et je te mordrai jusqu'au sang, avant de te tanner la couenne.

— Waouh, incroyable ! souffla Deshazior, en portant une de ses grosses pattes à son torse.

Jo pouffa. Elle pouffa !

— Je parle le *Pirates des Caraïbes* couramment.

Rune était complètement oublié.

— Et où est-ce qu'un si beau brin de vampire souhaite se rendre ? Parce que moi, je suis prêt à te téléporter à l'autre bout des mondes.

— On a besoin d'aller en Chine, intervint Rune. Au mont Hua.

— Tu as de la veine, répondit Deshazior à l'intention de Josephine. J'ai bourlingué partout dans ce pays. Je peux t'emmener direct au pied de la montagne.

— Partout ? demanda-t-elle. Et personne ne t'interroge jamais sur tes cornes ?

Elle les mentionnait encore !

— Tu vois mon tee-shirt ?

Ce dernier était orné des mots « Big Easy[1], Casting ».

---

1. Surnom donné à La Nouvelle-Orléans. (*N.d.T.*)

Elle pencha la tête.

— Oui, je vois.

— Les gens croient que je porte des prothèses pour un film.

— Oh, cool. En tout cas, elles sont super grandes.

Ses paroles enflammèrent le démon, dont les cornes gonflèrent encore. Josephine écarquilla les yeux.

— C'est dingue ! Je peux les toucher ?

Rune n'en revenait pas.

Deshazior ne se le fit pas répéter deux fois pour pencher la tête vers elle.

— Vas-y, beauté, réalise mes rêves !

— Ça suffit, les coupa Rune. On est pressés.

Ils ne semblaient pas pressés du tout, eux.

— On se programme ça pour plus tard ? suggéra Josephine.

— Oh que oui, ma toute belle, répondit Deshazior, d'une voix devenue rauque.

Elle draguait Desh !

Ce n'était pas comme avec Rune, mais elle ressentait une attirance étrangement forte pour ce gentil démon.

Desh était beau, à sa façon surnaturelle, et puis son accent était plutôt sexy. Quant à ses cornes, elles étaient encore plus cool vues de près.

Quand il baissa la tête pour lui sourire, elle leva les yeux vers lui et esquissa un sourire confus. Pour quelqu'un qui détestait plus ou moins tout le monde, elle avait un bon feeling avec ce gars-là. Elle aurait presque pu imaginer s'en faire un ami.

Son premier !

Tant de choses commençaient à changer dans sa vie. L'avenir s'annonçait prometteur...

Néanmoins, si elle avait tout de suite bien aimé le démon, Rune et lui avaient semblé se haïr cordialement au premier regard.

— Donne-nous ton prix, à la fin, exigea Rune.

Le sombre fey était-il jaloux ? Ou était-ce un autre exemple de ses rapports conflictuels avec la gent masculine ? Elle penchait plutôt pour la seconde.

— Pour la demoiselle, ce sera gratuit, répondit Desh, sans reculer d'un pouce. Toi, tu vas me payer un doublon d'or... Sinon, elle part seule.

Jo étouffa un éclat de rire.

Les yeux étrécis, Rune sortit une pièce de sa poche, qu'il lança au démon.

Desh l'attrapa et sembla la soupeser.

— C'est du bel or, commenta-t-il, avant d'enfoncer un croc dans un coin de la pièce. Et du vieil or. D'où tu viens, l'étranger ?

Les lèvres de Rune se serrèrent pour ne plus former qu'une ligne mince.

— D'un endroit où les démons se mêlent de leurs affaires.

Jo lui jeta un regard furieux.

— Tu ressembles à un fey, mais ces crocs que tu dévoiles sont ceux d'un démon. J'aurais dû le deviner à tes yeux.

Les sourcils froncés, Desh reporta son attention sur Jo.

— T'es au courant que c'est un salaud de sang-fléau, ma belle ? Une bonbonne de poison vivante et qui porte malheur en plus. Si tu as soif, le sang d'un démon de tempête... (Il frappa son large torse.) Y a rien de plus fort et riche. J'ai mille ans, alors j'ai dû vieillir comme le bon vin.

— Qu'est-ce que tu fous, démon ? cracha Rune. On est ici pour une transaction.

Desh se tourna vers lui.

— Je ne vois pas de marque sur son cou. (*Une marque ?*) Si tu estimes qu'elle est ton âme sœur, je respecte. Autrement, elle est à prendre. Et à bien prendre.

Rune ne croyait pas que les sombres feys puissent avoir une âme sœur, et encore moins que Jo puisse être la sienne. Alors comment allait-il répondre à ce défi ?

— Elle n'est pas mon âme sœur, répondit-il en redressant les épaules. Mais elle partage mon lit.

Puis il ajouta :

— Pour le moment.

L'embryon de joie qui avait envahi Jo retomba sur-le-champ. « Pour le moment. » Sa façon à lui de bien préciser qu'il n'en serait pas toujours ainsi.

Connard !

— On n'a pas de relation exclusive, confia-t-elle à Desh. Justement, tout à l'heure, on parlait de notre ouverture d'esprit à ce sujet. Et on n'a pas encore couché ensemble.

— Pas encore, répéta Rune de sa voix râpeuse.

Jo ne releva pas.

— Jamais.

— Bon à savoir. Je te donnerai mon numéro.

— Génial ! Ou alors passe par ma piaule. Je vis pas loin d'ici au motel du *Lion d'Or*, indiqua-t-elle en pointant du pouce derrière elle.

— Non, tu déconnes ? Le *Lit-où-on-dort-pas* ? fit-il en riant.

— Exact !

Rune s'approcha de Jo pour s'adresser à Desh :

— On doit se mettre en route. Alors soit tu nous emmènes, soit tu es en train de nous faire perdre notre temps.

— J'ai accepté ton or, sangfléau ; donc j'ai accepté le marché.

— Il faut qu'on se téléporte dans un lieu couvert, précisa Rune en désignant Jo d'un signe de tête.

— J'y ai déjà réfléchi. Je connais un endroit.

Le démon tendit sa grosse main à Jo.

— Viens par là, ma beauté.

Puis, se tournant vers Rune :

— Ton bras.

Il agrippa l'avant-bras de Rune et les téléporta. De manière rapide et brutale, comme Rune.

Quand Jo cligna les yeux et les rouvrit, ils se trouvaient dans l'ombre d'un à-pic rocheux. Au-delà de la pénombre, on voyait un grand ciel bleu. Des nuages blancs moutonneux jouaient des coudes avec le soleil. L'air était frais, à l'opposé de la nuit humide et chaude du Vieux Carré. Une odeur de pin chatouilla les narines de Jo.

Putain, je suis en Chine !

— C'est incroyable !

Elle apercevait le pied de deux montagnes, mais pas leur sommet. La roche était de couleur claire, sa surface couverte de touffes vertes. Elle voulait en voir plus ! Elle se téléporta dans un pré non loin de là pour admirer les cimes enneigées.

Et elle vacilla, émerveillée. *Si belles, si grandes !* Ses premières vraies montagnes.

Desh se téléporta à ses côtés.

— Par les dieux tout-puissants ! lâcha-t-il en la dévisageant. Tu supportes la lumière du jour ?

— Et alors ?

Elle regarda par-dessus l'épaule de Desh. Rune semblait tout aussi abasourdi.

— C'est énorme ! s'exclama Desh d'une voix étranglée. Tu aurais dû être réduite en cendres.

Alors c'était donc vrai que le soleil brûlait les vampires.

— La lumière ne m'a jamais dérangée.

D'ailleurs, si elle s'était fait des amis, elle aurait adoré aller à la plage avec eux. S'allonger sur le sable. Siroter du sang dans un grand verre avec une petite ombrelle dedans.

— Sans doute parce que je suis super fortiche et tout ça.

— J'ai vu un paquet de choses dans ma vie, mais jamais rien de pareil. Jamais.

Desh continuait à la contempler. Avec le regard émerveillé qu'elle-même avait posé sur les montagnes.

— Et tu bois vraiment du sang ?

— C'est ma seule alimentation.

Soudain le corps du démon se retrouva projeté au sol, contre la roche. Rune venait de lui sauter dessus et collait à présent son couteau sur la gorge de Desh.

— Mais qu'est-ce que tu fous ? hurla-t-elle. Je t'interdis de lui faire du mal ! Je jure sur le Mythos que je te le ferais regretter !

— Encore un serment ! cracha Rune. Il en sait trop. Si je ne fais pas ça, tu seras pourchassée. Sans fin.

Alors là, il allait devoir lui passer sur le corps avant qu'elle le laisse décapiter ce gentil démon sous ses yeux.

— Je dirai rien, pour la fille !

Desh croisa le regard de Jo. Il paraissait plus inquiet pour elle que pour lui-même.

— Éloigne-toi de ce bâtard empoisonné, mon p'tit bout. D'une façon ou d'une autre.

Jo aurait bien usé de sa télékinésie, mais avec la lame de Rune sur la gorge vulnérable de Desh, elle n'était pas suffisamment maîtresse de ses émotions. Elle risquait de les réduire tous les deux en miettes.

L'un de ses autres talents, en revanche, était parfaitement maîtrisé.

— Alors, Josephine, fais-le-moi regretter si tu veux, lança Rune d'une voix glacée. Mais je ne peux pas prendre ce risque.

Il resserra son étreinte sur la poignée du couteau.

Bon, apparemment, l'heure était venue qu'elle lui révèle tous ses secrets.

37

Josephine la vampire se tenait tranquillement sous le ciel bleu. En plein soleil, nom des dieux ! Et devant ce démon étranger.

Trop de pensées à gérer.

Une vampire qui supporte la lumière du jour, une hybride. Mais de quoi ?

Un énorme atout potentiel pour le Møriør.

Même Blace n'est pas capable de sortir en plein jour.

Protéger cet atout.

Protéger. Ce. Qui. M'appartient.

Saisissant Deshazior par les cheveux, Rune lui renversa la tête en arrière.

Un frisson glacé l'envahit soudain, qui lui fit lever les yeux. Josephine avait disparu...

Quant à sa lame, elle venait de lui échapper des mains, s'éloignant de la gorge du démon de façon incontrôlable. La main de Rune se serra en un poing... qui s'abattit contre sa propre mâchoire ! Et encore une fois !

— Qu'est-ce que tu fous, démon ?

Libéré, Deshazior se téléporta à l'autre bout de la clairière.

— C'est pas moi, sangfléau.

Rune dut se débattre de toutes ses forces pour enfin parvenir à surmonter la mystérieuse force.

Un nouveau frisson glacé le parcourut. Et puis Josephine... sortit de l'intérieur de son corps.

Elle se matérialisa peu à peu, d'abord en une silhouette vacillante, au contour des yeux extraordinairement sombre. Elle flottait, sa chevelure formant une sorte de halo vaporeux autour de son visage.

Elle s'était insinuée à l'intérieur de lui. L'avait possédé ! Les yeux sombres, l'immunité au soleil...

Josephine était à moitié fantôme !

Il se tourna vers Deshazior, sur le visage de qui il devina la même pensée. *Je ne peux pas le laisser en vie.*

— Tu n'en as pas eu assez, Rune ?

Sa voix était aussi fantomatique que son apparence. Elle s'enfonça dans le sol.

Rune fit volte-face, tournant vivement la tête. Bons dieux, où était-elle passée encore ?

Une main spectrale remonta à la surface de la terre, l'attrapant par la cheville et l'entraînant dans la terre.

Il se débattit, mais son propre corps se dématérialisait lui aussi ! Chacun de ses coups de pied passait à travers le sol. Impossible de se défendre contre ce prodige. Si elle le décidait, elle pouvait le traîner jusqu'au centre de la Terre, où il mourrait broyé.

Ou pire, ne pas mourir. Que se passerait-il alors ?

Déjà enfoncé jusqu'à la taille, il lança un hurlement frustré en constatant que ses bras traversaient la roche sans produire le moindre résultat.

— Josephine !

Horrifié, il la vit ramper le long de son corps afin de se retrouver face à face avec lui, ses mains fantomatiques accrochées à son torse.

Elle était blême, le visage quasi incolore à l'exception de ses iris. Sous sa forme de fantôme, ses yeux brillaient d'une lueur bleu et ambre.

— On a déjà discuté du mal que tu pourrais faire à Desh. Il n'en est pas question, pigé ?

— Relâche-moi !

— Si je le fais, tu vas te solidifier. Tu es certain que ce soit bien ce que tu souhaites ?

Alors ils commencèrent à s'élever, comme un courant d'air chaud. Une fois sortis du sol, elle le libéra.

Pendant qu'il se matérialisait, elle resta quelques instants à léviter. Son visage était d'une effarante beauté.

— Toi ! lança-t-elle en désignant Deshazior. Jure sur le Mythos que tu ne parleras jamais de moi. Et toi, ajouta-t-elle en pointant Rune, jure que tu ne feras pas de mal à Desh.

— Je jure sur le Mythos que je dirai jamais rien sur toi à personne, obtempéra aussitôt le démon.

Rune avait les yeux rivés sur Deshazior.

— Toi et moi savons tous les deux ce qu'elle est. Et nous savons aussi pertinemment que ce serment est insuffisant.

Il se téléporta jusqu'à son couteau.

— Tu veux bien me faire confiance, pour une fois ? demanda-t-il à Josephine. Ce démon doit mourir.

Mais quand il plongea sur l'ennemi, elle lâcha un cri de panique. La pierre craqua. Des membres craquèrent. La montagne tout entière vibra.

Rune tomba au sol. Elle était douée de télékinésie, en plus ? Essayant à grand-peine de recouvrer son souffle, il grimaça sous l'effet de la douleur au niveau de son flanc.

— Assez, femme !

Son expression d'outre-tombe était menaçante.

— Rentre-toi bien ça dans le crâne : tu ne vas pas l'assassiner, OK ? Je continuerai jusqu'à ce que tu le jures !

Et alors qu'elle relevait la main sur lui, il cracha :

— Je jure sur le Mythos de ne pas faire de mal à ce démon. Aujourd'hui.

Dès que tomberait la nuit...

Elle leva au ciel ses yeux si brillants.

— Tu essaies encore de biaiser.

— Accepte ce serment, je ne l'ai pas fait de gaieté de cœur.

Il parvint péniblement à se remettre debout, malgré ses membres endoloris.

— Nous vivrons tous les trois. Aujourd'hui.

Bien que son arc soit quasi indestructible, il le vérifia rapidement. Intact. Il lâcha un soupir soulagé, puis grimaça de douleur.

Deshazior approcha Josephine avec précaution.

— Je pensais ce que j'ai juré, Jo, fit-il, le regard rivé à son visage blême. On sait jamais ce qui peut arriver pendant une Accession, pas vrai ?

Elle s'incarna enfin, retombant sur ses pieds.

— Tu sais vraiment ce que je suis ? Parce que moi, non.

— Tu es moitié... (La voix du démon se mua en murmure.) Fantôme. Tu es une changeforme entre la vie et la mort.

— Fantôme.

Ses iris recommencèrent à vaciller.

— Un fantôme, répéta-t-elle, comme pour tester le mot. Ouais, j'aime bien ça.

« La mort et la mort en une même enveloppe », avait dit Nïx.

— Tu m'as sauvé la peau, p'tit bout, et je l'oublie-rai pas.

— Je t'avais dit que j'étais vachement fortiche, répondit-elle avec un sourire ravi.

Rune n'en revenait pas. *Si seulement elle savait à quel point.* Avant, déjà, il n'avait pas l'intention de la laisser lui échapper, mais maintenant il avait un motif supplémentaire de la garder près de lui.

Ce qui n'avait rien à voir avec le fait que, dans le feu de l'action, il l'avait considérée comme sienne.

38

— Tu penses qu'elle va être pourchassée ?
demanda Desh à Rune. J'aimerais bien savoir qui
pourrait l'attraper.

Tu m'étonnes, songea Jo.

Une lueur mauvaise dans le regard, Rune passa
les doigts sur la corde de son arc, plaquée à son
torse. Jo devinait qu'il projetait un assassinat aussitôt que l'occasion lui en serait donnée.

Il allait falloir qu'elle lui soutire des promesses
supplémentaires, ou qu'elle trouve autre chose.

— Tu ferais peut-être mieux de partir, Desh.

Son respect pour la force de Rune s'était encore
accru ; il avait trouvé le moyen de lutter contre
l'emprise qu'elle avait exercée sur lui lorsqu'elle
s'était incarnée dans son enveloppe corporelle.
Personne n'avait jamais réussi ça, loin de là.

Par-dessus sa tête, elle vit le démon regarder Rune.

— C'est le moment pour moi de faire ma sortie,
déclara-t-il, avant de prendre une main de Jo entre
les deux siennes. Si un jour tu as besoin de quoi
que ce soit, tu sais où me trouver. Bonne route,
mon p'tit bout, conclut-il en lui baisant la main.

Humm. Ce gars était pareil à un gros nounours
à cornes hypersexy.

— À la prochaine.

Et Desh disparut.

Se revoir ? Qu'il essaie ce week-end au *Laffite*, par exemple.

— C'était quoi, ce bordel, Josephine ? aboya Rune une fois qu'ils furent seuls. Tu m'attaques ? Je suis de ton côté, je te rappelle.

— Pour l'instant, peut-être. Mais dès que cette mission prendra fin, on repartira chacun de notre côté. Tu as été très clair sur ce point.

Et ça lui avait fait très mal. Elle l'avait bien soupçonné d'être du genre à jeter les femmes comme de vieilles chaussettes, mais de là à être confrontée aussi vite à la réalité...

— Ne me fais pas dire ce que je n'ai pas dit.

Il se dirigea d'un pas pesant vers un gros rocher, sur lequel il s'assit.

— Je te protégeais, et c'est ainsi que tu me remercies ? Tu t'es empressée de révéler tes secrets à Deshazior, alors que moi, tu m'as laissé dans le flou total ! Comment as-tu pu me cacher ces pouvoirs ?

Elle était épatée d'avoir exercé son nouveau pouvoir sans l'écraser façon Hulk ! *Et un bon point pour Jo, un !*

— J'ai gardé mes capacités pour moi, au cas où j'en aurais eu besoin contre toi. Et manifestement, j'ai eu raison.

— Où est ta famille ? Lequel de tes deux parents était le fantôme ? D'où est-ce que tu viens ?

— Pourquoi je devrais te dire quoi que ce soit sur moi ? On s'est fait jouir quelques fois, on veut tous les deux se débarrasser de la même Valkyrie. C'est tout. Comme tu avais une telle hâte de le signaler, il n'y a pas de lien entre nous. On n'est ensemble que « pour le moment », ce qui signifie de façon temporaire.

— Un « lien » ? Laisse-moi t'expliquer quelque chose : tu vas avoir besoin d'alliés. Et vite.

— Pourquoi tu en fais tout un pataquès ? Les Wiccae ou les sorceri doivent avoir des pouvoirs semblables. Ta copine sorcière, elle ne sait pas déplacer les trucs par la force de son esprit ?

— Si, mais elle ne sait pas engranger de pouvoir *via* le sang d'un autre. Elle ne sait pas se téléporter. Elle ne sait pas posséder un ennemi et l'enfoncer dans le sol.

— Ah.

— « Ah » ?

Il semblait de plus en plus en colère.

— Pas étonnant que Nïx t'ait qualifiée de « rare » ! Pas étonnant qu'elle soit aussi intéressée par toi et par ton frère. J'aurais dû tuer Deshazior.

— Il ne parlera pas. Il a juré.

— Et si un *cosaçad* le boit ? Si l'information sort... (Il plongea son regard dans le sien.) Les vampires vont vouloir t'étudier – dans le meilleur des cas. Les autres chercheront à t'obliger à procréer des tas de vampires de jour. Si ceux de la Horde couronnent un jour un nouveau roi, tu peux être assurée qu'il essaiera de te capturer.

Alors elle se fantomiserait à l'intérieur de ce roi et l'enfoncerait sous une montagne.

— Tu connais d'autres fantômes ?

— Ils sont rares. Ceux que j'ai rencontrés au cours de ma longue vie doivent se compter sur les doigts d'une main. Mais une hybride vampire-fantôme... Je ne pensais même pas que ça existait. Tu as d'autres pouvoirs dont j'ignore l'existence ?

Je rêve tes souvenirs.

— Non. On a fait à peu près le tour.

— Comme si ça ne suffisait pas. On doit se mettre en route dès que possible, mais sache ceci : tu vas me raconter ton histoire. Aujourd'hui.

Il souleva son tee-shirt pour évaluer l'état de son flanc. Son torse était couvert de taches mauve foncé.

Oups.

— Des saignements internes. Bien joué. Je vais devoir me soigner avant d'affronter Nïx.

Les lèvres serrées, il retira son arc.

— Le démon a raison sur un point : tu dois être le fruit de l'Accession.

— Je n'arrête pas d'entendre ce terme.

Nïx avait dit qu'ils auraient tous un rôle à jouer.

— Laisse-moi deviner… Tu appelles peut-être ça différemment ? ironisa-t-il.

Bandant les muscles, il retira son tee-shirt.

Malgré tout ce qui s'était produit, elle ne put s'empêcher de zieuter son large torse.

— Une Accession, c'est une force magique qui se déclenche approximativement tous les cinq cents ans. Elle met en contact la totalité des immortels, pour le meilleur ou pour le pire. Les Mythosiens peuvent trouver leur âme sœur et nouer des alliances, mais c'est surtout la mort qui advient pour réguler la population immortelle. Le Mythos est déjà un endroit violent, mais il s'apprête à le devenir encore plus.

— Ça m'a l'air perturbant, tes « accessions ».

— Ce sont aussi des périodes de surprises et de découvertes historiques. Par exemple, un hybride vampire-fantôme peut faire son apparition.

Il fronça les sourcils, et Jo voyait presque les rouages de son cerveau qui tournaient.

— Et pas seulement un. Ton frère aussi est en jeu.

De nouveau, Jo leva la main.

— Laisse-le en dehors de ça, Rune ! Je t'interdis ne serait-ce que de penser à Thad.

— Toi, en revanche, tu aurais dû penser à lui. Si les Mythosiens apprennent ce que tu es et que vous êtes réunis tous les deux, il deviendra une cible aussi.

Merde, il avait raison.

— Tu ne m'as pas laissé d'autre choix que de montrer mes pouvoirs. Et en plus, Nïx est déjà au courant, pour Thad et moi. C'est elle qui décidera si on est à l'abri ou dans le pétrin.

— Voilà une posture bien inconfortable, Josephine. La rumeur court que la Valkyrie est en train de manipuler l'Accession tout entière, de préparer une grande guerre éclair au lieu d'un conflit interminable. Je te l'ai dit, elle flirte avec l'apocalypse.

— Tu vois maintenant pourquoi je veux la combattre. Je peux la traîner jusqu'au centre de la Terre et la solidifier.

— Tu m'as donné un aperçu de l'horreur d'un tel destin, commenta Rune.

Il se perça le poignet d'un coup de griffe. Trempant un doigt dans la goutte de sang qui perlait, il l'utilisa pour dessiner sur son torse tuméfié. La senteur entêtante balaya Jo, tandis qu'un symbole fascinant prenait forme.

Il avait dessiné le même sur elle ! Elle voulait connaître la signification de chacune de ses runes. Pour être capable de les reproduire.

— Ça va accélérer ta guérison ?

Il hocha la tête.

— Je n'ai pas d'autre choix, vu que ma « partenaire » nous a retardés. Je me suis refamiliarisé avec les combinaisons de runes curatives quand j'ai soigné ton corps brisé, ajouta-t-il d'un ton bourru. Sans obtenir de toi un seul mot de remerciement, d'ailleurs.

Ses paroles lui donnaient l'impression d'être une garce. Pour être totalement juste, s'il avait voulu tuer Desh, c'était pour la protéger. Et il l'avait sauvée de Nïx. Et c'était grâce à lui s'ils étaient sur la piste de la Valkyrie.

Malgré tout ça, Jo avait plus ou moins cassé tout ce qu'il chérissait. Elle se sentit soudain coupable.

— Merci de ton aide.

Mais il ne l'écoutait pas, trop focalisé qu'il était sur son visage.

— Tu ne portes pas de charme glamour.

— Je ne suis pas sûre de savoir ce que c'est que ce truc.

— Certaines créatures usent de sortilèges pour mettre en valeur leur apparence. Je croyais que les ombres autour de tes yeux et ta peau si pâle faisaient partie de ton apparence.

— Ben oui, c'est le cas.

— Bien, dit-il. Bien.

Semblant la lâcher des yeux à contrecœur, il reporta son attention sur son propre flanc. Sous le symbole qu'il y avait dessiné, les hématomes disparaissaient.

— Pas étonnant que ta téléportation provoque une sensation aussi étrange. Tu nous as d'abord rendus intangibles.

— Ouais. Je peux transformer en air les trucs que je touche, si je veux.

— Ça ouvre un champ de possibilités extraordinaires... Est-il facile de posséder les autres ?

— Aussi simple que de respirer. Moi, j'appelle parfois ça « fantomiser ». Je me « fantomise » dans une « coquille ».

— Et dans combien de « coquilles » t'es-tu « fantomisée » ?

Il renfila son tee-shirt, puis repassa son arc sur son torse.

— Des tas. Je me balade dedans.

— Alors j'étais juste une coquille de plus aujourd'hui ?

Elle haussa les épaules. Il fallait qu'elle lui vole un souvenir. Malheureusement, elle devrait faire une croix sur son talisman.

— On ne devrait pas se mettre en route ?

— Cette conversation est loin d'être terminée. On la reprendra plus tard.

— Tout comme on rediscutera du fait que tu ne t'en prendras pas à Desh sitôt la journée terminée.

Rune pointa un index dans sa direction, ouvrant la bouche comme s'il s'apprêtait à lui faire la morale, et puis il se contenta de froncer les sourcils.

Au loin, Jo perçut des voix animées. Un groupe de touristes ? Leur enthousiasme était contagieux, en tout cas.

— Viens, Rune, lui enjoignit-elle en désignant l'une des montagnes. Il est temps de grimper !

Les iris de Rune scintillèrent alors qu'il levait la tête pour regarder là-haut, tout là-haut, tout là-haut.

— J'ai hâte...

39

Les pensées troublées de Rune ne suffisaient pas à le détourner du gouffre béant sous ses pieds.

Josephine et lui avaient parcouru le chemin escarpé pour atteindre la « Planche dans le ciel » – une sorte de passage en bois à des milliers de mètres du sol, et fixé à même le flanc de la montagne. L'un des sentiers les plus raides de ce monde.

Étrangement, le téléphérique qui leur aurait épargné des heures d'ascension était hors-service.

Ils étaient entourés d'humains en quête d'émotions fortes – les fous ! – et ne pouvaient donc pas non plus se téléporter jusqu'en haut. D'autant que Rune ne voyait pas où ils auraient pu atterrir, et qu'il n'avait jamais été là-haut par le passé.

Il se faufilait sur l'étroit sentier constitué de morceaux de planches. Il n'y avait pas de rampe, juste une chaîne fixée au flanc de la montagne pour se tenir. Rune s'y accrochait, les paumes moites. Le soleil tapait fort et la sueur qui lui dégoulinait du front lui brûlait les yeux.

Il ignorait presque toutes les peurs, mais l'acrophobie – la peur des hauteurs – était l'une des rares qu'il éprouvait.

Devant lui, Josephine semblait sautiller sur le sentier, sans crainte aucune.

Totalement sidérante.

La détermination de Rune à la coucher dans son lit s'était encore accrue. Sa démonstration de puissance n'avait fait qu'ajouter à son désir. Mais une relation sexuelle la lierait à lui... et donc au Møriør.

Sa mission s'en trouvait donc étendue : tuer Nïx et recruter Josephine. Et une fois que ce serait chose faite, le frère suivrait-il sa sœur aux côtés de Rune ?

Le Møriør pourrait posséder en son sein deux hybrides dotés de pouvoirs inimaginables.

Il la perdit de vue dans un virage sec. Non loin derrière lui, des humains gonflés à l'adrénaline riaient et s'interpellaient de leurs voix fortes.

Rune transféra son étreinte moite d'une chaîne sur l'autre. Il mesurait plus de deux mètres dix, ces planches n'étaient pas prévues pour soutenir quelqu'un de sa taille.

Quand Josephine retourna vers lui, les planches vibrèrent sous son poids pourtant si léger. Les rivets rouillés qui fixaient le bois à la pierre grincèrent.

Elle avait le front et le tee-shirt humides de sueur. Certaines de ses mèches brillantes étaient trempées. Le soleil éclairait son visage, et Rune s'émerveilla une fois de plus : une vampire de jour. À la lumière, elle paraissait aussi délicate qu'un voile de tulle, avec sa peau pâle légèrement rosée. Elle était surexcitée, ses yeux semblaient encore plus brillants au milieu des ombres séductrices qui les entouraient.

Il se réjouissait qu'elle ne porte pas de charmes. Ainsi elle conserverait éternellement son apparence unique aux mondes. Il pourrait admirer son visage spectral pendant des heures sans se lasser.

— Là-haut, la vue est démente ! On voit à des kilomètres à la ronde.

Découvrant sans doute son inconfort, elle se fit un plaisir d'en rajouter une couche.

— Il n'y a plus de planches après. Ce ne sont que des petites empreintes de pas creusées dans la roche. Hum. Tu as les pieds très grands, je me demande s'ils vont entrer.

Josephine savait flotter ou se « fantomiser », comme elle appelait ça. Elle pouvait pour ainsi dire voler.

En la voyant s'appuyer nonchalamment à la roche et croiser les bras, il eut soudain envie de l'attirer tout contre lui.

— Pourquoi tu as peur ? Si tu tombes, tu peux très bien te re-téléporter ici dans la foulée.

— Je n'ai pas peur. Je suis… prudent. Je t'ai dit que je n'étais pas né avec la capacité de me téléporter. Alors j'ai développé cette « prudence » au cours de mon enfance.

— Mais aujourd'hui, tu sais te téléporter.

Certes, mais les phobies n'avaient rien de rationnel.

— Je ne suis pas dans mon élément naturel.

Il était né et avait grandi dans les marais, aux travaux forcés, puis avait été entraîné à assassiner les ennemis de Magh et enfin à baiser ses cibles politiques. Jamais il n'avait appris à grimper des montagnes.

— Ton « élément naturel », j'ai l'impression que c'est entre les cuisses des nymphes. Tu commences à te rendre compte que c'est un peu limité ?

Elle ponctua ses paroles d'un froncement de sourcils exagéré.

Malgré sa position inconfortable, Rune rêvait de la faire taire d'un baiser.

— C'est entre tes cuisses que j'ai envie d'être.

Elle se mit à flotter autour de lui, se retenant à la chaîne seulement par un doigt.

— Tout ce que tu as à faire pour ça, c'est me susurrer des promesses au creux de l'oreille.

Josephine ne faisait pas mystère qu'elle en voulait plus de sa part – elle parlait d'amour et d'engagement –, pourtant il soupçonnait qu'il s'agissait là de la toquade d'une très, très jeune femelle.

— Je finirai par t'avoir, répliqua-t-il. Je sais que tu meurs d'envie de coucher avec moi.

— Il y a beaucoup de choses dont je rêve et que je n'ai pas. C'est la vie.

— Il est impossible pour moi d'être dans une relation exclusive.

— « Impossible » ? (Elle pouffa.) Parce que tu es le tombeur de ces dames ? Parce que ta grosse quéquette tient à sa liberté ?

— Je ne désirerais peut-être pas les autres femmes. Mais en tant que maître des secrets, j'utilise le sexe pour obtenir des informations. C'est mon travail. Et toi, tu exiges que je laisse tomber juste au moment de l'Accession ?

Au nom des dieux, comment qui que ce soit pourrait se plier à pareille exigence ?

Josephine acquiesça pour montrer qu'elle comprenait.

— Un jour, tu trouveras une gentille femelle qui s'accommodera de ton « travail ». Mais écoute bien ce que je vais te dire, Rune : cette femme, ce n'est pas moi. Si tu me trompais, je te botterais les fesses comme tu ne peux même pas imaginer.

— Tu penses que je n'arriverai pas à te convaincre de voir les choses à ma façon ?

— Jamais. Le mieux à faire, c'est d'oublier tout ça, fit-elle en désignant son joli petit corps, et de retrouver cette sombre fey sur qui tu avais une piste.

Rune fronça les sourcils à ce rappel. Pendant les deux jours où il avait surveillé Josephine, il aurait pu retourner chez Loa, profiter de la vendeuse et filer cette piste-là. Par le passé, il aurait poursuivi Loa sans relâche.

Mais aujourd'hui, il avait du mal à s'imaginer avec une autre femelle que Josephine.

— Je pourrais peut-être me laisser convaincre d'entamer une relation libre avec toi : un engagement sur le long terme qui nous autorise à fricoter un peu ailleurs, mais en revenant toujours au lit que nous partageons.

— C'est ça, ton idée de l'engagement ? Il se peut qu'on appelle ce truc différemment, là d'où je viens.

La petite garce lui lança un clin d'œil.

— Mais passons, pourquoi j'accepterais des compromis qui ne me satisferaient qu'à moitié, alors que je n'ai que vingt-cinq ans ?

— Parce que tu n'es pas encore tout à fait fixée sur tes exigences.

— Ah non ? Je veux l'assurance que mon mec ne fréquentera qu'un lit : le mien.

— Et tu voudrais sceller tout ça par un serment sur le Mythos, je parie ? Tu en es dingue, de ces promesses. Mais imagine que nous nous engagions, et que tu te rendes compte ensuite que tes sentiments n'étaient rien de plus qu'une amourette ? Un coup de cœur de jeunesse ? On se connaît depuis si peu de temps.

Au lieu de le rassurer en affirmant qu'elle ressentait quelque chose de plus fort, elle lança :

— Je parie que Desh, il me le ferait, lui, ce serment.

Rune étrécit les yeux.

— Au fait, je te signale que les cornes d'un démon mâle sont considérées comme des organes sexuels. Quand tu lui as demandé si tu pouvais les lui toucher, ça revenait à lui proposer de lui astiquer le membre. Tu l'ignorais sans doute, vu que tu possèdes les connaissances d'un humain. Je t'accorde le bénéfice du doute.

— Tu as raison, je l'ignorais. Mais c'est bon à savoir, ajouta-t-elle en tapotant une griffe noire sur son menton, pour la prochaine fois où je le lui demanderai.

Rune serra les mâchoires. Elle pouvait en effet faire des avances à Deshazior – elle pouvait bien faire tout ce qui lui chantait avec le démon – et il n'aurait rien à y redire.

Elle dut lire quelque chose sur son expression – quoi, il n'en savait rien –, toujours est-il que la sienne s'illumina.

— Alors comme ça, on est jaloux de Desh ? Je vais finir par t'avoir.

— À moins que je ne sois simplement furieux de voir un jeune démon de tempête me manquer de respect. Il n'était pas encore une pensée dans la tête de son papa que j'avais déjà six mille ans !

— Ja-ha-ha-loux ! chantonna-t-elle.

Et elle flotta un peu plus haut, pour venir lui mordiller la pointe si sensible de son oreille !

Rune n'aurait su dire si ce geste lui donnait plus envie de la baiser, de la fesser ou de la serrer dans ses bras.

— Je vais peut-être tomber sur des Orea, là-haut, ce sont les nymphes qui habitent les cimes des montagnes. On verra bien qui est le jaloux de nous deux, à ce moment-là.

Elle se reposa sur les planches.

— Et qu'est-ce que tu leur ferais ? Tu les baiserais ? Alors que tu crèves de trouille ?

— Je n'ai pas peur. Je ne suis pas très à l'aise, c'est tout.

— Mon homme est vieux et jaloux et trouillard.

Un rayon de soleil tomba sur son sourire éblouissant.

Dieux qu'elle était belle !

— Je préférerais juste être ailleurs, c'est tout. Maintenant tais-toi, fillette.

— Donc ça ne te dérange pas si je fais ça ?

Et elle se mit à sauter sur place, provoquant une furieuse vibration dans les planches.

— Les Orea vont venir sauver leur étalon préféré ?

— Tu vas me payer ça dès qu'on retrouvera la terre ferme.

— Et si je fais ça ?

Elle s'approcha. Et s'approcha encore. Sans s'arrêter quand elle l'atteignit, elle continua... à travers son corps.

— Josephine, non !

Des frissons glacés remontèrent le long du dos de Rune. Et pourtant, en même temps, la sentir à l'intérieur de lui était étrangement... érotique.

Ils commencèrent à se dématérialiser.

— Qu'est-ce que tu fabriques ?

Rune fut submergé par la crainte alors que ses doigts passaient à travers la chaîne.

Josephine descendit du rebord... Ils restèrent suspendus dans les airs...

Il baissa les yeux sur le précipice. Ses poumons se contractèrent, son cœur semblait sur le point d'exploser. *Téléporte-toi !* Bougerait-elle avec lui ? Ou le processus la rejetterait-il ? Et si elle perdait le contrôle et qu'elle tombait ?

— Assez ! hurla-t-il, l'esprit en plein chaos.

Elle le reposa sur les planches, puis s'extirpa de lui. Une fois qu'elle se fut matérialisée à ses côtés, la phobie de Rune le reprit, plus forte que jamais. Il s'inquiétait même pour Josephine désormais.

Il la coinça entre la montagne et lui, si bien qu'il ne lui restait plus sur la planche que la place de caser ses orteils.

— Pourquoi tu fais ça ? Tu es en équilibre au bord du gouffre, maintenant.

— Je n'en sais rien, cracha-t-il. Je dois te garder près de moi, mais pas à l'intérieur de moi, nom des dieux !

Dans sa position, il avait une vue plongeante sur son décolleté pâle. Comme pour le distraire, une goutte de sueur coula le long du collier de métal pour finir sa route entre ses deux monts albâtre. En se concentrant sur cette vue-là, il ne trouvait plus sa situation aussi inconfortable, après tout. En fait, il était même en érection. Et désirait lécher la sueur sur chaque millimètre carré de sa peau.

Elle promena les doigts sur son torse, avant de nouer les mains autour de son cou.

— Mon sombre fey me protège encore ?

Il parvint à reporter son attention sur son visage.

— Ce ne serait pas la première fois. J'ai en effet essayé de te protéger, là-bas, au pied de la montagne.

— La vitesse à laquelle tu as sauté sur Desh ! Et tu es carrément plus fort que je croyais. Ce qui n'est pas peu dire, surtout que je t'ai quand même vu ébranler un immeuble tout entier quand je t'épiais.

Il n'avait jamais senti sa présence pendant qu'elle l'avait observé. Parce qu'elle était « de l'air ».

— Ma force me vient de mon âge. Dans le Mythos, « homme âgé » signifie « homme fort ».

— Je sens ta force quand je suis à l'intérieur de toi. Te posséder, ça me donne le tournis.

— Alors tu me l'as fait plus d'une fois ? (Et alors, il comprit.) À Tortua.

Elle hocha la tête.

— Je voulais être sûre d'avoir une issue de secours, si jamais tu décidais de m'éliminer ou un truc du genre. Alors j'ai pensé à ça.

— Mais pourquoi est-ce que tu te matérialises, au fond ? Tu es invincible tant que tu es intangible. Alors pourquoi ne pas le rester vingt-quatre heures sur vingt-quatre ?

— J'aime bien avoir un corps.

Lui aussi aimerait bien avoir son corps.

— Tu as déjà possédé des gens pendant qu'ils faisaient l'amour ?

Grand sourire.

— Oh oui !

Il l'agrippa plus fermement.

— Tu leur fais faire des choses ?

— Je ne suis qu'une voyeuse. J'essaie de ne pas faire bouger mes coquilles. Ça les perturbe.

— Pas étonnant... (Il avait encore la mâchoire douloureuse des coups qu'elle l'avait forcé à s'infliger.) Je ne comprenais pas pourquoi je me donnais des coups de poing dans la face. Quant à sauter de ce rebord...

— En général, je ne sens rien quand j'occupe une coquille, pourtant j'ai goûté ta peur et j'ai senti ton cœur s'emballer. Désolée de t'avoir effrayé.

Tout comme ses doigts délicats étaient remontés dans son cou, ils entamèrent leur descente.

— Qu'est-ce que tu fais, Josephine ?

Il reconnaissait tout juste sa propre voix. Grands dieux, elle le rendait téméraire. Et euphorique.

Jeune.

— C'est comme si je t'avais menotté. Tu ne peux plus échapper à mon emprise.

Elle plongea la main vers la ceinture de son pantalon écossais, puis à l'intérieur. Et lâcha un halètement en découvrant son sexe dur et réclamant son attention.

— Pourquoi aurais-je envie de t'échapper ?

Il prit une brusque inspiration quand elle dessina le contour de son gland dans une caresse à couper le souffle.

Elle gémit, ses tétons pointèrent sous son tee-shirt. Il fallait qu'il la touche, lui aussi ! Oubliant sa peur, il lâcha la chaîne et récompensa ses mains par une poignée de chair rebondie.

40

— Je tuerais pour te prendre, murmura Rune dans son oreille. Pour te baiser ici même.

Il empauma les seins de Jo, tellement concentré sur eux qu'il semblait en avoir oublié sa peur du vide.

— Tu ferais ça, vraiment ?

Elle frissonna quand il passa les pouces sur ses tétons.

— Tu n'as qu'un mot à dire. Même si je me demande si je tiendrais assez longtemps pour te préparer. (Il fronça les sourcils.) Voilà encore une phrase que je ne pensais jamais prononcer un jour.

— Me « préparer » ?

Contre la corde de son arc, sa chemise s'ouvrait en V, révélant un triangle de peau moite et la rune de son torse. Une rune que Jo aurait aimé suivre du bout de la langue.

— Tu es si étroite, Josie. Je vais faire tout mon possible pour t'éviter d'avoir mal.

Elle lui saisit la base de son membre à pleine main. Son poing n'était pas assez grand pour l'encercler tout entier.

— Oui, je comprends. Mais tu n'as pas besoin de t'inquiéter de mon étroitesse, répliqua-t-elle en se penchant pour embrasser la rune. Parce que je ne coucherai pas avec toi tant que tu ne jureras pas d'être monogame.

Elle passa la langue sur sa peau. Il avait un goût délicieux, et le sel de sa sueur arracha un gémissement à Jo.

Elle voulait continuer à embrasser son torse, jusqu'à la rune dessinée autour de son nombril. Puis descendre encore jusqu'à la partie chaude et renflée qui pulsait sous sa paume. Quand elle le caressa, il ondula dans sa main.

— Tu es une vilaine petite allumeuse.

Il pinçota son téton, lui tirant un geignement, en même temps que, de son autre main, il plongeait devant.

— Une allumeuse ? Tu n'as encore rien vu. Et si j'usais de télékinésie pour te caresser ? suggéra-t-elle en faisant aller et venir la main sur son sexe. Tu pourrais être à l'autre bout de la pièce, et personne ne verrait que je serais en train de te branler. Quant à toi, tu ne saurais jamais quand ça pourrait arriver.

Elle vit l'excitation allumer les yeux de Rune.

— Oh oui, j'adore l'idée !

Reste avec moi, alors.

— Bientôt. Pour l'instant, c'est encore un peu nouveau, pour moi. J'ai appris à me servir de ce nouveau pouvoir chez toi.

— C'est pour ça que tu as tout détruit ? s'enquit-il en commençant à lui déboutonner son jean.

— Pour ça… et aussi parce que j'étais jalouse.

Il enchaîna par la fermeture Éclair du jean, afin d'effleurer son string du bout des doigts.

— J'en étais sûr.

— Est-ce que c'est si mal de vouloir tout ça rien que pour moi ? fit-elle en serrant sa hampe un peu plus fort.

Les narines de Rune se dilatèrent.

— Et comme ça, tu pourrais m'avoir toute à toi, ajouta-t-elle.

— Je veux…, commença-t-il avant de s'interrompre. Par les enfers ! Des mortels approchent.

La montagne en fourmillait. Après une dernière caresse qui lui tira un frisson, Jo retira la main de son pantalon.

Il lâcha un juron à mi-voix et se reboutonna.

— On se programme ça pour plus tard ?

— C'est la deuxième fois que tu poses cette question aujourd'hui, fit-il remarquer. Est-ce moi ou Desh que tu vas honorer de ton corps en premier ?

Aucun doute : il est jaloux !

Il pouvait le nier autant qu'il voulait. Il essayait même de nier les sentiments qu'elle éprouvait, alors… Une « toquade d'adolescente » ? N'importe quoi !

Elle leva les yeux pour plonger dans les siens, si pénétrants, avec leur magenta qui flamboyait dans les rayons du soleil, et soudain les choses devinrent très claires. Les faits étaient là : il lui avait donné plus de plaisir que quiconque auparavant, et son expression lui en promettait plus encore bientôt. C'était le mâle le plus puissant qu'elle ait jamais rencontré, le plus malin, le plus accompli. Boire son sang lui donnait une sensation de connexion qu'elle n'avait jamais éprouvée.

Et elle savait d'après les souvenirs de lui qu'elle avait rêvés que quand Rune aimait, il aimait profondément. Alors pourquoi ne le voudrait-elle pas pour elle seule ?

Rune et Josephine étaient assis sur un banc, à admirer le coucher du soleil, et même lui devait admettre que la vue était spectaculaire. Peut-être qu'au fond cette petite vampire lui faisait voir le monde avec des yeux nouveaux.

Plus tôt dans la journée, ils avaient atteint le sommet et exploré la maison des thés, avant de classer l'endroit sans suite. Il n'y avait détecté aucune trace de Nïx, pas la moindre odeur résiduelle de la Valkyrie. Ils étaient arrivés avant elle.

La plupart des humains s'étant dispersés – il ne restait plus que quelques flâneurs et de rares grimpeurs de nuit, lampes frontales allumées – Jo et lui avaient trouvé un siège pour profiter des derniers rayons.

Tous deux étaient perdus dans leurs pensées, pourtant le silence n'avait rien de déplaisant.

Josephine devait imaginer ses retrouvailles avec son frère. Rune redoutait qu'elle n'attende leur rencontre avec trop d'impatience, ce qui, fatalement, la décevrait.

Bizarre. Troublant, même.

Alors qu'il aurait dû être en train de planifier leur prochain mouvement, ses pensées étaient fixées sur la vampire de jour assise à ses côtés.

Se passant une main sur le menton, il rejoua mentalement leurs derniers échanges. Il s'était vraiment attendu à ce qu'elle essaie de nier, quand il l'avait accusée de s'être amourachée de lui ; ou qu'elle tente de le convaincre de ses vrais sentiments, peut-être.

Qu'arriverait-il si cet engouement déclinait ? Quelle ironie ce serait ! Rune qui désirait une poule plus qu'elle ne le désirait.

Il ne parvenait toujours pas à croire qu'elle l'ait possédé. Plus incroyable encore, ça ne le dérangerait pas qu'elle recommence, tant qu'elle ne l'emmenait pas flotter au-dessus du vide…

Quand un jeune vendeur passa près d'eux avec un chariot rempli de toutes sortes de produits – nourriture, gants, vestes – Josephine demanda à Rune :

— Tu veux acheter quelque chose ?

Elle ne semblait pas avoir froid et la nourriture ne l'intéressait pas.

— Ah, tu veux un souvenir, alors. Pour aller avec tous les autres, ajouta-t-il. (Sa remarque sembla la ravir.) Qu'est-ce qu'on pourrait prendre pour la table de ta chambre d'hôtel ?

Son visage tout entier paraissait rayonner.

— Peu importe, du moment que ça provient d'ici.

Il se leva et passa en revue le contenu du chariot. Des barres chocolatées, du Red Bull, des cacahuètes. Le seul produit portant des idéogrammes chinois était une sorte de boisson dans un récipient en céramique.

Rune désigna celui-ci en haussant les sourcils à l'intention du vendeur. Le mortel mima le geste de boire, puis celui de tituber. Josephine éclata de rire.

Ah, de l'alcool. Rune en prit une bouteille. Le vendeur accepta volontiers d'être payé en dollars américains.

— Tu veux essayer ça ? demanda-t-il à Josephine en retournant à ses côtés.

— Non, bois, mon pauvre chou. Après la journée stressante que tu as passée.

Il sourit.

— C'est ça, rigole.

Puis il retira le bouchon de la bouteille, et ses yeux se mirent à le piquer rien qu'à l'odeur.

— Grands dieux, ça a l'air fort.

Il goûta.

— Alors, c'est comment ? s'enquit Josephine.

Inhabituel.

— Ça ne brûle pas quand ça descend, et pourtant je sens que le degré d'alcool est élevé.

Parfait. Quand elle se nourrirait de lui, plus tard, l'alcool passerait de lui à elle à travers son sang. Il en avala donc une bonne goulée, songeant qu'il lui fallait boire pour deux.

Il avait déjà pensé à la débarrasser de ses inhibitions pour obtenir des informations de sa part, mais désormais il avait encore plus de raisons de le faire. Bien que la journée écoulée ait répondu à beaucoup de questions, elle en avait aussi soulevé une multitude d'autres...

Pourquoi avait-elle été séparée d'un frère qu'elle adorait ? Et pourquoi ne savait-elle pas à quelle espèce elle appartenait ? Où étaient ses parents ?

Pourquoi ne lui avait-on pas appris à lire ?

Un peu plus tôt, quand il avait suggéré qu'ils s'installent près du sommet, elle avait répondu :

— On va dormir où ? Peut-être dans l'une de ces grottes d'ermites qu'on a vues en passant ? Tu n'as pas dû les remarquer, vu que tu fermais les yeux et tout...

Petite maligne.

— On va prendre une chambre d'hôte sur la montagne.

— Comment tu sais qu'il y en a ?

— Il y avait une annonce en anglais sur le tableau d'informations.

Elle s'était plantée à côté de lui à ce moment-là, faisant mine de lire.

— Ah ouais, avait-elle conclu, avant de détourner les yeux. Je me rappelle.

Grâce à cette remarque, Rune avait compris deux choses.

Contrairement aux vampires de naissance, Josephine était physiquement capable de mensonge.

Et elle ne savait sans doute pas lire.

À Tortua, il lui avait fourré le *Livre du Mythos* sous le nez. En y repensant, il avait alors constaté sa frustration. Et elle s'était bien gardée d'abîmer une seule page des livres de sa bibliothèque, ce qui en disait long : selon lui, elle désirait apprendre.

Lui enseigner la lecture ne serait pas difficile, mais cela nécessiterait du temps et de l'engagement. Pour la première fois de sa vie, il ignorait où il allait avec une femelle. Il but une autre longue gorgée de sa boisson.

Les dernières lueurs du jour caressaient les sommets, inondant la roche de leur lumière. Quand avait-il regardé un coucher de soleil pour la dernière fois ?

Alors que la nuit tombait sur les cimes, la température baissa rapidement. Rune passa le bras autour de Josephine, l'attirant contre lui. Une vague inhabituelle de… quelque chose le balaya.

Détente ? Satisfaction ?

Elle s'écarta un peu pour lever sur lui ses yeux lumineux.

« La mort et la mort en une même enveloppe » ? Pourquoi semblait-elle aussi vivante, dans ce cas ?

— Quoi ?

Après un temps d'hésitation, elle posa la tête contre lui et soupira.

— Là, maintenant, je parie que tu penses que je suis ce qui a été inventé de mieux depuis le sang en sachets.

— Là, maintenant, je pense que tu n'es pas si mal, petit mec.

Pour un mâle qui n'avait jamais nourri l'espoir d'avoir une âme sœur, il s'habituait à Josephine à une vitesse alarmante.

Tu ne la connais que depuis un battement de cils...

Alors pourquoi visualisait-il ses émotions comme une flamme toujours plus grande ?

41

Jo et Rune étaient assis côte à côte dans un restaurant de montagne. À l'extérieur, la température continuait à chuter et le vent s'était levé, au point de faire trembler la bâtisse ; mais leur petit coin était chaud et confortable. Des lanternes de papier jetaient sur la salle une lueur tamisée. Des notes de musique exotique résonnaient doucement.

Même pour une buveuse de sang, les odeurs de nourriture étaient appétissantes. Jo devait absolument voler quelque chose dans cet endroit, histoire de se rappeler leur premier dîner en tête-à-tête.

Rune leur avait réservé une chambre dans une maison d'hôtes ainsi qu'un repas. Un dîner et un lit. Elle se demanda combien de fois il avait fait ça avec une femelle.

Même si ce n'était que trois fois l'an, pour lui ça montait à vingt et un mille fois.

Ne pense pas à ce genre de choses, Jo. Elle n'allait pas se gâcher la vie à trop réfléchir, pas après la journée extra qu'ils avaient passée ensemble. Il lui avait acheté un souvenir – son premier vrai souvenir – et puis il l'avait prise dans ses bras sur un banc, comme le couple de La Nouvelle-Orléans.

C'était vraiment en train d'arriver !

Après le coucher du soleil, ils avaient pris quelques minutes pour retourner à Tortua et ensuite à son motel afin de se munir de vêtements plus chauds. Elle avait alors posé la bouteille vide sur sa table, à côté des boutons de manchettes du jeune marié.

Grâce à ce nouveau souvenir, elle se rappellerait le jour qu'elle avait passé à explorer une montagne en Chine avec le type de ses rêves.

— À quoi tu penses ? lui demanda-t-il, la tirant de ses pensées.

— À toute cette journée.

— Quel moment as-tu préféré ?

— J'ai bien aimé te taquiner sur le sentier de planches. Et j'ai adoré regarder le coucher du soleil avec toi.

Quand il avait passé le bras autour d'elle, Jo en avait conclu que plus il la connaissait, plus il l'appréciait. Alors elle avait décidé de s'ouvrir à lui, ce soir.

Pas étonnant qu'il reste sur la retenue, puisqu'elle en faisait autant. Une fois qu'il se rendrait compte combien elle était géniale, il se laisserait aller.

Le patron du restaurant, un vieil homme au crâne rasé et au pas sautillant, leur apporta les menus, indiquant qu'ils devaient lire de tel côté.

Un côté chinois, un côté anglais. Merde. Il allait falloir qu'elle commande à manger pour paraître humaine !

— Tu veux que je choisisse pour toi ? proposa Rune.

Soulagée, elle lui tendit son menu.

— Bonne idée.

Il commanda quelque chose qui ressemblait à « bii-yang », accompagné de « baïe-Jo ».

— Qu'est-ce que tu as pris ? s'enquit-elle sitôt que le restaurateur se fut éloigné.

— Un plat de pâtes et encore de la boisson que j'ai goûtée tout à l'heure. Maintenant que j'y pense, j'aurais dû te demander. Certains plats risquent d'épicer mon sang et ma peau. Tu as certainement des préférences.

Elle n'en savait rien. Néanmoins, dans la perspective de s'ouvrir davantage à lui, elle admit :

— Je n'ai jamais mordu personne d'autre que toi. Enfin, hormis mon propre poignet.

La version vampire de la masturbation.

Rune prit une brusque inspiration.

— Si je te voyais faire ça, il se pourrait que je jouisse sur-le-champ.

Puis il réagit aux implications du reste de son aveu.

— J'étais ton premier ?

Oh, le ton suffisant du mec !

— Ouais, ton sang m'a converti. Je ne peux plus revenir aux sachets.

Grand sourire.

— Il est si bon que ça ! Je me demandais si tu l'aimais parce qu'il était noir.

— Le sang rouge aurait peut-être un autre goût, consommé directement à la veine. Tout comme la nourriture fraîche diffère de la nourriture en boîte.

N'empêche, il n'arriverait jamais à la cheville de celui de Rune.

— J'ai tout le temps devant moi pour vérifier.

Le sourire s'effaça.

— Tu envisages de boire à toutes les sources sans discrimination ? Seuls les vampires de la Horde font ça. Ils engrangent tant de souvenirs que leurs yeux deviennent rouges et leur esprit pourri.

Autant il était détendu avant, autant il semblait irrité à présent.

— Tu es jaloux à l'idée que je puisse en mordre un autre, hein ? C'est vrai que c'est un peu comme le sexe : on lèche, on suce, on pénètre. Imagine, les autres gars réagiraient comme toi : je prendrais du sang, ils prendraient leur pied. Comme l'a voulu Mère Nature.

Il ne répondit rien, mais ses poings se serrèrent.

Très excitant !

— Enfin, ce n'est pas comme si j'avais à m'en soucier pour l'instant, poursuivit-elle. Je ne bois que toi. (Elle lui jeta un coup d'œil nonchalant.) « Pour le moment. »

Leur hôte revint, interrompant la soudaine montée de tension autour de la table. Il déposa un récipient en céramique décorée, semblable à celui que Rune avait acheté plus tôt, et deux petits verres. Quand il versa le liquide clair, la force de l'alcool piqua le nez de Jo.

Rune en sirota une gorgée, hochant la tête pour signifier son approbation. Dès que leur hôte se fut éloigné, Rune vida le verre, utilisa sa vitesse de fey pour avaler le sien aussi, puis il leur en versa un deuxième.

— Tu bois toujours autant ?

— Je bois pour deux.

— Ohhhh. Tu crois que je vais être soûle de ton sang ?

— On va le découvrir.

Et il se tourna face à elle, de façon à ce que sa large carrure la masque à la vue des autres clients. D'une de ses griffes, il se perça l'index.

— Regarde comme tu as les yeux rivés sur mon sang. Et tu penses que tu pourrais l'abandonner pour un autre aussi facilement ?

Elle lui saisit la main.

— Je n'ai jamais dit que je n'adorais pas le tien.

Dans la lumière des lanternes, les iris de Rune s'assombrirent pour prendre la teinte prune la plus profonde.

— Suce, fit-il d'une voix râpeuse.

Elle attira son doigt dans sa bouche, referma les lèvres autour de la pointe et aspira. Son sang avait un goût différent, ce soir.

Il réprima un grognement, et de son autre paume il rajusta son érection.

— Regarde-moi quand tu me bois.

Elle leva les yeux, et il murmura :

— Voilà, comme ça. Putain, je pourrais jouir là, maintenant.

Elle lui enfonça les griffes dans la peau. Oh oui, elle savait exactement ce qu'il ressentait !

— Tu aimes mon goût.

La tête commençait à lui tourner, Jo ralentit donc ses succions, mais Rune protesta :

— Ah-ah, encore un peu plus longtemps.

Elle prit alors quelques gorgées de plus, avant de le relâcher, se pourléchant les lèvres.

De nouveau, il s'ajusta.

— C'était bon, ton dîner ?

— Délicieux, comme toujours, mais avec un petit truc en plus.

— Je m'en doutais, fit-il, comme si elle venait de confirmer ses suppositions.

Sa bonne humeur semblait totalement restaurée.

— Et comment te sens-tu ?

— Merveilleusement bien, admit-elle, incapable de s'empêcher de sourire.

— Il me semblait bien que ça ferait effet rapidement. L'alcool va pénétrer ton organisme bien plus vite que le mien.

— C'est le truc le plus fort que tu aies jamais bu ?

— Dans le royaume de Pandemonia, les démons fabriquent un breuvage qu'ils appellent liqueur de lave. À tomber à la renverse.

Il était si rompu aux usages du monde – ou plutôt des mondes. Comment ne pas être fascinée par lui ? Elle posa les deux coudes sur la table et le menton sur ses deux mains afin de l'observer attentivement.

— Dans combien de royaumes es-tu allé ? Attends… Laisse-moi deviner… Trop pour pouvoir les compter.

— Exactement.

Une esquisse de sourire retroussa ses lèvres sexy.

— Rappelle-moi de découvrir jusqu'à combien tu sais compter, soupira-t-elle. Et quel est ton monde préféré ?

— En cet instant, la Terre est en très, très bonne place, répondit-il, soutenant son regard.

Lorsqu'il se voulait séducteur, Rune était irrésistible.

— Tu serais venu ici, si ça n'avait pas été pour une mission ?

— J'y viens en visite à l'occasion. Mais Tenebrous – la patrie du Møriør – est très éloigné de Gaia et de ses mondes. Se téléporter sur une distance pareille peut s'avérer épuisant, même pour des immortels de notre âge. Le royaume se rapproche au moment où nous parlons, mais il faut encore plusieurs jours pour y parvenir.

— Les mondes peuvent bouger ?

— Le nôtre, oui.

— Parle-moi du Møriør. Vous êtes combien ?

Il parut ravi de son intérêt.

— Dix, moi inclus. Mais au bout du compte, on sera une douzaine. Car Møriør signifie « douze ».

Ou bien « perte de l'esprit ». Pour la plupart, nous sommes ensemble depuis des milliers d'années.

— Comment les as-tu rencontrés ?

— J'étais dans un cachot. Orion, notre chef, m'a libéré. Il descend des dieux, il est extrêmement puissant.

Jo posa une main sur l'avant-bras de Rune.

— Pourquoi tu étais en prison ?

— Pour faire court...

— Alors là, je t'arrête tout de suite : si ça te concerne, je ne me satisferai jamais de la version courte.

Il posa sur elle un regard perçant, mais elle sentait bien qu'il avait apprécié sa saillie.

— Très bien. Mon père était le roi de Sylvan, le royaume des feys. Ma mère était l'une de ses esclaves. Lorsque je suis né, il m'a épargné – malgré la coutume –, mais ne m'a pas offert une vie digne d'être vécue. Il est mort quand j'avais quinze ans. Sa veuve, la reine Magh, m'a forcé à devenir assassin en menaçant d'attenter à la vie de ma mère si je n'obéissais pas. Plus tard, j'ai appris qu'en fait, elle était déjà morte.

— Je suis désolée, Rune.

Il venait de confirmer que les rêves qu'elle faisait à son sujet étaient bien ses souvenirs. Que verrait-elle d'autre ?

— Et que s'est-il passé ensuite ?

— J'étais trop doué dans mon travail. Au bout d'un moment, il ne restait plus personne à tuer, plus personne à interroger. Alors Magh m'a vendu comme... esclave. Je suppose qu'elle pensait que j'allais perdre l'esprit ou me noyer dans le chagrin. Au lieu de quoi je suis devenu froid, et j'ai tout enduré. Elle m'a alors forcé à revenir à Sylvan, pour le seul plaisir de me torturer. Orion m'a trouvé dans son donjon et m'a libéré. Grâce à lui, j'ai pu exercer ma vengeance sur Magh.

— Alors je l'en remercie. Et je suis contente de n'avoir pas accepté de l'espionner.

— De quoi parles-tu ?

— Nïx veut que je récolte des informations sur lui, elle ne me laissera pas voir Thad sans ça.

Rune haussa les sourcils.

— Donc la seule solution que tu as trouvée à ton problème, c'est de l'assassiner ? Un peu abrupt comme approche, non ?

— Ouais. Ça élimine l'obstacle. « Frapper là où ça fait mal », telle est ma devise.

— Je découvre que tu aimes les choses simples.

Elle hocha la tête.

— J'ai beau ne pas t'espionner, je suis curieuse d'en savoir plus. Tu avais déjà rencontré Orion avant qu'il te libère ?

— Non, jamais. Et pourtant, j'ignore comment, il savait que je deviendrais le meilleur archer de tous les mondes.

Il disait ça d'un ton détaché, tout comme elle quand elle informait les gens qu'elle était hyper fortiche. *Ce n'est pas de la vantardise, si c'est vrai.*

— Tu m'as dit une fois que ton arc était un cadeau inestimable. Il te vient d'Orion ?

— Oui, c'est l'Arc de Lumière-Noire, répondit-il en pinçant la corde. Ainsi donc, il t'arrive de m'écouter à l'occasion.

— De temps en temps. Pourquoi s'appelle-t-il Lumière-Noire ?

— Il a été taillé dans Yggdrasil, l'un des arbres les plus durs aux mondes. Son bois a été coupé de nuit, au cœur de la saison de chasse, mais plié sous le feu d'un dragon de soleil. Même ma force ne saurait le briser. Ce qui signifie que je peux tirer très, très loin et très, très vite. Avec la flèche adéquate, je pourrais aisément transpercer une montagne. Dans les Autreroyaumes, je suis connu sous le nom de Rune Lumière-Noire. Un nom qui m'est attribué autant pour l'arc que pour mon espèce d'origine, je suppose.

Josephine Lumière-Noire. Soupir. Elle adorerait prendre son nom, devenir enfin quelqu'un d'autre que Josephine Doe – autrement dit personne. Il lui avait demandé son nom de famille une seule fois, juste avant de promettre de découvrir tous ses secrets. Bientôt, elle les lui confierait.

— Je t'emmènerai peut-être tirer, un jour, proposa-t-il d'un ton désinvolte.

« Un jour », ça signifiait un avenir.

— J'aimerais bien, fit-elle en baissant les yeux sur le carquois qu'il ne quittait jamais. Pourquoi tes flèches portent des couleurs différentes ?

— Chacune a sa spécificité. J'utilise des runes dessinées avec mon sang pour leur donner un pouvoir magique.

— Je veux apprendre ces symboles.

Il fronça les sourcils.

— Pourquoi ?

— Parce qu'ils sont trop cool. Et c'est d'eux que tu tiens ton nom.

— Les apprendre, c'est plus facile à dire qu'à faire. Je t'en montrerai peut-être une ou deux.

« Une ou deux » ? Elle avait déjà mémorisé toutes celles qu'il avait dessinées sur elle et celle qu'il avait utilisée aujourd'hui.

— Fais-moi voir tes flèches.

Il en tira une toute blanche, du bois aux plumes. Ses runes brillèrent dans la lumière tamisée.

Jo remarqua les symboles.

— Ça, c'est une flèche ravageuse, expliqua-t-il. Tirée contre une paroi, elle pulvérise les os de tout être situé à distance de hurlement.

Son expression restait impassible, ni fière ni honteuse.

Et il trouvait que se fantomiser pour entraîner sa victime dans les entrailles de la terre était terrifiant ?

— Cette flèche ne te blessera ni toi ni tes alliés ?

— Je nous ai immunisés. J'ajouterai des runes visant à t'épargner, toi aussi.

— C'est donc ça dont Nïx parlait. (*Quand elle me brisait les membres.*) Tu en as déjà tiré une comme celle-ci ?

— Aujourd'hui même, je l'ai utilisée contre des troupes de démons de glace avant de me rendre chez Dalli, l'amie dont je t'ai parlé.

Il rangea la flèche.

— Cette Dalli, c'est une amie que tu paies pour ses informations ?

Il ne nia pas. Il se trouvait avec cette femelle moins d'une journée plus tôt. Jo sentit ses griffes s'aiguiser. Elle avait l'impression que des semaines s'étaient écoulées.

— Tu as donc eu le temps de t'occuper d'une nymphe et ensuite de partir à la bataille ?

Il haussa nonchalamment les épaules, comme si ce n'était rien, avant de passer à la flèche noire.

— Celle-ci s'appelle « la fatale », indiqua-t-il en tapotant la plume à l'extrémité. Quand je vise une cible au niveau du cou, la flèche lui tranche proprement la tête, ce qui rend les choses plus aisées quand j'ai besoin d'une preuve de la mort.

Du bout du doigt, il caressa une plume grise.

— Celle-ci, c'est l'« effaceuse ». Elle peut faire exploser le corps d'un immortel en mille morceaux.

Voilà qui vaudrait sans doute le coup d'œil.

— Et les flèches rouges ?

— J'ai trempé leur pointe dans mon poison. La plupart des Mythosiens ne survivraient pas même à cette dose-là.

— Qui est la dernière personne que tu as assassinée ?

— Un descendant de ma marâtre. Avant de tuer la reine Magh, j'ai juré de détruire sa lignée tout entière.

Évoquer cette femelle suffisait à faire briller ses yeux de haine.

— Chaque Møriør souhaite obtenir quelque chose dans les royaumes de Gaia. Pour moi, c'est la vengeance.

— Et les autres lancent aussi leur propre vendetta ?

— Certains, oui, mais ça ne se limite pas à ça.

Il sembla hésiter sur ce qu'il pouvait lui révéler.

— Comme quoi ? Vous projetez de dominer les mondes ? demanda-t-elle, essayant de réintroduire un peu de légèreté dans l'ambiance.

— Oui, répondit-il, parfaitement sérieux.

Waouh.

— Vous comptez instaurer une sorte de dictature ?

— En quoi serait-ce différent de ce que tu fais dans ton quartier ? Tu remplaces la police, tu protèges les habitants des menaces. Imagine si tes actes seuls suffisaient à protéger ton quartier – non, ta nation tout entière – de la destruction totale.

Il avala d'une traite le contenu de son verre, puis ramassa celui de Jo.

— Je veux te faire rencontrer Orion. Il t'expliquerait ça mieux que moi.

Rune voulait la présenter aux siens ?

— Tu organiserais une rencontre ?

— Le moment venu. Comme je te l'ai dit, tu as besoin d'alliés. Tu n'en trouveras pas de meilleur.

— Est-ce que l'un des autres a une âme sœur ?

Il manqua s'étrangler avec sa boisson.

— Pourquoi cette question ?

Il se racla la gorge, vida la bouteille et fit signe qu'on leur en apporte une autre.

— Parce que je suis entièrement tienne.

Alors là, il semblait ébranlé.

— Je ne suis pas un démon. Je suis un sombre fey, et les sombre feys n'ont pas d'âme sœur.

— Qui te l'a dit ?

— Je n'en ai jamais rencontré un qui en ait une.

Bizarrement, il ne prétendait pas que Jo elle-même ne pouvait pas être son âme sœur.

— Mais tu n'en connais pas beaucoup, si ?

— Je croyais qu'on s'était mis d'accord pour considérer que tu étais seulement amourachée de moi.

Elle croisa les bras.

— Non. Je n'aurais jamais été d'accord là-dessus.

— Alors explique-moi comment tu peux être aussi sûre de toi.

— La première fois que du sang a touché ma langue, j'ai su que le sang serait ma boisson pour l'éternité. Je n'ai pas eu besoin de sortir avec M. Sang quelques mois, puis de m'installer avec M. Sang et de rencontrer sa famille pour en être sûre.

— D'accord, ça s'appelle l'instinct.

— Exact. Tu ne fais pas confiance au tien ?

— Penses-tu que la réciproque soit vraie ? demanda-t-il au lieu de répondre à sa question. Que je suis ton âme sœur ?

— Je suppose qu'elles vont forcément par deux.

— Souvent, mais pas toujours.

Il se pencha plus près d'elle et plongea dans ses yeux.

— Suis-je – ton – âme sœur ?

Elle se pencha aussi.

— Je – prends – le pari.

Il vida un autre verre.

— Quand un Mythosien mâle trouve son âme sœur dans une espèce différente, la femelle se montre généralement réticente. J'ai vu plus d'une connaissance passer par toutes sortes de soucis pour s'assurer un avenir avec une femelle « étrangère ». Tu devrais te débattre comme une diablesse, au lieu d'exiger une relation exclusive dès le quatrième jour !

— Eh bien, je suis une sacrée bouffée d'air frais, alors. Écoute, je sais ce que je veux, et ça fait longtemps que je l'attends. Alors crache le morceau : qu'arriverait-il si j'étais ton âme sœur et qu'on avait une relation sexuelle ?

— Mon corps reconnaîtrait le tien. Je me mettrais à produire de la semence pour toi, répondit-il, d'une voix de plus en plus rauque.

— Tu aimes l'imaginer ?

Elle vit ses yeux s'assombrir encore.

— Quoi ? L'idée de te remplir de mon sperme ? Bons dieux, oui, c'est d'un érotisme diabolique. (Il se passa une main sur la bouche.) Malheureusement, quand bien même ce serait possible, la réalité serait moins rose. Tout en moi est empoisonné. Pourquoi en irait-il différemment de mon sperme ?

— Mais je suis immunisée à tout ce qui provient de toi, répondit-elle, avant de lui retourner sa question. Pourquoi en irait-il différemment de ton sperme ?

— Tu prendrais ce risque ? S'il existe une chance infinitésimale que tu sois mienne, il y a aussi une chance pour que tu meures dans d'atroces souffrances.

— Je suis immunisée à toi, tu m'es délectable. Il semblerait qu'on soit compatibles, tu ne crois pas ?

Impossible de dire s'il était surpris ou frustré par son attitude désinvolte. À moins qu'il ne soit les deux.

— Il n'y a pas que ça. Après t'avoir donné la semence à laquelle tu pourrais ne pas survivre, le démon en moi aurait besoin de marquer ton cou par une morsure, afin de signaler une fois pour toutes aux autres mâles que tu es prise.

C'était donc ça, que Desh avait mentionné.

— Un peu comme un tatouage ? Tu en as bien, toi, des tatouages. J'en veux un aussi !

— Non, non, ce n'est pas ça. (Frustré, sans aucun doute.) Il serait invisible à tous sauf aux démons.

Elle fit la moue.

— Je ne pourrais donc pas voir mon propre tatouage ?

— Tu veux bien me laisser finir, oui ? J'enfoncerais les crocs – des crocs fatals, eux aussi – profondément dans ta chair. Supporterais-tu autant de poison dans ton corps ? Et si ses effets se cumulaient ?

— Tu me baiserais, tu jouirais en moi et tu me mordrais le cou en plus ? Tu viens de décrire le rencard de rêve, conclut-elle en frissonnant. Et alors, qu'est-ce qui m'arriverait ?

Il s'envoya un verre d'alcool supplémentaire.

— La morsure d'un démon provoque l'orgasme des femelles.

— OK. Je signe tout de suite !

Il était de plus en plus agité. Quand il se resservit, un peu du liquide se renversa par-dessus le verre.

— Pourquoi aurais-je passé sept mille ans sans âme sœur ? Comment tu expliques ça ? Je vais te dire ce que j'en pense, moi : parce que ça n'était pas destiné à se produire, voilà. Tu ne me feras pas changer d'avis sur ce point. J'ai eu l'éternité pour accepter mon destin.

— Ça, c'est parce que je n'étais pas encore née, mon chou.

Elle lui enfonça l'index dans le torse.

— Je ne suis arrivée sur la scène qu'il y a vingt-cinq ans. En plus, on est en période d'Accession. Tu as dit que les Mythosiens trouvaient leur âme sœur à ces dates-là. Alors OK, sept mille ans, ça peut paraître beaucoup, mais en fait, je n'ai raté que les treize premières Accessions de ta vie.

Il déglutit.

Et toc !

— Tu n'avais pas vu ça sous cet angle, pas vrai ?

— Tu penses vraiment être mienne ?

— Ouais.

Il planta les yeux dans les siens.

— Je te garantis le contraire.

Elle hocha la tête.

— Parce que je suis à Desh ? Je pense en effet que je pourrais aussi me faire un petit rencard de rêve avec lui.

382

Rune serra les mâchoires si fort qu'elle vit un muscle tressaillir dans sa joue.

Leur hôte revint chargé d'un plateau de nourriture, puis leur servit deux grands bols. Chacun contenait une longue nouille enroulée sur elle-même et garnie de légumes. Très appétissant, et le pauvre Rune aurait bien besoin de toutes ses forces, cette nuit.

— Vas-y, prends le temps de manger. Je serai toujours ton âme sœur dans vingt minutes.

42

— OK, je vais faire une déclaration officielle, commença Josephine d'un ton grandiloquent alors qu'ils se promenaient le long d'une terrasse. Voilà, je me lance : j'aime l'alcool.

Elle tituba, et Rune lui passa un bras autour des épaules.

Il avait peut-être exagéré un chouïa, en la laissant aspirer deux bonnes goulées supplémentaires à son doigt.

— Je crois que j'ai créé un monstre, commenta-t-il.

Au moins, elle était prête à l'interrogatoire.

— Tu sais, ce sang à l'hydromel dont tu m'as parlé ? reprit-elle. Je suis complètement partante pour essayer. Hé, au fait, j'ai réfléchi, pour les fantômes...

Elle lui avait posé une myriade de questions sur ceux de son espèce, mais il n'avait que peu d'informations à lui fournir.

— Si un fantôme a un orgasme, ajouta-t-elle, très sérieuse, c'est un fant-asme ?

Il sourit.

— J'en suis certain.

Elle leva la tête au ciel et s'immobilisa.

— Regarde les étoiles. J'adore observer les étoiles.

— Tu as déjà pris l'avion ?

Au cours du dîner, elle lui avait avoué n'avoir jamais quitté le sol des États-Unis.

— Nan.

— Alors, à l'altitude où nous sommes, tu es plus près des étoiles que tu ne l'as jamais été.

Elle retroussa ses lèvres rouges. Et puis fronça les sourcils.

— Il n'y a pas déjà eu une autre fois... ?

— Une « autre fois » ?

— Tu ne les trouves pas tentantes ? Je flotterai peut-être un jour vers elles, dit-elle en tendant la main, comme pour les toucher. Elles sont à moi, c'est moi qui les ai vues la première.

— Comment ça ?

— Nan, rien.

Elle reporta son attention sur lui.

— Où tu m'emmènes ?

Un bras passé autour de ses épaules, il l'entraîna sur un sentier empierré.

— Je te l'ai dit : c'est une surprise.

Il leva le nez en l'air – aucune présence mythosienne sur cette montagne. Il n'entendait pas non plus d'Orea. Le temps était donc venu pour quelques questions.

— Il y a quelque chose qui m'étonne : comment pouvais-tu ne pas savoir ce que tu étais ? Tu n'as jamais connu tes parents ?

— J'en sais rien.

Même soûle, elle allait continuer à lui donner des réponses évasives ?

— Soit tu les as connus, soit non.

Elle donna un coup de pied dans un caillou sur le sentier, trébucha, mais il la retint.

— Je n'ai aucun souvenir avant l'âge de huit ans environ. C'est un grand trou noir.

Il s'arrêta et la fit pivoter face à lui.

— Comment est-ce possible ? Quel est ton premier souvenir ?

Son regard se fit distant.

— J'étais recouverte par un linceul de cristal, et sous ma cape, j'avais une sorte de paquet chaud. Je me suis relevée brusquement, cogné la tête contre le cristal, que j'ai brisé en mille morceaux. Et alors le paquet s'est mis à bouger ! En fait, j'avais un bébé dans les bras.

Grands dieux !

— Continue.

— J'ai supposé que c'était le mien, vu que je ne savais pas quel âge j'avais. Au bout du compte, Thaddie a été comme mon fils, de toute façon.

Pas étonnant qu'elle se montre si protectrice vis-à-vis de lui.

— J'ignorais où j'étais. Qui j'étais. Ce que j'étais. En revanche, je savais que le bébé avait besoin de manger. Parce que je te promets qu'il hurlait ! Alors je me suis mise en route. J'ai marché, marché jusqu'à ce que mes pieds saignent, jusqu'à ce qu'on nous trouve.

Thaddeus et elle avaient été des enfants trouvés. Rune se pinça l'arête du nez.

— Qui vous a trouvés ? Des humains ou des Mythosiens ? s'enquit-il, même s'il connaissait déjà la réponse.

— Des humains. Ils ont dit que je parlais un langage incompréhensible, et ont mis ma perte de mémoire sur le compte d'une blessure à la tête.

Voilà qui expliquait pourquoi elle en savait si peu sur le Mythos.

— Que s'est-il passé ensuite ?

— On nous a donné un nom, les flics ont posté des annonces pour retrouver nos parents, puis on nous a remis aux services sociaux. On était les « enfants Doe ». Ça a merdé à notre premier placement en famille d'accueil.

— Pourquoi ?

— Le type a mis la main dans ma culotte.

Rune serra les poings, enfonçant les griffes dans ses paumes tant son besoin de tuer était irrésistible.

— Tu me diras comment le trouver.

Elle balaya l'idée d'un revers de la main.

— Je m'en suis déjà occupée. J'ai brûlé sa maison avec son propre Zippo.

Le moment venu, Rune traquerait ce mâle et lui ferait subir bien pire. Quelque part dans ce monde, un humain n'avait pas la moindre idée qu'il venait d'écoper d'une séance de torture et d'une peine de mort infligées par un assassin immortel. Mais les sombres projets de Rune ne suffisaient pas à calmer sa fureur. Il prit une inspiration pour recouvrer son calme.

— J'ai pris Thaddie, et on a commencé à vivre dans la rue. Je l'ai élevé depuis tout bébé. C'était comme mon enfant.

— Tu n'étais qu'une enfant toi-même ! Que savais-tu de la façon de t'occuper d'un bébé ?

— Je n'y connaissais que dalle, j'ai dû me débrouiller, et vite. J'ai appris à parler anglais en un temps record.

Thaddeus et elle devaient être totalement vulnérables, et pourtant elle avait réussi à les garder tous les deux en vie. Pour ajouter à la difficulté, elle était hybride dans un monde d'humains.

— Comment cachais-tu tes pouvoirs ? Ton besoin de sang ?

— J'ai reçu mes pouvoirs et commencé à boire du sang le même jour. À l'âge de onze ans.

— Pourquoi à ce moment-là ?

— Disons que j'ai plus ou moins mis le feu à la maison du caïd d'un gang – tu sens une sorte de thème récurrent ? – et que du coup il m'a plus ou moins tiré en pleine face. Six balles dans la tête. Ça fait mal, tu vois ?

Rune baissa les yeux vers son collier. Pourvu qu'elle n'ait pas déjà abattu ce connard. *Que je l'ajoute à ma liste d'assassinats.*

— Je me suis réveillée à la morgue, dans un sac mortuaire. J'ai cru que j'étais un pur esprit.

À onze ans. Du haut de ses vingt-cinq petites années, elle avait vécu des traumatismes plus violents, une incertitude plus grande que certains immortels âgés de plusieurs siècles.

— Le jour même, j'ai tranché la gorge de ce trouduc.

Déjà mort. Dommage.

— Continue.

— En giclant, son sang m'a éclaboussé la bouche.

— Tu ne l'as pas mordu ?

— L'idée de poser les lèvres sur lui m'écœurait, alors ma langue et mes crocs… Je suis difficile, en matière de nourriture, Rune, conclut-elle en levant sur lui un regard solennel.

— Noté. Pourquoi as-tu été séparée de Thad ?

— Après ma « mort » par balles, une bibliothécaire l'a recueilli. MamB, elle s'appelle. Et quand je suis retournée le lui reprendre, il ne m'a pas reconnue avec mon nouveau look. Faut croire que mon apparence change quand je me nourris correctement. MamB et son mari étaient bons pour Thad, et je me prenais pour quelque créature maléfique, un démon ressuscité ou un truc du genre. J'ai pensé que ce serait mieux pour Thad d'être avec ceux de son espèce, expliqua-t-elle d'un ton calme.

Pourtant, elle passait de sa forme tangible à une forme vaporeuse, trahissant ainsi ses vraies émotions.

— J'aurais dû être enterrée, quel droit j'avais sur lui ? (Elle souleva son collier.) C'est pourquoi je porte ça. C'est un rappel du jour où je suis devenue un être qui ne devrait jamais s'approcher d'un gamin innocent. Ou plutôt, précisa-t-elle en fronçant les sourcils, *c'était* un rappel.

Sans rien savoir du Mythos ni de sa propre espèce... Comment avait-elle développé une telle force ? D'où tenait-elle cette confiance ? Comme d'habitude, les réponses qu'elle lui fournissait ne faisaient qu'appeler d'autres questions.

— Je me suis résignée à partir, à laisser Thaddie mener sa vie. J'ai réussi à garder mes distances, à ne plus jamais le revoir.

Elle plongea les yeux dans ceux de Rune.

— Jusqu'au soir où j'ai cru que tu essayais de le tuer.

43

Jo avait passé sous silence certaines parties de son histoire, comme sa peur de flotter sans fin et de disparaître, mais elle était tout de même fière d'en avoir autant révélé. *Petite marche après petite marche.* L'alcool avait rendu ses confidences plus aisées et la sensation qu'elle éprouvait maintenant était... spectaculaire. Spectre-aculaire ! Mais que pensait Rune de son histoire ?

Bien que son expression ne révèle rien, il avait resserré son étreinte autour d'elle.

— Que vas-tu faire, à présent que tu sais que Thad est un Mythosien, tout comme toi ?

— Je ne suis pas certaine qu'il le soit. Je ne pense pas qu'il boive du sang.

Un mois auparavant, elle l'avait vu dans un concours de mangeurs de hot-dogs organisé pour une bonne cause.

— Et il n'est pas blafard, comme moi ; il n'a jamais eu ce teint maladif.

— Mais s'il est ton frère de sang...

— Oui, il l'est. Je le ressens très profondément. Parfois il me vient un vague souvenir d'une femme aux yeux cernés d'ombres. Je pense que c'est peut-être notre mère. Mais pourquoi j'aurais des pouvoirs, s'il n'en a aucun ?

— Peut-être que les tirs que tu as essuyés ont servi de catalyseur, que ça a accéléré ta transition.

— Tu as évoqué des femelles qui se figeaient dans l'immortalité à la vingtaine. Comment j'aurais pu me régénérer aussi jeune ?

— Je n'en sais rien, admit-il. Je ne connais aucune espèce où les jeunes se régénèrent. Ça doit être un pouvoir typiqucment hybride.

— Donc selon toi, il est impossible que j'aie été humaine – ou autre – et que je me sois transformée ?

Il secoua la tête.

— Transformée en vampire ? Peut-être, même si les femelles survivent rarement à la transition. En fantôme, c'est aussi très improbable. Mais les deux à la fois, c'est impossible.

— Dans ce cas, Thad est forcément comme moi, souffla-t-elle en se fantomisant.

— Ce qui expliquerait également l'intérêt inhabituel que lui porte Nïx.

— Je me suis tenue éloignée de lui pendant si longtemps…

Un immense chagrin enflait en elle. Toutes ces années…

— Tu n'imagines pas comme ça a été dur.

Rune lui posa ses mains chaudes sur les épaules.

— Tu n'avais donc personne sur qui t'appuyer ? Tu as partagé ta couche avec trois mâles, tu as eu une relation suivie avec l'un ou l'autre ?

Tout à l'heure, il avait ri quand elle lui avait annoncé ce chiffre. À présent, ses yeux scintillaient alors qu'il attendait sa réponse.

— Bref, as-tu été amoureuse ? précisa-t-il.

Elle secoua la tête.

— Je ne m'entendais pas avec les humains, et je n'avais jamais parlé à un Mythosien avant toi.

Josephine avait toujours été seule.

Les deux nymphes de La Nouvelle-Orléans avaient raconté à Rune qu'elles l'avaient vue errer dans les rues, l'air triste. Il n'avait pas compris, sur le moment...

Elle jaugeait sa réaction. Sentant qu'elle cesserait de parler s'il donnait l'impression de la plaindre, Rune prit bien garde à conserver une expression neutre.

— La femme dont tu as des souvenirs... Penses-tu qu'il s'agissait d'un fantôme ?

Josephine acquiesça.

Comment cette femelle avait-elle été séparée de ses deux enfants ? Avait-elle été prise dans une guerre ? Une invasion ?

— Hormis la Valkyrie, existe-t-il quoi que ce soit qui puisse empêcher tes retrouvailles avec Thad ?

Et que tous les deux, vous rejoigniez notre cause ?

Dans le Mythos, Thaddeus deviendrait autant une cible que Josephine. Le Møriør pourrait le protéger jusqu'à sa transition.

— Il a sa mère adoptive, une humaine. Et même une grand-mère. Il est vraiment proche d'elles. MamB ne m'a pas acceptée, quand j'avais onze ans, alors je doute qu'elle le fasse maintenant que j'ai tout ce sang sur les mains. Quoi qu'il en soit, je veux ce qu'il y a de mieux pour Thaddie. Je resterais à l'écart, si je pensais que ça pouvait l'aider.

Ça ne l'aidera pas.

— Tu auras tout le temps de décider de la marche à suivre, une fois qu'on se sera débarrassés de la Valkyrie.

— Tu penses que je te raconte tout ça parce que je suis soûle, je le sais bien. Mais ça n'est pas vrai, corrigea-t-elle en posant sur lui son regard perçant. Pendant qu'on admirait le coucher du soleil, j'ai décidé de m'ouvrir davantage à toi.

Elle pensait à moi ?

— Pourquoi maintenant ?

Une neige légère commençait à tomber. Josephine leva son visage diaphane vers les flocons.

Rune lui pinça doucement le menton pour récupérer son attention.

— Pourquoi maintenant ?

— Parce que plus tu en sais sur moi, plus tu m'apprécies.

Ça, il ne pouvait pas le nier.

— Tu es donc déterminée à ce que je t'apprécie ?

Elle haussa les épaules : « Oui, Rune. »

— Il faut bien que tu apprécies ton âme sœur.

Il la relâcha.

— Tu remets ça sur le tapis ?

Il s'apprêtait à reprendre son sempiternel argumentaire comme quoi ils ne se connaissaient que depuis quatre jours...

Une minute. Non, c'était pire que ça. Elle s'était amourachée de lui uniquement parce qu'il était le premier Mythosien à croiser sa route !

Jamais elle n'avait rencontré d'autres êtres doués de pouvoirs. Le destin aurait pu mettre n'importe quel immortel mâle sur le chemin de Josephine, la fameuse nuit où ils s'étaient rencontrés. Et elle aurait bu son sang et se serait attachée à lui.

Nom des dieux ! N'avait-elle d'ailleurs pas réagi à Deshazior avec le même enthousiasme ? Si ce démon s'était présenté le premier, elle s'imaginerait être tombée amoureuse de lui, aujourd'hui !

— Pourquoi la brise est-elle aussi douce ? demanda-t-elle en jetant un coup d'œil par-dessus son épaule. Qu'est-ce qu'il y a, à l'angle de cette rue ?

— Va voir, lança-t-il sèchement.

Et il la suivit dans un étroit canyon. Comment transformer une simple toquade en quelque chose de plus durable ? Afin de s'assurer qu'elle rejoindrait le Møriør.

Quand le canyon s'ouvrit devant eux, elle s'y engouffra en direction d'une mare.

— Une source chaude ? C'est incroyable, Rune.

Il avait lu quelque chose sur cet endroit aujourd'hui même.

De la vapeur s'élevait des eaux. De hauts rochers entouraient la mare, qui protégeaient l'endroit du vent. La neige s'accumulait sur les pierres, mais les flocons fondaient à quelques mètres au-dessus de l'eau. Des guirlandes de lanternes en papier s'étiraient d'un côté à l'autre, donnant une lueur rougeoyante à la brume.

Josephine ne mit pas longtemps à se déshabiller : bottes, jean, tee-shirt. En string de dentelle et soutien-gorge, elle descendit les marches en pierres jusqu'à l'eau.

Ce corps serait la perte de Rune.

Elle plongea sous l'eau puis émergea de nouveau, rabattant ses cheveux noirs mouillés et révélant ses oreilles parfaites.

— Viens !

Rune se remémora les paroles de Dalli : « Bats-toi pour emporter son affection. » Il voulait créer un lien d'acier avec Josephine.

Alors la forge a intérêt à être chaude.

44

Jo ignorait ce qui se passait dans la tête de Rune, mais en le voyant se diriger vers le bord de l'eau, le regard sombre et menaçant, elle cessa de rire. Comme en réponse à un danger, son corps se tendit, son esprit se mit en alerte.

Il commença à se déshabiller, avec des gestes de plus en plus rapides, à tel point que certaines parties de son corps se brouillèrent.

Jo cligna les yeux, et soudain il était dans l'eau avec elle, nu. En le regardant approcher encore, elle déglutit. La vapeur humidifiait sa peau glabre et ses cheveux noirs. À chaque mouvement de son torse, ses tatouages semblaient glisser sur les muscles bandés. Bientôt, l'eau effacerait la rune de sang qui ornait son flanc.

Planté devant elle, il utilisa une griffe pour sectionner son soutien-gorge et puis son string, dont il jeta les lambeaux.

— Rien ne se met entre nous.

Du dos de la main, il lui effleura un téton, et ses bagues d'argent cliquetèrent contre le piercing de Jo.

— Pourquoi tu m'as choisi, Josephine ?

Il enroula les bras autour d'elle, l'attirant plus près, emprisonnant son impressionnante érection entre leurs deux corps. Encore plus chaud que l'eau.

— Pourquoi est-ce que tu en veux plus de moi ?

— Parce que tu es à moi, répondit-elle dans un souffle.

— Pourquoi moi ? répéta-t-il en la saisissant par la nuque. Je vais te le dire : parce que je suis le premier mâle du Mythos que tu aies rencontré de ta vie. Si tu en avais croisé un autre avant moi, tu aurais focalisé tes attentions sur lui.

Connard ! Comme si elle ne savait pas ce qu'elle ressentait ! Et en plus, il brisait son délire !

— Tu es foutrement trop jeune et inexpérimentée pour...

Elle empoigna ses testicules et serra.

— Josie !

— À t'entendre, je ne suis qu'une petite idiote. Voilà qui ne s'accorde pas vraiment avec mes extraordinaires qualités par ailleurs, tu ne trouves pas ?

Et je tire.

Grognement. Il écarta un peu plus les jambes pour elle et ondula du bassin.

— Si tu me sous-estimes, Rune, je te tiendrai toujours par là. Par les couilles. Pigé ?

Il verrouilla son regard au sien.

— On peut être deux à jouer à ce petit jeu.

Et il plaqua la main sur son sexe à elle, imprimant une forte pression. Elle prit une brusque inspiration.

— Tu veux te montrer gentille avec moi ? fit-il en frottant la paume contre son clitoris.

Oh oui, elle le voulait vraiment. Elle lâcha ses testicules... et se saisit de son érection.

Pour chaque caresse qu'il lui donnait, elle répondait par l'une des siennes.

— C'est ça, Josie.

De sa main libre, il saisit son poignet et entre-mêla leurs doigts.

Les yeux soudés, ils s'étreignaient sous la sur-face de l'eau, pantelants tous les deux. Leurs mains jointes se serraient en rythme.

Et puis il se pencha pour lui prendre la bouche, sa langue cherchant la sienne pour s'y mêler. Elle gémit, tirant un nouveau grognement à Rune.

La main toujours plaquée à son sexe, il insinua le majeur en elle. Jo se rendit compte vaguement qu'elle ne touchait plus le fond de la mare : il la tenait dans la paume de sa main. Elle lâcha un cri et accéléra les va-et-vient sur son membre.

Encore et encore il l'embrassa, penchant la tête pour mieux lui prendre la bouche ; il l'embrassait comme s'il voulait la brûler. La marquer au fer rouge.

Elle sentait ses seins glisser contre le roc de ce torse, la pointe de ses tétons frotter contre la peau. Quand elle passa le pouce sur la pointe de son sexe, il ficha un deuxième doigt en elle.

Au moment où il interrompit leur baiser, Jo avait l'impression de n'être plus qu'une poupée de chiffon, ravie d'être assise sur sa main.

— Je vais te prendre, lui annonça-t-il d'une voix rauque.

Première pensée : *Où ?*

— Ahhh ! Me prendre, me prendre ? (Elle était peut-être encore un peu soûle.) Tu sais, cet après-midi, sur la montagne, je pensais...

— Tu pensais quoi ?

— Que j'aurais besoin de mes mains pour ça.

Une lueur curieuse alluma ses yeux et l'une de ses oreilles si sexy s'agita. L'ayant libérée, il la reposa au sol.

Elle passa les paumes sur son torse tatoué, frottant ses tétons plats – mais manifestement sensibles – puis lui noua les mains dans la nuque. Et l'attirant vers le bas, elle approcha la bouche de son oreille.

— Je veux sucer ta queue, Rune, chuchota-t-elle en lui mordillant le lobe. Je n'arrête pas d'y penser.

Il frissonna.

— Une idée tout à fait réalisable.

Il se téléporta jusqu'aux marches en pierre et s'assit sur la plus haute, ce qui plaçait la majeure partie de son sexe au-dessus de la surface.

De l'eau jusqu'à la taille, Jo prit tout son temps pour le rejoindre, en profitant au maximum du spectacle.

Son regard de braise fixé sur elle comme pour la dévorer toute crue, Rune commença à se masturber pour elle.

— Tu veux le prendre entre tes lèvres, dit-il de sa voix râpeuse. Tu en meurs d'envie.

Cette sensualité torride...

Elle hocha la tête, ensorcelée. Chaque va-et-vient de son grand poing vrillait un peu plus le ventre de Jo. Le désir montait. *En haut, en bas. En haut, en bas...*

Une fois arrivée devant lui, elle se pencha pour embrasser sa gorge, mais sans le mordre. Et elle descendit plus bas pour lécher les gouttes d'eau sur son torse.

Il lui prit les seins au creux de ses mains, soupesant, pétrissant.

Quand elle passa les dents sur l'un de ses tétons, elle sentit tous les muscles de son corps puissant se crisper.

— Je ne suis pas d'humeur à me laisser taquiner, ce soir, la prévint-il en resserrant son étreinte sur ses seins, histoire de lui montrer qu'il était sérieux.

— Hum-hum.

Sans tenir compte une seconde de son avertissement, elle passa à l'autre téton et le suçota fort, enroulant la langue autour.

Rune lâcha un brusque soupir.

Quand elle enfonça les dents, il arqua les hanches.

— Tu es sensible, dis donc.

Continuant sa descente, elle fourra le nez dans les poils humides de son nombril. Comme elle en avait rêvé un peu plus tôt, elle dessina ses tatouages du bout des lèvres et tira la langue.

— Assez ! Tu ne vois donc pas ce que tu me fais ! cria-t-il en renversant le bassin.

Son sexe se dressa, rigide.

— Mets un terme à mes souffrances.

Jo se saisit de sa virilité, prête à l'embrasser.

— Ah-ah. Regarde-moi dans les yeux. Je veux voir ta véritable réaction.

Elle leva le visage.

— Ma « réaction » ?

— Certaines femelles adorent ça, d'autres pas. Je m'en contrefoutais avant. Maintenant...

Les yeux rivés aux siens, Jo lécha lentement son gland.

Dans un grognement, il resserra son étreinte sur ses tétons.

Elle fit tournoyer sa langue autour de la tête, puis lécha la fente. Au moment où elle enfonça la langue dans cette petite ouverture, elle sentit les jambes de Rune trembler autour d'elle.

— Vilaine petite fille.

Ce goût ! Elle pourrait continuer ainsi jusqu'à la fin des temps. Elle déposa une série de baisers sur son épaisse couronne, tâchant de ne pas le lâcher des yeux, mais le plaisir lui alourdissait les paupières.

— Tu adores ça, pas vrai ?

Et il balança les hanches vers le haut afin qu'elle puisse atteindre ses testicules.

Elle les lécha à leur tour, et Rune renversa la tête en arrière. Puis elle passa la langue sur les replis de la peau. Il lâcha un grognement quand elle en aspira une, puis l'autre dans sa bouche. Mais son érection la rappelait à elle.

— Dur comme la pierre.

Sous la peau tendue, les veines pulsaient. Jo avait faim de ce sexe magnifique et du sang qui le raidissait.

Rune baissa de nouveau la tête pour l'observer.

— Tu as dit que tu n'étais jamais égalée. Je ne serais pas si facile que ça à remplacer, moi non plus, hein ?

Et ses lèvres esquissèrent ce sourire arrogant.

Jo eut soudain très envie de le lui retirer de la face. *Tu l'auras bien cherché, sombre fey.*

Elle effleura son membre du bout d'un croc et le sang apparut.

Rune prit une inspiration, sous le choc. Il en voulait encore, de ces jeux de sang, et il rêvait que Josephine lui prodigue son baiser le plus sombre. Parviendrait-il à convaincre cette vampire si « difficile en matière de nourriture » de le mordre à cet endroit-là ? Cette seule idée le rendait plus dur que jamais.

Tous les deux regardaient perler le sang noir.

Elle le lapa avec délices, haletant son désir d'en avoir plus.

— Eh bien, vas-y ! Enfonce tes crocs dans ma queue, ordonna-t-il en prenant son joli visage entre ses mains, le regard autoritaire. Tu me perceras comme tu as été percée, toi.

Avec un hochement de tête, elle ouvrit grand la bouche. Rune sentit le souffle de Josephine sur son gland turgescent quand elle écarta les lèvres autour de lui et les referma.

— Oui !

Sa bouche était un paradis humide et chaud.

— Maintenant, mords-moi. Vas-y.

Sous la couronne, les crocs s'enfoncèrent lentement dans la chair, la perçant.

— Ah ! hurla Rune, la tête renversée en direction du ciel. Grands dieux !

Il posa les deux mains de part et d'autre de sa tête pour l'emprisonner contre lui.

Le gémissement dévergondé de Josephine vibra sur son érection. Aux premières aspirations, le dos de Rune se cambra de façon incontrôlable, comme si une force supérieure le tendait vers elle. Il faillit jouir sur-le-champ, et resta finalement suspendu juste au-dessus du précipice.

Mais il avait besoin de la voir, d'observer cette femelle en train de le prendre. Alors il rabaissa le menton.

— Putain ! souffla-t-il alors qu'elle l'aspirait.

C'était la chose la plus érotique qu'il ait jamais vue.

— Tu t'abreuves à mon sexe, constata-t-il d'une voix pleine de respect mêlé d'admiration.

Comment un homme pouvait-il se soucier de céder le pouvoir à une femme qui lui donnait un tel plaisir ? Une femme si belle et un plaisir interdit aussi torride.

C'était un fantasme devenu réalité, un fantasme qu'il ignorait même avoir jamais conçu. Il lui passa les doigts dans les cheveux, se délectant de sa morsure. Et au moment où il pensait que la vue ne pouvait pas être plus sexy, il la vit plonger une main dans l'eau, pour la fourrer entre ses cuisses.

Incroyable !

— Tu es en train de te caresser ?

Elle n'eut pas besoin de répondre, ses yeux ensorceleurs se voilèrent un peu plus.

Oui, elle se caressait. Tout en suçant le sang de sa queue en furie.

— Dieux tout-puissants.

Il sentit ses testicules se crisper, mais combattit le besoin de jouir.

De son autre main, Josephine caressait la base de son érection, les griffes enfoncées en lui. Son instinct lui dictait-il de retenir sa proie ? Les vampires étaient possessifs. Considérait-elle son sexe comme sa propriété ?

— Prends-en plus !

Ses veines gonflées semblaient trop pleines de sang, il en avait plus qu'assez pour eux deux.

— Je veux que tu sois avide de moi.

Elle se mit à gémir plus fort encore, débordante de plaisir. Elle libéra ses crocs et, sans cesser de sucer la peau percée, elle baissa un peu plus la tête. Quand ses lèvres sensuelles entamèrent leur lente glissade, il la guida plus bas tout en ondulant du bassin.

Elle l'avala profondément, puis aspira à s'en creuser les joues.

— Ahhhh !

Il la sentait vider ses veines, littéralement. Une énorme pression se massa à la base de son échine, son orgasme était imminent, pourtant il devait tenir jusqu'à ce qu'elle soit repue, satisfaite dans tous les sens du terme.

— C'est ça, dit-il d'une voix devenue gutturale. Suce-la comme si elle t'appartenait.

Alors elle l'engloutit un peu plus, et il se prit à regretter de ne pas avoir de semence à lui donner aussi.

— Si je pouvais éjaculer, je te ferais boire jusqu'à la dernière goutte de mon sperme.

Elle geignit. Sous l'eau, sa main s'activait.

— Ça te plairait ? Que je te remplisse de sang et de semence ?

La pression se faisait de plus en plus forte. Déjà ses muscles se bandaient, prêts à subir l'assaut final. Ses testicules lui faisaient mal, son érection palpitait. Et des élans inhabituels le saisissaient.

Il avait besoin de la mordre, lui aussi. D'enfoncer ses crocs de démon dans sa peau blême de fantôme.

De la posséder. D'être à l'intérieur de son corps.

Qu'elle soit à lui.

Soudain, elle rua sur sa propre main et le sexe de Rune étouffa son cri de plaisir.

— Je ne peux plus me retenir ! hurla-t-il à son tour.

Elle jouissait avec le sexe de Rune dans la bouche. Comme il l'avait espéré, elle était avide de lui, et en jouissant, elle l'enfonçait de plus en plus loin en elle, au point que sa gorge se serrait autour du gland tout entier.

— Oh, bon sang !

La pression était insupportable, il n'y avait rien qu'il puisse faire pour la retenir. Plus rien ne comptait à présent que le soulagement.

Une vague de chaleur explosa à l'intérieur de lui, irradiant depuis son sexe.

— AHHHH !

L'extase lui fouetta le corps, le transperçant aussi sûrement que les crocs de Josephine. Son sexe pulsa contre sa délicieuse langue, en ondes successives alors qu'il jouissait.

La tête lui tournait, il flottait, aussi léger que Jo quand elle possédait son enveloppe corporelle...

Avec un tendre baiser, elle le relâcha. Son visage était rougi, ses yeux brillants.

— Ce dessert était exquis.

— Viens ici, ma belle.

Et il tendit les bras vers elle, l'attirant sur ses genoux, la serrant trop fort. Il posa le front contre le sien pour reprendre son souffle. Et quand il rouvrit la bouche pour parler, il reconnut tout juste sa propre voix :

— Est-il déjà l'heure de ton petit déjeuner ?

45

Plus tard, cette nuit-là, Jo rêva.

Elle s'était endormie dans le lit d'une maison d'hôtes, les membres emmêlés à ceux de Rune ; et pourtant, elle se retrouvait à présent dans une cellule humide et froide, battue et sanguinolente après une séance de torture avec Magh et ses sbires.

C'était une scène de la vie de Rune, encore l'un de ses souvenirs...

Il fixait le plafond de sa cellule. Tout ce que cette garce voulait de lui, elle l'avait eu, le transformant et le modelant à sa guise tant de fois qu'il se sentait sur le point de se briser.

À présent, elle le brisait encore une fois dans cette cellule putride.

Elle en avait terminé avec lui.

— Tu abandonneras ta fierté, bâtard, dit-elle en raccrochant le fouet qu'elle affectionnait. Je ne connaîtrai pas de repos tant que tu n'auras pas imploré ma pitié.

Chaque fois qu'il refusait, elle jetait ses gardes démons sur lui.

Ce soir, ils lui avaient cassé la jambe droite ; l'extrémité brisée de son fémur avait déchiré la peau.

Tout comme deux de ses côtes. Et comme il avait les mains liées derrière le dos, il ne pouvait pas utiliser ses runes pour se soigner.

— Comment se fait-il qu'un misérable putain comme moi attire l'attention d'une reine ? lança-t-il, crachant le sang dans sa direction. Mais je sais désormais pourquoi tu me rends visite chaque nuit. Tu crois que si tu parvenais à me faire ramper, tu réussirais aussi à te débarrasser du désir que tu éprouves pour moi. Et qu'enfin tu cesserais de fantasmer sur moi quand tu baises avec d'autres.

Une lueur rageuse alluma les yeux de la reine.

— La nuit prochaine, tu ne t'en sortiras pas aussi bien. Je vais sortir les tenailles...

Des heures après son départ et celui de ses gardes, Rune observait encore le plafond, en proie à d'atroces douleurs, et marmonnait sa prière habituelle :

— Que les dieux me donnent le pouvoir de détruire cette chienne et toute la maison royale...

— Et si nous te le donnions ? l'interrompit une voix râpeuse.

Rune tourna la tête de droite et de gauche, et découvrit un inconnu dans l'obscurité. Le visage du mâle se distinguait difficilement, mais ses yeux étaient sombres, aussi sombres que des puits sans fond.

— « Nous » ?

Il tenta de s'adosser contre le mur, ravalant sa souffrance.

— Es-tu... un dieu ?

Le mâle à la taille impressionnante traversa pour venir se planter juste devant la cellule, bien plus près que la plupart des gens.

— Je suis l'un des cinq. Le moment venu, je serai l'un des douze. Je suis connu sous le nom d'Orion.

— Pourquoi me parles-tu ? Tu ne dois pas savoir qui je suis.

Cet Orion se contenta de le regarder fixement, d'un regard indéchiffrable.

— Je suis Rune. Prostitué depuis des siècles. (Il désigna son propre corps d'un coup de menton.) Et à présent, je suis le défouloir favori de Magh la fouettarde.

— Je suis venu jusqu'ici pour toi, déclara Orion. À présent, réponds à ma question, archer.

« Archer » ?

— Si tu m'accordais le pouvoir de la détruire, elle et toute sa lignée ?

— Ta résolution ne vacillerait-elle jamais ?

Cet être n'en avait pas idée ! Serrant les crocs, Rune se battit pour se relever. Bien qu'une de ses jambes soit en lambeaux, il parvint à se redresser en prenant appui sur l'autre.

— Jamais.

Orion recula pour inspecter la porte de la cellule.

— Les barreaux et la prison tout entière sont renforcés par des forces magiques, l'informa Rune entre deux respirations saccadées. Aucun être ne peut briser...

La porte s'ouvrit d'un coup.

Rune faillit s'en décrocher la mâchoire.

— Comment as-tu fait ça ?

— L'univers est truffé de faiblesses, archer.

Orion pénétra dans la cellule. D'un nouveau revers de la main, il libéra Rune de ses menottes.

Pas de temps pour la sidération. Rune se perça un doigt pour en faire couler le sang, puis il entreprit de dessiner des symboles curatifs sur sa jambe.

— J'ai dû les réapprendre quand les clients devenaient trop violents, expliqua-t-il à Orion, qui l'observait avec intérêt.

Les pouvoirs magiques réparèrent aussitôt sa peau et ressoudèrent ses os. L'expérience lui avait enseigné comment manipuler les os pour faciliter la guérison.

Il continua par son bras brisé. Orion attendit patiemment que le corps de Rune ait retrouvé sa vaillance, puis il lança :

— Pourquoi ne pas faire tes adieux à Sylvan, archer ?

— Je ne suis pas archer, répondit Rune. Si tu m'as libéré parce que tu le croyais, j'apprécie ton erreur mais ne compte pas la payer.

— Tu deviendras archer.

Si tu le dis. Rune n'avait jamais touché un arc de sa vie. Cependant, il y avait quelque chose de totalement hypnotique, chez Orion. Comme s'il voyait des secrets que Rune ne serait jamais en mesure de découvrir sans lui.

— Va, triomphe et reviens à moi. Tu en connaîtras d'autres encore, poursuivit Orion. Des vies entières de triomphes.

Après des vies entières d'échecs ?

Rune n'eut pas le temps d'argumenter. Nul ne s'était jamais enfui de ce donjon, Magh ne pouvait s'attendre à ce qu'il y parvienne. Si cela se trouvait, elle n'avait même pas bloqué les tunnels secrets conduisant à ses appartements. S'il arrivait à battre ses gardes personnels, elle serait sans défense.

Tel un animal fou, il se téléporta jusqu'au tunnel. Descellé ? Quelle arrogance !

À chaque pas qui le rapprochait de sa cible, Rune sentait la rage gronder plus fort en lui. Cette nuit, elle mourrait. Sa longue vie d'immortelle prendrait fin.

Pourtant, même pris par la fureur, il ne cessait de repenser au mystérieux mâle du donjon. Orion n'essayait pas de le rouler, Rune le sentait. Pas de le briser non plus. Alors quel était son intérêt ? Pourquoi sauver un être tel que moi ?

« Des vies entières de triomphes » ? Rune en rêvait si fort qu'il en frissonnait.

La vengeance d'abord. Il s'attaqua aux gardes de Magh. Si rapide qu'il n'était plus qu'une ombre floue, il utilisa ses crocs pour leur déchirer la gorge avant qu'ils aient le temps de crier.

Dans la chambre de la reine, il baissa des yeux révulsés sur sa silhouette endormie. Se mêlant à son sang de démon, la sueur lui coula du front et s'écrasa sur le visage de Magh.

Elle s'éveilla et écarquilla les yeux, prenant déjà une inspiration pour hurler.

Mais il l'attrapa par la gorge et serra.

— Le monstre que tu as façonné se retourne contre sa créatrice.

Il la téléporta sur la tombe de sa mère, où il la relâcha.

— C... Comment as-tu réussi à te libérer ? balbutia-t-elle en se frottant le cou. Tu as offert tes faveurs sexuelles à un traître ?

— Tiens ta langue, Magh. Sinon je te l'arrache.

Elle posa des yeux affolés sur le monticule funéraire.

— Que veux-tu de moi ?

— Que tu paies pour tout ce que tu as fait.

Son expression se fit calculatrice et elle avança d'un pas vers lui.

— *Je peux te donner un château rempli d'or.*

— *Tu crois que c'est aussi simple ? Combien proposes-tu pour la mort de ma mère ? Pour les siècles où tu m'as forcé à me prostituer ? Pour toutes les aubes avec une épée au-dessus de la tête...*

— *Pourtant tu aimais ça, manifestement ! siffla-t-elle. Je t'ai offert la liberté, et tu as préféré continuer à coucher avec des créatures pour de l'argent.*

— *J'aimais ça ? Tout comme tu aimes me torturer ? Tu es folle de désir pour ton souffre-douleur, et ça te dégoûte !*

La vérité lui éclatait en pleine face.

— *Si tu me fais du mal, ma lignée me vengera, affirma-t-elle. Saetthan te coupera la tête avec l'épée de ses ancêtres. La dernière chose que tu sentiras, c'est l'acier de Titania.*

— *Non. Car je vais pourchasser tes rejetons et toute leur progéniture. Saetthan tombera comme les autres.*

— *C'est donc ça, ton plan ? Mes héritiers sont bien mieux gardés que moi. La plupart d'entre eux vivent dans d'autres dimensions. Comment les trouveras-tu ?*

— *L'un après l'autre.*

Elle déglutit.

— *Vas-tu m'assassiner en premier ? Pour m'enterrer ici ?*

— *Et souiller la tombe de ma mère avec ton corps immonde ? Jamais.*

Confusion sur le visage de Magh.

— *Alors, quoi ?*

— *Je pensais à un châtiment plus approprié aux circonstances. Te vendre comme prostituée et*

regarder tes clients brutaliser une ancienne reine. Ils paieront même un surplus pour que tu portes ta couronne pendant l'acte, prédit-il, jouissant de son regard horrifié.

Il avait eu le temps d'imaginer des siècles de revanche sur elle. Mais mettre ses plans à exécution prendrait du temps et impliquerait des risques.

Une pensée égarée lui vint : Orion attend, avec sa promesse de triomphe.

— Mais finalement, je vais te donner ce que tu as toujours désiré en secret.

— Et qu'est-ce que c'est ?

— Un baiser.

Cette fois, c'était la terreur qui brillait dans ses yeux. Il l'attira contre lui. Elle essaya de détourner la tête, mais il était trop fort.

Son baiser fut froid et dur. Aussi mortel qu'une langue de feu...

Jo se réveilla en sursaut, pantelante. Rune avait enduré cette torture ? Et y avait survécu ?

Pendant des millénaires, Magh avait été la détentrice de son dernier baiser. Les mêmes lèvres qui donnaient tant de plaisir à Jo apportaient la mort aux autres.

Bien. Elle était contente qu'il se soit vengé de cette garce ! Mais ce sentiment de satisfaction s'estompa quand elle se remémora ce qu'elle avait appris d'autre.

Rune lui avait déjà avoué que Magh l'avait vendu, pour le racheter plus tard dans le seul but de le torturer. Mais il n'avait pas uniquement été son esclave, la reine l'avait forcé à se prostituer.

Jo se rappela la nuit où, dans son lit, il lui avait demandé si elle avait été esclave sexuelle. Elle avait alors décelé une note d'espoir dans sa voix.

Quand elle lui avait expliqué qu'elle protégeait les prostituées, il s'était crispé.

Elle se prit le visage entre les mains. Et dire qu'elle avait appelé sa demeure un « bordel pour les week-ends ».

Les joues en feu, elle s'assit et le regarda dormir. Les premières lueurs de l'aube filtraient à travers une fenêtre et peignaient joliment son sombre fey. Il avait le visage détendu, tourné vers elle. Ses cheveux étaient retombés en arrière, révélant un côté de son crâne rasé et son oreille. Celle-ci bougea. *Même pendant son sommeil, il est à l'affût de l'ennemi.*

Le cœur de Jo se serra à cette pensée. Avait-il jamais connu la paix ? Au moins, elle espérait qu'Orion lui avait offert les triomphes qu'il avait promis.

Il faudrait bientôt qu'elle avoue à Rune avoir connaissance de ces souvenirs. Mais ils revenaient de si loin, y compris au cours de la dernière journée écoulée… Comment réagirait-il en apprenant qu'elle avait découvert ses secrets les plus intimes ?

Elle lâcha un long soupir. Ne souhaitant rien d'autre que le réconforter, elle promena le regard sur son corps et discerna son érection sous les couvertures.

Il était en état de besoin ; elle voulait donner. Peut-être ne serait-elle pas en mesure de lui apporter la paix, mais au moins pouvait-elle lui offrir du plaisir.

Mission accomplie, songea Jo en entendant Rune siffloter dans la salle de bains adjacente.

Ils venaient de partager une brève douche tiède juste après leur « petit déjeuner ». En attendant qu'il finisse de se raser, elle tira quelques vêtements de son sac.

Elle avait seulement eu l'intention de le prendre dans sa bouche, et embrassait la pointe de son sexe quand il s'était éveillé.

— J'étais justement en train de rêver à ça, avait-il commenté d'une voix encore rauque de sommeil. Ma beauté veut prendre son petit déjeuner ?

Et il l'avait soulevée et retournée, si bien qu'elle s'était retrouvée à califourchon sur lui, son intimité offerte à la bouche de Rune. Entre deux baisers, il lui avait intimé l'ordre de se nourrir.

Après avoir joui si fort que sa vue s'en était brouillée et l'avoir rendu fou au point qu'il avait défoncé le matelas de ses talons, elle avait essayé de s'écarter, mais il lui avait donné une claque sur les fesses.

— Moi aussi, je veux mon petit déjeuner, avait-il grondé d'un ton bourru.

Et il s'était remis à la lécher, à la suçoter jusqu'à ce qu'elle en perde la tête…

Malgré les deux orgasmes cataclysmiques qui venaient juste de la secouer, le désir revenait la titiller. Comment allait-elle se retenir de faire l'amour avec lui ?

Quand il avait enfoncé les doigts en elle, en lui racontant à quel point il rêvait d'insinuer son sexe à leur place, elle le désirait tout autant.

Après avoir découvert en rêve ce qu'il avait traversé, elle ignorait s'il s'engagerait un jour avec elle, âme sœur ou pas. En revanche, elle était certaine d'une chose : jamais elle ne pourrait le partager.

Elle terminait tout juste de s'habiller quand il revint, une serviette à la taille et un grand sourire aux lèvres. Et l'air absolument ravi.

— On dirait que quelqu'un est de bonne humeur.

— Une magnifique hybride m'a réveillé en se mettant à califourchon sur ma bouche et en me suçant. Alors oui, je suis d'excellente humeur.

Il lâcha sa serviette pour s'emparer de ses vêtements.

— Je vais devoir insister pour qu'on prenne le petit déjeuner au lit tous les jours.

Les yeux rivés aux balancements de sa virilité, elle le regarda enfiler son pantalon de cuir sur ses longues jambes musclées, jusqu'à ce qu'il se boutonne.

— C'est noté.

— Tu t'es réveillée affamée ou excitée ? demanda-t-il en passant un tee-shirt gris bien ajusté par-dessus sa tête.

— Ni l'un ni l'autre, en fait. J'avais juste envie de te faire du bien.

Il fronça les sourcils, l'air perplexe. Puis il s'assit sur le lit et lui fit signe d'approcher de son index replié.

— Tu vas devoir m'expliquer ça, susurra-t-il en l'attirant sur ses genoux. Vais-je être obligé de te soûler avant pour cela ?

Lui posant les deux paumes à plat sur les joues, elle l'embrassa tendrement sur les lèvres. Quand elle s'écarta, il fronçait les sourcils.

— Petite femelle, tu en dis beaucoup avec tes baisers. Mais je ne comprends pas ton langage…

Un coup de tonnerre retentit soudain, qui secoua la maison d'hôtes.

Ils échangèrent un regard.

— Nïx ? fit Jo en bondissant sur ses pieds.

Rune sortit de la pièce tel un boulet de canon, et elle le suivit. Le soleil pointait à l'horizon, ses rayons transperçant les nuages pour illuminer la neige fraîchement tombée.

Grâce à ses yeux de chasseur, Rune scruta la zone et tendit un doigt en direction de la terrasse la plus élevée.

— C'est venu du sommet.

En une fraction de seconde, il avait saisi Jo par la main et les téléportait là-haut – elle devait faire partie de la mission, il ne l'avait pas oublié.

Les nuages allaient sans doute les cacher des humains, et de toute façon, peu importait en cet instant. Ils voulaient tous les deux la mort de Nïx, la voulaient tellement qu'ils prenaient le risque d'être vus.

Cependant, aucun des retardataires encore sur la terrasse n'avait remarqué leur apparition, trop occupés qu'ils étaient à se frotter les yeux après ce qui avait dû être un éclair comme jamais ils n'en avaient vu auparavant.

Jo tourna sur elle-même, sans apercevoir la Valkyrie.

— Tu la sens ?

Rune secoua la tête.

— Qu'est-ce qu'elle mijote ? maugréa-t-il.

— Elle est retournée à Val Hall ?

Il jeta un coup d'œil à son poignet. Pas de lumière.

Un moine sortit de la maison des thés et se dirigea vers eux d'un pas tranquille. Un sourire accueillant aux lèvres, il leur tendit un mot. Il s'adressa à eux en chinois, mais Jo distingua le mot « Nïx » répété plusieurs fois.

Ayant remercié le bonhomme, Rune accepta le parchemin. Le moine les salua et s'éloigna.

— Encore un indice ?

Rune déchira l'enveloppe.

— La Valkyrie se joue de nous. Elle est en train de creuser sa propre tombe, commenta-t-il en parcourant le message.

— Alors ? s'enquit Jo.

— Alors maintenant on va à Rio.

46

Douze jours plus tard

Rio s'était révélé un échec total. Tout comme les huit autres destinations où la Valkyrie les avait baladés.

Rune et Jo attendaient à présent sur le pont des Guglie, à Venise. Pas le moindre signe de Nïx.

Il était 3 heures du matin passées, et le pont était désert. Jo avait remarqué un conducteur éméché – version gondole –, mais les passants étaient rares.

Rune faisait les cent pas, son arc prêt à tirer, scrutant la nuit de ses yeux d'archer si perçants. La brise lui ébouriffait les cheveux et faisait onduler son tee-shirt blanc un peu large, tandis que le clair de lune se reflétait sur le cuir de son pantalon.

Il semblait devenir plus beau chaque jour. Mais où s'arrêterait-il ?

La marque de dents qu'elle avait laissée un peu plus tôt dans son cou commençait déjà à s'effacer, et bientôt il insisterait pour la nourrir. Ils avaient découvert que deux prises par jour, c'était la quantité optimale pour elle. Et quand ils restaient trop longtemps sans le faire, c'était lui qui s'impatientait.

— Elle ne viendra pas, lâcha-t-il enfin.

Ils étaient là depuis 2 heures du matin, soit l'heure indiquée par la Valkyrie dans son dernier message.

Vu la facilité avec laquelle Nïx leur échappait, elle devait utiliser ses pouvoirs de devineresse pour prévoir leurs déplacements.

Même si Jo s'inquiétait pour son frère, Rune lui assurait qu'il était en sécurité – surtout en l'absence de l'imprévisible Nïx, qui semait derrière elle des miettes de pain pour eux.

Rune avait décidé d'accorder encore une nuit à cette poursuite, avant de requérir l'aide du Møriør. Malheureusement, le royaume mouvant de Tenebrous restait à des jours de Gaia. Et puis, il hésitait à les appeler à l'aide sur une mission qui relevait de sa responsabilité. Mais pour Jo, il le ferait.

Ce qui signifiait qu'elle n'allait pas tarder à retrouver Thad. Que penserait son frère de Rune ? Pour la première fois, elle devait réfléchir à la façon dont les différents morceaux de sa vie allaient s'emboîter.

Rune avait du mal avec les autres hommes, il risquait donc de paraître arrogant à Thad, toujours si accommodant. D'un autre côté, Thad pourrait sembler cruellement immature à Rune.

À l'âge de Thad, le sombre fey était déjà un tueur chevronné. Et pourtant, jamais il n'avait traqué une proie aussi insaisissable que Nïx...

Au cours des douze jours écoulés, alors qu'ils suivaient les indices de la Valkyrie à travers des mondes remarquables, Jo était allée d'émerveillement en émerveillement. Elle avait vu détaler un million de sabots au royaume des centaures ; observé des expositions incroyables au Morbid

Anatomy Museum de Brooklyn ; manqué se faire écraser par d'énormes pieds sur la terre des géants et vérifié qu'ils se promenaient bien sans rien sous leur toge (sacrée vision, vu d'en dessous !).

La veille, l'indice de Nïx les avait conduits au Fremont Troll[1], sous un pont de Seattle. Les humains prenaient la sculpture de béton pour une œuvre d'art, alors qu'en réalité il s'agissait d'un portail conduisant au royaume des trolls.

Et il est hors de question que je remette un jour les pieds à Trollton.

Jo avait adoré observer Rune en action sur les diverses terres qu'ils avaient visitées : toujours concentré, rien ne l'effrayait jamais. Tant d'êtres qu'ils avaient rencontrés levaient les yeux vers lui – hormis les géants, bien sûr, qui lui avaient toutefois montré du respect.

Il parlait des tas de langues, et s'il tirait sa flèche Lumière-Noire de son carquois, les créatures tremblaient. Il était plus connu dans les autres dimensions qu'au royaume des mortels, ce qui semblait lui convenir.

À de multiples reprises, ils avaient dû reporter leur voyage et attendre qu'un démon les transporte ou que passe un camion poubelle de Trollton.

Pendant ces intermèdes, ils avaient continué à explorer leur alchimie explosive. Pourtant, Rune ne montrait toujours aucune volonté de se lancer dans une relation exclusive. Et Jo campait sur sa décision de ne pas se contenter de moins.

---

1. Sculpture située sous la partie nord du George Washington Memorial Bridge, dans le quartier de Fremont, à Seattle, représentant un troll en béton armé tenant dans sa main une Volkswagen Coccinelle. (*N.d.T.*)

Combien de temps encore puis-je lui refuser de coucher ? C'était d'autant plus difficile qu'elle sentait son cœur battre de plus en plus fort pour lui.

La nuit précédente, il lui avait susurré à l'oreille :

— Tu peux bien te refuser à moi, nous savons tous deux que c'est inévitable. Depuis la seconde où je t'ai vue. Depuis la seconde où je t'ai sentie...

Jo observait les eaux éclairées par la lune d'argent qui coulaient sous le pont. Rune et elle étaient dans une impasse.

Pourquoi ne peut-il pas s'engager avec moi ? Malgré la tension sexuelle entre eux, ils s'étaient installés dans une sorte de relation de camaraderie, avec ses hauts et ses bas. Si l'un d'eux se décourageait, l'autre lui remontait le moral. Si l'un des d'eux n'avait pas envie de parler, l'autre prenait la relève.

Ils devenaient si bien accordés qu'il leur arrivait souvent de terminer la phrase de l'autre. La dernière fois que ça s'était produit, Rune lui avait lancé un regard perplexe.

— Parfois, j'ai l'impression que tu me connais mieux que les alliés aux côtés desquels je combats depuis des millénaires, des alliés capables de lire dans mon esprit et de me parler par télépathie.

Elle avait répondu par un sourire, une expression qui voulait dire : « C'est parce que je suis ton âme sœur, gros bêta... »

Après le mont Hua, ils avaient attendu Nïx à Rio, où ils étaient descendus dans un hôtel du bord de mer. La tête posée sur le torse de Rune, Jo avait écouté les vagues et le ressac.

— Je veux en savoir plus sur les symboles que tu dessines, lui avait-elle confié.

— La plupart des gens finissent par s'ennuyer quand je leur parle de mes runes. Tu te rappelles certaines que tu as déjà vues ?

Elle s'était redressée.

— Je suis capable de te les dessiner toutes.

Sourire narquois.

— Ben voyons.

Regard noir.

— Je vais te le prouver.

Il avait été stupéfait qu'elle sache en reproduire une... alors trente !

— Tu les as toutes mémorisées !

— C'est pas bien compliqué !

Il les lui avait traduites. La plupart étaient simples.

— Celle-ci indique la pureté du but à atteindre. La deuxième signifie la victoire, ou plutôt la domination. Celle-ci, c'est le cauchemar. Leurs combinaisons sont tout aussi importantes que leur interprétation.

Chaque fois qu'ils en avaient eu le temps, il lui en avait enseigné d'autres. En dessinant, il se détendait, et lui donnait souvent des détails supplémentaires sur sa mère.

— Elle aurait pu me haïr, moi, le fils d'un ennemi méprisable – sans compter que j'étais considéré comme une abomination – mais non, elle m'adorait.

En même temps qu'il lui parlait, Jo avait eu un flash : le souvenir de cette mère, souriant à son fils, avec sur son beau visage une expression remplie d'amour ; et le cœur de Rune gonflé d'affection pour sa mère chérie. Peut-être voyait-elle les souvenirs de Rune uniquement quand quelque chose, une parole, une image, déclenchait cette réminiscence.

Il lui avait dit que son talisman était le dernier cadeau offert par sa mère, que c'était son trésor qu'il chérissait le plus.

Et puis elle le lui avait volé. Par deux fois.

— Rune, je suis désolée.

— Je te l'ai repris, avait-il répondu en lui caressant la joue du dos de la main. Et bien plus encore.

— Comment est morte ta mère ? avait-elle demandé, ignorant s'il se confierait à elle.

Il avait éloigné sa main, serrant un poing rageur.

— Magh l'a envoyée dans un bordel. Même si ma mère n'avait pas encore atteint son état de totale immortalité, elle a tout supporté afin que Magh m'épargne. Mais la pauvre n'était pas assez forte pour survivre aux... exigences des clients.

Et ensuite Magh l'avait vendu, lui, au même bordel. Si sa mère y était morte, comment Rune avait-il survécu ?

Jamais il n'avait pipé mot de cette époque-là de sa vie, mais Jo en avait eu des aperçus à travers son sang – des scènes de torture qui lui avaient retourné l'estomac. Pas étonnant qu'il ait éprouvé le besoin d'éradiquer la lignée royale de Sylvan.

Son sang lui avait aussi fourni des aperçus de ses alliés. Elle avait cessé de fouiller dans le passé de Rune – tout rappel de Magh le rendait fou – et préféré s'enquérir du Møriør.

Il parlait d'Orion en des termes toujours respectueux, tout en admettant regretter de ne pas mieux connaître son seigneur. Les manières de Rune se faisaient plus décontractées quand il mentionnait ses compatriotes, comme Darach Lyca – un vrai loup-garou !

— Sous sa forme lycae, il pétrifie la plupart des gens, lui avait-il expliqué. Darach est l'alpha et le primordial, le plus grand et le plus féroce de son espèce tout entière. Pourtant, il se contrôle à peine.

Sian, un démon désormais roi des Enfers, était d'une beauté reconnue.

— L'expression « beau comme le diable » a été inventée pour lui.

Puis il lui avait parlé de son allié Kolossós, les sourcils froncés.

— Je le trouve indescriptible. Disons qu'il y a douze sièges autour de notre table. Pour certains Møriør, ce ne sont guère que des sièges honorifiques…

À présent Rune soupirait, ce qui ramena Jo à la raison de leur présence à Venise, sur ce pont. Une fois de plus, il vérifia le tatouage qui lui encerclait le poignet.

— Nïx n'est pas là-bas. Et elle n'est pas ici non plus.

Durant leurs voyages, ils avaient aussi recherché une mèche de cheveux de Valkyrie. Rune avait expliqué à Jo que les spectres gardaient Val Hall en échange de ça. Quand ils auraient tressé une longueur de cheveux suffisante, ils seraient en mesure de plier tous les Valkyries à leur volonté. Or, selon la rumeur, la tresse arrivait presque à son terme.

La mort qui contrôlait la vie. Jo souhaitait bonne chance aux spectres.

— On va attendre encore longtemps ? demanda-t-elle.

— Tu as quelque chose de plus pressé à faire ? répliqua-t-il d'un ton amer.

Puis ses yeux se mirent à scintiller, et il ajouta :

— Moi, je sais où j'aimerais mieux être.

Jo sentit son corps réagir comme sous l'effet d'une caresse. Il continuait à plaisanter de sa supposée toquade, mais elle sentait au plus profond de son être qu'ils étaient destinés l'un à l'autre. Comment l'en convaincre ?

Si seulement il acceptait au moins de s'engager, elle coucherait avec lui et alors son sceau se briserait, lui prouvant ce qu'elle savait depuis le début. Il ne pourrait plus nier l'évidence ! Rien ne saurait être plus convaincant – ni ses arguments ni sa détermination.

Et si elle essayait ? La preuve irréfutable signerait-elle le début d'un avenir possible ensemble ?

Ou lui briserait-elle le cœur ?

47

Ils avaient beau s'accorder des pauses coquines plusieurs fois par jour, la seule présence de Josephine à ses côtés décuplait les besoins de Rune. Il avait du mal à se concentrer. Alors qu'il aurait dû être à l'affût des menaces le long du canal vénitien, il ne cessait de dévisager sa jolie compagne de voyage.

Sous le clair de lune, sa peau laiteuse semblait encore plus pâle, ses yeux plus sombres. Ses cheveux luisaient, presque noirs. Comme pour le titiller, elle en passa justement une mèche derrière son oreille ensorcelante.

Elle tourna la tête vers les eaux, mais il eut le temps d'apercevoir ses iris scintillants de désir. Il n'était pas le seul à avoir des envies.

— On attend encore quinze minutes.

Elle se pencha en avant pour poser les coudes sur la rambarde du pont, attirant l'attention de Rune sur sa minijupe noire.

Son érection lui étirant le pantalon, il s'imagina la prendre dans cette position. Il lui remonterait sa minijupe jusqu'aux hanches, écarterait son string, puis il enfoncerait son sexe en elle juste là. Si elle était sienne, il jouirait en elle, la marquerait de son sceau.

Il détourna les yeux à contrecœur pour scruter les environs, noter les points d'observation et les coins invisibles. Il savait que Nïx jouait avec eux, qu'elle prévoyait à l'avance leurs déplacements, et pourtant ces semaines à la traquer en vain n'avaient pas été perdues. Car il avait utilisé ce temps pour recruter Josephine.

Il pouvait bien l'admettre, à présent, il s'assurait sa loyauté pour des raisons personnelles bien davantage que pour le Møriør.

Bon sang, combien de temps va-t-elle se refuser à moi ? Alors que sa volonté à lui semblait faiblir, Josephine gagnait en puissance dans tous les domaines. Elle-même l'avait remarqué, attribuant l'augmentation de sa vitesse et de sa force au sang de Rune.

Quant à lui, ses dons réguliers ne l'affaiblissaient pas. Bien au contraire, il se sentait comme régénéré. En revanche, s'ils attendaient trop longtemps entre deux prises, il s'échauffait, comme s'il avait trop de sang, comme si son corps en débordait.

Chaque partie de son corps. Les palpitations de son sexe le réveillaient tous les matins. Alors il se perçait la peau, et attendait que Josephine s'éveille à l'odeur de son sang, pour la guider impatiemment vers son érection.

Il lui avait dit qu'elle ne pouvait pas se nourrir moins de deux fois par jour. Quand elle avait demandé si cela comprenait les « petits en-cas », il l'avait jetée sur son épaule et tapotée sur les fesses, en l'informant qu'il n'y avait rien de « petit » chez lui. À quoi elle avait répondu par un long rire à gorge déployée…

Avec tout ce qu'elle avait bu de lui, avait-elle rêvé ses souvenirs ? Parfois, quand il lui révélait quelque détail de son passé, elle ne paraissait pas du tout surprise.

Il appréhendait le moment où elle le verrait dans ce fichu bordel. Allait-elle s'enfuir en courant ? Ou le plaindre ? Il ne se pensait pas capable de supporter sa pitié.

Comme s'il était capable de supporter sa fuite... Il était déjà accro à son rire, à sa candeur, à sa sexualité débridée. Elle était plus appétissante que les mûres sauvages, même pour un esclave affamé...

Je vais devoir lui dire. Bientôt...

— Bon, elle ne viendra pas, marmonna Josephine. Ça commence à bien faire.

— Je croyais que tu te plaisais avec moi ?

— Toi, ça va. Mais ça... pas trop. Elle pourrait au moins prévoir de quoi égayer notre soirée quand elle nous pose un lapin.

— Chaque fois, je me dis qu'on va tomber dans une embuscade.

Mais pourquoi, se demandait-il pour la millième fois, Nïx n'avait-elle pas contacté ses ennemis afin de leur dévoiler l'endroit où il se rendait ? Le roi Saetthan, par exemple, avait mis une énorme prime sur sa tête ; sans compter que le fey était allié à Nïx...

— Rune, regarde ! Dans l'eau !

Un bateau miniature flottait sur le canal. Rune se tourna vers Josephine.

— Il est tout à toi.

Elle commença à se dématérialiser.

— Non, Josie, utilise ton don de télékinésie.

Il l'encourageait à s'y entraîner.

Elle hocha la tête, tendant la main vers le bateau. Les sourcils froncés, elle souleva la maquette et l'approcha. Voyant qu'elle ne parvenait pas à la saisir par ce biais, elle lévita elle-même pour l'écraser en plein air. Au moins elle ne l'avait pas détruit sur-le-champ : elle en tira un message, fixé au mât.

Elle ne faisait plus semblant de savoir lire désormais, aussi elle se contenta de lui tendre la missive.

En une semaine, elle avait appris la plus grande partie du langage runique ; elle apprendrait à lire tout aussi rapidement. Rune déchira l'enveloppe qui contenait un carton d'invitation impeccable. Une fois que tout ceci serait terminé, et qu'il aurait installé Josephine à l'abri à Tortua, il lui apprendrait. En attendant, il lut tout haut :

« VOUS ÊTES CORDIALEMENT INVITÉS À ASSISTER
AU 2915ᵉ BAL ANNUEL DE TITANIA.
22 heures LA VEILLE DE LA LUNE ROSE »

— Titania ? Qu'est-ce que c'est ? s'enquit Josephine.

— Un royaume fey.

La lune rose était la lune de ce mois-ci. Rune leva les yeux au ciel. Le bal avait lieu ce soir. Avec le décalage horaire, il leur restait à peu près huit heures avant le début.

Josephine pencha la tête.

— Bon, et c'est quoi, ce bal machin ?

Il froissa l'invitation.

— Un piège.

Debout devant l'âtre à Tortua, Rune fixait les flammes. Il avait revêtu une tenue formelle pour le « bal machin », et n'attendait plus que Josephine.

Il aurait bien aimé la laisser ici en sécurité, mais le serment qu'elle avait fait sur le Mythos l'obligeait à la garder auprès de lui. Alors il avait hésité à se rendre au bal. Titania était un royaume allié de longue date à celui de Sylvan, et il y avait fort à parier que Nïx ne se montrerait pas.

En fait, il pensait que la devineresse les avait délibérément fait tourner en rond pendant douze jours dans l'attente de ce fameux bal – où elle comptait les livrer au roi Saetthan.

Pourtant, le devoir de Rune envers le Møriør l'obligeait à y assister, ce qui impliquait aussi la présence de Josephine. Elle était d'ailleurs très impatiente, malgré les explications qu'il lui avait fournies sur les risques encourus.

À savoir les chasseurs de primes de Saetthan. Rune en attendait au moins une centaine.

Ils avaient beau être du même âge, Saetthan ne l'affronterait jamais en duel. En tant que fey pur, Saetthan était plus rapide ; mais la moitié démone de Rune le rendait plus fort. Si seulement son demi-frère avait assez de courage pour le défier, cela ferait une joute intéressante.

Et pourtant le roi s'y refusait, même s'il avait juré qu'il s'agissait là de son devoir sacré pour protéger les siens. Tous considéraient Rune comme un monstre, un croque-mitaine qui s'en prenait aux membres innocents de leur famille.

Un croque-mitaine ? Oh oui !

Innocents ? Il n'en avait jamais croisé aucun dans la lignée de Magh…

Une fois que Josephine et lui avaient quitté Venise, il l'avait emmenée s'acheter une robe de soirée. Il lui avait indiqué que l'argent n'était pas un problème et qu'ils pouvaient aller n'importe où dans l'univers.

Et juste par esprit de contradiction, elle les avait conduits dans une boutique de vêtements de seconde main derrière Canal Street, l'une des rues les plus commerçantes de La Nouvelle-Orléans.

Il avait dû se contenter de faire les cent pas pendant qu'elle essayait des tenues, sans jamais être autorisé à jeter ne serait-ce qu'un coup d'œil à ce qu'elle porterait.

— Chez les feys, les nobles portent des tenues d'un prix obscène. Les femelles favorisent les couleurs pâles et les tissus vaporeux. Tu devrais peut-être en faire autant.

— Hum-hum, avait-elle répondu, sans prêter la moindre attention à ses suggestions.

Rune ne souhaitait pas qu'elle se fasse remarquer plus que nécessaire, craignant qu'elle ne soit gênée.

— Même s'il y a toutes les chances pour que ce soit une embuscade, on va tout de même essayer de s'amuser.

Ayant déjà des projets pour elle ce soir – à savoir la séduire totalement – il avait fait quelques préparatifs de son côté. Si on ne les attaquait pas, le contexte serait idéal. Les femelles raffolaient des bals. Josephine et lui boiraient un peu, ils danseraient un peu, et puis elle serait sienne.

Seule la mort pourrait l'empêcher d'être en elle avant la fin de la nuit.

Mais ses plans ne fonctionneraient pas si elle était triste. C'était une femme, une jeune femme. N'étaient-elles pas extrêmement sensibles à l'attention dont elles étaient l'objet ?

— Vaporeux, hein ? l'avait-il entendue marmonner depuis l'intérieur de sa cabine d'essayage. Genre aérien comme une fée ?

Puis elle avait passé la tête par le rideau et chuchoté :

— Tu es au courant que je ne suis sans doute pas de la noblesse fey, pas vrai ?

— Petite maligne.

— Mais je vais avoir besoin de toi pour compléter mon ensemble.

Ensemble. Il avait grimacé mentalement. Ainsi donc, il n'y aurait pas qu'un seul vêtement ou accessoire inapproprié.

— C'est-à-dire ?

Il s'était attendu à ce qu'elle demande des bijoux. Il se trompait :

— Un verre de ton sang suffira...

Désormais, de retour à Tortua, elle l'interpellait depuis la chambre :

— Je vais sortir. Mais je t'avertis : je suis hyper sexy.

— Bon, eh bien viens, répondit-il, résigné. Ne fais pas durer le suspense plus longtemps.

Alors elle sortit. Il faillit tomber à la renverse.

— Tu... Tu es...

Vampire. Fantôme. Et elle avait réussi à mettre en avant les deux aspects.

Elle portait une robe sans bretelles et sans chichis, en satin noir de jais, qui accentuait ses courbes de vampire séductrice. Sa poitrine généreuse était remontée par le corsage serré.

Le tissu était si lisse qu'il reflétait la lumière, accentuait le translucide de sa peau et ses pommettes hautes et élégantes. Les ombres qui encadraient ses yeux lumineux étaient plus sombres encore, et rehaussaient la couleur unique de ses iris noisette.

Elle avait remonté ses cheveux de soie au sommet de son crâne, dénudant ses oreilles percées d'anneaux et son cou gracile.

Et autour de sa gorge...

Il déglutit. Elle avait utilisé son sang pour se dessiner un tour de cou, fait de minuscules runes qu'elle s'était inventées.

— Tu aimes le dessin ? J'ai dû me découper un pochoir avec une griffe. N'essaie pas chez toi. J'ai fait un mélange des runes de chance et de victoire.

Elle s'est peinte avec mon encre. Possession. *Ma femelle halfelin porte ses propres runes de sang.*

Aucune force aux mondes n'empêcherait Rune de la prendre cette nuit.

48

— Tu n'es pas mal, dit Jo à Rune.

Alors qu'elle se remettait tout juste de son premier aperçu de lui en tenue fey de gala : pantalon fauve ajusté, bottes noires et un manteau taillé dans quelque tissu couleur crème qui semblait moulé à même ses muscles.

Il était grand, mince et élégant, mais avec une touche de sauvagerie sous le vernis.

Quand elle parvint enfin à détacher les yeux de son érection apparente, elle remarqua d'autres détails. Il avait attaché ses cheveux en arrière, révélant les côtés rasés de son crâne et ses oreilles de fey. Et ses yeux rivés à elle étaient zébrés de stries noires.

— Toi, tu... es...

— Rune, je t'avais averti. Remets-toi, mec.

Il croisa son regard et ses lèvres s'étirèrent dans son fameux sourire en coin. Jo soupira.

— Ah, Josephine, tu parles, tu parles... Mais je savais que je serais plus élégant que toi.

— Si tu le dis, vieux beau.

Elle aurait bien aimé le nier de façon plus convaincante, mais en réalité il avait raison.

— C'est la première fois que je te vois sans ton collier en balles de revolver.

— Je n'ai plus besoin de le porter.

Il avait fait son œuvre.

— Ah non ?

Il passa son arc et attacha son carquois, tous deux devenant invisibles.

— Si nous survivons à cette nuit, je t'emmènerai en un lieu où tu n'es jamais allée. L'un de mes endroits préférés. On y boira du vin, et tu pourras admirer les étoiles tout ton soûl.

Admirer les étoiles ? En compagnie de quelqu'un ?

— J'adorerais ça ! Voilà encore une bonne raison de survivre.

Il lui offrit son coude.

— Viens.

Elle lui prit le bras, et l'instant d'après, ils arrivaient dans un jardin baigné par le clair de lune.

— On est où ?

— Titania. Je ne peux pas risquer que qui que ce soit remarque par quel moyen nous sommes arrivés, alors je nous ai téléportés à l'écart. Le palais est juste là-bas, dit-il en désignant un château non loin d'eux.

Luisant dans la nuit, la bâtisse semblait tout droit sortie d'un conte de fées, avec deux flèches surplombant l'ensemble et des drapeaux qui battaient au vent. Une aile tout entière était construite en verre, et ses facettes scintillaient comme des diamants. Des notes de musique jouée par un orchestre parvenaient jusqu'à eux, et l'air doux embaumait les fleurs exotiques.

Bras dessus bras dessous, ils se dirigèrent droit devant eux. Plus ils approchaient du château, plus le sentier était fréquenté par des Mythosiens de toutes espèces, mis sur leur trente et un. *Et me revoilà dans le Mythos...*

Rune l'escorta en haut d'une volée de marches devant l'entrée éclairée par des torches. Des démons en livrée gardaient la porte. Leurs cornes polies brillaient dans la lumière des flammes tandis qu'ils se penchaient pour saluer les nouveaux arrivants.

Rune tendit son carton d'invitation à l'un d'eux, avant de faire entrer Jo sur un palier surplombant le lieu des festivités.

La vue était à couper le souffle. La salle de bal était aussi vaste qu'un auditorium, et entièrement vitrée. D'énormes chandeliers pendaient à un dôme tout en hauteur, et le centre du plafond transparent encadrait la lune au-delà. Les murs avaient été recouverts de givre pour simuler un paysage de forêts verdoyantes, de glaciers, de flammes et d'océans.

En dessous, la piste de danse rayonnante était déjà couverte d'immortels ondulant au son des airs joués par les musiciens dans le fond.

Jo n'en revenait pas d'être là, à un bal, et sans la protection rassurante d'une coquille. Oui, c'était bien elle qui vivait cela. Mais elle se sentait comme nue. Les grandes femelles si gracieuses qui dansaient en bas portaient toutes des robes aux couleurs douces – une mer de bleu pastel, ponctuée de rose et de vert écume.

— Je me démarque telle une goutte de sang dans un verre d'eau.

— Surtout avec ce tour du cou, commenta Rune.

Il fixait son cou si souvent qu'on aurait presque pu jurer que c'était lui, le vampire.

— Tu es mal à l'aise ? ajouta-t-il.

— Si j'étais un gars qui devait choisir une cavalière ici, je me choisirais sans hésiter. Mais tu en as fait des tonnes sur le style des feys, peut-être que tu le préfères à tout autre. Rune, conclut-elle en se tapotant le menton, peut-être qu'au fond tu n'es qu'un idiot.

— Au cas où tu ne l'aurais pas compris en observant ma réaction tout à l'heure – à la façon dont je suis resté sans voix – tu as bien failli me mettre à genoux. Tu es de loin la femelle la plus sexy de la soirée. Et tu es avec moi et moi seul.

— J'ai plus l'habitude d'habiter une coquille pour assister à ce genre de soirée.

— Tu es la bienvenue en moi, si tu veux.

Au cours des deux semaines écoulées, il l'avait cachée dans son corps à plusieurs reprises.

— Et si je m'excite trop et que je me réincarne ?

Elle éprouvait toujours des difficultés à contrôler son mode « fantôme ».

— Dans ce cas, tu vas devoir rester à mes côtés, que je puisse t'arborer à mon bras, répliqua-t-il en la guidant vers un escalier monumental.

— Ce genre de rassemblement est toujours aussi couru ?

Il hocha la tête.

— Surtout pendant une Accession.

Ces Mythosiens étaient là pour trouver leur âme sœur ? Ou leurs ennemis ?

— Bon, alors, fais-moi un petit résumé : avec combien d'entre elles est-ce que tu as couché ?

— Je ne pense pas que tu aies envie de le savoir. Mais je peux te dire, en revanche, qu'il n'y en a qu'une ici avec qui je veuille coucher.

Humm. Il est doué.

— Tu attires encore plus de regards admiratifs que moi, commenta-t-il tandis qu'ils descendaient les marches.

Elle avait en effet remarqué les têtes qui se tournaient à son passage, des mâles comme des femelles.

— Heureusement que tu n'es pas jaloux.

Il haussa les sourcils.

— On danse ?

— Je croyais qu'on était ici pour se battre. Je ne sais pas danser, ajouta-t-elle en se mordillant la lèvre.

— Je vais conduire. Laisse-toi bercer par la musique, mon âme.

Jo se figea.

— Tu m'as appelée « mon âme » ?

— Pas du tout. Je t'ai appelée « madame ».

Elle redressa les épaules.

— N'importe quoi. Tu as dit « mon âme ».

— Je t'ai expliqué que les sombres feys n'étaient pas capables de sentiments amoureux, mais imagine ce que tu veux, ma colombe.

— Si on se trouvait dans ma chambre de motel, je t'insulterais jusqu'à ce que tu me colles contre un mur.

— Je me rappelle souvent cette nuit-là, dit-il en se passant une main sur la bouche. Au lieu de quoi, nous pourrions peut-être danser.

— OK, je m'en contenterai.

Il la prit dans ses bras et l'emmena sur la piste. Jo se sentit d'abord très maladroite, mais sitôt qu'elle le laissa conduire la danse, un miracle se produisit.

— Regarde-moi ça ! Je suis une sacrée bonne danseuse, en fait ! Et tu n'es pas trop mal non plus.

Il retroussa les lèvres dans un sourire.

— Tu es sacrément bonne en tout.

Puis il redevint sérieux. Solennel, même.

— Tu sais à quel point je suis fier de tes runes ?

Comment pouvait-elle lui résister quand il était comme ça ? Quand il lui faisait vivre un rêve ?

Je suis en train de plonger la tête la première...

Tant de choses ici lui rappelaient ce magnifique mariage dans lequel elle s'était incrustée. Avec sa robe élégante, elle se sentait comme une mariée. Même la musique était ressemblante, et la danse aussi.

Elle leva les yeux vers Rune. *C'est mon mec. Mon époux.* Et quand il soutint son regard, elle n'essaya même pas de dissimuler ses sentiments.

L'adoration.

Le message dut passer, car il lui adressa un hochement de tête, puis il déglutit, comme sous l'effet de la nervosité. *Ouais, c'est pour de vrai, Rune.* Et elle le soupçonna de plonger juste à ses côtés.

Alors qu'il la faisait tournoyer sur la piste, elle s'abandonna à la nuit. Confiante, elle renversa la tête en arrière et se contenta de ressentir pleinement.

Vertige. Étourdissement. Joie. Elle manqua même se fantomiser de plaisir. Elle vivait un conte de fées, et voulait qu'il ne prenne jamais fin...

— Je crois que le cours de la soirée est sur le point de nous échapper.

Sentant les muscles du torse de Rune se crisper sous ses paumes, elle releva la tête.

— Comment ça ? Tu me désires trop pour continuer à danser ?

— Non, murmura-t-il. On est sur le point de m'attaquer.

Il balaya la foule.

— Cinquante fines lames s'apprêtent à me fondre dessus.

49

L'attaque imminente étonnait Rune.

Si ces mâles étaient des chasseurs de primes à la solde de Saetthan, alors pourquoi ne pas en avoir envoyé deux fois plus ?

Une conclusion s'imposait : il s'agissait de feys, mais probablement pas d'anciens militaires. Avec leurs épées courtes, ils n'arboraient ni l'arrogance martiale des soldats de Sylvan ni les longues épées typiques des Titaniens. Et ils ne portaient pas non plus les arcs draiksuliens.

Ces mâles allaient peut-être représenter un défi. Cela expliquerait pourquoi ils n'étaient pas plus nombreux.

— Josephine, je veux que tu ailles te poster là-bas, près du mur, et que tu deviennes intangible.

En fait, il aurait même préféré la renvoyer complètement.

— Oublie ça, lança-t-elle dans un éclat de rire. Je veux me battre aussi.

— Si tu me laisses le champ libre, je serai de retour à tes côtés d'ici quelques minutes.

Les fêtards lâchèrent des grommellements outrés tandis que les mercenaires se frayaient un chemin jusqu'à la piste. Les instruments de l'orchestre se turent l'un après l'autre. La salle de bal se retrouva plongée dans le silence et les invités les plus sages optèrent pour la fuite.

Un mâle portant épée posa le pied sur la piste, puis un autre et un autre. Tous avaient les yeux rivés sur Rune.

Quant à lui, son seul souci concernait la femelle à ses côtés.

— Si je te sens vulnérable, je vais être déconcentré, répliqua-t-il en décrochant son arc.

— Je peux utiliser la télékinésie tout en me fantomisant.

— Tu es capable de concentrer tes coups uniquement sur mes ennemis ? Je ne plaisante pas. Fais-moi confiance, Josie. Laisse-moi te montrer de quoi je suis capable.

Elle hésita.

— Si tu te fais tuer, je vais te botter les fesses, tu n'as même pas idée à quel point.

Jo eut beau s'écarter vers le mur avec obéissance et se fantomiser, son état de nerfs faisait clignoter sa silhouette, la rendant visible par intermittence.

Elle se retrouvait dans la position de la fille qui fait tapisserie au bal, et n'avait qu'une envie : rejoindre la piste pour aller se battre.

Tout le monde avait fui les lieux, à l'exception d'une poignée d'imbéciles qui observaient la scène depuis l'encadrement des portes ou les balcons, indignés par la promesse d'un affrontement.

Les chasseurs de primes cernaient Rune. Comment pouvait-elle ne pas se battre pour lui ? Ils continuaient d'avancer, resserrant leur cercle.

Puis l'un d'eux lança un cri de guerre. Le cœur au bord des lèvres, Jo les regarda charger.

Parfaitement calme, Rune tira cinq flèches rouges – les empoisonnées – de son carquois. L'arc placé à l'horizontale, il les fit voler. Les flèches déchirèrent l'air, transperçant la première ligne d'hommes, puis la deuxième... et la troisième.

Quinze hommes à terre ! Ils s'écroulèrent en geignant, succombant au poison létal de Rune.

Il décocha cinq flèches supplémentaires et répéta l'opération. Au moins une dizaine d'assaillants tombèrent.

À la vitesse de l'éclair, il passa parmi les cadavres pour ramasser les flèches sur la dernière vague de morts. Tout en garnissant son carquois à nouveau, il conserva une flèche en main pour trancher les gorges, éliminant encore d'autres fines lames.

Plus rapide que les projections de sang, il évitait les éclaboussures des jugulaires. Comparés à Rune, ses attaquants semblaient se mouvoir au ralenti. Ils se traînaient et glissaient sur le verre empoissé de sang.

Jo l'avait déjà vu à l'œuvre, mais jamais ainsi. Jamais face à autant d'opposants.

Une fois son carquois plein, il sauta sur un balcon. Trois couples s'y cachaient. Il ne leur accorda qu'un bref coup d'œil en passant, mais les mâles, eux, le dévisageaient avec terreur. Quant aux femelles, elles poussaient des soupirs extatiques, prêtes à se pâmer de désir. L'une d'elles tendit même la main, dans l'espoir d'effleurer sa jambe.

La volée de flèches suivante prit une trajectoire incurvée. Rune avait plié les baguettes pour qu'elles effectuent un trajet *a priori* impossible, puis il bondit en bas afin de les récupérer encore. Et tout ça sans recevoir une seule goutte de sang.

Les craintes de Jo s'apaisèrent. À l'occasion, Rune lui avait parlé de ses moitiés fey et démoniaque, l'une plus méthodique, l'autre plus agressive. Le fey méthodique était à l'œuvre, ce soir, tandis qu'il détruisait la menace avec une efficacité froide. Il ne restait plus que quelques hommes debout.

Il était magnifique. Et il le savait. Au milieu du carnage, il se tourna vers elle pour constater sa réaction admirative et sidérée.

Et cet insolent de sombre fey lui adressa même un clin d'œil !

Jamais elle ne l'avait autant désiré.

Une fois qu'il en aurait terminé, elle embrasserait ce sourire narquois, mordillerait cette lèvre inférieure jusqu'à ce qu'il grogne. Et dès qu'ils seraient seuls, elle se déshabillerait pour lui, révélant la lingerie qu'elle avait achetée aujourd'hui.

Et si elle se laissait prendre cette nuit ? Il lui avait promis qu'il ferait très attention à bien la préparer. Elle l'imaginait la caressant avec ses doigts incroyables, jusqu'à ce qu'elle soit mouillée et folle de désir, avant d'enfoncer son énorme sexe en elle. Et quand il serait fiché tout au fond, avalerait-il dans un baiser le cri qu'elle pousserait ?

Alors qu'elle fantasmait sur son corps si musclé allant et venant sur elle, en elle, son souffle se fit plus court. Son pouls s'accéléra. *C'est mon mec.* Elle avait tant besoin de lui. Si désespérément besoin de lui.

Ce soir. Ce soir elle se donnerait à lui...

Une pointe d'acier lui caressa la gorge.

50

Léger halètement.

Rune tourna la tête d'un geste vif. Il avait défait toutes les fines lames qui l'avaient assailli, mais l'un d'eux s'était faufilé jusqu'à Josephine.

Nom des dieux ! Pourquoi s'était-elle matérialisée ?

Le mâle la tira brusquement à lui, un couteau plaqué contre son cou fragile.

Voilà pourquoi le Møriør n'avait pas d'âme sœur : Orion ne tolérait aucune faiblesse. Or Rune n'aurait pu montrer faiblesse plus évidente que son attachement à Josephine.

Quand la lame perça sa peau tendre, il crut perdre la tête et dénuda ses crocs, rêvant d'étriller ce mâle, de le dépecer à coups de griffes empoisonnées.

Une goutte de sang dégoulina. Du sang noir !

À force de boire le sien. Une pensée vint à l'esprit de Rune qu'il n'était même pas en mesure d'analyser.

Malgré le danger, elle n'avait pas peur. Il vit ses iris s'assombrir et les ombres autour de ses yeux s'approfondir – la prédatrice signalait la menace.

Sous le coup de la panique, Rune avait oublié qu'il ne s'agissait pas là de n'importe quelle femelle.

C'était une force de la nature. « La mort et la mort en une même enveloppe ». Et il suffisait de la regarder pour voir qu'elle n'avait qu'une hâte : en découdre.

Alors Rune s'adressa au mâle :

— Lâche-la, ou prépare-toi à mourir d'une mort atroce. Je ne t'avertirai pas une seconde fois.

Puis il perçut un mouvement sur le balcon. Il leva vivement la tête.

Saetthan.

Son demi-frère paradait en tenue de gala, flanqué d'une paire de gardes royaux et brandissant fièrement l'épée de leur père.

— Quel bazar tu as mis là, sangfléau, commenta-t-il en observant les cadavres, une expression amusée sur le visage qui ressemblait à celle de Rune.

— Je me doutais bien que tu étais derrière tout ça, répondit-il. Mal préparé et inefficace, c'est ta signature.

Tel un dragon battant de la queue, Saetthan balança son épée.

Rune s'attendait à voir sortir d'autres gardes au niveau du balcon, pourtant aucun ne vint. Il n'y en avait donc que deux. Jamais il n'avait eu l'opportunité de frapper ainsi son demi-frère sans qu'il soit protégé.

— La prochaine fois, j'espère que tu m'enverras un vrai défi à relever, lança-t-il. Les tirelires sont vides, à Sylvan ?

— Je n'avais pas besoin d'une armée pour t'abattre. Il me suffisait de te distraire, juste le temps de mettre la main sur ton âme sœur. Mes espions m'avaient appris que tu l'avais trouvée, mais je n'arrivais pas à croire qu'une abomination dans ton genre puisse avoir une femelle qui lui soit destinée.

Rune plongea la main dans son carquois. Il aurait préféré un duel dans les règles, mais Saetthan avait ciblé sa femme. Alors les règles n'existaient plus.

Du bout des doigts, il effleura les plumes de sa fatale. Il allait la tirer en même temps que quatre de ses flèches empoisonnées. Ces dernières frapperaient plus bas, touchant les gardes qui tomberaient à terre, et Saetthan recevrait la flèche la plus précise, la plus létale de Rune.

— Ah-ah, Rune, se moqua son frère, tout confiant. Si tu me vises, ta jolie minette perdra la tête.

Rune lâcha un rire.

— Si tu crois ça, alors tes espions ne t'en ont pas appris tout à fait assez sur elle.

Saetthan tenta de cacher sa perplexité.

— Ce soir, tu vas perdre la vie ou bien ton âme sœur, pour avoir tué ma mère.

— Josie ? lança Rune, sans jamais quitter Saetthan des yeux.

— Je me débrouille, répondit-elle. Fais ce que tu as à faire.

Et elle commença à se dématérialiser, laissant son assaillant sous le choc. Elle passa à travers le sol, entraînant l'homme désormais intangible dans sa descente. Elle se déplaçait lentement, ajoutant à l'angoisse de son public.

— Quelle est cette ruse ? demanda Saetthan. Ton âme sœur est une abomination, tout comme toi !

Profitant du choc de son demi-frère, Rune plaça ses flèches et les tira de toute sa puissance.

Chaque garde en reçut deux.

Réagissant à une vitesse irréelle, Saetthan balança son épée pour repousser la fatale.

La tête de la flèche heurta sa lame.

Une lumière vive. Puis une déflagration, pareille à un coup de tonnerre.

Et l'épée... explosa !

Du métal carbonisé mordit la peau de Saetthan. Des échardes en fusion jaillirent, puis retombèrent sur le sol de verre en une pluie d'étincelles. L'explosion frappa le dôme de verre au-dessus, et d'inquiétantes zébrures apparurent

Grands dieux. Rune avait détruit l'épée – le symbole unissant cette maudite famille. Sans perdre de temps, il décocha une autre volée de flèches à travers la fumée.

Quand l'air s'éclaircit à nouveau, Saetthan avait disparu.

Rune se tourna vers Josephine. Elle avait enfoncé le chasseur de primes dans le sol jusqu'à la taille, et il venait de comprendre ce qui l'attendait. Terrifié, il poussait des hurlements à vous glacer les sangs.

Tous les deux s'enfoncèrent dans le sol de verre, restant visibles quelques secondes encore, telles deux lumières vacillantes. Parmi les invités encore présents dans les parages de la salle de bal, un murmure effaré se répandit.

Puis Josephine refit surface. Seule.

Son secret était révélé. Il lui fallait désormais la force d'une alliance pour l'épauler. Absolument.

Elle balaya des yeux les spectateurs sidérés.

— Y a encore des clients pour un voyage direct vers la tombe ? Je peux vous enterrer si profondément qu'ils ne retrouveront jamais votre corps. Vous en mourriez peut-être. Ou pire encore... vous risqueriez d'y survivre pour l'éternité.

Oh oui, il s'habituerait aisément à avoir cette petite femelle à ses côtés.

Elle tourna vers lui un sourire éclatant.

— C'était le meilleur rencard de ma vie.

Il retroussa les lèvres. *Et c'est loin d'être fini.*

Il avait peut-être raté sa chance de tuer Saetthan, mais cette fichue épée avait été détruite. Et Josephine était indemne. Tout allait donc bien.

Sitôt que l'idée le traversa, un autre craquement déchira le silence : au-dessus de leur tête, les fêlures du dôme se répandaient telle une toile d'araignée.

— Vite, lança-t-il à Josephine. Voyons si nous pouvons récupérer quelque indice.

Ils se précipitèrent vers un mercenaire qui n'avait pas encore succombé au poison. Les yeux écarquillés, l'homme se tordait de douleur, les membres contorsionnés. Rune se pencha vers lui.

— Tu as un message de Nïx ? C'est sans doute elle qui t'a renseigné sur l'endroit où me trouver.

Silence.

— Parle, sinon la fantôme t'emmène en enfer.

Les yeux déjà exorbités de l'homme s'ouvrirent plus grand encore.

— Nous portions tous… un message pour toi. Dans ma poche !

Rune récupéra le morceau de papier.

« Félicitations, vous avez atteint le niveau bonus ! À présent, votre tour est venu d'essayer de franchir ma garde spectrale. Thaddeus et moi serons présents à Val Hall demain soir, dans l'attente du plaisir de votre arrivée – ou devrais-je dire de votre tentative échouée d'arrivée.

Gros bisous,

Nïx, Celle qui sait tout »

Rune récompensa le mâle par une rapide décapitation.

— Ça dit quoi ? s'enquit Josephine.

— Nïx nous invite à Val Hall. Demain nous l'affronterons – dans son repaire.

Vu les dégâts qu'avait provoqués sa flèche sur l'épée, comment les spectres réagiraient-ils face à une volée de flèches ?

Quand Josephine hocha la tête, Rune porta son attention sur la blessure à sa gorge, et de nouveau il sentit son cœur gronder. Son sang séché était de la même couleur que le tour de cou qu'elle s'était dessiné.

Mon sang coule dans ses veines. Rien que le mien.

Au-dessus d'eux, le dôme continuait à se fracturer. *Je dois la téléporter loin d'ici...*

Elle lui prit les mains. Avec un large sourire, elle les rendit intangibles. Et leva sur lui le même regard adorateur qu'elle lui avait offert sur la piste de danse. Les femelles lui jetaient ce regard-là depuis des éternités.

Pour la première fois, il voulait le mériter.

Le plafond vola en éclats, avant de s'effondrer dans un fracas assourdissant. Josephine et Rune se souriaient tandis que les échardes de verre pleuvaient autour d'eux, les traversant sans aucun effet.

51

*Je suis en Australie – en Australie, nom de Dieu –
et en robe de bal !*

Rune avait récupéré un sac d'affaires à Tortua,
avant de la téléporter ici : au pied d'Ayers Rock,
en plein milieu du désert australien.

Il était debout derrière elle, les mains posées sur
ses épaules, et elle sentait la chaleur de ses anneaux
de runes se diffuser à travers sa peau.

— Alors, qu'est-ce que tu en penses ? C'est « vieillot » ?

Elle le repoussa d'un coup d'épaule.

— Cet endroit est incroyable !

La roche était de la même couleur qu'un vase en
terre cuite. Et pourtant, au coucher du soleil, les
derniers rayons l'empourpraient.

La même teinte que prenaient les yeux de Rune
quand il était détendu.

— Tu es déjà venu ici ? demanda-t-elle par-
dessus son épaule.

La pleine lune qu'ils avaient admirée à Titania
ne faisait que se lever, ici.

— À l'occasion. Le portail menant au royaume de
Quondam est près d'ici. Chez les mortels, ce mono-
lithe se trouve au centre de la tradition aborigène,

il est connu comme étant le rocher des ancêtres. Or les Aborigènes révèrent leurs ancêtres.

Il la téléporta sur le plateau.

— Oh, mon Dieu ! s'exclama-t-elle en tournant sur elle-même. Jamais je n'aurais cru voir un jour des trucs pareils. Depuis deux semaines, c'est de la folie furieuse.

De cette hauteur, elle embrassait l'ensemble de cet étrange paysage. Ils auraient tout aussi bien pu se trouver sur Mars.

Elle leva la tête vers le ciel. Avait-elle jamais vu autant d'étoiles ? Elles scintillaient telles des balises.

— Tu approuves ?

Elle baissa les yeux pour apprécier une vue tout aussi captivante : le large sourire de Rune. Il savait qu'il lui avait coupé le souffle.

De son sac, il tira une épaisse couverture qu'il étala au sol. Puis il lui fit signe de venir s'asseoir, avant de lui jeter une flasque incrustée de pierres précieuses.

— Qu'est-ce qu'il y a là-dedans ?

— Du sang à l'hydromel. Tu vas aimer.

Elle s'installa, ravie, dans un froufroutement de satin.

— C'est du sang noir ?

De la roche irradiait une douce chaleur qui rendait l'endroit encore plus confortable.

— C'est du sangfléau, confirma Rune avec un sourire jusqu'aux oreilles. Je sais que ma vampire en raffole.

— Tu es un homme plein de surprises.

— Il paraît qu'admirer les étoiles, ça donne soif.

Il s'installa à ses côtés, sa propre flasque de breuvage démoniaque à la main.

452

Elle prit une gorgée d'hydromel et écarquilla les yeux.

— C'est super bon. Ça me botte !

— Quand les ingrédients de base sont de bonne qualité...

— Pas étonnant que ton pote Blace adore ce truc.

Les étoiles, une couverture et de l'alcool... Il y avait de la séduction dans l'air, aucun doute.

Or Rune savait qu'aller plus loin signifiait forcément entamer une relation exclusive ; elle avait été plus que claire à ce sujet. Et pourtant, il l'avait conduite dans cet endroit de rêve, avec une idée bien précise en tête : le sexe.

Il est prêt. Sous l'effet de l'excitation, elle se dématérialisa brièvement.

Et une fois que son sceau serait brisé, il ne pourrait plus jamais douter de leur lien indéfectible. *C'est la raison pour laquelle tu vas te donner à lui, Jo.*

— Est-ce que je t'ai dit combien tu es belle, ce soir ? murmura-t-il, tendant la main pour lui passer une mèche de cheveux égarée derrière l'oreille. Ton ensemble, c'était un immense doigt d'honneur adressé à ces snobs de feys. Le satin noir bat la gaze pâle à plate couture.

— Ce vieux truc ? le taquina-t-elle.

Et des compliments, en plus ? *Te fatigue pas, mon chou, je suis toute à toi.*

— En parlant de ces snobs de feys, c'était qui, le blond ? Il te ressemblait un peu.

Le gars l'avait désignée comme « l'âme sœur » de Rune, et ce dernier n'avait pas nié !

— Le roi Saetthan, mon demi-frère.

— Pourquoi veut-il tellement te tuer ?

— Sans doute parce que je veux tellement le tuer, lui. Il est maintenant à la tête de la lignée royale que je projette d'éradiquer. Si tu restes avec moi, la situation que nous avons vécue ce soir ne cessera de se reproduire. La prime sur ma tête est colossale. Et tu seras pourchassée rien que pour t'être associée à moi.

Il lui offrait l'occasion de se désolidariser… avant qu'ils ne deviennent éternels.

— De toute façon, je serai déjà pourchassée pour ce que je suis, non ? Ça rajoute un peu de sel, voilà tout.

Elle porta la flasque à ses lèvres, avant d'ajouter :

— Et l'invitation ? Comment on va pénétrer à l'intérieur de Val Hall ?

— Si ma flèche peut détruire une épée en acier de Titania, pourquoi ne détruirait-elle pas des spectres ?

— C'était carrément cool, commenta-t-elle en lui donnant un coup de poing amical sur l'épaule. Badaboum !

— En effet. À Val Hall, j'utiliserai ma flèche la plus puissante. Si ça ne fonctionne pas, tu pourras essayer ta télékinésie.

— Je pourrai peut-être déplacer sa garde diabolique. Le temps qu'ils retrouvent leurs positions, on se téléportera jusqu'à la porte. Tu t'occuperas de Nïx, et moi de Thad.

Malgré le ton optimiste de sa voix, elle se posait tout de même des questions. Et notamment celle-ci : pourquoi Nïx l'avait-elle alertée de son potentiel télékinésique ?

Soit la Valkyrie était folle à lier et complètement stupide, soit elle se jouait d'eux encore une fois.

— Si tout le reste échoue, tu pourras essayer de te fantomiser jusqu'à l'intérieur, suggéra Rune. Bref, plusieurs options s'offrent à nous.

— Nïx semblait vraiment sûre d'elle, avec cette invitation.

— Elle a peut-être perdu la boule. Après tout, elle est folle.

— N'empêche, tu veux bien m'expliquer ton plan B ?

Il avait peut-être déjà requis l'aide de ses alliés et ils étaient en chemin, genre la Ligue des justiciers bientôt au complet. Version maléfique ?

Rune lui caressa la joue du dos de la main.

— On n'en arrivera probablement pas là. Pour l'instant, célébrons la victoire de ce soir et buvons à notre future bataille.

Rassurée, elle leva sa flasque.

— Bonne bataille !

Elle se mordit la langue sitôt que les mots eurent franchi ses lèvres. Dans ses rêves, elle avait entendu Rune dire ça à ses alliés, voire à des ennemis qu'il respectait.

Soudain tendu, il se leva.

— Depuis combien de temps ?

Elle se remit debout avec peine.

— Depuis la nuit où je t'ai rencontré.

— Qu'est-ce que tu as vu ?

— Au début, j'ai vu Magh qui te convoquait auprès d'elle. J'ai aussi vu ton premier assassinat. Tu étais très jeune.

Les muscles crispés, il précisa d'une voix râpeuse :

— J'ai volé, tué et baisé pour cette chienne. J'ai fait tout ce qu'elle exigeait de moi, et malgré tout je n'ai pas réussi à sauver ma mère. (Il étrécit les yeux.) As-tu vu ce qui s'est produit après que Magh m'a vendu ? Je n'étais plus qu'un esclave, comme je te l'ai déjà expliqué.

Il se pencha vers elle, une note de défi dans la voix :

— Elle m'a envoyé dans un bordel, Josephine.

Il pensait que cet aveu allait la faire fuir ?

— « Fais jouir ou péris », m'a dit Magh. Chaque matin, un garde levait une épée au-dessus de mon cou pour me trancher la tête si j'échouais à satisfaire ne serait-ce qu'un client au cours de la nuit.

Il s'interrompit, comme pour lui laisser le temps d'assimiler ses paroles.

— Pas de commentaires ? Pas de remarque bien sentie ?

Elle éprouvait le besoin de le toucher, mais craignait qu'il ne prenne son geste pour de la pitié.

— Je regrette ce qui t'est arrivé, mais je suis contente que tu aies fait ce qu'il fallait pour survivre. Pour obtenir ta vengeance. Ça aussi, je l'ai vu, Rune. J'aimerais tant que Magh soit encore en vie, que je puisse la pourchasser et l'enfouir au fond de la terre, encore et encore.

Il but une longue goulée à sa flasque.

— Pourquoi ne m'as-tu pas parlé de tes rêves ?

— D'abord, parce que je redoutais que tu n'essaies de me tuer encore une fois. Et ensuite, je ne voulais pas que quoi que ce soit se mette en travers de... nous.

— Qu'as-tu vu d'autre ?

Comme si sa tête se fendait soudain en deux, il se serra les tempes à deux mains.

— Ta première rencontre avec Orion. Et j'ai vu une bataille – très ancienne, apparemment – où vous combattiez tous ensemble.

— Tu m'as vu coucher avec d'autres ?

Elle secoua la tête, puis admit :

— Mais je t'ai vu soumis à la torture, dans ce bordel.

Il détourna les yeux.

— Une fois que j'ai été libéré, c'est de mon plein gré que j'y suis resté.

Elle s'approcha de lui.

— Tu n'imaginais pas comment ta vie pouvait s'améliorer après avoir connu l'enfer si longtemps. Orion mérite ma loyauté, rien que pour t'avoir montré un autre avenir possible.

— Mais le passé ne pourra jamais être effacé, et le mien est sordide. Je suis entaché, de bien des façons, conclut-il, prenant une autre longue goulée. Je parie que tu n'es jamais sortie avec un prostitué.

Incapable de s'en empêcher, elle posa une main sur son visage si fort.

— Ça n'est plus toi. (*Je suis tombée amoureuse de toi. Je veux être toujours avec toi.*) Tu es un mâle différent, aujourd'hui.

— « Différent », répéta-t-il avec un rire amer. Combien de fois un mâle peut-il changer au cours d'une vie, Josephine ? J'aimerais me retrouver à un endroit où je n'aurais plus jamais à changer.

Il riva son regard au sien, comme si les mots ne pouvaient exprimer la profondeur de son désarroi.

Elle s'était rendu compte qu'il était prêt pour elle, à présent il venait de le confirmer.

— Je m'excuse de ne pas t'en avoir parlé. J'attendais que le bon moment se présente.

Il lâcha un soupir.

— Tu n'as rien fait de mal. Au contraire : tu as vu mon passé, pourtant tu n'es pas partie. Et tu ne m'as pas pris en pitié non plus.

Comme s'il comprenait à l'instant ce que cela impliquait, il la saisit par la nuque.

— Dieux, ça signifie beaucoup pour moi.

— Tu n'arriveras pas à te débarrasser de moi aussi facilement, Rune Lumière-Noire. Et comment veux-tu que j'aie pitié d'un mâle comme toi, mon archer ?

Voilà qui lui plaisait, elle le voyait.

— Je suis soulagée que tu sois au courant. Je t'aurais tout avoué, à un moment ou à un autre.

Avant qu'ils ne fassent l'amour ? Avant qu'ils n'aillent plus loin ?

— Je t'en avertirai la prochaine fois que ça se reproduira.

Il hocha la tête, puis lui passa un bras autour des épaules.

— On est censés fêter quelque chose, reprit-il en l'attirant au sol avec lui, sur la couverture. Regarde là-haut, femme.

Peu à peu, elle sentit sa tension s'apaiser, et le bien-être habituel les enveloppa de nouveau. En silence, ils observèrent la nuit qui tombait et la lune qui montait dans le ciel.

Par le passé, chaque fois qu'elle avait levé vers le ciel un regard interrogateur, elle était seule.

Plus maintenant.

Il l'attira plus près de lui. Les cieux étaient vastes et insondables, arrondis au-dessus d'eux tel un bouclier.

— Le monde est si grand… soupira-t-elle.

52

Rune se tourna sur le flanc pour mieux observer le doux profil de Josephine.

Il posa tour à tour les yeux sur ses lèvres, son nez, ses joues et ses cils. Les étoiles se reflétaient dans ses yeux, qu'elle avait levés vers le ciel, pleins d'admiration. Et il ressentit un pincement dans la poitrine. *Non, ce monde n'est pas si grand. En fait, il est tout petit, mon âme.*

Il pourrait lui montrer des milliers de mondes, ils mettraient des vies entières pour les voir tous.

Il but une gorgée de son breuvage démoniaque. Il ne la connaissait que depuis un bref battement de cils, et voilà qu'il songeait à voyager ? À vivre une vie de loisirs ? Il avait des guerres à mener, des secrets à découvrir.

Peut-être après l'Accession...

Il fronça les sourcils en scrutant son beau visage. Elle ne faisait pas qu'observer les étoiles, elle semblait attendre quelque chose. Presque comme si elle écoutait.

— Dis-moi pourquoi tu aimes regarder les étoiles par-dessus tout, demanda-t-il.

— Chaque fois que je les observe, j'ai la sensation d'être sur le point de me rappeler mon passé.

— Tu crois que tes parents sont encore en vie ?

Elle secoua la tête.

— Ma mère, non, je ne crois pas. J'ai de vagues réminiscences de feu et de chaos. Une sorte de catastrophe naturelle, un truc comme ça. Quant à mon père, je n'ai jamais eu le moindre ressenti le concernant.

— Mais ta mère aurait pu fuir une catastrophe naturelle grâce à la téléportation, non ?

À moins qu'elle n'ait jamais quitté son lieu de naissance.

— Je ne sais même pas si ces scènes sont des rêves, le fruit de mon imagination ou encore des bribes de souvenirs. (Elle sirota quelques gorgées à sa flasque.) Ça fait si longtemps que je rêve de connaître mes parents, et c'est un désir tellement fort que je pourrais très bien imaginer tout ça.

« Si longtemps » ? *Pas plus de vingt-cinq ans, en tout cas.*

Rune, au moins, connaissait le nom de ses parents.

— C'est pour cela que tu tiens autant à nouer un lien avec quelqu'un ? À cause de ton absence de famille ?

S'il réussissait à lui rendre Thad, cela aiderait à remplir ce vide ; et à alléger un peu la pression qu'elle mettait sur Rune.

— Non, c'est plus que ça. Quand je traîne dans mes coquilles, je fais l'expérience d'autres vies. Une fois, je me suis fantomisée dans le corps d'une jeune mariée pendant sa nuit de noces. En son époux, j'ai découvert un homme idéal qui la regardait comme si elle représentait tout pour lui. Il lui promettait de mourir pour elle – et moi, je le croyais.

Elle se positionna sur le côté aussi, face à Rune.

460

— Cet homme, c'est moi qu'il regardait dans les yeux, c'est à moi qu'il promettait ces choses. Je sais bien que ça ne m'était pas réellement destiné, n'empêche que ça m'a secouée. Les gens trouvent normal d'être chéris, mais si tu n'as jamais eu cette chance, et que soudain on t'en donne un échantillon, eh bien tu te rends compte que tu en as besoin.

Homme idéal. Tout. Promesses. Chérir.

Bons dieux, Josephine, quelle pression tu mets sur moi. Elle avait pris un mariage – autrement dit, un événement créé pour être idéal – et elle en avait fait le modèle de sa vie amoureuse.

Pour la énième fois, Rune constatait qu'il n'était pas celui qui réaliserait le rêve de Josephine. Alors il décida de donner à la conversation un tour plus léger.

— La buveuse de sang aux rangers rêve de romantisme.

— Si je trouvais ce lien, des choses... seraient réglées dans ma vie.

— Comme quoi ?

— J'ai une peur aussi forte que ta phobie des hauteurs, avoua-t-elle en se mordillant la lèvre inférieure. J'ai peur de flotter, flotter encore, pour ne plus jamais revenir. Surtout s'il m'arrive de me fantomiser pendant mon sommeil.

— Pendant ton sommeil ? Un peu comme du somnambulisme ?

Elle hocha la tête.

— Je passe à travers mon lit et m'enfonce dans la terre. Et quand je me réveille, je suis plus ou moins dans ma tombe. Alors qu'est-ce qui me dit que je ne pourrais pas faire l'inverse ? Et ces étoiles, là-haut, j'ai l'impression qu'elles m'attirent.

— Ça ne t'est jamais arrivé, au cours des deux semaines passées.

— Ça ne se produit que lorsque je suis... perdue. Ou solitaire. Si je nouais un lien fort avec quelqu'un, ça me... je ne sais pas... ça m'ancrerait.

Elle a peur de flotter et de disparaître. Et moi, j'ai peur d'annihiler mes émotions pour toujours.

Chaque fois qu'il abattait froidement l'une de ses cibles, il se demandait s'il était comme Darach : en train d'opérer une transition irréversible. Ou comme Uthyr, le demi-dragon, qui avait abandonné sa forme humaine pour devenir définitivement un dragon.

Josephine voulait qu'il lui serve d'ancrage ? Qu'il lui tienne la main et la garde bien accrochée à lui ? Voilà au moins quelque chose qui lui semblait faisable. En retour, elle pourrait veiller à ce que jamais le cœur de Rune ne se change en cendres.

Peut-être pourrions-nous nous servir d'ancre mutuellement.

Il tendit la main vers elle, et passa le pouce sur la courbe pleine de sa lèvre inférieure, sur la petite entaille. Il vit ses yeux devenir plus lumineux encore. Le regard rivé au sien, il dit :

— Je pourrais te garder avec moi.

Le visage de Josephine s'éclaira ; celui de Rune s'assombrit.

Il s'était oublié : il n'avait posé aucune condition, aucune limite à sa déclaration. Était-elle encore en train de l'ensorceler ?

— Je te veux, Josephine, ajouta-t-il, exaspéré. Je n'attendrai pas plus longtemps.

Et il s'apprêtait à énumérer toutes sortes d'arguments visant à démontrer le ridicule de son refus...

— OK.

Quoi ?

— Je te veux complètement, précisa-t-il.

Elle esquissa un sourire.

— Du sexe, je veux dire. Je veux du sexe.

Il s'enfonçait. Par les enfers, qu'est-ce qui clochait chez lui ?

Le sourire de Josephine s'étira un peu plus.

Il aurait pu écraser ses espoirs sur-le-champ ; ou bien la laisser croire qu'ils allaient entretenir une relation exclusive, alors même qu'il avait bien l'intention de coucher avec d'autres.

Et l'intention de rester égal à lui-même.

Elle lui avait clairement avoué ses attentes, qui se trouvaient être très élevées. Demain, il prendrait les choses en main. Ce serait elle qui allait changer. S'ils devaient avoir le moindre avenir ensemble, ce serait selon ses termes, à lui. Ou pas du tout.

— Tu es bien sûre de vouloir risquer le contact avec mon poison ?

— Je te l'ai déjà dit, je ne pense pas qu'il me fasse courir le moindre risque. Mais si l'on aborde le sujet, ça signifie que tu envisages la possibilité que je sois ton âme sœur.

— Je ne vais pas te mentir : je le pense, en effet. Mais j'ai de quoi te protéger.

Il releva sa manche pour révéler une combinaison de runes qu'il avait dessinée en prévision de ce moment.

— Je n'ai jamais vu ces symboles.

— C'est un vieux sortilège contraceptif qui m'empêche de répandre ma semence.

Il était sur le point d'obtenir ce qu'il voulait. Il avait gagné. Il avait réussi à séduire l'impressionnable Josephine, tout ça grâce à un bal, quelques verres et un ou deux compliments.

Si elle savait comme il l'avait manipulée – un maître dans ce domaine, doté de millénaires d'expérience, face à une jeune femme tout à fait novice en la matière.

— Mais alors, comment sauras-tu si je suis ton âme sœur ?

Il le savait déjà. Dans la salle de bal, quand il avait vu son sang noir... même au milieu de la panique, une pensée stupéfiante l'avait traversé : *Elle est moi, et je suis elle.*

— Est-ce vraiment important ? Cette nuit ne changera pas l'évolution de nos relations. On va quand même rester ensemble.

Ensemble au lit. Dans le Møriør. À la guerre.

53

— J'ai adoré te voir porter ça, murmura Rune contre le tour de cou de Jo.

Elle était assise sur ses genoux, il lui déposait des baisers dans le cou, et sous ses fesses, elle sentait son érection.

— Adoré te voir porter mon sangfléau.

Son souffle chaud lui donnait le frisson. Quand il la posséderait, ce soir, il lui mordrait le cou.

— Ton sang aussi est noir, à présent. Je l'ai vu quand ce chasseur de primes t'a coupée.

Tu déconnes !

— Et je peux tuer en mordant ou en griffant, alors ?

Encore des pouvoirs supplémentaires !

— Ton sang est peut-être mortel, mais je doute qu'il en aille de même pour tes autres fluides.

— Ah.

— Tu as l'air déçu, dit-il, avant de poser le front contre le sien. Toute ma vie, j'ai haï mon sang empoisonné.

— Jusqu'au jour où tu m'as rencontrée.

Elle se pencha pour lui donner un baiser.

Il avait les lèvres fermes, légèrement râpeuses. Et leur simple contact, leur frôlement contre les siennes suffirent à accélérer les battements de son cœur. Elle entrouvrit la bouche, accueillant sa langue habile.

Il l'appuya contre son bras afin d'approfondir leur baiser. Pour un mâle qui n'avait pas souvent embrassé – du moins pas très longtemps chaque fois – il se débrouillait incroyablement bien.

Elle noua les doigts dans ses épais cheveux, pour les libérer de leur queue-de-cheval, et se pressa contre son corps puissant. Elle se sentait moite avant même qu'ils aient entrepris quoi que ce soit. Il avait fait tout un pataquès sur l'importance de la préparer à leur rapport sexuel... Eh bien, elle brûlait déjà.

À chacun de ses mouvements sur son sexe dur – *hum, hum* – il lui grognait dans la bouche tout en la repositionnant sur ses genoux. Alors que leurs langues se mêlaient, elle s'agrippait plus fort à son cou, cambrée contre lui. Pourquoi ne la caressait-il pas ? Pourquoi étaient-ils encore habillés ? Elle voulait sentir son membre chaud dans sa paume ; elle voulait sentir sa bouche sur ses seins, sa langue jouer avec ses piercings.

— Nom des dieux, marmonna-t-il alors contre les lèvres de Jo, avant de s'écarter.

— Qu'est-ce qui ne va pas ? s'étonna-t-elle, reprenant son souffle.

— On devrait peut-être rentrer.

— À Tortua ? Je voulais qu'on fasse ça ici, sur ce lieu épique.

— On ferait peut-être mieux d'attendre encore une nuit ou deux.

Son sombre fey aurait-il changé d'avis ?

Elle avait clairement exposé ses conditions pour qu'ils fassent l'amour. Et pourtant, il semblait prêt

466

à sauter le pas. À s'engager. Le lien qui l'unissait à lui était si fort qu'il en devenait presque palpable.

Elle vit remonter sa pomme d'Adam : il était nerveux. Car ce qu'ils allaient faire avait une signification énorme. Elle le savait depuis le début : il était en train de tomber amoureux, lui aussi ! Après tout, ne l'avait-il pas appelée « mon âme », tout à l'heure ?

— Et si j'insistais pour qu'on reste ?

Il la reposa à côté de lui, puis se téléporta debout.

— Ça fait si peu de temps qu'on se connaît.

— Ah, je vois, on a échangé les rôles, c'est ça ? Tu joues mon personnage, tu cherches des prétextes pour qu'on attende. OK, alors je joue Rune : « Mais bébé, on ne vit qu'une fois, et demain on a une bataille à livrer », fit-elle en imitant sa voix enjôleuse.

Il haussa un sourcil.

— Petite maligne.

— Plus sérieusement, c'est quoi, ce virage à cent quatre-vingts degrés ?

Il haussa les épaules.

— J'ai réfléchi.

Hum-hum. Le changement drastique auquel il se préparait le rendait nerveux. Après d'innombrables siècles d'une monotonie désolante…

Elle allait devoir l'attirer elle-même vers la ligne d'arrivée. Rejouant dans sa tête les réactions qu'il avait eues dans sa chambre au motel, quand elle l'avait aiguillonné en lui montrant les crocs, elle le revit en train de la coller contre le mur pour la punir de son « insolence ». Et de l'embrasser comme si sa vie en dépendait.

— « Réfléchi » ? répéta-t-elle, acquiesçant, comme pour montrer qu'elle comprenait. On a des problèmes avec le petit Rune, pépé ? Tu connais le symbole runique pour le Viagra ?

Étrécissant les yeux, il désigna le renflement à son entrejambe.

— Comme tu peux le voir, mon problème ne se situe pas à ce niveau-là.

Ça fonctionne.

— Je parie que Desh n'a pas besoin de Viagra, lui. Au fait, sur le chemin du retour, tu pourrais me déposer au *Laffite* ?

Elle vit les muscles de Rune se crisper, ses crocs devenir plus proéminents.

— Tu portes mon sang sur ta peau, nom des dieux, et tu oses parler de baiser avec un autre démon ?

— Écoute, je me suis mise sur mon trente et un, il faut bien que ça serve à quelque chose, non ?

Et elle pinça le bas de sa robe, remontant le tissu sur ses jambes.

— Arrête, lança-t-il.

Mais ses oreilles si sexy bougeaient au son du satin effleurant le nylon de ses bas.

— Regarde-moi ça, reprit-elle en révélant ses jarretières noires qu'elle rajusta. Je ne porterais pas ça pour n'importe qui, mais si tu n'aimes pas...

Il serra les poings.

— Je t'ai dit d'arrêter.

Comme s'il n'avait plus aucun contrôle de son corps, il tomba à genoux devant elle, juste pour toucher sa cuisse gainée de nylon.

— Tu me défies encore une fois ?

Elle reprit le bas de sa robe et le tira un peu plus haut.

— J'étais tellement occupée à m'acheter des bas et des jarretelles que j'en ai oublié la culotte.

— Tu ne me défierais pas si je t'avais marquée de mon sceau. Tu me suivrais sans mot dire.

Quelle intensité ! Elle replia une jambe.

— Tu ne veux pas voir où tu devrais être ?

Il prit une brusque inspiration, les pupilles complètement dilatées.

— Tu joues avec des forces que tu ne comprends pas. Le démon en moi... il a besoin... de te forcer à t'abandonner.

Elle écarta grand les cuisses devant lui.

— Et qu'est-ce que tu penses de ça, en guise de défi ?

Jamais elle ne s'était sentie plus exposée. Mais un sombre besoin lui vrillait le ventre. Elle voulait être vulnérable, se placer sous le contrôle de ce mâle.

Toujours à genoux, il contemplait son sanctuaire humide de ses yeux écarquillés ; et dans la seconde, il se téléporta au-dessus d'elle pour la plaquer à la couverture...

Comme actionner un interrupteur.

Rune avait déjà résisté à grand-peine à l'odeur alléchante de son sexe. Mais le voir, voir la petite ombre autour de sa fente... Son érection palpitait de la posséder. Sa moitié démon était en fusion.

L'effronterie de Josephine le rendait fou. Provoquait tous ses instincts les plus primaires. *Elle respectera le mâle qui la maîtrisera.*

En cet instant, il se sentait démon. Sauvage. Hors de contrôle.

Possède-la... Sa robe restait le dernier obstacle. Il la voulait nue, à l'exception de ces jarretières. Empoignant son bustier, il le lui arracha. Et elle haleta quand il déchira le reste de sa robe.

469

Il n'en pouvait plus d'attendre pour embrasser ses seins enfin dénudés. Enveloppant un téton de ses lèvres, il suça fort. Ses dents cliquetèrent contre son piercing. Parfaite.

Sans relâcher sa prise, il arracha ses propres vêtements, accélérant les mouvements de sa langue quand son sexe éprouva l'air froid.

Il ne se rappela que vaguement sa promesse de la préparer. Glissant à la hâte les mains entre ses cuisses, il posa une paume possessive sur son mont. *À moi.* Il insinua un doigt à l'intérieur, grognant contre son sein.

Elle était chaude, accueillante. Il imprima à son doigt un mouvement de va-et-vient, comme s'il la baisait.

— Encore ! exigea-t-elle en balançant les hanches.

Un autre doigt. Il les écarta largement en elle, l'ouvrant pour lui.

— Je suis prête, Rune !

— Tu seras prête quand je le dirai, répliqua-t-il en lui mordillant le téton.

Elle lâcha un cri, ses griffes râpèrent la peau échauffée de Rune, éperonnant la bête.

Son miel lui trempait les doigts, lui coulait sur la paume. Et il continuait à travailler son intimité. Il insinua un troisième doigt.

Elle rua contre sa main.

— Je ne vais pas tarder à jouir !

Il interrompit ses mouvements.

— Non.

— Non ? Eh bien, baise-moi alors !

Je n'en peux plus d'attendre ! Il dégagea ses doigts, qu'il suça avec un sourire narquois tout en l'observant, les paupières lourdes.

— J'ai besoin de te sentir, Rune ! Maintenant !

Levant les bras, elle écarta les cuisses plus largement pour l'accueillir.

Il attendait cela depuis sept mille ans ! À genoux, il se pencha sur elle et s'empoigna pour se positionner. Il bascula le bassin et une douce moiteur embrassa son gland. *Possède-la !*

Poussant un hurlement sauvage, il se frotta contre elle. La couronne de son sexe glissa le long des replis gonflés de Jo.

— ΛHH ! Tu es si mouillée !

Il faillit bien jouir sur-le-champ. Il ne reconnaissait pas son propre membre : jamais il n'avait été aussi engorgé.

En nage, les muscles tendus à l'extrême, il sentit ses testicules se crisper. Il fallut tout ce qu'il lui restait de maîtrise pour ne pas plonger en elle et s'acharner avec frénésie. Serrant les dents, il entama une atroce bataille contre son instinct. *Il faut que je me contrôle !*

La tête de son sexe frottait contre le clitoris gonflé, et elle s'écria :

— Rune, vas-y !

Ses petits crocs s'aiguisèrent.

Pour ma chair. Le démon en lui rugit de satisfaction. *Elle ne boit que moi. Après ce soir, elle ne baisera plus qu'avec moi.*

Ses propres crocs se préparèrent au cou tendu vers lui. *Elle s'apprête à recevoir ma marque.*

Pour la première fois de son existence, il sentait la semence monter dans son membre. *C'est pour elle. Donne-la-lui... Place-la où elle doit être.*

Elle renversa la tête en arrière, libérant ses cheveux dont les mèches soyeuses formaient un halo autour de sa tête. Il baignait dans son odeur.

Son gland cognait contre sa fente. Impossible de faire marche arrière.

Elle ouvrit grand les cuisses dans un geste d'abandon, il sentait son cœur s'emballer. Ses battements l'éperonnèrent autant que ses griffes.

Et dans ses yeux, il lisait la même frénésie que celle dont il était la proie.

— Viens, prends-moi, supplia-t-elle.

Elle avait besoin ; il donnait.

Et les émotions ? Il était à fleur de peau. Sauvage. En feu. Avec un rugissement, il plongea en elle.

Le plaisir, brûlant, l'inonda. Le corps de Josephine l'épousait tel un gant.

— Ah, grands dieux, OUI !

Un démon couvrant sa femelle.

Elle arqua le dos, ses tétons percés effleurèrent le torse en sueur de Rune. Et quand elle hurla son nom, il sentit que ses muscles intimes enserraient son érection, que ses chairs moites tremblaient autour de lui.

Il la saisit par la nuque pour l'obliger à le regarder dans les yeux.

— Tu es à moi maintenant ! Tu m'appartiens...

Un grondement remplaça ses mots. Un plaisir insupportable continuait à monter dans son sexe.

Si fort qu'il en était douloureux. *J'en veux plus !*

Il avait besoin de baiser, comme un animal en rut, comme un démon.

Il avait besoin de mordre. Ses crocs pulsaient aussi douloureusement que son sexe. *Marque-la pour toujours.*

Il se retira pour mieux replonger, et les sensations remontèrent le long de son échine. Trop de sensations. Trop fort.

Il se figea en plein mouvement. *Tu vas jouir en deux assauts... ?*

— Josie, je viens !

Comme si elle avait été préparée juste pour lui, elle tourna la tête sur le côté, offrant le cou à sa marque.

Nouveau cri de guerre dans la nuit, dirigé vers ce monde tout entier. Et puis, un seul mot : « MIENNE ! » Il enfonça les crocs dans sa peau en plongeant dans son sexe aussi loin que possible.

— Rune, je... Oh, bon sang ! Tu me fais jouir ! hurla-t-elle en se balançant désespérément sur son érection.

Il ressentit son orgasme, son fourreau qui cherchait à lui tirer toute sa sève par petites secousses avides.

Rune gronda contre la peau de Josephine au moment où son sceau démoniaque s'enflammait et que la semence jaillissait de lui pour la première fois de sa vie.

Extase. Des points lumineux apparurent sous ses paupières alors qu'il éjaculait. Son esprit lui échappa, il n'était plus régi que par son instinct.

Il se vida en longs jets brûlants et vertigineux. C'était à en perdre la tête.

Toujours fiché profondément en elle, il balança le bassin pour soulager la pression qui s'était formée là pendant des milliers d'années.

54

Quand Rune en eut terminé, Jo était anéantie. Plus aucune force.

Il relâcha sa morsure dans un frisson et s'écroula sur elle. Le cœur battant fort contre sa poitrine, il continua à aller et venir lentement, comme s'il ne parvenait pas à se lasser d'elle.

Elle baissa les paupières, un sourire aux lèvres. Le sexe, ça devrait toujours être comme ça ! Elle avait trouvé son homme, et il faisait très bien le boulot.

Pas comme la rune qu'il s'était dessinée sur le bras, en revanche. Jo l'avait senti éjaculer en elle – de longs jets chauds. Pourtant, elle n'était pas inquiète.

— Attends ! s'exclama-t-il soudain, la voix rauque.

Il se hissa sur ses bras raides, une expression confuse sur le visage.

— Je croyais que je rêvais, mais…

Il se retira dans un sifflement.

— Grands dieux, la rune n'a pas marché ! J'ai joui en toi.

— Eh ouais, fit-elle en lui tapotant les fesses. Et moi, je l'ai senti en temps réel, mon gars.

Il posa les yeux sur son bras.

Ohhhh. En lui griffant la peau, elle avait perturbé la rune.

— Oups !

— Comment peux-tu rester aussi calme ?

— Parce que je viens de prendre mon pied ? OK, OK, reprit-elle, plus sérieusement. Je suis calme parce que je me sens hyper bien. Je savais que j'étais ton âme sœur. Tu m'as marquée, ajouta-t-elle en posant un doigt sur la morsure dans son cou. Et, apparemment, remplie de ta semence.

Elle agita le bassin, pensive.

Rune sursauta.

— Il faut que je t'emmène quelque part. Que je te nettoie !

Elle étira les bras au-dessus de sa tête.

— Laisse tomber. Je savoure.

Elle se rejoua le moment où il avait plongé les yeux dans les siens pour lui dire qu'elle était sienne. Rien ne lui avait jamais donné l'impression d'être plus proche de lui, pas même quand elle avait bu à ses veines.

Le destin les considérait comme liés. Le destin les affirmait unis. Il n'existait pas de connexion plus puissante que ça. Jo ne pouvait s'empêcher de sourire. Oui, décidément, tout était parfait.

— Tu n'as pas mal ? Tu ne ressens aucun effet secondaire ?

Il lui passa les doigts sur le cou dans un geste très tendre.

— S'il te plaît, dis-moi ce que tu ressens. Je ne veux pas que tu souffres, Josie. Tu ne peux pas... Je ne peux pas te blesser.

Demain, elle aurait mal, malgré tout le soin qu'il avait pris à la préparer, mais elle ne regrettait rien. Rien du tout.

— Tu veux savoir ce qui me fait mal ? C'est de me retenir de hurler : « Je te l'avais bien dit ! » de toutes mes forces.

Son air paniqué s'apaisa quelque peu.

— À présent, tu ne peux plus me contredire, l'informa-t-elle. Voici la première étape de notre relation d'âmes sœurs : tu dois accepter que j'ai raison et que j'aurai toujours raison. Par ailleurs, j'aimerais savoir quand on va recommencer. Il est très important qu'on remette ça le plus vite possible.

— « Relation d'âmes sœurs ».

Il s'assit sur les talons, sidéré. Il devait enfin prendre pleinement conscience de l'étape qu'il venait d'atteindre – après toutes ces éternités.

— Eh oui, confirma-t-elle avec un sourire taquin, avant d'ajouter : Et imagine-toi, si j'avais mangé ces derniers temps, tu risquais de me mettre en cloque.

Il lâcha un brusque soupir.

— Jamais je ne me suis autorisé à imaginer… (Son visage s'assombrit.) Ma progéniture serait empoisonnée.

— Peut-être, peut-être pas. Au pire, *notre* progéniture devrait se dégoter une âme sœur hyper géniale dans mon genre.

— Tu voudrais…

Il s'éclaircit la gorge avant de poursuivre d'un ton bourru :

— Tu aurais des petits avec moi ?

Et s'entourer d'autres gens encore ? Elle imagina un bébé aux yeux magenta et un sourire en coin qui lui rappela Thad. Le bébé qu'elle n'envisageait jamais d'avoir encore deux semaines plus tôt.

— Ben ouais, pourquoi pas ?

Elle vit le noir zébrer les yeux de Rune et son sexe durcit de nouveau.

— Tu aimes cette idée ? s'exclama-t-elle, les yeux écarquillés.

— L'idée de mettre enceinte mon âme sœur ? Grands dieux, ça me fait bander encore plus pour toi. Une fois l'Accession passée, tu pourrais te mettre à manger... (Il déglutit.) On pourrait essayer...

— Ça m'a l'air d'être une bonne idée.

Il retourna dans le berceau de ses cuisses, ses yeux de sombre fey embrasés par l'émotion. Il la regardait – la regardait vraiment – et son expression promettait des choses dont elle avait seulement rêvé jusque-là.

Les yeux toujours rivés aux siens, il recommença à balancer les hanches, enfonçant de nouveau son érection en elle.

Connexion.

— C'est encore mieux que dans mes rêves, soupira-t-elle en ondulant à sa rencontre. Je ne pourrais pas me sentir plus ancrée que ça.

Il se pencha sur elle, imprimant à chacun de ses tétons une succion impitoyable qui lui arracha un gémissement. Puis il se retira presque entièrement, pour mieux rentrer tout au fond à nouveau.

— Ah ! Tu es si étroite.

Nouvelle plongée. Il regardait ballotter ses seins avec un délice évident. Nouvel assaut.

— Je viens de jouir et déjà...

Il tomba à genoux, l'attirant à lui pour la positionner à cheval sur ses genoux. Ses bras puissants s'enroulèrent autour d'elle, la serrant fort contre lui. Et dans le creux de son oreille, il murmura :

— Comment ai-je pu vivre si longtemps sans ça ?

— C'est différent ?

Il s'écarta, les paupières lourdes de désir mais les yeux brillants d'excitation.

— Totalement différent... J'ai l'impression que je vais perdre la tête quand je sens ma semence monter. (Il fronça les sourcils.) C'est trop bon. Je n'ai pas plus de maîtrise de tout ça que lorsque j'étais un débutant en la matière.

— Peut-être qu'on est tous les deux débutants en la matière.

En tout cas, elle n'avait jamais fait l'amour auparavant.

Il hocha lentement la tête.

— Maintenant que j'y ai goûté, chuchota-t-il à quelques millimètres de ses lèvres, je ne reviendrai pas en arrière. Tu es mienne.

Le seul fait de prononcer ces paroles augmentait l'agressivité de ses assauts.

— Je veux te l'entendre dire. Maintenant.

Et il enroula une mèche de ses cheveux autour de son poing, tirant dessus pour bien lui montrer le sérieux de sa requête.

— Dis-moi ce que tu es.

Sa fougue de démon la rendait folle.

— Je suis tienne, dit-elle en enfonçant les griffes dans ses épaules.

Elle mourait d'envie de le mordre.

Il lança le bassin vers le haut en grognant :

— Tu vas porter mes petits.

— Oui.

— Ton sang est noir, comme le mien. Je serai toujours en toi.

À cette idée, elle ondula sur lui de plus belle et cambra le dos. L'air frais souffla sur ses tétons.

— Ne bouge pas, siffla-t-il entre ses dents serrées.

— Qu'est-ce qui ne va pas ?

De ses grandes mains, il la saisit par la taille pour la maintenir immobile.

— C'est trop bon. Je regarde tes tétons percés et je suis déjà sur le point de jouir.

Il retira son sexe dans un frisson.

— Je regarde tes lèvres, et c'est pareil. Tes oreilles si sexy. Grands dieux, et tes yeux. Tes crocs… quand ils s'aiguisent, je sais que je vais les sentir s'enfoncer quelque part dans mon corps.

Il tira ses cheveux pour l'obliger à venir le mordre dans le cou.

— J'ai tant rêvé de te donner ma semence… pendant que tu prends mon sang.

Cette idée excita Jo à tel point qu'elle se sentit mouiller encore plus, tandis que son sexe se resserrait sur celui de Rune.

Il dut le sentir, car il répéta la question qu'elle lui avait posée :

— Tu aimes cette idée ?

Elle voyait son pouls qui battait follement, comme pour l'appeler. Tel un diable, il susurra à son oreille :

— Prends ce qui t'appartient, Josie.

Avec un cri, elle pencha la tête en avant et le perça. Quand la chair élastique se referma autour de ses crocs avides, elle manqua jouir sur-le-champ.

Un profond grondement monta.

— Ah ! Oui, bébé, c'est ça. Bois à moi. Je vais tenir jusqu'à ce que tu sois repue.

L'odeur du sang. Ailleurs. Il lui dégoulinait dans le dos : à force de serrer les poings, Rune s'était déchiré les paumes. La douleur pour tempérer le plaisir. Il ferait tout pour tenir bon.

— Mon âme sœur, souffla-t-il d'une voix rauque. Ma si belle femelle.

Alors qu'elle se repaissait de lui, les battements de leur cœur... changèrent. Le bourdonnement fou dans ses oreilles se coordonna avec son pouls, à l'unisson.

Comme s'ils n'étaient plus qu'un seul cœur battant.

— Tu entends ça ? murmura-t-il d'une voix émerveillée. Tu le sens ?

Elle geignit contre sa peau. Unis. Connectés. Rien ne l'avait jamais excitée autant, au plus profond de son corps, de son âme, de son cœur. La tension dans son ventre augmenta pour atteindre le point de non-retour, gonflant avant l'explosion.

Il rua vers elle.

— Jouis avec moi, ordonna-t-il.

Elle était comme suspendue... juste au-dessus du précipice...

— Plus jamais tu ne seras seule, parce que plus jamais je ne te laisserai partir. Comprends-moi bien, Josie : c'est pour toujours.

À ces mots, elle bascula. Son orgasme la submergea. Féroce et impitoyable. Elle relâcha sa morsure pour hurler :

— Rune !

Et elle s'agrippa à lui tandis qu'il balançait le bassin à sa rencontre, sans arrêt. Et elle resta agrippée à lui tandis que leurs deux corps en sueur ondulaient ensemble.

Des paroles en langage démoniaque s'échappèrent des lèvres de Rune, preuve de sa perte totale de contrôle. Avec un grognement brutal, il appuya sur les hanches de Jo tout en montant les siennes à

480

sa rencontre. Un hurlement monta de son torse et son sperme jaillit en elle, l'emplissant de sa chaleur.

Alors qu'elle tremblait contre lui, son âme sœur sombre fey renversa la tête en arrière et rugit son nom à la nuit.

55

Pour la première fois de sa vie d'éternité, Rune l'Insatiable était repu. Il avait joui tant de fois, grâce à son éblouissante âme sœur, que ses pauvres testicules l'avaient supplié de leur accorder un répit.

Allongé contre sa belle endormie dans son lit de Tortua, il lui caressait les cheveux. Oui, il commençait à apprécier aussi les moments d'après l'amour.

Vers la fin de la nuit, il avait été capable de retenir sa semence un peu plus longtemps, bien qu'il n'ait pas fait montre de beaucoup plus de contrôle de lui-même qu'un jeune homme. D'ailleurs, en ces instants, tout lui était apparu comme une découverte. Dalli avait raison : il avait vraiment l'impression de recommencer une nouvelle vie, avec son âme sœur.

Il déposa un baiser dans les cheveux de Josephine, inhalant son odeur. *Mienne.*

Elle avait vu son passé et l'avait accepté. Elle l'avait accepté, lui. Avant de sombrer dans le sommeil, elle lui avait dit :

— Quelque chose en moi a changé quand nos cœurs se sont mis à battre à l'unisson. J'ignore en quoi, mais je sais que je suis différente.

Il comprenait. De son côté, il éprouvait la sensation d'avoir découvert la réponse à un mystère qui le taraudait depuis toujours. Un secret à nul autre pareil.

Et bien que son corps soit repu, son esprit ne l'était pas. Souhaiterait-elle se marier ? Probablement, si elle avait été élevée à la façon des humains. Pour elle, il accepterait la cérémonie – à condition qu'elle aussi consente à certains compromis.

En dépit de la force des émotions ressenties cette nuit, il ne pouvait permettre que cela affecte sa façon de conduire sa vie. Il avait essayé de repousser l'inévitable, mais elle avait insisté. En fait, il la soupçonnait de l'avoir ensorcelé, à un moment ou à un autre.

Le Møriør restait sa priorité, et la guerre menaçait. Étant les yeux et les oreilles de son alliance, il ne pouvait absolument pas se dérober à ses devoirs à l'aube d'une Accession.

De plus, sans le Møriør, sa quête de vengeance risquait d'échouer. Il avait été tout proche d'abattre Saetthan, mais cet imbécile lui avait échappé. Détruire l'épée royale n'avait fait qu'attiser le désir de revanche de Rune.

Il allait garder son objectif, pas question de changer encore une fois d'existence. C'était le tour de quelqu'un d'autre, à présent, nom des dieux ! Demain, il informerait Josephine de ce qu'il avait à lui offrir, sachant que c'était bien moins que ce à quoi elle s'attendait.

Il userait de ses belles paroles pour la gagner à sa cause, et elle s'adapterait. Car elle était accro à leurs ébats, et amoureuse de l'idée de ne plus être seule.

Jamais elle ne renoncerait à lui.

— Rune, murmura-t-elle d'une voix endormie.

— Hum ?

— Tu m'aimes.

Et puis elle replongea dans le sommeil.

Il ouvrit grand les yeux dans l'obscurité. Sa phrase n'était pas une question.

Passer des cendres froides aux flammes d'un brasier en deux semaines ? Impossible. Cependant, il s'était aussi imaginé ne jamais avoir d'âme sœur. Ou de progéniture. Jusqu'à ce que...

Avoir une descendance. Des enfants de Josephine. Elle ferait une mère férocement protectrice, aucun doute là-dessus.

Des enfants. Voilà qu'il passait déjà d'un enfant potentiel à plusieurs.

Les parents du Mythos étaient les vrais immortels. Ils vivaient à jamais dans les souvenirs. S'il avait des enfants, Rune leur parlerait de sa propre mère, dont le sacrifice lui avait permis, à lui et à toute sa lignée, de perdurer.

Il la vengerait, aiderait le Møriør à remporter la guerre à venir, et ensuite une vie entière aux côtés de son âme sœur et de leurs petits serait envisageable. Il ne s'agirait plus seulement d'un rêve. Si son obstinée de femelle acceptait de considérer les choses à travers ses yeux.

56

Jo regardait Rune préparer ses flèches pour leur bataille à venir. La noire, la grise, la rouge et la blanche.

N'ayant aucune arme à fourbir, elle était prête depuis un moment déjà, vêtue d'un jean usé, d'un tee-shirt à l'effigie d'un groupe de funk et de bottes. Sa version à elle de la tenue de guerre.

La nuit ne tarderait pas à tomber sur La Nouvelle-Orléans, et Rune arborait son expression des mauvais jours, ainsi qu'un air pensif.

Depuis qu'elle s'était éveillée, il donnait l'impression de vouloir lui parler, mais ils s'étaient laissé distraire par des dizaines de joutes sexuelles. Le sexe débridé à la façon des immortels.

Ils s'étaient douchés ensemble, cassant quelques dalles du carrelage. Heureusement, un ou deux tours de magie bien utiles avaient déjà tout réparé.

Son homme était une force de la nature. Pour être à la hauteur, elle s'était nourrie à plusieurs reprises au cours de la journée afin d'accélérer sa récupération – genoux brûlés par le frottement contre le tapis, muscles courbaturés et autres morsures d'amour.

Elle le soupçonnait de souhaiter parler de leur avenir, de la façon de consoler leur relation. Car un sceau brisé équivalait à un engagement sérieux. Ainsi le disait le destin.

Les sombres feys se mariaient-ils ? Lui offrirait-il une bague ? Merde, maintenant qu'elle avait détruit ses possessions les plus chères, ils étaient sans doute pauvres. Elle allait devoir retourner dévaliser quelques touristes – ou bien Fort Knox. Vu que Rune allait quitter son job de maître des secrets, elle pouvait bien devenir le gagne-pain – ou plutôt, le vole-pain – de la famille Lumière-Noire.

Aujourd'hui, entre deux baisers, il lui avait annoncé qu'ils trouveraient un autre domicile. Un endroit où ils prendraient un nouveau départ ensemble. Où Thad pourrait – au minimum – leur rendre visite. En d'autres termes, tout sauf un observatoire à orgies.

— Tu ferais vraiment ça ? lui avait-elle demandé.

— Tu es mon âme sœur, ce qui signifie que Thaddeus est mon frère par les liens du destin.

Elle soupira en le regardant accrocher le carquois à sa jambe. Son grand et mince assassin de sombre fey.

Il tourna les yeux vers elle et la surprit en train de lui sourire niaisement. Pourtant il ne lui rendit pas son sourire.

— Je reviens d'ici une minute, annonça Rune. Je dois m'occuper de quelque chose.

Josephine fronça les sourcils.

— OK.

Avec un dernier regard à la marque qu'elle portait dans son cou, il se téléporta à l'observatoire.

Toute la journée, il avait eu le temps de réfléchir à son plan pour récupérer Thaddeus. Et les doutes commençaient à l'assaillir. La nuit dernière, il était dans le feu de la victoire, mais à présent, il se demandait s'il serait en mesure de se débarrasser des spectres.

Si ses flèches – alliées à la télékinésie de Josephine – échouaient, devrait-il recourir à Meliai, la nymphe de la nichée de Dalli ? Elle lui avait promis une clé : selon toutes probabilités, il s'agissait d'une mèche de cheveu valkyrie.

Quand il l'avait repoussée, elle avait prononcé une promesse solennelle : « Jamais je ne te donnerai ma possession tant que tu n'auras pas couché avec moi, et avec la manière. »

Forniquer avec une autre femelle dans le cadre de cette mission avait toujours été dans le domaine du possible.

Forniquer avec une autre femelle pour le Møriør, c'était une évidence.

Toutefois, maintenant qu'il produisait du sperme, il devrait prendre l'habitude d'user de son sortilège contraceptif. Non qu'il envisage de se répandre dans une autre femelle que Josephine, mais il craignait que son liquide préséminal ne soit létal.

Il remonta sa manche gauche et observa son avant-bras encore vierge de toute rune. Josephine allait en souffrir, mais elle devait pourtant s'habituer à cette réalité de leur vie.

C'est plus fort que moi, plus important que mes propres désirs. Je suis les yeux et les oreilles. N'avait-il pas juré que jamais sa résolution ne faiblirait ?

Parmi toutes les créatures des mondes, Orion l'avait choisi, lui ; pour une raison qui lui échappait, son seigneur l'avait jugé digne de devenir son allié.

Depuis lors, chaque jour de ma vie j'ai tout fait pour être à la hauteur.

Une fois de plus, il entreprit de dessiner les runes.

57

Quand Rune la rejoignit dix minutes plus tard, il était toujours aussi sérieux qu'en la quittant.

— Tout va bien ? s'enquit-elle avec un sourire forcé. J'ai été trop violente avec toi ce matin ou quoi ?

Il leva son poignet rougeoyant.

— Nïx est rentrée.

Ah, il passait en mode ultra-sérieux, genre chef de guerre.

— Tu es prête ?

— Tu parles. Cette cinglée va voir de quel bois on se chauffe.

Avec un hochement de tête, il la prit par les épaules et les téléporta à Val Hall.

Au milieu du chaos.

Jo se plaqua les mains sur les oreilles pour atténuer le bruit assourdissant. Le tonnerre retentissait si fort qu'elle en ressentait les répercussions à l'intérieur de son ventre. Avec des hurlements perçants, les spectres tourbillonnaient en une furieuse tornade rouge. Leur visage squelettique se tordait de rage et leurs mâchoires béaient sur leurs cris innommables.

Nïx avait invité Jo et Rune, les gardes des Valkyries étaient donc préparés à l'attaque.

L'œil aux aguets, Rune beugla à Jo :

— Il est là ?

Elle l'entendit tout juste, et dut s'époumoner pour lui répondre :

— Ici ! en désignant le manoir.

Elle avait déjà repéré l'odeur de Thad.

Rune agita la main dans sa direction. « Les dames d'abord », lut-elle sur ses lèvres. « Voyons ce que tu as dans le ventre. »

Elle hocha la tête et commença sur-le-champ à se dématérialiser.

— Prépare-toi à te téléporter à l'intérieur !

Alors qu'elle fixait sa cible du regard, son corps se mit à léviter, les pieds flottant au-dessus du sol.

Tout ce qu'elle avait à faire, c'était écarter les spectres l'espace d'une fraction de seconde. Elle leva les mains. Son pouvoir passa de son esprit à ses paumes telle une bobine Tesla.

La force continua à s'accumuler jusqu'à devenir trop importante, sur le point de lui exploser au visage. Il lui fallait un freinage d'urgence ! Elle balaya les lieux du regard, affolée. Si elle perdait le contrôle, elle ne pourrait pas maîtriser cette force une seconde de plus !

Avec un hurlement, elle la lança en direction des spectres.

Contact !

Leur cercle bougea. Jo et Rune en profitèrent pour se téléporter comme un seul homme...

Et Jo se retrouva dans un champ silencieux sous un ciel sans nuages. Ils l'avaient attrapée et jetée là ?

À l'autre bout du champ, Rune se releva d'un bond, secoua la tête et se téléporta jusqu'à elle.

— Ça va ?

Elle prit la main qu'il lui tendait pour se relever.

— Comment ont-ils pu me toucher ? J'étais en fantôme !

Rune inspecta son arc.

— Ce sont des guerriers morts. Et tu es à moitié esprit.

— Ouais, bref, j'ai merdé. Je te laisse la main, admit-elle, surprise de le voir aussi déçu.

Il n'avait sans doute pas misé gros sur son succès, pourtant.

— Allez, Rune, on y retourne.

À Val Hall, les braillements des spectres étaient encore plus forts. Le tourbillon rouge gonflait telle une blessure infectée.

Rune sortit non pas une, mais sept flèches d'un coup, toutes noires. Les fatales. Il tira la corde contre son menton puissant et son regard d'archer se focalisa, mortel. Ce mâle était son âme sœur. Il avait surmonté tant de choses... pour devenir un héros.

Dieu qu'il est magnifique !

Il expira. Le corps aussi immobile qu'une statue, il lâcha la corde.

Les flèches partirent dans une détonation. *IMPACT*. Les ondes de choc se déployèrent. Un nuage de fumée s'éleva.

Jo s'apprêtait à se téléporter au manoir, mais Rune la saisit par le bras en secouant la tête.

Les ondes de choc se dissipèrent pour révéler un autre anneau de spectres, plus loin. Quant aux créatures éparpillées du premier anneau, elles se ressoudèrent, et leurs gémissements sourds se joignirent aux hurlements stridents des autres. Ces monstres s'offraient comme chair à canon ?

— Échec, crut-elle entendre marmonner Rune.

Les spectres étaient immuables. Et Thad restait prisonnier. Jo vacilla en détectant à nouveau l'odeur de son frère. Il sentait... la peur.

Rune l'agrippa par l'épaule.

— Josephine, ton cœur bat comme un fou.

— Thad a peur.

Elle devenait folle, oui, folle de ne pouvoir l'atteindre, le protéger.

— Je suis prête à entendre ton plan B, Rune.

Sans un mot de plus, il la téléporta au milieu d'une forêt bruissante. L'air était plus frais, ici, les vents encore plus tempétueux. Elle mit un moment à comprendre ce qui s'élevait devant elle.

Le plus gros arbre qu'elle ait jamais vu.

Des rires bruyants et de la musique s'échappaient du tronc creusé. Des étages avaient été sculptés à l'intérieur du bois, éclairés par des lanternes. Et chacune des gigantesques branches était occupée par des pièces à vivre, tandis qu'entre les énormes racines s'ouvrait une porte en forme d'arche.

— On est où ?

Rune la relâcha et balança son arc sur sa poitrine.

— Devant la nichée des Dryades.

— Les nymphes des arbres ? J'aurais dû me douter que la solution à nos problèmes impliquerait forcément des nymphes.

Elle s'enveloppa de ses bras, se demandant pourquoi il se montrait aussi distant.

— Je ne suis même plus surprise, ajouta-t-elle.

— Il en est une ici qui se nomme Meliai. Elle prétend connaître le moyen de pénétrer à Val Hall. Je la soupçonne de posséder une mèche de cheveux valkyrie.

— C'est la clé ! Allons lui parler.

— Elle ne parlera pas sans contrepartie, marmonna-t-il, les yeux soudain fuyants.

— OK. Dans ce cas, on la paiera. J'ai de l'argent liquide et on peut en récupérer davantage en un tournemain.

Pour Fort Knox, il y a des volontaires ?

Il croisa enfin son regard.

— Cette nymphe n'est pas intéressée par l'argent.

58

— Et elle est intéressée par quoi, alors ? demanda lentement Josephine.

Depuis qu'ils passaient du temps ensemble, Rune ne l'avait jamais vue avoir de crainte pour elle-même. Sa peur pour Thad avait accéléré sa respiration, accentué la pâleur de son joli visage.

Il venait donc de décevoir son âme sœur, le lendemain du jour où il l'avait faite sienne. *J'ai pris l'habitude de gagner.* Mais la partie n'était pas encore terminée. Elle voulait retrouver son frère, et Rune pouvait transformer cet échec en triomphe. S'il parvenait aussi à détruire le repaire de Nïx dans la foulée, eh bien, ce serait encore mieux.

Et tout ça grâce à un minable coup de reins.

— Meliai refusera de parler si je ne la baise pas. Et avec la manière.

Les yeux vifs de Josephine s'éteignirent.

— Tu déconnes, là, pas vrai ?

— C'est un problème d'ego, expliqua-t-il. J'ai couché avec toutes celles qui vivent ici, toutes sauf Meliai.

— Et ça nous fait combien ?

Il lâcha un soupir.

— Je ne pense pas que tu veuilles le savoir.

— Rapport à mon « problème de jalousie », tu veux dire ? s'écria-t-elle en s'approchant de l'arbre. Je vais la faire parler, moi, cette garce !

Il la rattrapa par le bras.

— Non, non. On ne menace pas les nymphes. Si tu commets un acte de violence sur le sol d'une nichée, tu seras mise au ban de l'ensemble de leur espèce.

— Et alors ?

— Elles sont partout, et elles sont nécessaires. Elles peuvent te faciliter la vie ou la transformer en cauchemar.

— Quand tu m'as proposé ton truc de « relation ouverte » – on va voir ailleurs, mais ensuite on se retrouve – tu pensais à des nuits dans ce genre-là ?

— Il fallait que ça arrive tôt ou tard, Josephine. Je t'ai expliqué que je récolte des informations, et que j'utilise le sexe dans ce but. Ça fait partie de mon travail. Je ne peux pas cesser de l'exercer juste au moment de l'Accession.

Il lui releva le menton d'un doigt recourbé.

— Mieux vaut qu'on en passe par là maintenant, comme ça tu sais à quoi t'attendre.

Comme ça, tu ne nourris pas trop d'espoirs.

— Tu préférerais ton boulot à ton âme sœur ?

Il laissa retomber sa main.

— Je choisis de rester moi-même. Mon âme sœur devrait essayer de comprendre pourquoi c'est si important à mes yeux !

— Et c'était donc ça ton plan B ? Celui que tu avais ourdi avant de me baiser la nuit dernière ?

— Oui, je savais que je devrais peut-être aller au bout de ma transaction avec Meliai, répondit-il, contrôlant difficilement sa colère.

Josephine était dans le même état.

— J'ai été claire, Rune : si tu avais une relation sexuelle avec moi, ça revenait à me promettre
l'exclusivité. Tu aurais peut-être dû y réfléchir avant
de passer à l'acte !

— Est-ce que tu m'as entendu accepter ces
conditions ?

Elle cilla à plusieurs reprises, comme s'il venait
de la gifler.

— Waouh. Je suis donc bien aussi naïve que tu
l'affirmais. Tu m'as roulée, pas vrai ?

— J'ai essayé de faire machine arrière, justement
pour cette raison. Tu m'as manipulé.

— Peut-être bien... pour la première manche.
Mais pas au cours des vingt suivantes !

Un coup de vent rabattit une mèche de cheveux
sur son visage diaphane, qu'elle repoussa vivement.

— Et qu'est-ce que tu vas faire, pour ton poison ?
Ton sceau démoniaque a disparu.

Il remonta la manche de sa chemise.

Josephine écarquilla les yeux en découvrant sa
rune contraceptive.

— Ah ouais. Tu avais vraiment tout prévu.

— Je suis préparé à toute éventualité.

— Mieux vaudrait que Meliai ne plante pas les
griffes dans ta peau comme je l'ai fait la nuit dernière.

— Les nymphes n'ont pas de griffes.

— Tu es bien placé pour le savoir, commenta-
t-elle sur un ton dégoûté.

— Plus tôt j'en aurai fini là-dedans, plus tôt on
pourra libérer Thad.

Rune n'avait pas été capable de sauver sa propre
mère, mais il pouvait sauver son nouveau frère.

— Tu veux le récupérer, oui ou non ?

Elle parut sidérée par sa question.

— Bien sûr que oui.

— J'ai l'intention de vous protéger tous les deux, or là, on est en train de perdre du temps – plus que tu ne le penses. Chaque minute ici équivaut à plusieurs minutes dans le monde des mortels.

Elle entrouvrit les lèvres, sans pour autant prononcer un mot. Puis elle se ressaisit.

— Je ne veux pas que Thad reste enfermé dans cette maison des horreurs une seconde de plus que nécessaire, mais il y a forcément une autre solution.

— Tu penses que j'ai *envie* de faire ça ? Tu ne penses pas que je préférerais retourner dans notre lit, à profiter d'une nuit avec toi ?

— « Notre lit » ? Tu dis ça comme s'il s'agissait d'un lieu sacré. Alors que tu as le culot de m'emmener ici dans l'intention de te vautrer dans son plumard.

— En toute autre circonstance, j'aurais veillé à cloisonner ces deux aspects de ma vie, par respect pour toi.

Il se dirigea vers l'entrée éclairée du tronc, avant de lancer par-dessus son épaule :

— Mais comme cela fait partie de notre mission de tuer Nïx, tu dois rester avec moi.

Pour lui-même, il ajouta :

— Une preuve de plus que mon âme sœur obtient toujours ce qu'elle veut.

Moins de deux heures plus tôt, Rune était fiché en elle. Moins de deux heures plus tôt, elle pensait à leur anneau de mariage.

Elle la voulait si fort, cette relation avec lui, qu'elle avait repoussé les nombreuses mises en garde – pendant que lui avait des intentions tout autres depuis le début.

Mais s'il était trop bête pour se rendre compte du merveilleux avenir qu'ils pourraient se construire, pourquoi irait-elle rêver de sa vie avec un idiot ? Elle devrait peut-être accepter son offre d'aide et renoncer à tout sentiment pour lui.

Je vais l'utiliser pour récupérer Thad, ensuite mon frère et moi quitterons La Nouvelle-Orléans ensemble, et nous laisserons Rune derrière nous. Elle pouvait se trouver un autre amant, mais pas un autre Thaddie.

À peine capable de garder sa tangibilité, Jo rattrapa Rune. Qui sembla voir dans ce geste son acceptation du plan, car il lui agrippa la main dans un geste possessif.

— Nous surmonterons ceci. L'âge aidant, tu verras les choses avec plus de pragmatisme.

Elle baissa les yeux vers leurs mains jointes et les fixa. Combien de fois avait-elle rêvé de marcher ainsi aux côtés d'un homme, l'autre moitié de son tout, deux âmes liées par un lien indéfectible ?

Car ils étaient bel et bien liés par le destin, pour une union censée être éternelle. Avec Rune, elle avait cru son rêve devenu réalité.

Au lieu de quoi, elle avait la sensation d'aller à l'échafaud, et la peur lui donnait la nausée. Les rires bruyants, la musique qui s'échappaient de cet arbre semblaient se moquer de ses sentiments.

Non, non, Rune pouvait bien évoquer cette relation ouverte autant qu'il voulait, n'empêche qu'il s'était montré extrêmement jaloux quand il avait cru qu'elle avait une âme sœur. Et il avait aussi été jaloux de Desh.

Aujourd'hui, il l'avait regardée droit dans les yeux tandis qu'il balançait le bassin en elle, et son amour, elle l'avait ressenti. Ça n'était pas seulement du sexe, ils avaient fait l'amour.

Quand le moment viendrait de baiser cette nymphe, ce soir, il reculerait. Forcément. Comme il l'avait fait la dernière fois avec l'autre nymphe, il le lui avait avoué !

Ils approchaient de l'immense arche qui marquait l'entrée de l'arbre. *Il va mettre fin à cette mascarade d'une seconde à l'autre.*

Pourtant il continuait d'avancer, l'introduisant dans une bruyante salle de bal bondée d'immortels en goguette. Il y avait là des dizaines de démons. Certains des fêtards ressemblaient à des humains, en plus grands et plus bestiaux. Des Lycae ?

Elle distingua immédiatement les sublimes Dryades, qui ne portaient rien de plus que des jupes vaporeuses, tandis que leurs seins nus étaient peints d'images de feuilles.

Rune avait couché avec chacune d'entre elles.

Sauf une.

Sitôt qu'il entra, il fut accueilli par un tonnerre d'applaudissements. À l'instar de ce qui s'était produit dans l'autre nichée, ces créatures agissaient comme si une rock star venait leur rendre visite.

Il adressa des sourires à plusieurs femelles pour les saluer.

D'une seconde à l'autre... Si ça se trouvait, Meliai n'était même pas présente. Ou bien, elle était occupée à baiser avec un autre. Le temps aidant, Rune reviendrait à la raison.

— Elle est là, fit-il en désignant une rousse au bar.

L'estomac de Jo se serra. Meliai était... sublime. Un corps parfait. Des cheveux jusqu'à la taille et une peau de porcelaine. Des joues roses qui luisaient de santé. Des yeux bruns de biche qui scintillèrent dès qu'elle aperçut Rune.

Bref, la plus belle femelle que Jo ait jamais vue. Même les grandes feys les plus gracieuses du bal ne lui arrivaient pas à la cheville.

« Tu penses que j'ai envie de faire ça ? » lui avait demandé Rune.

Après un regard sur cette Meliai à demi nue, Jo pouvait répondre en toute honnêteté : « Oui, Rune l'Insatiable. Oui, je le pense. »

S'il baisait cette rousse, c'en était fini de Jo. Elle était sur le point de le perdre, alors qu'elle venait juste de le trouver. Comme de leur propre chef, ses griffes s'enfoncèrent dans la paume du sombre fey.

Il essaya de retirer sa main.

— Je reviens dès que j'ai récupéré ce dont nous avons besoin.

À sa grande honte, elle s'accrocha à lui une fraction de seconde avant de le relâcher.

— Attends ! Tu crois que je vais rester assise là pendant ce temps ?

Au milieu de toutes ces autres femmes dont il avait joui auparavant ?

— Tu dois rester, lui indiqua-t-il alors que Meliai sautillait vers eux. À cause des termes que tu as toi-même établis par ton serment.

Jo s'essuya le front, sa nausée empirait. Peut-être allait-elle devoir prendre le risque de ne jamais plus boire du sang.

Manifestement peu perturbée de le voir en compagnie d'une autre femelle, Meliai accueillit Rune par un large sourire.

— Comme c'est merveilleux que tu viennes nous rendre visite.

Avec son expérience, la nymphe était sans doute un bien meilleur coup que Jo. Rune parviendrait-il à la même conclusion ? Nouvel accès de nausée.

Il fait trop chaud, là-dedans. Elle allait vomir du sang si elle ne prenait pas l'air sur-le-champ.

Rune ferait-il crier Meliai ?

Évidemment. Il était censé la baiser, et la baiser « avec la manière ».

Sans perdre de temps, il se pencha vers la nymphe et lui demanda à mi-voix :

— Tu peux me faire franchir le cercle des spectres ?

Meliai le jaugea des pieds à la tête, comme un morceau de viande.

— J'en ai les moyens.

Puis elle ajouta, d'une voix dégoulinante de sous-entendus :

— Et il se trouve que j'ai terriblement besoin de quelque chose à toi en retour.

59

Le visage de Josephine était blême, sa silhouette clignotait.

Pourquoi refusait-elle de comprendre que baiser une autre importait peu pour lui ? Il était pris, il appartenait à Josephine. Meliai n'était qu'une corvée dont il devait s'acquitter à contrecœur...

Josephine se rua vers la sortie.

Rune sentit la fureur enfler en lui. Il n'avait cessé de lui répéter que ce genre de situations se produirait, mais elle avait choisi de croire ce qu'il lui plaisait de croire.

— Je reviens tout de suite, indiqua-t-il à la nymphe. Reste dans les parages.

Meliai haussa les sourcils.

— Je ne vais pas attendre indéfiniment.

Il se fraya un chemin à travers la foule de ses admiratrices, hochant la tête par habitude alors qu'il suivait la seule femelle qu'il désirait.

Une fois dehors, dans la nuit venteuse, elle s'adossa au tronc, refusant de le regarder.

— Qu'est-ce qui ne va pas chez toi ? aboya-t-il. Tu m'as déjà fait une crise de jalousie, et tu as détruit toutes mes possessions. Et là, tu recommences à être jalouse, tu fais un esclandre pour parvenir à tes fins. (Sans se préoccuper de ce qu'il voulait, lui.) Je ne me laisserai pas manipuler à nouveau !

Elle tourna vers lui des yeux scintillants.

Rune lâcha un juron.

— Pourquoi cette scène, Josephine ? Tu as accepté que j'aie baisé toutes ces femelles avant toi. Pourquoi le moment où intervient cette nouvelle mission importe-t-il autant ?

— Le « moment » ? répéta-t-elle d'une voix tendue. Explique-moi comment tout ça est censé fonctionner. Chaque fois que tu en auras baisé une autre, tu prendras une douche et puis tu viendras me rejoindre au lit ? Et on rigolera de toutes les anecdotes marrantes qui te seront arrivées au boulot ? Tu m'appelleras, quand tu prendras du retard avec une cliente ?

— Ça ne se produira pas toutes les nuits, et même sans doute rarement après l'Accession.

Soudain, une pensée le frappa. Que se passerait-il une fois que le Møriør aurait pris le contrôle du royaume de Gaia ? Les talents de Rune s'avéraient particulièrement fructueux dans l'apaisement des dissensions ; ses missions risquaient d'augmenter en fréquence.

Cette seule idée l'épuisait.

— « Pas toutes les nuits » ? Non, mais tu t'écoutes ? Tu parles de pénétrer d'autres femelles, là. De les prendre.

— C'est mon travail ! Tu m'as vu avec quatre nymphes, la première nuit. Est-ce que je t'ai semblé submergé par la passion ? Ou est-ce que j'avais plutôt l'air de m'ennuyer ?

J'aurais préféré tailler des flèches tranquillement dans mon fauteuil, près du feu. Serait-il jamais débarrassé de cette corvée ?

— Tu as toi-même noté mon manque d'enthousiasme.

Les larmes de Josephine se mirent à couler – des larmes de sang, son sang à lui – et ça le tuait. Elle était trop jeune pour perdre ainsi des nutriments, d'autant qu'elle n'avait pas pu se nourrir suffisamment au cours de leurs accouplements de la journée.

Il lui prit la nuque dans sa paume.

— Si tu m'assures que Thaddeus peut supporter une nuit de plus, je te ramène à la maison pour cette nuit. Dis-le, Josephine.

Ses yeux mouillés se posèrent aussitôt sur lui.

— On peut trouver une autre solution. Si on y travaille ensemble. J'ai besoin que tu cesses de penser comme ça !

Il resserra son étreinte dans sa nuque.

— « Comme ça » ? Mais je suis comme ça ! Tu m'as affirmé ressentir plus qu'un attachement passager à mon égard. Alors n'es-tu pas censée m'accepter tel que je suis ? Pourquoi faut-il que tu essaies de me changer ? Qu'est-ce qui ne va pas, nom des dieux, dans ma façon d'être actuelle ?

— Toi aussi, tu essaies de me changer ! Tu m'obliges à abandonner quelque chose d'essentiel. Je ne pense pas que je pourrais vivre sans.

Jo et Rune avaient parcouru les mondes ensemble et rencontré des créatures de toutes les espèces possibles. Ils avaient vu des merveilles.

Et Rune n'avait jamais regardé rien ni personne avec un tel air stupéfait.

— Tu as obtenu ce que tu voulais. Je suis à toi et tu es à moi. Je projette de passer le reste de mes jours avec toi. D'avoir des enfants avec toi. Tu n'es plus seule, Josephine. Tu m'as, moi, et tu auras ton frère aussi, si je fais ce qu'il faut pour ça.

Il lui faisait des promesses, comme le jeune marié en avait fait à sa femme. Sauf que l'époux de Jo s'apprêtait à passer sa nuit de noces avec une nymphe.

Et il pouvait bien prétendre qu'il agissait avec noblesse, pour sauver Thad, elle savait qu'il le faisait aussi pour le Møriør. Pour sa mission. Il lui fallait tuer Nïx.

Elle vit ses yeux s'écarquiller, signe qu'une idée venait de lui traverser l'esprit.

— Tu peux entrer sous ta forme intangible. Ainsi nous serons tous les deux présents et tu verras combien je suis peu affecté.

— Je me suis voilé la face.

Ce mâle ne lui serait jamais fidèle. Il n'était pas prêt à renoncer. Elle retira brusquement la main qu'il avait passée dans son cou.

— Je t'ai dit que j'exigeais la monogamie, pas une partie à trois !

— La « monogamie » ? ricana-t-il avec amertume. Je vois qu'il n'y a pas moyen de te raisonner, tu es trop jeune pour comprendre tout ça. Tu aimes que les choses soient simples ? Eh bien, parfois la vie n'est pas simple.

— Et donc ça ne te dérangerait pas si ton âme sœur profitait elle aussi d'une relation ouverte ? Tu étais jaloux de Desh, et pourtant on n'a même pas baisé. Pas encore.

Des zébrures noires strièrent les yeux de Rune.

— Sans vouloir être hypocrite, il n'y aurait pas de raison valable pour que tu couches avec un autre. Pas de besoin. Ça n'équivaudrait pas à ce que je fais. Toi, tu accorderais de l'importance à une relation sexuelle, même sans lendemain. Je suis assez vieux – et assez expérimenté – pour savoir que ça ne signifie rien du tout.

— « Expérimenté » ? Tu te laisses influencer par ton passé !

— Bien entendu ! C'est exactement ce qui me fait dire que ça ne signifie rien ! Pourquoi est-ce que tu ne peux pas te mettre ça dans la tête ?

Ses larmes coulaient toujours. Elle n'était pas du genre pleurnicharde, pourtant, mais là, elle était sur le point de perdre la deuxième personne qu'elle ait jamais voulu garder. Aurait-elle dû se battre davantage pour Thad, quand elle en avait encore la possibilité ?

— Si tu couches avec d'autres, lança-t-elle, au désespoir, je jure sur le Mythos que j'en ferai autant.

— Nom des dieux, mais tu n'apprendras donc jamais rien ? Tu te comportes comme une enfant ! Très bien, va baiser d'autres mâles. Tu n'arriveras pas à me contraindre avec un serment de plus !

— Quand je rentrerai à la maison, après mes rencards, est-ce que tu me demanderas si mes parties de jambes en l'air m'ont satisfaite ? Tu risques d'être un peu écœuré, si je suis remplie du sang d'un autre et refuse de boire le tien.

Il recula la tête, comme si elle proférait des paroles insensées.

— Encore une fois, il n'y a aucune raison valable pour que tu boives à un autre ! Pourquoi l'envisagerais-tu ? Tes yeux risquent de rougir si tu bois n'importe où.

— Dans ce cas, je m'en tiendrai à quelques sources de confiance.

— Et comment veux-tu que ça fonctionne ? Tu as du sang noir. Je ne pense pas que ta morsure soit empoisonnée, mais prendrais-tu ce risque ? Soit tu me bois, moi, soit tu bois les autres. Tu ne peux pas tout avoir.

— Ton sang aura quitté mon organisme d'ici un jour ou deux. Si ton travail t'appelle loin de moi trop souvent, je devrai partager mes soupers avec quelqu'un d'autre.

Mensonge. S'il couchait avec Meliai, plus jamais elle ne boirait son sang.

Et si elle rêvait de lui avec la nymphe ? Ça la rendrait dingue.

Il serra les dents.

— Pour information, à l'avenir, ce n'est pas ainsi qu'il faut se comporter avec moi. Le chantage émotionnel et les larmes, les ultimatums, le comportement enfantin... tu actionnes les mauvaises manettes. Tout ce que tu as réussi à obtenir, c'est de réveiller ma colère et de renforcer mes résolutions.

Il jeta sur elle un regard plein de pitié.

— Je ne te reconnais même pas.

Et elle se sentait en effet pitoyable. Mais elle ne savait pas comment gérer ces émotions inhabituelles. Comment les canaliser. Son corps vacilla, passant de sa forme solide à sa forme aérienne.

— Pourquoi est-ce que tu perds ton contrôle ainsi ?

— Mon « contrôle » ? Mon contrôle ?

Elle se jeta sur lui, reprenant sa forme tangible pour le frapper au torse.

— Connard ! Tu me brises le cœur et tu ne te rends même pas compte que tu es en train de mettre fin à notre relation.

Il la saisit par les poignets, capturant ses mains contre lui.

— Tu me parles de « fin » ?

Sa voix se fit tendre, et menaçante à la fois.

— Josephine, il n'y a pas de « fin ». Nous sommes des âmes sœurs à présent, liées à vie. Tu es coincée avec moi. Pour l'éternité. C'est pourquoi je sais de façon certaine que tu surmonteras cette épreuve.

Elle dégagea ses mains.

— Tu te trompes !

— Tu crois vraiment pouvoir exister sans le plaisir que je te donne ? Ou ma compagnie ? Tu as passé tes quatorze dernières années dans la solitude. Qu'est-ce que ça te ferait d'y revenir ?

Elle le frappa de nouveau.

— Et toi, tu crois vraiment que je vais te laisser me remplir d'un flot incessant de nouveaux cauchemars ? Je préfère mourir de faim que de revivre tes nuits de « travail ».

— Justement, cracha-t-il, je veux que tu les rêves, ces souvenirs-là, que tu ressentes par toi-même que ça ne représente strictement rien pour moi…

— Rune ?

Meliai venait de les rejoindre dehors, sa jupe vaporeuse battant au vent.

Jo se détourna afin que la nymphe ne voie pas ses larmes. Elle se répéta que Rune – Ruine – ne serait bientôt plus qu'un souvenir. Mais cela ne fit qu'augmenter ses sanglots.

— Tu en as pour combien de temps encore ? demanda Meliai. (*Pressée de se faire pilonner, la nymphe ?*) C'est maintenant ou jamais.

— J'arrive.

Il se tourna vers Jo, l'attirant contre lui pour l'embrasser, mais elle détourna la tête.

— Mets-toi à ma place, lui murmura-t-il à l'oreille. Je dois décider si tu serais plus furieuse que je baise une nymphe ou que j'abandonne ton frère à son triste sort. Tu es sur le point d'apprendre quelque chose que j'ai compris très tôt : un coup de reins, même minable, peut t'apporter quelque chose que tu désires très fort.

C'était peut-être vrai. Elle n'était peut-être pas raisonnable. Mais comment rester raisonnable quand elle avait la sensation qu'on lui assenait des coups de poing dans la gorge ?

— En quoi est-ce différent de ton passé ? répondit-elle, à voix basse elle aussi. Tu procures du plaisir sexuel en échange de quelque chose. Tu recommences à te prostituer, sauf que cette fois, tu n'as pas de prétexte.

Il serra les dents si fort qu'elle vit tous les muscles de ses larges mâchoires se crisper.

— Je me suis manifestement trompée quand j'ai affirmé que tu n'étais plus le même homme, poursuivit-elle. Mais c'est vrai que je suis si naïve...

— Si ça te permet de te sentir mieux, chuchota-t-il de sa voix râpeuse, toujours à son oreille, je peux te dire en toute honnêteté que je penserai à toi.

Il se redressa, puis se dirigea vers Meliai, avec laquelle il s'éloigna, abandonnant Jo.

Un coup de couteau dans le ventre. Un coup de couteau dans le ventre. Un coup de couteau dans le ventre.

Ce fut alors qu'un constat la frappa avec toute la force d'un coup de poing de Valkyrie : *Je suis raide dingue de ce connard.*

Et les larmes redoublèrent sur ses joues. Pas vraiment le moment rêvé pour comprendre ça...

Elle savait qu'elle l'aimait parce que rien ne pouvait être plus douloureux. Ça n'était jamais arrivé, hormis quand elle avait dû abandonner Thad.

Rune lui jeta un dernier regard, puis il disparut.

Elle pourrait bien se trouver un autre amant, mais elle ne trouverait jamais un autre Rune.

60

Dalli arrêta Rune et Meliai dans le couloir.

— Par les dieux, où est-ce que vous allez ?

Rune désigna Meliai d'un geste de la main.

— Dans sa chambre, apparemment.

— Attends-moi là-bas, indiqua Dalli à l'autre nymphe. J'ai besoin de lui parler.

— Des préférences en matière de lingerie ? s'enquit Meliai.

— N'importe quoi, du moment que c'est rapide à enlever.

— Quelle impatience. J'aime ça.

Et la nymphe s'éloigna d'un pas chaloupé.

— J'ai bien entendu ? reprit Dalli sitôt qu'ils furent seuls. Tu as amené Josephine ici ?

Il acquiesça.

— C'est vraiment mon âme sœur, Dalli.

— Dans ce cas, qu'est-ce qui te prend de faire ça ?

— Meliai détient des informations dont j'ai besoin pour libérer le frère de Josephine d'une situation dangereuse. J'ai pour tâche de le récupérer.

Et son succès contribuerait grandement à apaiser les sentiments blessés de son âme sœur. Elle verrait bien, alors, que les moyens employés par Rune étaient souvent une solution efficace aux problèmes rencontrés. Elle le comprendrait mieux.

— Et tu espères qu'elle va t'attendre dehors pendant que tu réunis tes informations ?

Dalli semblait incrédule.

— J'ai emmené Josephine avec moi car elle a juré sur le Mythos de ne plus jamais boire – plus jamais – sauf si elle m'accompagnait sur cette mission. Alors, à moins que tu ne sois en mesure d'obliger Meliai à coopérer avec moi, je n'ai pas vraiment le choix.

Il savait bien que Dalli ne pouvait faire cela. Malgré son âge, son autorité restait limitée. Chez les nymphes, la hiérarchie ne s'apparentait pas à celle des autres factions.

— Si je pouvais la forcer à te parler, je le ferais.

— Dans ce cas, je n'ai pas d'autre solution. Tu sais que je n'y prendrai aucun plaisir. Mentalement, je ne serai même pas là. Et je suis bien certain de ne pas jouir.

Il allait devoir fantasmer sur Jo pour rester dur.

— Rune, moi je sais que tu ne seras pas à ton acte – tes yeux commencent déjà à se voiler –, mais les autres ne peuvent pas comprendre ça. Il y a forcément un autre moyen.

— Vaut-il mieux que je laisse le frère de Josephine en danger ? Il est mon frère aussi, à présent. Tu ne peux imaginer de sœur qui aime plus son frère que Josephine. Et puis, elle doit accepter la nature de mon travail. Bons dieux, je suis trop vieux pour changer !

Même si elle est ma femelle destinée. Celle qu'il n'avait même jamais espéré avoir.

— Tu es sur le point de commettre l'irréparable dans ta relation avec elle.

— Et la mort de son frère, tu crois que ce ne serait pas pire ?

Il baissa encore un peu plus la voix pour ajouter :

— Pendant que je suis là à discuter avec toi, un garçon de dix-sept ans est prisonnier à Val Hall, gardé par les spectres. Je ne peux l'atteindre sans les informations de Meliai sur le Fléau.

— Tu comptes t'attaquer aux Valkyries ?

— Je ferai tout ce qu'il faut pour protéger ma nouvelle famille.

Sa mission pour le Møriør semblait bien loin, aujourd'hui.

Dalli lâcha un soupir.

— Meliai réparait les chênes de Val Hall touchés par la foudre, jadis. Il se peut en effet qu'elle connaisse le moyen de s'introduire à l'intérieur.

— Bien. Tu ne voudrais pas aller parler avec Josephine, afin de l'apaiser ? Lui expliquer que ça ne me fera pas plus d'effet que de lacer mes chaussures ?

— Je vais essayer.

— Elle ne se sent pas... Elle n'est pas très bien.

Voir les larmes de sang sur son visage l'avait anéanti.

— Enfin, garde un œil sur elle, ajouta-t-il avant de se mettre en route vers la chambre de Meliai.

Sa porte était ouverte, et la nymphe allumait des bougies.

Quel romantisme... Dans la pièce, la fumée se mêlait à des parfums écœurants.

— Jure-moi que tu possèdes ce que je recherche, lança-t-il en refermant la porte derrière lui.

Dans ce brouillard, il perdit l'odeur de Josephine.

— Que je le jure ? répéta Meliai avec un sourire coquet. Ce serait donc si affreux de coucher avec moi pour rien ? Si je mens, tu en retireras tout de même le meilleur coup de ta vie.

Constatant qu'il ne plaisantait pas, elle reprit :

— Très bien. Je jure sur le Mythos de posséder quelque chose que tu pourrais utiliser pour franchir les spectres.

Sur ce, elle se débarrassa de son peignoir d'un coup d'épaule. Elle n'était plus vêtue que d'un déshabillé transparent.

Pourtant, aux yeux de Rune, Josephine était plus sexy, même entièrement couverte de bandages.

— Je préfère t'avertir que j'ai connu le plaisir des dizaines de fois aujourd'hui, lança Meliai en s'allongeant sur son lit. Tu vas devoir travailler dur. Ça va prendre des heures et des heures.

Elle saisit un gobelet de vin sur sa table de chevet.

— Vas-y, déshabille-toi entièrement.

Rune serra les crocs, pris d'une terrible envie d'étrangler cette petite garce – et non de la faire jouir. Piqué dans sa fierté, il retira son arc et son carquois. Voilà, plus une once de triomphe ne lui restait à présent. Il se débarrassa de ses bottes d'un coup de pied et passa son tee-shirt par-dessus sa tête.

— Tu es très beau, commenta Meliai, en posant sur son corps un regard avide qui lui rappela celui de ses clients au bordel, jadis.

Et il ressentait autant de dégoût pour elle que pour sa toute première cliente, une serpente changeforme, hideuse avec ses pupilles en forme de fentes, ses narines minces et sa tête couverte d'écailles en lieu et place de cheveux.

Fais jouir ou péris. Et si le démon en lui avait alors rugi de n'avoir pas la gorge de Magh à serrer entre ses crocs, sa moitié fey l'avait convaincu que baiser la serpente n'était qu'un acte purement physique. User de son corps pour donner du plaisir à un autre corps ne signifiait rien. Cette femelle ne signifiait rien.

Alors un calme libérateur l'avait envahi, il était devenu inaccessible : *Je ne suis même pas là.*

Malgré la langue fourchue du serpent au fond de sa gorge, le sourire en coin de Rune n'avait jamais flanché : « Ah, ma colombe, si tu savais ce que je prévois de te faire… »

Il avait surmonté ça ; il en serait de même aujourd'hui. *Ferme ton esprit à cette pièce, à cette situation.* Une froideur familière descendit sur son corps.

Il avait promis à Josephine de penser à elle. Il aurait même pu lui avouer toute la vérité : *Je me raccrocherai à toi.* Il se cramponnerait à ce qu'il éprouvait pour elle.

Car en cet instant, son cœur n'était que cendres froides.

S'il faisait cela, risquait-il d'éteindre les sentiments que Josephine avait pour lui ? Elle avait vu ses souvenirs et accepté son passé – jusqu'à ce soir. « Tu recommences à te prostituer, sauf que cette fois tu n'as pas de prétexte. »

Les paroles de Magh lui revinrent aussi : « Cela fait si longtemps que tu te prostitues, je me suis dit qu'on allait rendre ça officiel. »

Meliai lui jeta un regard satisfait par-dessus le bord de son gobelet.

— J'ai très hâte de voir ton engin. Ton engin légendaire.

— C'est la seule chose qui compte, pas vrai, ma colombe ?

Et alors qu'il ôtait son pantalon, une pensée le traversa : *Je n'ai jamais cessé d'être une putain.*

61

Rune est ma ruine.

Jo faisait les cent pas devant l'entrée du tronc, les poings serrés. Elle brûlait de partir de là et de hurler. Et bizarrement, si elle partait, Rune viendrait la retrouver. *Après.* Il lui avait promis de ne jamais la laisser s'éloigner, et elle le croyait.

La nuit dernière, avant qu'ils fassent l'amour sous les étoiles qui l'appelaient à elles, il lui avait caressé les joues du bout des doigts et affirmé avoir un plan B.

Il savait déjà que la possibilité de baiser la nymphe s'offrait à lui.

Un flash de rêve lui traversa l'esprit, une bribe de ses souvenirs : il était assis sur son fauteuil, dans le bastion d'Orion. « Si l'une de mes grues est assez stupide pour en réclamer plus, disait-il à ses alliés, alors elle mérite toutes les peines de cœur des mondes. »

Hum. Eh bien, tu as eu ce que tu méritais, stupide grue.

Une belle blonde s'encadra dans la porte, qui l'observait attentivement. Se pouvait-il qu'il s'agisse de Dalli, la « vieille amie » de Rune ? Histoire d'ajouter un peu d'humiliation à la série. Jo s'apprêtait à lui indiquer qu'elle pouvait aller se faire enfiler avec une écharde de chêne quand elle perçut soudain une odeur de démon.

Deshazior ?

Il venait de se téléporter près du bar ! Dépassant tous les autres convives de sa haute stature, il semblait l'avoir sentie, lui aussi. Il leva la tête, puis se tourna dans sa direction.

Elle avait un ami !

— Desh !

Avec un grand sourire, il se téléporta jusqu'à elle.

— Salut mon p'tit bout ! s'écria-t-il en l'enlaçant de ses grands bras bruns.

— Tu n'imagines pas comme je suis heureuse de te voir !

— Pourquoi ces larmes ?

Il s'éclaircit la gorge et recula d'un pas.

— Des larmes noires et empoisonnées…

Zut. Le sang avait séché sur ses joues. Elle devait avoir une tête à faire peur.

— J'parie que ça a quelque chose à voir avec ton sangfléau. Il est où, ce minable con ?

— Avec une autre femme.

Et Jo était là, à poireauter tel un toutou attaché à son arbre, plus pitoyable qu'elle ne l'avait jamais été de sa vie.

— Il est là-haut, dans l'un de ces nids d'amour ?

— C'est comme ça qu'elles les appellent ? À pisser de rire !

Ce soir, Rune s'en paie une bonne branche, ah ah, songea-t-elle avec amertume.

Le regard de Desh se posa dans son cou, sur sa marque.

— Le sangfléau a fait de toi son âme sœur, et maintenant il est avec une autre ?

— Il est à la pêche aux informations.

Desh se gratta la tête, l'air perplexe.

— J'te suis pas, là.

Jo s'entendit lui raconter une partie de l'histoire – sa bataille avec Nïx, la captivité de son frère, leurs tentatives avortées pour franchir les spectres.

— Et maintenant, conclut-elle, je suis censée ronger mon frein pendant qu'il baise la rousse.

— Tout ça pour pénétrer à l'intérieur de Val Hall ? Tu aurais dû venir me voir, si tu voulais y entrer.

Jo cessa de respirer.

— Quoi ? Tu connais un moyen ?

— Rentrer, c'est pas compliqué. C'est ressortir, qui est plus coton.

Elle saisit ses grandes mains, les serrant pour l'inciter à s'expliquer.

— Bats-toi avec Nïx et laisse-la te vaincre. Après ça, ils vont t'envoyer à Val Hall en un clin d'œil. Bon, tu vas sans doute être enfermée dans leur donjon, mais au moins tu seras plus proche de ton frère.

Thad était dans un donjon ?

— Comment tu sais tout ça ?

— Je connais quelques Valkyries, fit-il en se grattant le menton. Et puis, il y a bien longtemps, Nïx a mentionné un truc que jamais je n'ai pu oublier depuis. Elle m'a dit : « Démon, quand tu verras la fille aux larmes noires, dis-lui de se rendre. » Autant te dire que ça a attisé ma curiosité, mais elle a refusé d'ajouter quoi que ce soit, on aurait même cru qu'elle avait oublié toute la conversation, en fait.

« Dis-lui de se rendre. » Encore une injonction de Nïx.

Jo avait cru connaître Rune. Elle s'était trompée. Elle avait cru avoir besoin de lui pour sauver son frère.

Encore tout faux, ma fille.

L'esprit empli de Josephine, Rune caressait Meliai mécaniquement. Il était hors de son corps, comme lorsqu'il avait baisé la serpente.

Et si la nymphe s'en rendait compte, il s'en fichait.

En temps normal, il aurait déjà été en elle, à ce stade. Il pouvait se rejouer les vingt-quatre heures écoulées dans les bras de son âme sœur pour durcir, mais son esprit semblait résister à ce tour de passe-passe.

Pour rester dur avec une autre, il allait devoir fournir un effort conscient. La situation était donc insoluble. Car jamais il ne pourrait aller coucher ailleurs s'il était conscient de ce qui se passait.

En fait, ses pensées tout entières étaient occupées par sa dispute avec Josephine. Pourquoi diables était-elle aussi affectée ? Elle n'avait pas versé une larme quand Nïx lui avait brisé les os, et ce soir elles avaient coulé à flots.

Était-elle si habituée à ce que les choses se passent comme elle voulait ? Ses larmes étaient-elles le fruit de sa vexation ? Elle avait juré de coucher avec d'autres, et prévoyait même de boire à leurs veines. Encore un de ses serments ridicules. Jamais il n'avait rencontré quelqu'un qui en abuse à tel point.

À l'avenir, pendant que lui se débattrait pour ne pas mourir d'ennui dans quelque nichée lointaine, elle ferait jouir des mâles fous amoureux sous sa morsure.

Quand il l'avait faite sienne, il avait songé : *Elle ne boit que moi. Après ce soir, elle ne baisera plus qu'avec moi.*

Raté, sangfléau. Personne ne pouvait lui donner plus de plaisir que lui... Mais qu'en serait-il de son goût ? Et si... Et si elle lui préférait le sang d'un autre ? Elle n'avait jamais mordu personne avant lui.

Elle est moi, et je suis elle. Et si elle ne voulait plus jamais noircir son sang ?

Il reconnaîtrait la marque de ses petites dents n'importe où. D'une certaine façon, elle s'apparentait à la trace qu'il laissait, lui, en guise de preuve d'appartenance. S'il rencontrait l'un de ses amants et le voyait ainsi marqué...

Il grinça des crocs. Après tout, elle n'était pas obligée de se nourrir d'un autre. Pour quoi faire ? Ils allaient séparer cet aspect de tout arrangement passé entre eux. Il en ferait une condition *sine qua non*.

Peut-être même userait-il pour cela d'un serment sur le Mythos !

Il la convaincrait que la consommation de sang, c'était leur petit truc à eux, ce qui les rendait spéciaux. Comme elle l'avait décrit : « la langue qui lèche, les lèvres qui sucent et les crocs qui pénètrent ». Nom des dieux, c'étaient des actes intimes ! Pas plus tard que la nuit dernière, les battements de leur cœur s'étaient synchronisés ; Josephine avait commenté le lien qui les unissait, ce qui avait changé en elle.

Pourquoi voudrait-elle partager cela avec un autre...

Il se figea soudain. Josephine considérait le sexe de la même façon que lui considérait le fait de la nourrir : comme un acte intime et spécial. Qui les unissait et les changeait. Elle avait imprimé sur lui la marque de sa morsure, tel un sceau, tout comme il l'avait fait avec elle.

Et peu importait qu'il accorde peu de cas à ses coucheries avec les autres femelles, car pour Josephine, cela comptait beaucoup.

Il prit une brusque inspiration. Malheureusement, il en venait à cette terrible conclusion au moment où il se trouvait nu dans le lit d'une autre, et juste après avoir abandonné son âme sœur – alors même qu'elle était complètement effondrée. *Merde !*

Il repoussa Meliai sans ménagement et se rassit.

— Qu'est-ce qui se passe ? s'étonna la nymphe.

Sa voix lui paraissait lointaine. Il secoua la tête pour s'efforcer de revenir dans cette pièce. Quand Josephine avait suggéré qu'ils cherchent une autre façon de récupérer son frère, il n'avait pas compris son refus : ne ferait-elle pas n'importe quoi pour retrouver Thad ?

Cela ne voulait pas dire qu'elle se souciait moins de son frère, non, mais qu'elle se souciait plus de Rune. Et qu'elle ne l'ait pas laissé partir le sourire aux lèvres en balayant la chose d'un revers de la main confirmait à quel point il comptait à ses yeux.

Elle avait enfin ouvert son cœur à quelqu'un !

Mais sa pointe d'excitation retomba aussitôt. Ce soir, entre deux sanglots, elle lui avait dit : « Tu me brises le cœur. »

Ce n'était pas le caprice d'une maîtresse méprisée ; et elle cherchait encore moins à le manipuler.

Non, Josephine avait réagi comme une femelle pleurant le mâle qu'elle avait perdu.

Après ce soir, elle ne voudrait plus entendre parler de lui ! La panique le saisit à la gorge. Il posa les pieds au sol et se téléporta jusqu'à ses vêtements.

Il pouvait encore arranger la situation. Josephine était sans doute encore dehors à attendre, vu qu'il était censé revenir avec le moyen de libérer Thaddeus.

— Rune, réponds-moi ! exigea Meliai. Qu'est-ce qui se passe ?

Il enfila son pantalon à la hâte.

— C'est fini.

Et il le pensait vraiment. Rune l'Insatiable venait de quitter son poste de maître des secrets, ce travail qu'il exerçait depuis des millénaires. Il avait devant lui le temps de réfléchir à la façon d'annoncer ça au Møriør, mais comment allait-il sauver Thaddeus ?

Meliai se mit à genoux.

— Tu n'es pas sérieux !

En la dédaignant, il risquait de se mettre à dos les nichées des mondes entiers. Il n'existait pas pire insulte qui puisse se faire à leur espèce.

— Qu'est-ce qu'il te faut pour te remettre dans l'humeur ? Demande, je te le fais tout de suite, proposa-t-elle en empaumant ses seins, dont elle se mit à titiller les tétons. Imagine ton fantasme le plus coquin, je te l'offre.

Les fantasmes de Rune impliquaient tous l'âme sœur impétueuse et courageuse qu'il ne méritait pas. Celle-là même qui attendait dehors qu'il finisse d'en baiser une autre.

— Tout ce que tu veux, Rune, insista Meliai.

Il sauta dans ses bottes, puis enfila sa chemise.

— Non.

Un mot pareil franchissant ses lèvres sur ce sujet-là… « Non. » Dieux que c'était bon !

— Mais pourquoi ? Donne-moi au moins une raison !

— J'ai changé.

Une pensée le frappa. Plus jamais il ne serait obligé de faire ça : enfiler ses vêtements à la hâte, rêver d'une douche et du calme apaisant de son fauteuil au coin du feu.

Il était libre.

— Si tu ne couches pas avec moi, tu ne pourras jamais franchir les spectres, cracha Meliai.

— Je me débrouillerai.

— Tu vas t'immiscer là-dedans par le biais du sexe ? Tu en serais capable, pas vrai ? De baiser des créatures aussi répugnantes que les Fléaux ?

Comment allait-il se présenter à Josephine ? En lui promettant qu'il récupérerait son frère, il s'était mis en position de la décevoir, d'une façon ou d'une autre.

Je ne veux pas la décevoir. Il accrocha son carquois, passa son arc par-dessus son épaule. Comme elle l'avait suggéré d'emblée, il y avait forcément une alternative, quelque chose qu'il ne voyait pas...

Du bout des doigts, il effleura la corde de son arc. Ce soir, il avait rengainé l'une de ses armes pour toujours.

J'en ai une autre.

Il reprit son arc en main et positionna une flèche ravageuse. D'une voix glaciale, il s'adressa à Meliai :

— Donne-moi cette clé, sinon je tire ma flèche, qui pulvérisera les os de toutes les créatures dans cet arbre.

La nymphe haleta.

— Tu prends le risque d'une guerre avec les nymphes ? Tu ne pénétreras plus jamais sur nos lieux sacrés !

— Soit. Maintenant parle. Qu'est-ce que tu as ?

Le regard de Meliai la trahit en filant se poser sur son mur, et un nœud en hauteur dans le bois : une cache secrète ?

— Tu as quelque chose à me montrer ? demanda Rune en agitant son arc dans la direction du trou. Va le chercher.

L'air effaré, la nymphe traversa la pièce jusqu'au mur.

— Mes sœurs et moi, nous te ferons payer cette traîtrise très cher.

Elle appuya sur une manette dissimulée et un compartiment s'ouvrit. Au milieu de sa cachette à bijoux en ambre se trouvait une boîte en verre.

Comprenant de quoi il s'agissait, Rune sentit la sueur lui mouiller la lèvre supérieure. Non, ça n'était pas une mèche de cheveux de Valkyrie. Dans ce boîtier se trouvait une plume rouge feu.

Une plume de phénix. Il ressentait son pouvoir de l'endroit où il se tenait.

Pour un archer, c'était un objet inestimable ; et pour Rune, cela changeait la donne. Il pouvait l'utiliser dans le but de diriger le vol d'une de ses flèches, amplifiant ses pouvoirs magiques de façon exponentielle.

Avec cette plume, il pouvait créer la flèche la plus destructrice qui ait jamais existé.

62

Devant les portes de l'enfer.

Les hurlements stridents des spectres vrillaient les tympans de Jo, tandis qu'un nouveau coup de tonnerre lui résonnait jusque dans le ventre.

Desh se pencha vers son oreille pour crier :

— T'es sûre que tu maîtrises, p'tit bout ?

Au souvenir de sa dernière rencontre avec Nïx, Jo réprima l'envie de se frotter le bras et hocha la tête.

— Faut que je t'avertisse, je flaire une sacrée grosse armée de ces saletés, là-dedans.

Depuis sa précédente visite à Val Hall (elle ignorait combien de temps s'était écoulé, avec ces décalages horaires bizarroïdes), des dizaines de voitures s'étaient garées devant le manoir, comme si l'on y donnait une fête. Quant aux odeurs qui en émanaient, elles étaient différentes. Tout comme les sons.

Desh jeta un regard furieux en direction de l'entrée.

— Ces sales garces ne m'ont pas invité.

— Ça va, je me débrouille, lui cria Jo par-dessus le vacarme.

— Je serai au *Laffite*, au cas où ils n'acceptent pas ton drapeau blanc.

— Merci, Desh. Je te souhaite bon vent.

Il croisa son regard.

— Bonne chance à toi.

Et il disparut.

Jo se dirigea vers l'Antique Fléau, ces spectres à vous glacer les os. Que ne ferait-elle pas pour Thad ?

Au fur et à mesure qu'elle approchait de Val Hall, de nouveaux bruits et de nouvelles odeurs l'assaillaient. Tellement, en fait, qu'elle n'arrivait pas à les identifier tous : fourrure, fumée, glace ; et tant de sifflements, de grondements, de grommellements obscurs.

Elle avait la vague impression de reconnaître ces créatures, comme si elles étaient d'anciens camarades mythosiens. Pourquoi ne parvenait-elle pas à se souvenir ? Par habitude, elle leva les yeux vers les étoiles, cherchant une réponse, mais les nuages bas les lui cachaient. À l'instar du nuage qui lui masquait ses souvenirs !

Sa vie entière n'était que frustration. Son incapacité à se remémorer sa petite enfance donnait la désagréable impression de n'en avoir pas eu. Pareil pour ses parents. Et son incapacité à récupérer son frère la déchirait.

Mon ex, mon ancien mec, est en train d'en baiser une autre, en cet instant. Je l'aime et il se tape une autre femme.

Avant de venir ici, Jo avait repéré Dalli et laissé un message à l'intention de Rune. Parce qu'elle en avait fini avec lui.

Fini.

Quel gâchis ! Elle ne pouvait pas changer Rune ni récupérer ses souvenirs, mais au moins elle pouvait atteindre Thad.

Tout ce qu'elle avait à faire, c'était de hurler : « Je me rends. » N'empêche, ça la mettait en rage.

Comme dans une autre vie, quand elle voyait les filles quitter la maison de Muret, complètement abattues et vidées – elle avait assisté à ça autour de son motel.

Rune attendait qu'elle abandonne ses rêves, qu'elle cesse de se battre pour obtenir ce qu'elle voulait ? Eh bien, ça la rendait encore plus furax que son infidélité !

Il attendait qu'elle s'allonge sans rien dire ? Comme lui ?

Comme je l'ai fait jadis. J'ai abandonné Thad quand il était bébé.

Trois mots. Il lui suffisait de hurler trois petits mots. Sauf que Jo ne se rendait pas ; Jo éclatait tout façon Hulk, elle serrait jusqu'à ce que ça casse.

Elle avait oublié ça, au cours des deux semaines écoulées.

Juste à la limite de la zone où les spectres pouvaient l'atteindre, elle se fit intangible, avant de balancer le poing dans la tourmente. Quand elle replia le bras, il était couvert de balafres.

— Alors comme ça, on est semblables ?

Jo était la mort et la mort en une même enveloppe, une changeforme à mi-chemin entre les vivants et les morts. C'était donc logique que le Fléau puisse la blesser même lorsqu'elle était sous sa forme de fantôme.

Le tourbillon des spectres ralentit. L'un d'eux plongea et resta en suspension à quelques centimètres du visage de Jo. Leurs regards se croisèrent : les yeux du spectre étaient des trous noirs. Pourtant un flash, une autre image passa sur le visage de la créature. Et l'espace d'un instant, aussi brièvement que le rayon d'un phare, Jo aperçut une magnifique femme.

— Laisse-moi entrer, lui murmura Jo. Ou prépare-toi à souffrir.

La chose pencha la tête.

Tu vois quoi, spectre ? Les larmes de Jo avaient séché, pour ne laisser que des traînées dures sur ses joues. *Tu vois Josephine Doe, la fille à demi-morte qui n'a absolument rien à perdre ?*

La fille toujours en colère qui a peur qu'on l'abandonne ?

— Si je peux saigner, chuchota-t-elle à la créature, alors toi aussi.

Mais la chose fut à nouveau aspirée par la tornade. Toujours sous sa forme intangible, Jo recula et se concentra pour attirer ses pouvoirs dans ses mains.

Les spectres se mirent à hurler plus fort, sentant augmenter la menace qu'elle représentait.

Me rendre ?

Jamais. Plus jamais, putain !

Le sol trembla sous sa fureur grandissante. Après tout, elle n'avait pas besoin de Rune. Elle allait donner un bon coup de pied dans la fourmilière, et toutes les Valkyries qui se planquaient là-dedans sortiraient en courant. Une fois qu'elle en aurait enterré suffisamment dans leur nouveau tombeau, elle exigerait la libération de Thad.

Jo fit craquer son cou et sourit. *Si, Rune, certaines choses sont simples.*

Dalli attendait Rune au fond de la salle, une expression grave sur le visage.

Une fois sorti de la chambre parfumée de Meliai, il avait tenté de repérer l'odeur de Josephine. En vain.

— Où est-elle, nom des dieux ?

Il ignorait ce que Dalli perçut dans son attitude, mais ça la rendit manifestement nerveuse.

— J'ai essayé de l'en empêcher, elle est partie quand même.

Rune sentit ses poumons se serrer.

— Elle est partie.

Dalli fronça les sourcils.

— Oui, c'est ce que je viens de dire.

— Tu ne comprends pas. Elle est partie. Elle m'a quitté.

Jo l'avait averti qu'elle lui ferait passer un sale quart d'heure s'il lui faisait un sale coup.

— Elle m'a transmis un message pour toi.

Il se redressa.

— Parle.

— Elle n'était pas... seule, commença Dalli en triturant la ceinture de sa robe. Elle a dit qu'elle penserait à toi tout du long.

Recevoir ses propres paroles en plein visage fit comprendre à Rune à quel point elles étaient ridicules. Et blessantes. *Haïssables.*

— Qui me l'a prise ?

Lui qui avait accusé Josephine d'avoir des problèmes de jalousie, voilà qu'il avait envie de détruire ce maudit arbre.

Ce maudit monde tout entier.

— Quel mâle ? insista-t-il. Qui est sur le point de mourir ?

— Ce n'est que justice, Rune. Tu étais toi-même en charmante compagnie.

Il lui montra les crocs.

— Quel mâle, j'ai dit !

Avec les décalages horaires, elle pouvait très bien se trouver déjà dans le lit d'un autre.

— Un démon du nom de Deshazior.

Rune enfonça les griffes dans ses paumes, répandant son poison. Josephine irait-elle chez ce démon, ou plutôt à son motel ?

— Je les ai entendus parler de Valkyries, ajouta Dalli.

Non, elle n'avait pas pu aller à Val Hall seule. À la réflexion, il préférait encore qu'elle soit dans une chambre de motel avec Desh.

— Et du fait qu'elle devait se rendre...

— Le sangfléau a brisé notre pacte ! les interrompit Meliai, faisant irruption dans la salle.

La foule se tut.

— Au lieu de me l'échanger loyalement, il m'a dérobé un objet de grande valeur ! Et il m'a menacée, moi et la nichée tout entière !

— Elle dit vrai ? s'enquit Dalli.

Rune hocha la tête. Il saisit son arc et encocha une flèche, s'apprêtant à retourner à Val Hall.

Dalli leva le visage vers lui.

— Tu es toujours l'homme le plus convoité de la nichée... Mais pour une tout autre raison à présent.

Et juste avant qu'il se téléporte, elle ajouta à mi-voix, si bien que lui seul entendit :

— Je suis très fière de toi.

63

Au fur et à mesure que le pouvoir enflait en Jo, les créatures rampantes des marais environnants s'enfuyaient en geignant.

Et elles avaient bien raison de fuir. Nïx avait comparé Jo à une arme nucléaire.

Ha-ha, Valkyrie, dis plutôt une supernova. Jo n'appelait plus de ses vœux la capacité de freiner ses pouvoirs en cas d'urgence, non, elle laissait monter sa télékinésie.

La force était puissante comme l'acier, et pourtant aussi légère que l'air. Tout comme Jo elle-même, elle était chaude et froide, vivante et morte.

De gros nuages noirs s'amoncelaient au-dessus de cet inquiétant tourbillon rouge, dont la forme rappelait celle d'un champignon. Les éclairs bombardaient la propriété, frappant les arceaux de cuivre.

D'un geste de la main, Jo souleva un arc et le lança sur les spectres. Leurs hurlements se firent encore plus perçants, mais ils repoussèrent son javelot. À deux mains, elle souleva par télékinésie tous les arceaux à la fois, les faisant planer telle une menace au-dessus d'eux. Le Fléau resserra son anneau, se préparant à l'impact.

— Il vous plaît, mon drapeau blanc ? cria-t-elle en en lançant la moitié.

La tempête rouge reflua sous ses assauts, mais parvint à se reformer.

Hum... Tous ces beaux éclairs gaspillés... Elle saisit les derniers arceaux et les approcha tout au bord du Fléau, juste au bord...

BOUM ! Le premier éclair frappa une tige et le métal conduisit l'électricité brûlante directement vers les spectres.

Jo sourit. Le feu, ça lui avait toujours plu, mais là, c'était encore mieux.

Rune ignorait ce qui le stupéfiait le plus : la vision de son âme sœur en train d'attaquer Val Hall ou la présence sur les lieux de Blace, Darach et Allixta avec Curses. Il les avait repérés qui observaient la scène à l'écart.

Josephine avait positionné des arceaux de cuivre dans les airs, pour canaliser les éclairs des Valkyries et les retourner contre les spectres. Sa petite femelle semblait si menue, si délicate pour receler autant de puissance. Sur ses joues blêmes, les traces de ses larmes noires à présent séchées ressemblaient à des peintures de guerre, qui rehaussaient ses yeux étranges. Et entre deux assauts, sa silhouette vacillait.

Et moi qui croyais devoir venir la sauver !

Il mourait d'envie de se téléporter à ses côtés, mais savait qu'elle déchaînerait sa fureur contre lui. Et bien qu'il la mérite, il avait besoin de rester en un seul morceau en prévision de l'attaque des Valkyries.

Qui ne saurait tarder, désormais. D'une seconde à l'autre, elles allaient sortir du manoir.

Visiblement lasse des éclairs, Josephine envoya tous les arceaux restants, telle une volée de lances. Les spectres lâchèrent un hurlement à l'unisson.

Puis elle reporta son attention sur le chêne le plus proche. Immense et vénérable. Probablement rempli à ras bord de nymphes à l'affût.

Josephine agita la main et l'arbre fut catapulté dans le ciel comme une fusée dans une explosion de racines et d'écorce.

À l'intérieur, les nymphes poussèrent de grands cris, qui semblèrent réjouir la petite femelle de Rune. Quand le chêne commença à retomber, elle le projeta contre le Fléau.

Il le heurta dans un fracas de bois brisé. Josephine arracha un autre arbre, puis un autre, qu'elle lança un par un, créant un barrage de troncs et de membre brisés.

Rune se téléporta aux côtés des autres Møriør. Sans jamais quitter Josephine des yeux, il leur demanda :

— Qu'est-ce que vous faites ici ?

— On observe ton âme sœur, répondit Sian. Bien joué, elle est effroyablement belle.

Rune remit son arc à l'épaule et rangea sa flèche.

— Comment saviez-vous que Josephine était mienne ?

— Orion nous a informés, il y a plusieurs jours, qu'elle se révélerait cette nuit à Val Hall, expliqua Blace. Il a sous-entendu que tu aurais peut-être besoin de notre intervention.

Rune avait bien besoin de toute l'aide possible, en effet. Seul, il ne parvenait qu'à gâcher la chose la plus importante qui lui soit jamais arrivée. Il lui avait fallu connaître la panique d'avoir tout perdu pour se rendre compte qu'il pouvait bel et bien être le mâle dont avait besoin son âme sœur.

— Quand je pense que j'ai demandé à Orion comment on allait la reconnaître, commenta Sian en se grattant la tête. Je dirais aujourd'hui qu'une seule femelle se dégage du lot.

— Qu'est-ce qu'elle est ? s'enquit Blace en la fixant du regard.

— Mi-vampire, mi-fantôme.

Sian siffla.

— Un mélange très rare.

— Et très puissant, ajouta Blace avant de détourner les yeux de Josephine pour dévisager Rune. Si elle est ton âme sœur, pourquoi attaque-t-elle seule ? Et pourquoi portes-tu sur toi l'odeur du lit d'une nymphe à la fin de la nuit ?

Blace avait toujours été amusé par les exploits de Rune ; cette fois, il paraissait plutôt déçu.

— Tu as une âme sœur, et tu continues à fréquenter tes grues ?

— Putain un jour, putain toujours, ricana Allixta.

Rune lâcha un grognement à son intention. *Cette garce a le don d'appuyer là où ça fait mal.*

— Je m'apprêtais à coucher avec une nymphe en échange d'une information qui me permettrait de franchir les spectres. Le jeune frère de Josephine est prisonnier là-dedans. Elle est séparée de lui depuis plus de la moitié de sa vie.

— J'en déduis qu'elle n'était pas tout à fait d'accord avec le plan impliquant la nymphe, conclut Sian. Sait-elle qu'elle est ton âme sœur ?

Rune acquiesça.

— J'ai tout gâché. Je l'ai blessée. Et j'ai fini par voler à la nymphe ce qu'elle devait m'offrir pour avoir couché avec elle. (Les autres haussèrent les sourcils.) Mais c'était déjà trop tard.

— Qu'est-ce qu'on peut faire ? demanda Blace.

— Si les Valkyries laissent entrer Josephine, elle détruira leur repaire sans la moindre hésitation. J'essaierai de l'en empêcher, mais vu son humeur actuelle, elle va me mettre en terre.

Il la visualisa en train de briser son arc et de le planter sur sa tombe. Enfonçant la main dans sa poche, il en tira la plume rouge feu.

— Il faut que je puisse la suivre à l'intérieur, reprit-il.

Il devait préparer sa nouvelle flèche. *Maintenant.* En sueur, il partagea la plume du bout d'une griffe.

— Est-ce qu'il s'agit de ce que je crois ? demanda Allixta.

— Une plume de phénix. Pour abattre le Fléau.

Il tira une autre flèche de son carquois, qu'il allait remodeler avec cette plume. *Le coup doit être net et précis.*

— D'après ce que l'on sent, Val Hall est empli d'une armée de créatures. Il se peut que j'aie besoin d'une couverture.

— Compte sur nous, dit Sian.

Ne voulant pas quitter Josephine des yeux, Rune entreprit de confectionner les nouvelles ailes de la flèche sans même regarder ce qu'il faisait.

Josephine s'en prenait désormais aux voitures. Elle les souleva toutes d'un coup de sa paume levée, tandis que de son autre main, elle agitait deux doigts pour propulser une Lamborghini jaune contre les spectres. L'impact claqua avec la force d'une explosion de missile contre un rocher.

Le Fléau hurla et chancela avant de se remettre en formation – mais beaucoup plus lentement cette fois. Elle les affaiblissait !

Nouvelle chiquenaude de Josephine. Un Hummer lancé contre le tourbillon.

Une fois qu'il eut remplacé les ailes de sa flèche, Rune utilisa son sang pour dessiner de nouvelles runes sur le bâton. Ces symboles allieraient ses propres pouvoirs magiques à ceux de la plume.

Tout en travaillant, il détectait déjà cette union : un pouvoir pour diriger la magie et un pour l'amplifier.

Sitôt qu'il en eut terminé, il prit un instant pour inspecter son ouvrage avant de ranger la flèche dans son carquois. Il utiliserait volontiers cette merveille pour récupérer sa femelle.

— Ça commence à devenir lassant, fit Allixta. Elle va continuer comme ça pendant combien de temps encore ?

— Jusqu'à ce qu'elle obtienne ce qu'elle veut ou qu'elle tombe, répondit Rune, sans prendre la peine de masquer l'admiration dans sa voix. Mon âme sœur aime les choses simples.

Josephine balançait justement une énième volée de voitures en direction des spectres.

— Sortez me combattre, bande de sous-merdes ! cria-t-elle.

— Et elle ne mâche pas ses mots, ajouta Rune. Sa poitrine aurait pu exploser tant il était fier.

64

Bouillonnant de fureur, Jo se téléporta jusqu'au cyclone et attaqua les spectres à coups de griffes. Du matériau spectral l'éclaboussa.

— Je savais bien que vous pouviez saigner ! hurla-t-elle, triomphante, avant de s'adresser à Nïx : Tu refuses de sortir ?

Et elle continua à lacérer les spectres enragés, sans relâche.

— Alors c'est moi qui vais entrer !

La porte de Val Hall s'ouvrit dans un grondement. Jo interrompit son carnage à contrecœur et flotta en retrait pour reprendre son souffle en attendant de voir ce qui allait se produire. *Après vous, mesdames les Valkyries...*

Une créature qu'elle ne voyait pas lança un petit paquet sous le porche. Jo plissa les yeux : une mèche de cheveux. La clé. Ainsi donc, la rumeur était vraie.

Un spectre se posa en tournoyant et ramassa la mèche. Le tourbillon se scinda alors, tel un ruisseau autour d'un roc.

Ils la laissaient entrer. Elle relâcha le reste des voitures – mais à l'envers, pour le fun. Puis elle flotta vers le ventre de la bête. *Qu'est-ce que je ne ferais pas ?*

— Josephine, non !

Rune ? Sitôt qu'elle l'aperçut du coin de l'œil, elle agita la main pour le clouer sur place de son pouvoir.

— Nom des dieux, n'entre pas là-dedans !

Avant qu'elle ait le temps d'atteindre Val Hall, elle sentit une pression autour de son cou. *Comment ?* Elle était pourtant fantomisée ! Et les spectres se tenaient immobiles.

Soudain, elle comprit. Personne n'avait eu l'intention de la laisser entrer ; ils avaient utilisé la clé pour faire sortir quelqu'un.

Une silhouette émergea de Val Hall.

Thad ?

Il franchit sans peine le mur des spectres, mais ses bottes ne touchaient pas le sol. Des cercles ombrés irradiaient autour de ses yeux sur sa peau blême. Ses cheveux bruns lui fouettaient le visage. Sa silhouette vacillait.

Vacillait comme celle d'un fantôme. Et il avait l'air plus farouche et mauvais qu'on ne pouvait l'imaginer. *Grand Dieu, il est comme moi !* Jo tendit la main vers lui.

— Tha... Tha...

Mais son pouvoir, qui l'étouffait, la jeta à genoux. Elle porta aussitôt les mains à son cou. Impossible de respirer !

Rune beugla, combattant sa télékinésie. Pas question qu'elle le laisse blesser Thad pour venir en aide à son âme sœur. Alors elle dirigea plus de forces contre Rune.

— Plus fort, gamin ! cria une voix de femme depuis l'intérieur du manoir. Arrache-lui la tête !

Il écoutait la voix.

— Finis-la, Thad ! Allez, comme on t'a appris.

La pression augmenta, et soudain Jo visualisa son avenir : *Thaddie va me tuer.*

Un vertige la submergea et des points noirs se mirent à tournoyer devant ses yeux, tandis que des souvenirs du passé faisaient irruption dans son esprit. Les yeux de Thad ressemblaient tellement à ceux de cette femme.

Ceux de... leur mère. Jo était avec elle juste avant sa mort !

Sauf qu'elle ne s'appelait pas Jo, alors. Elle s'appelait... Kierra. Une petite fille. Une halfelin de huit ans sur Apparitia, le royaume obscur des fantômes.

— *C'est la fin du monde !* hurla Kierra.

Le ciel s'effondrait. Il s'effondrait. Les étoiles blessées tombaient et mouraient, aussi brillantes que les étincelles d'une pierre à feu.

Elle était suspendue en équilibre au bord d'un vortex, les griffes enfoncées dans le sol. Autour d'elle, d'autres trous noirs s'ouvraient en sifflant, tout un mur de trous, noir sur noir sur noir.

Comme des yeux d'araignées.

Elle ignorait où conduisaient ces trous qui tentaient de l'aspirer – des fentes étaient apparues dans l'éther alors qu'Apparitia commençait à mourir – mais s'échapper via l'un d'eux était leur unique chance de survie. Leur mère ne s'étant jamais téléportée dans aucune autre dimension, elle ne pouvait donc pas les évacuer.

— *Mère, viens avec moi !*

Une force impitoyable écrasait leur royaume. Un million de hurlements avaient résonné aux premiers feux. Puis les plaines avaient sailli en montagnes. Non loin, la mer avait monté, tel un pilier dirigé droit vers le ciel. Alors les flammes l'avaient annihilée, changeant le bleu en rouge.

Ils avaient entendu parler d'un être capable de détruire les mondes grâce au seul pouvoir de sa volonté.

Une main pâle dressée vers la nuit, sa mère se battait.

— Non, je ne peux pas échouer ! avait-elle lâché entre ses dents serrées. Ou nous serons tous détruits !

Si elle se téléportait jusqu'à Kierra, le dôme qu'elle avait créé au-dessus d'eux risquait de disparaître.

Elle ne pouvait même pas ramper vers sa fille. L'une de ses mains émettait son pouvoir ; l'autre agrippait son nouveau-né, son fils qui pleurait. Sa télékinésie était plus puissante que celle de la plupart des fantômes, mais son accouchement le matin même l'avait épuisée.

La télékinésie de Kierra était encore faible et peu précise, mais elle devait se battre à l'instar de sa mère.

— Laisse-moi t'aider !

Si seulement elle avait été plus âgée !

— Non, Kierra, économise tes pouvoirs !

Les trous noirs devenaient de plus en plus affamés, ils aspiraient les jambes de Kierra avec une vigueur accrue. Son instinct lui criait de devenir intangible. Mais elle n'était pas encore assez vieille.

— Essaie d'atteindre un portail !

Quand sa mère secoua la tête, ses longs cheveux noirs cascadèrent autour d'elle.

541

— Je dois garder le tien ouvert... aussi longtemps que possible !

Le ciel tomba plus bas encore, tel le plafond d'un tunnel en train de s'effondrer.

La main tendue de sa mère fouetta les entrailles beuglantes de la planète.

— Je vais le laisser échapper dans les vents !

Son nouveau-né ? Elle n'oserait pas !

— Je l'envoie dans ta direction.

— Non, je risque de le rater ! S'il te plaît... Tente ta chance vers un portail, n'importe lequel.

— Attrape-le, Kierra ! Je sais que tu en es capable. Et ensuite, ne le lâche plus jamais !

Avec un cri, sa mère remit son précieux bébé aux vents. Juste avant qu'il n'atteigne Kierra, d'énormes pics de cristal surgirent du sol, l'éloignant de quelques centimètres.

Kierra banda chacun de ses muscles, se préparant à l'attraper au vol. Il remontait en direction d'un autre vortex !

— Ne le laisse pas t'échapper ! hurla sa mère.

— Non, non !

Kierra s'étira, écarta les doigts. Plus qu'un ou deux centimètres les séparaient.

Grâce à un sursaut inespéré de télékinésie, elle parvint à attraper son lange !

— Je l'ai !

Elle le cala dans le creux d'un bras. Il était si petit, et ses cris si forts. Il n'avait même pas encore de nom.

Nouvelles explosions. Les flammes surgirent de la vallée, dans leur direction. Retenant toujours le ciel, sa mère devint intangible.

— Tu dois t'échapper, ma chérie. Tu dois partir.

De la terre, tout autour d'elle, de la lave commença à jaillir.

— Viens avec nous ! hurla Kierra, les larmes dégoulinant sur ses joues.

Mais elle savait que sa mère resterait là, pour défendre l'entrée de ce vortex aussi longtemps que possible.

— Garde-le auprès de toi. Protège-le. Je vous aime éperdument, tous les deux.

Les flammes entourèrent sa forme fantomatique, sur le point de l'avaler.

— Ma chérie, murmura-t-elle, et Kierra lut sur ses lèvres : S'il te plaît, va-t'en.

— On t'aime, répondit Kierra de la même façon. (À travers les flammes, leurs regards se croisèrent.) Je le protégerai.

Sa mère hocha la tête et lui adressa un sourire forcé malgré les larmes. Juste avant qu'elle ne soit engloutie, elle vit Kierra cesser de résister... et le vortex aspira ses deux enfants...

Ils volèrent, tournoyèrent, légers comme des plumes.

Kierra serrait le bébé tout contre elle tandis qu'elle dévalait un tunnel noir, tourbillonnant encore et encore.

Les flux des vortex s'entrecroisaient. Des vagues de lave s'engouffraient par d'autres ouvertures, qui se précipitaient vers elle et le bébé.

— Grands dieux, non !

Elle utilisa sa télékinésie pour tenter de créer une bulle autour d'eux et se recroquevilla autour du petit corps de son frère tandis que la lave recouvrait son bouclier et que la chaleur et la pression poussaient dessus.

Faites qu'il tienne, faites qu'il tienne.

Cette force écrasante affrontait sa télékinésie. Fermant les yeux, Kierra pria ; elle pria et pria encore...

Peu à peu, la chaleur tomba. Kierra risqua un coup d'œil autour d'elle et cligna les paupières, incrédule. Du cristal ? Son pouvoir avait fusionné avec la lave sous pression, créant une coquille transparente. Qui les enveloppait, elle et le bébé. Un cocon.

Le temps passa. Leur vitesse diminua. Quand le bébé se tut, le silence absolu frappa Kierra, et elle pleura sa mère. Ses amis. Son monde. Elle cala son frère entre les replis de son manteau, déterminée à le protéger.

Des éternités s'écoulèrent pendant lesquelles ils flottèrent dans leur cocon, pourtant ils ne vieillissaient pas. Bien qu'elle ne ressente jamais la faim, elle s'entaillait le poignet pour nourrir le bébé.

Et ils flottaient.

Au moment où elle commençait à croire qu'ils allaient rester emprisonnés dans cette existence pour toujours, Kierra leva les yeux. À travers le cristal elle vit... des étoiles naître. Elle vit une planète apprendre à tourner. Elle percevait la rotation des autres. Comme si elles dansaient pour elle.

Le paradis.

Alors elle pleura devant un tel spectacle. Il y a un rideau drapé sur l'univers, mais moi, je vois à travers. *Pourtant elle ne connaîtrait pas ces secrets. Ils ne lui appartenaient pas. Aucun enfant ne pouvait supporter ce fardeau.*

Cette splendeur impossible brisa son esprit.

Son corps perdit ses pouvoirs, ses capacités s'envolèrent. Ses souvenirs disparurent.

Avec le bébé, ils continuèrent à flotter, entourés des mondes qui naissaient et déclinaient. Avant que ses paupières ne se ferment enfin, elle vit l'univers reflété dans les yeux mi-clos d'un nouveau-né...

L'éveil. Je ne sens plus mes membres !

Au bout de cet interminable silence, elle hurla et agita les jambes. Elle se mit debout d'un bond, se cognant la tête contre quelque chose. Le cristal explosa tout autour d'elle. Des sons étrangers heurtèrent ses oreilles sensibles. Elle cracha en direction de la lumière vive et jaune au-dessus.

Où suis-je ? Comment suis-je arrivée ici ? Grands dieux, qui suis-je ?

Du mouvement dans ses bras. Qu'est-ce que c'était ? Elle ouvrit son manteau et découvrit un petit bébé qui s'éveillait, clignant les paupières dans sa direction sur des yeux noisette. Alors tout ce qu'elle sut, c'était...

L'amour.

Sa mère lui avait donné Thad ! Lui et Jo avaient traversé tout l'univers ensemble. Ça ne pouvait pas se terminer ainsi !

— Thaddie, haleta-t-elle.

Et elle tendit les mains vers lui... comme elle l'avait fait quatorze ans plus tôt.

Il s'approcha.

Elle ne pourrait pas continuer à user de sa télékinésie contre Rune beaucoup plus longtemps. Il la combattait si fort !

— Thaddie...

— Deus. Thad-de-us. C'est ça, mon nom.

De l'air. Besoin d'air. Rune se libérait.

— Sac... àThad...

Thad fronça les sourcils, sa silhouette vacilla.

— Qu'est-ce que tu as dit ?

Son étreinte se desserra un peu.

— Frère ! Ici... pour te sauver.

Il la relâcha dans un cri.

— Tu es... Jo ?

Et il se téléporta jusqu'à elle, la rattrapant juste au moment où le noir se faisait tout autour.

65

Libéré de la télékinésie de Josephine, Rune se téléporta jusqu'à Thaddeus.

— Passe-la-moi.

Il avait prononcé ses paroles sur un ton quasi suppliant, arc à l'épaule et les paumes levées.

Thad se dématérialisa, faisant aussi disparaître sa sœur, qu'il tenait dans ses bras. Impossible de la lui arracher des mains, et pourtant Rune n'avait jamais eu autant envie d'en découdre. Tout en n'ayant jamais eu autant de raisons de ne pas pouvoir le faire.

Le gamin leva sur lui des yeux hostiles.

— Qui t'es, toi ?

Sitôt que Thad avait découvert l'identité de Josephine, il avait cessé de l'attaquer pour la protéger férocement.

— Je suis son âme sœur, répondit Rune d'une voix rauque. Donne-la-moi.

Voyant les autres Møriør se poster de part et d'autre de Rune – en ordre de bataille – Thad cracha tel un fauve en colère.

Depuis l'intérieur du manoir, les Valkyries hurlaient :

— Ramène-la-nous !

— Tu as gagné !

— Tu as abattu cette garce !

Montrant les crocs, Thad serra Josephine un peu plus fort contre lui.

— Nous ne te ferons aucun mal, mon garçon, promit Blace, sur le ton calme et raisonnable qui le caractérisait. Nous ne vous voulons aucun mal, ni à toi ni à ta sœur.

— *Parle pour toi*, intervint Allixta par télépathie. *Il ose montrer les crocs au Møriør ?*

Ses paumes luisaient d'un vert iridescent.

— *Tu peux le retenir ?* lui demanda Rune. *Sans le blesser, s'il te plaît, sorcière ? Il pourrait la téléporter n'importe où dans l'univers.*

Allixta leva les mains et de minces filets verts s'immiscèrent autour de Thad, à travers lui, sans qu'il semble les sentir. Il se contentait d'observer ses adversaires avec méfiance.

— *Incroyable*, commenta Allixta. *Même mon pouvoir ne peut atteindre un changeforme tel que lui.*

Le jeune homme ouvrit grand la bouche quand Curses les rejoignit, qui se faufila derrière le Møriør avec une allure de prédateur.

— *Contrôle ta bestiole, Allixta !*

Rune s'approcha de Thad.

— Frère, j'ai besoin que tu... Donne-la-moi, je te prie.

— Pas question, m'sieur. J'ai bien l'impression qu'elle usait de sa télékinésie pour te maintenir à distance.

— J'ai plusieurs choses à lui expliquer. Et puis, elle est blessée, elle doit se nourrir de moi.

Thad était sur le point de se téléporter.

— Attends ! S'il te plaît ! Si tu pars, prends au moins ça, dit-il en sortant son talisman. Donne-le-lui. Je veux qu'elle l'ait.

— Par les enfers, marmonna Sian à haute voix.

Les autres connaissaient eux aussi la signification de ce talisman : il avait toujours rappelé à Rune de regarder en direction de l'avenir. *Josephine est mon avenir.*

— Elle comprendra, conclut-il en le jetant à Thad.

Le gamin le rattrapa par télékinésie, l'attirant jusqu'à sa main. Puis il les téléporta, sa sœur et lui.

— Nom des dieux ! explosa Rune. Je n'ai pas la moindre idée de l'endroit où il va l'emmener.

Il leva les yeux vers Val Hall, en direction des spectres qui avaient repris leur garde.

— *Nix le saura.*

Empoignant son arc, il positionna la flèche avec la plume de phénix.

— *Il n'y a pas que des Valkyries à l'intérieur,* lui fit remarquer Sian. *Orion n'a officiellement déclaré la guerre à aucune de ces factions, pour l'instant.*

— *Neutralise les spectres, ensuite nous évaluerons la situation,* suggéra Blace, toujours de bon conseil. *Après tout, il se peut que la flèche ne fonctionne pas…*

— *Utilise ta flèche pour atteindre ta cible et la détruire,* fit Allixta. *Comme tu t'y es engagé auprès d'Orion voici déjà des semaines. Tu as donc oublié ta mission ?*

Rune amena la corde de son arc tout contre son menton. Aucun tir n'avait jamais été plus important que celui-ci. Il était aussi nerveux que lors de la première bataille à laquelle il avait participé, armé de son arc.

Un souvenir d'Orion lui revint : « Assure-toi que ton premier tir compte, archer. Tu te le rappelleras pour le reste de ta vie d'immortel. »

Ce qu'il avait fait. Et il s'en souvenait en effet encore.

— *Lâche ta flèche*, l'encouragea Blace.

Rune relâcha le doigt qui retenait la corde et libéra la flèche la plus parfaite qu'il ait jamais tirée. En toute autre occasion, son cœur aurait rugi de fierté devant la précision de son vol.

Là, il ambitionnait juste la destruction. Et il l'obtint.

L'onde de choc le frappa, manquant le déséquilibrer. Sian se plaça devant Allixta pour la protéger ; Blace se téléporta à travers le souffle de l'explosion. Darach grogna. Curses enfonça les griffes dans le sol.

Les spectres étaient éparpillés partout dans les airs ! Ils étaient là, étourdis, planant dans diverses positions, tels des morts au champ de bataille. La porte d'entrée de Val Hall était grande ouverte.

— Je suis à vous tout de suite, Møriør ! leur cria Nïx d'une voix joyeuse. Juste le temps d'enlever mes bigoudis !

Par l'encadrement de la porte, Rune apercevait des jambes qui dépassaient de sous un canapé. Une femme rampa et bondit sur ses pieds.

Nïx ?

À voir ses cheveux, on aurait pu croire qu'elle s'était servie de sa tête comme d'un plumeau. Quant à ses yeux, ils étaient dans le vague.

— Je n'en ai pas pour longtemps, indiqua-t-elle à des créatures invisibles. Je voudrais leur parler en privé. Régalez-vous des hors-d'œuvre qui n'existent pas, vu que les Valkyries ne mangent pas.

Quand elle émergea du manoir, des éclairs zébrèrent le ciel dans sa direction, pointes vers le bas, comme s'ils se plantaient à l'intérieur de son corps. Et ils rayonnaient autour d'elle, comme les têtes innnombrables d'une hydre. Elle portait une jupe et des bottes en cuir noir, ainsi qu'un plastron.

Sur le métal excessivement ouvragé, le dessin semblait ancien. Les éclairs se reflétaient sur sa surface luisante. Un cœur anatomique avait été gravé en son centre. Et parmi les nombreuses formes dessinées, il distingua... une plume.

Tout ceci aurait été planifié ? Il positionna sa dernière flèche noire – la fatale.

Nïx adressa un hochement de tête à Rune et s'immobilisa à quelques dizaines de mètres. La chauve-souris qui l'accompagnait toujours se faufila entre les arcs de feu pour venir se poser sur son épaule. Quand un flocon de poussière tomba sur son plumage, l'animal éternua.

Allixta haussa un sourcil.

— *C'est ça, la primordiale des Valkyries ?*

— Bienvenue, Porteurs de Mort. Je suis Phenïx, bientôt déesse des Accessions. Il ne me reste plus qu'une tâche à accomplir.

— *Phenïx ?* répéta Blace. *C'est donc ça, son nom complet ? Et toi, Rune, tu avais cette plume ?*

Sian dévoila ses crocs.

— *Nous ne la laisserons pas se jouer de nous.*

Les pouvoirs magiques d'Allixta s'intensifièrent, au point d'imbiber l'air.

— *Abats-la, sangfléau.*

— *J'ai d'abord besoin d'informations.*

De plus, il doutait que sa flèche soit à même de briser les éclairs.

— *Non, mais tu es sérieux, là ?* demanda Allixta. *Tu la tiens à la pointe de ton arc. Orion t'a ordonné de l'assassiner.*

Blace secoua la tête.

— *Nous devons retrouver l'âme sœur de Rune. Nïx saura où elle est.*

Le vampire prenait donc son parti ?

— *Tire,* fit Darach, qui pourtant révérait les liens entre âmes sœurs. *On trouvera ton âme sœur plus tard.*

— *La trouver ? C'est donc si facile, tu crois ?* gronda Blace. *C'est le mâle qui n'a jamais rien perdu qui dit ça ?*

— *Sauf la vie.*

— *Oui, je suppose qu'on peut dire ça : tu as perdu la vie.*

— *Sian, soutiens-moi !* marmonna Allixta en se tournant vers le démon. *On ne remplit que les missions qui nous arrangent, à présent ? On n'obéit qu'aux ordres avec lesquels on est en accord ?*

— *On finira par retrouver ton âme sœur, Rune,* intervint Sian. *Mais plus jamais de ta vie tu n'auras l'opportunité d'effectuer pareil tir.*

— *Ses éclairs vont brûler ma flèche. La ravageuse reste ma seule option.*

— *Alors utilise-la,* lui enjoignit Allixta.

Le Møriør avait toujours présenté un front uni. Mais en cet instant, ils étaient en plein dialogue de sourds. Et pendant qu'ils se disputaient, d'autres immortels étaient sortis de Val Hall derrière Nïx.

Deux dizaines de Valkyries : une qui rougeoyait, une qui portait un arc d'apparence extraordinaire, d'autres armées d'épées. Parmi elles, une furie dotée d'ailes de feu.

— *Des Draiksiliens*, constata Rune quand apparut un contingent d'archers feys.

Ils venaient de la dimension d'origine de tous les feys, la source de leur empire esclavagiste.

Dix Lycae émergèrent à leur suite, sur le point de se transformer en bêtes. Leurs yeux bleu de glace exprimaient toute leur agressivité.

— *Des Descendants*, commenta simplement Darach.

Il était à demi transformé lui-même, son corps approchant les trois mètres, ses yeux devenus bleus, eux aussi. En plusieurs endroits, ses muscles gonflés avaient déchiré sa tunique, qu'il arracha d'un coup de griffes.

Les Lycae de Gaia humèrent l'air et grognèrent. Ne reconnaissaient-ils donc pas Darach Lyca, l'alpha de leur espèce ?

Blace opina du chef en direction de plusieurs vampires qui avaient apparu soudain, rejoignant les rangs des autres créatures.

— *Des Abstinents, et un vampire-né aux yeux rouges. Je le reconnais. Lothaire. Très puissant. Une sorte de primordial, en fait. La femelle qui l'accompagne est une vampire, elle aussi.*

Les vampires aux yeux clairs ne levaient jamais les yeux sur Lothaire, et marmonnaient quelque chose sur le « Zombie ».

La Ligue des Vertas de Nïx connaissait déjà de profondes dissensions.

Sian brandit sa hache de guerre quand des démons apparurent, les cornes tendues par l'agressivité. Les mâles musculeux montrèrent les crocs.

— *Des démons de rage qui s'opposent à nous ? Ne comprennent-ils pas ce qu'ils gardent à Rothkalina ? Et pour qui ?*

Les paumes d'Allixta s'échauffèrent encore au moment où des femelles sortirent du manoir, les mains illuminées, elles aussi.

— *Aucune de ces sorcières n'a payé ses taxes. Aucune n'a de permis. Et elles osent menacer leur suzeraine de leurs sortilèges ?*

Curses cracha, faisant les cent pas.

— *Alors on doit se mettre en ordre de bataille ?* fit Blace en tirant son épée de son fourreau. *Déjà ?*

Sian fit tournoyer sa hache.

— *Quel risque prenons-nous à relever leur défi ?*

— *Leurs forces ne sont pas négligeables,* rappela Allixta. *La sorcière qui a des miroirs à la place des yeux, par exemple, elle a tué une déité wiccae. Je perçois ses pouvoirs magiques divins d'ici. Jamais elle ne saura les maîtriser…*

— *On n'a pas de temps à perdre avec une bataille,* intervint Rune.

Il remplaça la fatale par une ravageuse et visa le sol près de Val Hall.

Nïx pencha la tête, révélant son oreille de fey.

— Où sont passées mes bonnes manières ? Puis-je vous offrir quelque chose à boire ou à manger ? Nous avons une multitude de hors-d'œuvre non-existants.

— Je veux Josephine, répliqua Rune. Je sais que tu la vois, au moment où nous parlons.

— Tu « sais » ce que je sais ? Ah, un autre voyant ! Et pourquoi devrais-je te le dire ? Elle est partie sans même me remercier. Quelle malpolie, cette fanpire.

— Qu'elle te remercie ? Pour les châtiments que tu lui as infligés ?

Les yeux de la Valkyrie s'illuminèrent d'une lueur argentée.

— Je lui ai donné une leçon.

— Ne t'amuse pas à tes petits jeux avec moi, Nïx.

— Hum ? Quelque chose à boire ou à manger ?

— Dis-moi où Thaddeus a emmené mon âme sœur.

— En un lieu que jamais tu ne découvriras, dit-elle. Le District des Jardins d'Or, de Pourpre et de Vert.

Des ricanements résonnèrent derrière elle.

— *Ça les fait rire ?* s'irrita Allixta, qui tremblait du désir de tuer. *Comment réagiront ces sorcières quand j'appliquerai un droit de gage sur leurs pouvoirs ? Quand tous les sortilèges qu'elles ont jamais jetés leur reviendront tels des boomerangs ? Leur « Maison des sorcières » s'écroulera en un temps de cauchemars. La leveuse d'impôts est arrivée...*

Nïx désigna Val Hall de la main.

— Tss, tss, Rune, ton âme sœur et toi, vous ne laissez pas cet endroit dans l'état où vous l'avez trouvé en y arrivant.

Les chênes imposants étaient éparpillés tel du vulgaire bois de flottage, les spectres restaient étourdis au-dessus d'eux. Des voitures renversées jonchaient la propriété.

— Mais nous sommes toujours là, reprit Nïx.

Allixta invoqua un rayon de pouvoir plus large.

— *C'est un problème auquel on peut aisément remédier.*

Puis elle ajouta, à l'intention de toutes les créatures présentes :

— Êtres insignifiants, vous êtes désormais sous le talon de ma botte. Si vous ne vous en rendez pas compte, c'est que vous n'êtes même pas dotés de la conscience suffisante pour appréhender votre mort. Nous en sommes les porteurs.

Lothaire, le vampire aux yeux rouges, ricana.

— Non vraiment, moi, je les aime déjà. Quoi ? ajouta-t-il face aux regards furibards des autres. Ça ressemble à un discours que j'aurais pu tenir. Avec un poil plus de verve, bien sûr.

Puis il s'adressa à Nïx :

— On fait la guerre, oui ou non ? Parce que sinon, cet exercice commence à m'ennuyer et je vais considérer que j'ai acquitté ma dette, devineresse.

— Tu ne penses décidément qu'aux affaires, Ennemi de Toujours, lui répliqua Nïx d'un ton absent.

— Tu sais ce que va produire ma flèche ? demanda Rune à la Valkyrie.

Elle hocha joyeusement la tête.

— Ouiii ! Elle va pulvériser tous nos os, et rien ne pourra jamais nous guérir.

— Voilà qui me semble peu agréable, commenta Lothaire. C'est ce qui arrive quand on veut suivre les règles et organiser un combat équitable. On s'en mord toujours les doigts.

Puis il ajouta à l'intention de sa femelle :

— Téléporte-toi loin d'ici. Tout de suite.

Rune tira sa corde.

— Dis-moi où se trouve Josephine.

Autour de Nïx, les arcs de feu se dilatèrent et s'étendirent.

— Jamais je ne laisserai cette flèche toucher le sol. Je la pulvériserai grâce à mes éclairs. Ou bien carrément mon corps.

— *Elle peut faire ça ?* s'enquit Blace.

— *Oui*, répondit Rune.

— Et si tu me tues, poursuivait Nïx, ta pauvre âme sœur ne boira plus jamais de sang, pas vrai ?

Blace se crispa aux côtés de Rune.

— *De quoi elle parle ?*

— *Josephine a juré sur le Mythos de ne plus jamais boire si je m'acquittais de ma mission de tuer Nïx sans elle.*

Blace étrécit les yeux.

— *Dans ce cas, tu ne peux pas abattre cette Valkyrie.*

— *Mais moi, je peux*, intervint Sian.

— *Tout comme moi*, ajouta Allixta. *Le démon et moi, nous allons balayer cette soi-disant armée.*

— *Orion ne nous a jamais ordonné de faire la guerre ici*, fit remarquer Blace. *Pas encore.*

L'un des spectres commença à s'agiter. Il dériva un peu, puis matérialisa une énorme mèche de cheveux, comme s'il venait de la tirer de l'éther, et la lâcha aux pieds de Nïx. La mèche était aussi longue que la queue d'Uthyr. Des cheveux de toutes les couleurs y avaient été tressés.

Les paiements versés par les Valkyries au Fléau.

Nïx porta les mains à ses joues en un geste de surprise feinte.

— Mais qu'est-ce que ça peut bien être ? demanda-t-elle en poussant la mèche du bout du pied. Et si on effaçait notre ardoise ? Parce qu'on a payé pour une protection *perpétuelle*, tout de même, or les spectres lévitent au lieu de faire leur boulot, là.

Puis elle s'adressa à Rune sur un air de confidence :

— C'est vraiment difficile de trouver du bon personnel, de nos jours.

Et au Fléau :

— Quel dommage pour vous ! Alors que nous n'étions qu'à un doigt de l'asservissement.

Elle conclut par un clin d'œil théâtral à l'intention de Rune.

Qui lui fit l'effet d'un grand coup de pied dans les testicules.

— *Elle a tout manigancé. Les spectres étaient sur le point d'exiger leur rétribution. Elle ne pouvait rien contre eux, alors elle m'a introduit dans le jeu. Je n'ai été qu'un pion.*

Pour la première fois, il se demanda si cette reine de guerre valkyrie avait une chance de vaincre. Si jamais elle devenait cohérente...

Elle caressa la chauve-souris sur son épaule, époussetant quelques cendres.

— Rune, tu éprouves dangereusement les limites du serment de ton âme sœur par ta seule présence ici sans elle. Il n'existe qu'un moyen de renverser le sortilège.

— Lequel ? s'enquit-il d'une voix râpeuse.

— Tu jures sur le Mythos de ne jamais me tuer. Cela mettrait un terme à ta mission, et annulerait par là même son serment.

— *Elle s'est complètement jouée de moi.*

Il avait déjà amoindri son utilité vis-à-vis du Møriør, cette nuit. Et elle lui suggérait de la réduire encore ? Nïx allait-elle remonter ainsi les rangs du Møriør, les neutralisant un à un jusqu'à ce qu'il n'en reste plus aucun pour la détruire ?

Rune mourait d'envie de la tuer, rien que pour débarrasser ses alliés de cette infâme Valkyrie. Il resserra l'emprise de ses doigts sur son arc. Était-il sur le point de décevoir Orion pour la première fois ?

— Avant qu'il ne soit trop tard, ajouta Nïx. Et pour couronner le tout, on se sépare tous en paix ce soir.

— Tu oses nous dicter tes termes ? À nous ? s'insurgea Allixta, les yeux étincelants.

— Oui, wiccae-la-plus-haïe-des-mondes. Jusqu'à ce que vous reveniez avec les monstres que vous conservez sur Perdishian. Jusqu'à ce que vous reveniez avec notre cher Orion le Destructeur. Mais mes sorciers sont en train de travailler sur un bouclier.

À ces mots, certains immortels de sa Ligue des Vertas lui jetèrent un regard interrogateur. Lothaire, en revanche, semblait amusé.

— On dit que c'est un défi de remporter un monde... quand on ne peut pas l'atteindre.

En temps normal, Rune aurait enquêté sur cette menace avant d'y mettre un terme. Pour l'instant, la seule réponse envisageable était de retirer sa flèche de sa corde et de la replacer dans son carquois. Ainsi fit-il donc.

— Relève la tête, Rune, lui enjoignit Nïx. Tu n'as pas vraiment envie de me tuer. Car si tu agis ainsi, mon pouvoir ne fera qu'augmenter dans les mémoires. Toutes les factions de Gaia s'uniront sous ma bannière.

— Très bien, devineresse.

— *Je t'interdis, sangfléau !* siffla Allixta.

— Et pas de phrases alambiquées, je te prie, l'avertit Nïx. Je dis ça pour le bien de ton âme sœur et sa sécurité.

Par les dieux !

— Je jure sur le Mythos de ne plus jamais attenter à ta vie.

— Excellent, commenta-t-elle avec un sourire. Et ce n'était pas si dur que ça, pas vrai ? Tu aimerais peut-être aller un peu plus loin ? Allons, archer, viens te joindre à nous. Passe dans le camp des gentils.

— Des « gentils » ? Valkyrie, tu n'as pas idée de ce que tu fais. Tu es bien trop jeune et désorientée pour comprendre toutes les ramifications de tes actes. Tu as évoqué les monstres que nous gardons sur Perdishian, eh bien ils montrent plus de raison que toi.

— *Sauf Kolossós,* précisèrent Sian, Blace et Allixta d'une seule pensée.

Quant à Darach, il grogna son accord.

— Rejoins-nous, reprit Nïx comme si Rune n'avait rien objecté, et je te donnerai un sacré bonus. Je te révélerai ce que signifient les symboles gravés sur ton talisman, quels pouvoirs il ne recèle pas. Je pourrais peut-être aussi t'aider à déchiffrer la dernière lettre que t'a adressée ta mère.

Elle savait ?

— Je suis Møriør, répliqua-t-il simplement.

Orion le punirait peut-être pour avoir fait ce serment, mais leur seigneur conservait toute la loyauté de Rune.

— Je comprends, répondit Nïx en passant une mèche de cheveux derrière son oreille en pointe. Tu ne peux pas me reprocher d'avoir essayé. Pour gagner cette guerre, j'userais de n'importe quel tour dans mon sac à malice.

Puis elle se tourna vers Sian et elle lui lança sans un bruit : « Fais gaffe à tes fesses, démon ». À quoi il répondit par un regard de tueur.

Alors elle chuchota à sa chauve-souris :

— On évacue, Bertille.

Avec un hurlement strident, l'animal s'envola.

— Quel que soit l'intérêt que tu portes à Josephine, renonces-y, lui conseilla Rune. Thaddeus et elle sont avec nous.

— *Odeur*, lâcha Darach, et l'on sentait dans sa voix qu'il était au bord de se transformer en bête pour de bon. *Âme sœur.*

Rune se crispa.

— *Tu as repéré l'odeur de Josephine ?*

Le Lycae hocha la tête.

— *Proche.*

— *Commençons par le centre-ville*, suggéra Rune. *Je vais vous téléporter tous là-bas.*

Ils lui posèrent tous une main sur les épaules et les avant-bras.

— *Alors on s'enfuit comme des couards, maintenant ?* fit Allixta tandis que Darach grondait.

Sauf que ces deux-là n'étant pas en mesure de se téléporter seuls, ils n'avaient pas d'autre choix que de venir aussi.

Allixta agrippa donc Rune d'une main. De l'autre poing, elle saisit l'une des moustaches de Curses.

— *Très bien, comme vous voulez !* concéda-t-elle avec aigreur.

— *On reviendra*, promit Blace. *Cette bataille ne fait que commencer. Mais pour cette nuit, nous en avons terminé ici.*

Darach, apparemment, n'était pas de cet avis.

Il prit une longue inspiration, développant ses immenses poumons.

— *Et merde !*

Rune et les autres se préparèrent. Allixta, une lueur dans les yeux, s'adressa à Darach :

— *Inspire, expire, primordial. Allez !*

Le loup libéra son rugissement. Une déflagration primaire.

Nïx était protégée par ses éclairs, mais derrière elle...

La bourrasque balaya les immortels hurlants et éparpilla les spectres à travers le ciel nocturne tels des flocons de poussière. La force du cri envoya voler la toiture du manoir comme un disque. Les planches grincèrent, le verre explosa, les murs s'écroulèrent.

Et au moment où cette accumulation de bruits assourdissants se taisait... la cheminée s'effondra.

Darach avait détruit le manoir. Val Hall n'existait plus. La chef des Valkyries se dressait sur fond de destruction.

— Bonne guerre à toi, Nïx, lui lança Rune.

Elle lui répondit par un sourire vide, puis :

— Et joyeuse Accession à toi, Rune.

66

Un tissu froid et humide sur le visage, et une supplique étouffée :

— S'il te plaît, réveille-toi. J'ignorais que c'était toi !

La conscience revenait à Jo par degrés. Sa tête la faisait atrocement souffrir. Elle cilla, puis ouvrit les yeux.

— Thaddie ?

Son cerveau était en compote après l'étranglement qu'elle avait subi.

Après ce souvenir.

Thad jeta le gant mouillé et lui prit la main.

— Oui, je suis là. Je suis tellement désolé ! J'ignorais que tu étais Jo. Jamais je ne t'aurais fait le moindre mal sinon.

Il l'aida à s'asseoir sur ce qui semblait être un canapé.

En fait, elle se trouvait dans un salon au décor tape-à-l'œil et aux meubles luxueux.

— Où est-ce que tu m'as emmenée ? s'enquit-elle d'une voix râpeuse.

— Dans la maison de ma famille, à La Nouvelle-Orléans. Tu es parfaitement en sécurité, ici.

La Nouvelle-Orléans ? Il avait toujours vécu dans un appart de banlieue au Texas.

Hormis quand il passait la journée dans un royaume fantôme. *Lui et moi avons traversé l'univers, enfermés dans une sorte de bulle.* Ils devaient avoir des milliers d'années.

Jo n'avait pas encore tout élucidé en ce qui concernait son enfance, seulement reçu quelques petits indices supplémentaires et flous. Peut-être n'était-elle pas capable d'en supporter plus à la fois.

— Thad, ça fait deux semaines que j'essaie de te rejoindre à Val Hall.

— Tout à l'heure, tu as dit être venue me sauver. Mais de quoi ?

— Des Valkyries. J'ai senti ta peur, ça m'a rendue dingue.

— Ah bon, fit-il en se frottant la nuque. En fait, j'avais un peu peur de... toi et de cet archer. Vous étiez en train d'attaquer, tous les deux, et moi, j'étais à l'intérieur. Je ne savais pas qui tu étais.

— Alors tu n'étais pas prisonnier ?

Comme Rune l'en avait assurée, Thad n'était pas en danger.

— Ce sont mes alliées. Elles me donnent un coup de main avec mes pouvoirs. Nïx m'a annoncé qu'une menace énorme planait autour du repaire, alors j'étais venu protéger Val Hall.

Encore une fois, c'était Nïx qui riait la dernière.

— Elle a appelé toutes ses connaissances à la rescousse.

Voilà pourquoi tant d'immortels étaient présents à Val Hall. Jo se frotta la gorge. Elle qui pensait que les choses ne pouvaient pas empirer... Eh bien, elle s'était trompée.

Elle pleurait la mort de sa mère. Rune lui manquait déjà, même si ce n'était qu'un sale queutard. Et son cou lui faisait un mal de chien.

Mais… *Je discute avec mon petit frère.*

— Qu'est-ce qui s'est passé après ma perte de conscience ?

— Le Møriør est arrivé.

Rune était donc venu à Val Hall après avoir fini de baiser sa nymphe. Et ses alliés étaient là-bas eux aussi ?

— Nïx et les autres affrontent le Møriør ? se renseigna-t-elle.

Évidemment, elle n'était pas inquiète pour Rune.

— Elle a dit que personne ne mourrait cette nuit ; juste que la déco allait sacrément changer, ou un truc comme ça. Mais je n'allais pas prendre le risque de te garder là-bas, alors que les cinq foutus Porteurs de Mort se pointaient avec un chat énorme ! Avant que je file, ton mec m'a donné ça.

Fouillant dans sa poche, Thad en sortit le talisman de Rune, qu'il lui tendit.

— Il a dit que je devais te le donner, que tu saurais ce que ça signifiait.

Ça signifiait qu'il était amoureux d'elle. Ce qui rendait sa conduite plus ignoble encore ! Cet enfoiré était capable de l'aimer et de lui briser le cœur quand même !

Elle saisit le talisman, s'attendant presque à ce que sa main en soit détournée par quelque sortilège. Mais non, cette fois, il le lui avait donné. Elle le rangea dans la poche de son jean. Maintenant, elle allait être obligée de le revoir, juste pour lui rendre son truc.

— Il a dit autre chose ?

— Qu'il avait des trucs à t'expliquer, et que tu devais te nourrir.

— « Des trucs à m'expliquer » ?

Tu m'étonnes. « Ma colombe, tu ne peux pas garder une bite comme la mienne dans une cage, elle a besoin de liberté. »

— C'est le sombre fey dont j'ai entendu parler ? s'enquit Thad. Et tes larmes, elles étaient noires parce que tu as bu son sang ?

— Ouais.

Elle jeta un coup d'œil à un miroir sur le mur. Thad lui avait nettoyé le visage de ses traces noires.

— Mais mon sang ne tardera pas à redevenir rouge, assura-t-elle en se retournant vers lui. Tu te souviens de moi ?

Il semblait embarrassé par sa question.

— Je suis désolé, mais pas beaucoup. Je garde plutôt des impressions. Quand tu me chantais une chanson sous un pont. Quand tu m'as appris à checker avec toi. En revanche, tout à l'heure, je n'ai pas reconnu ton visage.

— Mais alors...

— Toute ma vie, je t'ai crue morte... Jusqu'à il y a environ une semaine ou deux, quand ça a commencé à merder avec ma mère. (Il se passa la main sur la bouche.) Elle a découvert ce que je suis.

— Tu n'es pas censé parler de notre monde aux humains.

— Je sais, je sais. Disons qu'elle m'a eu par surprise.

Jo pencha la tête d'un côté, puis de l'autre. En tout cas, Thad avait une sacrée poigne.

— MamB t'a chopé en train de te fantomiser ? De devenir intangible ? Il m'arrive de le faire de façon involontaire.

— Euh, non... Le problème, ça n'a pas été l'aspect fantôme. Plutôt mon côté vampire. Pour faire simple, elle a découvert que je buvais du sang.

— Ça fait combien de temps que tu en bois ?

— Seulement quelques semaines. Et toi ?

— Depuis mes onze ans.

Comme Thad paraissait sur le point de lui poser une autre question à ce propos, elle préféra enchaîner. *Pas encore prête.*

— Donc MamB a découvert que tu buvais du sang. Et puis ?

— Je me suis dit que maman allait criser en apprenant que son fils était un vampire.

« *Maman* ». « *Son fils* ». Les mots choisis par Thad lui transperçaient le cœur.

— Et c'est ce qui est arrivé. Au départ, ma nature de vampire lui a fichu la frousse.

Tout comme Jo avec Thaddie.

— Mais surtout, elle n'arrêtait pas de parler de toi. Quand tu es revenue après t'être fait tirer dessus, elle t'a prise pour une sorte de démon ou d'esprit qui allait m'entraîner aux enfers, ou un truc du genre. Elle t'a ordonné de partir. Alors en me voyant, elle a pigé qu'il existait tout un monde inconnu d'elle et que du coup, elle avait banni une fillette de onze ans de ce qui aurait dû être sa nouvelle famille. Elle n'avait pas la moindre idée de l'endroit où tu te trouvais et ignorait même si tu étais en bonne santé. La culpabilité l'a submergée.

Snif, snif, MamB. Contrairement à Jo, cette femme avait profité de quatorze années de vie de famille idyllique avec Thad. Des photos encadrées de Thad à tous les âges alignées sur la cheminée. *Qu'elle aille se faire foutre.*

Pourtant, Thad semblait inquiet pour la bonne femme.

— J'espérais… Tu accepterais de la voir, ce soir ? Je sais que c'est beaucoup te demander, et qu'on

567

ne mérite pas ne serait-ce qu'une minute de ton temps. Mais je ne l'avais jamais vue pleurer, avant. Et maintenant, elle est toujours au bord des larmes.

— Pourquoi est-ce que tu ne mériterais pas que je t'accorde du temps, toi ?

— Maman m'a raconté que j'avais refusé d'aller avec toi, quand tu étais revenue. Que je ne t'avais même pas reconnue. Comment j'ai pu ne pas reconnaître la grande sœur qui m'avait élevé ?

— Parce que j'avais changé. Et puis, tu n'étais pas vraiment assez vieux pour être déjà un fin limier. J'aurais pu te rentrer tout entier dans mon sac à dos.

Il eut l'air surpris par sa blague, puis ses lèvres se retroussèrent.

— J'ai aussi entendu parler du SacàThad.

Le voir sourire ainsi commença à effacer l'image du même Thad en train d'essayer de lui arracher la tête, comme le lui enjoignait Nïx.

Et elle se surprit à sourire avec lui.

— Thaddeus ? appela MamB depuis l'étage. C'est toi ?

— Jo, tu veux bien lui parler ? Savoir que tu vas bien lui ferait un bien fou.

— Je t'avertis d'avance : je ne suis déjà pas très douée pour communiquer avec les gens en temps normal, alors là…

Sans parler de son épuisement et de sa soif, après toute cette télékinésie.

— J'étais encore en train de soulever des voitures, il y a peu, et je ne me sens pas vraiment d'atomes crochus avec ta… maman.

Elle se massa les tempes, sentant qu'une énorme migraine la gagnait.

— Mais tu acceptes ?

Et il cligna les paupières sur ses grands yeux noisette. Alors elle craqua.

Certaines choses ne changeaient jamais. Elle haussa les épaules.

Le visage de Thad s'éclaira.

Pourquoi refusait-il de croire que cette bonne femme était une garce ?

— Je te parie que tu vas le regretter, gamin.

Jo se leva, se préparant à la confrontation.

— Ça ne risque pas ! Laisse-moi monter la prévenir, OK ?

Et il bondit vers l'escalier. Arrivé au pied des marches, il se retourna.

— Tu ne vas pas partir, hein ?

Il leva les yeux vers l'étage, puis les reporta sur Jo, l'air déchiré. Il se téléporta pour la serrer dans ses bras, un geste qui la fit sursauter. Il était si grand qu'il dut se pencher pour poser le menton sur sa tête.

Sa surprise passée, elle lui rendit son étreinte.

— J'ai peur de te quitter des yeux ne serait-ce qu'une minute, fit-il, avant de la relâcher enfin. On descend tout de suite.

Et il disparut, laissant Jo seule dans cette maison inconnue. Encore un événement à rajouter à cette nuit épique et bizarre.

67

Une fois que la traque initiée par Darach rapprocha Rune suffisamment pour qu'il puisse repérer l'odeur lui-même, il se rua à la tête du groupe du Møriør, suivant son parfum de mûres sauvages. Son cœur battait à tout rompre, comme une éternité plus tôt, quand il courait à travers cette vallée...

Il la localisa dans une maison imposante. Ses oreilles s'agitèrent au son de cette voix familière depuis l'intérieur. Elle était consciente ! Et ne semblait ni effrayée ni trop sévèrement blessée.

Son frère était là-dedans, lui aussi. Rune perçut des traces de l'odeur de Thad, anciennes et récentes, et en déduisit que le gamin l'avait sans doute ramenée chez lui. Ne détectant aucune présence ennemie dans les environs, Rune se tourna vers ses alliés.

— À partir d'ici, je m'en charge.

— Tu ne veux pas que l'on écroule cette bâtisse ? s'étonna Sian.

Allixta tendit la main vers Darach et le gratta sous le menton.

— Attention, le loup pourrait bien l'effondrer par son seul cri.

Rune secoua la tête.

— Elle est en sécurité ici, avec Thaddeus. Je vais lui donner une heure ou deux pour se calmer, ensuite je tenterai une approche.

— « Une heure ou deux » ? répéta Allixta, cessant ses caresses. Tu nous as expliqué qu'elle avait passé la moitié de sa vie à attendre ces retrouvailles avec son frère. Il ne vaudrait pas mieux qu'ils retissent tranquillement leurs liens avant que tu débarques, avec ta tragédie nymphomane, pour occuper le centre de la scène ?

— Elle doit savoir que je n'ai pas pris cette femelle.

Allixta leva les yeux au ciel.

— Non, c'est toi qui as besoin que ta halfelin le sache. Égoïste, comme tous les mâles ! Laisse-la donc souffler un peu.

Puis elle ajouta à l'intention du groupe dans son ensemble :

— Parfois vous me sidérez, tous autant que vous êtes.

Ne pas se précipiter aux côtés de Josephine ? À cette seule pensée, le besoin désespéré que ressentait Rune de la toucher redoubla.

— Tu n'as peut-être pas couché avec la nymphe, reprit Allixta, n'empêche que tu étais au lit avec elle. Tu empestes encore son odeur.

Rune se tourna vers Darach, qui opina du chef.

Nom des dieux ! Il ne s'agissait pas là d'un simple malentendu qui pouvait être levé en affirmant : « Je ne suis pas allé jusqu'au bout. » Oui, il avait été dans le même lit que Meliai, et ce, juste après avoir possédé son âme sœur. Il s'efforça de se rappeler ce qui s'était passé avec la nymphe.

— Même nous, on a été témoins de la souffrance de ton âme sœur, fit encore Allixta. Évidemment, elle venait de perdre tes petites attentions.

— Méfie-toi de ce que tu dis, sorcière.

— T'es-tu jamais comporté autrement qu'en égoïste avec elle ? As-tu jamais fait quoi que ce soit de gentil pour elle ?

Il avait emmené Josephine à un bal de feys. Dans le but de coucher avec elle. Il s'était montré romantique. Dans le but de s'assurer son ralliement au Møriør. Il avait soigné ses blessures après un combat. Blessures dont elle se serait remise sans lui.

Désormais, les choses seraient différentes. Changer ? À présent, il ne souhaitait qu'une chose : en avoir l'opportunité.

— Tu oublies, continuait Allixta, que nous avons vu comment tu traitais tes « grues ».

— C'est différent avec Josephine, rétorqua-t-il.

— Ah oui, vraiment ? Parce que le destin en a décidé ainsi ?

— Lisez dans mon esprit.

Et il leur donna libre accès à ses pensées.

L'un après l'autre, ils lurent. Et l'un après l'autre, ils blêmirent.

— Eh oui ! lança-t-il d'une voix fiévreuse. Je suis fou d'elle ! Vous comprenez maintenant que ça me torture de ne pas être à ses côtés ?

Sian lui jeta un regard empreint de pitié.

— J'espère que tu es aussi doué pour les excuses que pour la séduction.

— Tu as sept mille ans, commenta Blace, l'air émerveillé, et tu n'as pas la moindre idée de la façon de t'y prendre.

— Parce que c'est plus important que tout !

Se débattant pour contrôler ses émotions – un brasier digne des enfers – il se tourna vers Allixta.

— Combien de temps dois-je lui accorder ?

— Tu es espion. Espionne-la. Ainsi tu sauras quand le moment sera venu de l'approcher.

— Bon, on te laisse à tes occupations, alors, conclut Blace.

Une fois qu'ils furent partis, Rune remonta sa manche pour tracer sur son bras un sort d'invisibilité. Et il tiqua en tombant sur le contraceptif qu'il y avait peint.

Plus jamais. Il était libre désormais.

Il utilisa son autre bras pour dessiner les symboles. À l'abri des regards, il s'approcha de la maison, repérant Josephine dans une pièce au rez-de-chaussée.

Des sorts de protection étaient déjà en action autour du bâtiment, auxquels il ajouta promptement ses propres runes afin de lui autoriser l'accès. Si quoi que ce soit tournait mal, il interviendrait. Au moindre signe de danger. Sa tâche accomplie, il se pencha pour observer par la fenêtre.

Josephine était seule devant le feu, à regarder des photographies sur le rebord de la cheminée. Ses yeux étaient sombres, sa silhouette vacillante. Les traces de larmes avaient disparu, mais elle restait secouée.

Au regard de son existence millénaire, Rune n'avait été avec elle qu'un bref instant.

Et pourtant, il ne voulait plus jamais ouvrir les yeux sans voir son visage.

Elle l'avait transporté dans un endroit où il n'était jamais allé, et à présent il savait ce qu'était cet endroit.

Chez lui.

Il posa la main sur la vitre, et son besoin de toucher Josephine était si fort qu'il en eut mal.

68

Jo se tourna vers la porte du salon au moment où MamB et Thad y entrèrent. La bonne femme avait vieilli, mais elle restait la même MamB, jusqu'aux lunettes carrées et au tailleur pantalon austère qu'elle portait toujours pour aller travailler à la bibliothèque.

Et Jo ressentit… quelque chose.

— C'est vraiment toi, Josephine ? fit MamB en ajustant ses lunettes.

Et elle s'approcha, comme pour l'enlacer. Jo recula d'un pas.

— Oui, c'est moi.

Elle avait passé en revue les photos de Thad, et en voulait à MamB pour toutes ces années ratées. Ses propres lambeaux de souvenirs d'Apparitia étaient encore frais à sa mémoire, tout comme ceux de la mort de leur vraie mère. La culpabilité de Jo s'en trouvait renforcée de n'avoir pas veillé sur Thaddie.

« Garde-le près de toi. Protège-le. »

Or elle ne l'avait pas fait. Elle n'avait pas été là avec lui.

— Tu es devenue si adulte, commenta MamB, les paupières gonflées de larmes. Et si belle.

— Je l'ai ramenée directement à la maison, l'informa Thad. On n'a pas vraiment eu le temps de discuter.

— S'il te plaît, assieds-toi.

MamB elle-même se dirigea vers une chaise élégante au dossier raide. Thad traversa la pièce pour venir s'installer sur le canapé, aussi proche de Jo que possible.

Trop bizarre. Jo se téléporta à l'autre extrémité du canapé et s'affala dessus. Une main passée dans le cou pour se masser la nuque, elle jeta un coup d'œil en direction de la fenêtre. Elle avait la sensation d'être observée.

Les protections magiques de Thad suffiraient-elles à tenir Nïx éloignée ? Car la Valkyrie risquait de venir lui présenter la note, pour les voitures et les arbres que Jo avait détruits à Val Hall. Ce souvenir parvint à lui remonter quelque peu le moral.

— Oh ! s'écria MamB, les yeux écarquillés. Tu as disparu et réapparu ! Voilà une chose que l'on ne voit pas tous les jours.

Jo fronça les sourcils.

— Tu as dû remarquer que Thad le faisait, lui aussi.

— La seule chose que je l'aie vu faire, c'est boire à son propre bras.

— Maman !

L'équivalent vampire de la masturbation. Et MamB venait de balancer l'info comme ça. Tu parles d'une façon de briser la glace.

Thad rougit si violemment que tout son sang avait dû affluer dans ses joues. Ce n'était qu'un adolescent. Malgré la situation, Jo dut réprimer son rire derrière une petite toux.

L'expression mortifiée de son frère disparut quelque peu quand il vit celle de Jo. Alors un large sourire éclaira son beau visage.

— Tu trouves ça drôle ?

De nouveau, elle toussota.

— Y a pas de quoi pleurer.

— Je n'étais pas censée le dire ? intervint MamB, cillant derrière ses lunettes. Je cherche encore mes marques avec tout ça, vois-tu.

— Ne t'inquiète pas, maman, la rassura Thad.

MamB se tourna vers Jo.

— Alors, raconte-moi tout. Où vous êtes-vous retrouvés, tous les deux ?

Thad jeta un regard à Jo, attendant manifestement qu'elle prenne les choses en main. Le vaillant boy-scout qu'il était avait du mal à mentir.

— Par des connaissances communes.

— Quelle heureuse coïncidence ! Et comment vous êtes-vous reconnus ?

— Tu penses que je n'avais jamais pris de nouvelles de mon propre frère ? Je peux te réciter tous ses scores au base-ball, figure-toi.

Grâce à une appli qui convertissait le texte en discours oral.

— Oui, bien sûr, s'empressa de rectifier MamB. J'aurais dû m'en douter.

Thad se pencha vers l'avant pour poser les coudes sur ses cuisses.

— C'est vrai, tu connais mes stats par cœur ?

Jo haussa les épaules.

— T'es carrément nul pour voler les bases.

— Tu m'étonnes, admit-il avec un grognement rieur. Mais je parie que je suis un peu moins nul depuis que j'ai commencé à découvrir mes pouvoirs. Et d'ailleurs, toi, qu'est-ce que tu fais ?

576

Ce que je fais ? Hormis mourir à petit feu, déses-pérant de te revoir chaque jour ? Et me faire briser le cœur par Rune ?

— Oh, des bricoles par-ci par-là.

— Es-tu mariée ? demanda MamB.

— Non, toute seule comme une grande, répliqua Jo en posant ses pieds bottés sur la table basse.

À quoi la bonne femme eut la finesse de ne pas réagir.

— Tu n'es donc jamais allée vivre avec M. Chase ?

— Qui ça ?

Thad ouvrit de grands yeux pour lui enjoindre d'aller dans son sens. Alors comme ça, le gentil boy-scout savait quand même mentir ?

— Non, je me débrouille toute seule, répondit alors Jo d'un air dégagé.

— On ne l'a même jamais rencontré, expliqua MamB. Il nous a envoyé l'acte notarié pour sa mai-son, précisant dans un mot joint qu'il était un oncle de Thad, sans qu'ils ne se connaissent pour autant. Tout cela est très mystérieux.

Son regard alla se poser sur Thad, puis revint sur Jo.

— As-tu réussi à dénicher des indices concernant vos origines, à Thad et à toi ? Sur vos parents ?

— Je suis encore en train d'y travailler.

Elle raconterait à Thad ses souvenirs récents et si forts en privé. En même temps qu'elle lui demande-rait d'expliquer de quoi il retournait, avec ce fameux Chase.

— En tout cas, nos parents sont morts, se contenta-t-elle de préciser.

Un voile triste passa sur les yeux de Thad. Il s'était raccroché à l'espoir de rencontrer leurs parents ? Jo détestait le voir triste. Déjà elle s'habituait à son sourire facile, celui qui semblait affirmer : « Tout va pour le mieux dans le meilleur des mondes. »

— Thad m'a dit qu'il pouvait vivre très vieux, reprit MamB, sortant un mouchoir de sa poche. Je suis tellement contente que tu sois de nouveau dans sa vie. Quel soulagement de savoir qu'il ne sera pas seul une fois que sa grand-mère et moi ne serons plus.

Jo plissa les yeux.

— Ouais, rester seul des années durant, c'est une expérience que je ne souhaite à personne. Personne, martela-t-elle.

— Je ne savais pas. (Nouvelle montée de larmes.) Je n'en av... avais pas la moindre idée.

Thad se leva aussitôt et tira un tabouret à côté d'elle.

— Ça va, maman, dit-il en lui tapotant la main.

Bon, il était temps de tenter une sortie, même si elle s'avérait peu élégante.

— Allez, faut que je vous laisse...

— Je... Je te croyais morte ! s'écria MamB. J'ignorais si tu étais revenue pour emporter Thad en enfer ou dans la tombe. Je ne savais pas que ce monde existait !

— Moi non plus !

Jo se leva pour déambuler dans la pièce en flottant. Les lumières clignotèrent.

— Je me suis réveillée dans un sac mortuaire ! Je croyais avoir ressuscité, que j'étais une zombie ou un truc comme ça.

Ce qui, au fond, n'était pas loin de la vérité.

— Et après, quand je suis venue chercher Thaddie, tu m'as fichue dehors. Je m'étonne même que tu ne m'aies pas aspergée d'eau bénite.

MamB se tamponna les yeux derrière ses verres de lunettes.

— Tu n'étais qu'une petite fille – c'est ce que je t'ai dit, le jour où tu t'es fait tirer dessus – mais je n'ai pas écouté mes propres paroles. Je pensais que tu n'étais plus Jo. Je pensais que tu aurais souhaité me voir le protéger de n'importe quelle menace.

C'est le cas, nom de Dieu !

— C'est moi qui ai découvert ton corps derrière la bibliothèque. Quand j'ai entendu les coups de feu, j'ai laissé Thad sous la surveillance d'une collègue et suis sortie en courant, mais... Il ne restait plus rien de ton... (Elle s'éclaircit la gorge.) Je ne m'attendais pas à revoir ton visage, quand tu es venue plus tard dans la soirée. Et puis, tu étais tellement changée.

C'était MamB qui l'avait trouvée ? Machinalement, Jo porta la main à son collier de balles. Ah, super, elle l'avait oublié chez Rune.

— Quoi qu'il en soit, poursuivait la bonne femme, je n'aurais jamais laissé Thad partir. J'étais terrifiée à l'idée qu'il coure un danger à cause de ceux qui t'avaient tuée. Je craignais que tous les deux, vous n'ayez été les témoins de quelque chose, et que le tireur s'en prenne à Thad en dépit de son jeune âge.

Alors comme ça, MamB avait eu bien plus peur que ce que Jo n'avait imaginé ? Elle ralentit un peu ses déambulations à travers la pièce. Ces nouvelles informations en mettaient un sacré coup à ses années de haine vivace. Et puis, Thad avait bien grandi... grâce à MamB. Jo n'aurait pas réussi à faire mieux.

Parce qu'il n'aurait pas pu être meilleur qu'il ne l'était.

— Le moment n'est pas idéal pour une conversation. Je peux revenir un autre soir.

— Je t'ai vue, aux funérailles de M. B., murmura la bonne femme, comme si Jo n'avait pas parlé. Je t'ai vue derrière la fenêtre, à sangloter sous la pluie en regardant Thad. Je savais que tu allais me le laisser, parce que je t'avais dit qu'une mère agirait ainsi. (Les larmes remontèrent.) Je croyais que tu avais décidé de passer à autre chose.

— C'était le cas.

— Je veux dire, que tu déciderais d'aller dans l'au-delà.

La patience de Jo atteignait ses limites.

— Mais putain ! Si Thad ne t'aimait pas autant, je te mettrais bien ma main dans la figure !

Le regard choqué de Thad passa de Jo à MamB, et *vice-versa*.

— Euh... Peut-être ne devrait-on pas... euh... s'adresser à nos aînés de cette manière ?

— « Nos aînés » ?

Jo était au bord de l'hystérie. Thad et elle avaient des milliers d'années !

Mais MamB souriait.

— Tu n'arrêtais pas de me dire ça, tu t'en souviens ?

Oui, elle se rappelait.

— Il me reste de l'espoir. Je ne peux pas me faire pardonner toutes ces années en une seule soirée. Mais conserver un espoir, ça me suffit pour l'instant.

Un silence inconfortable s'ensuivit.

Puis MamB se leva.

— Je reviens tout de suite.

Elle s'immobilisa avant de franchir la porte.

— Tu ne bouges pas, hein ?

Trop fatiguée pour se battre, Jo s'affala de nouveau sur le canapé.

Alors la bonne femme se hâta de quitter la pièce.

— Merci de m'avoir couvert, pour l'oncle, murmura Thad. C'est une longue histoire. Je te raconterai plus tard.

— Je mets ça sur ta note, gamin. Je pourrais prétendre que je ne suis pas toujours aussi garce, mais ce serait un mensonge.

— Tu es géniale.

Thad ne semblait pas du tout découragé, bien au contraire.

— Maman m'a raconté que tu t'exprimais comme une dure, sans enjoliver la réalité.

— J'ignorais que MamB prenait la peine de m'analyser.

Jo se pinça l'arête du nez.

— Écoute, je ne veux pas dire quoi que ce soit qui risque de te blesser ou de t'embarrasser, du coup je pense qu'il vaut mieux que je file. De toute façon, avant qu'on en rajoute une couche avec tout ça, je passais déjà une journée de merde.

— Qu'est-ce qui t'est arrivé ? s'enquit Thad en se penchant vers elle. Qu'est-ce qui t'a fait pleurer ? Raconte-moi.

Confusion.

— Que je te raconte… ma journée ? (Quelqu'un lui avait-il jamais demandé ça ?) J'ai rompu avec mon petit ami. Qui est sans doute mon âme sœur – ou plutôt, qui l'est sans l'ombre d'un doute.

— C'est possible, ça, de rompre avec son âme sœur ?

Dans le Mythos, tout était possible !

— Ben ouais. Il était incapable de se la garder dans le pantalon. Bref, je vais…

— Ça faisait longtemps que tu étais avec lui ?

— Deux semaines, répondit-elle. Autant dire que ce n'est pas le moment idéal pour fouiller dans le passé avec ta... « maman », parvint-elle à cracher.

— Tu ne peux pas partir déjà. S'il te plaît, reste un peu plus longtemps. (*Non, pas le coup des yeux.*) S'il te plaît.

Nom de Dieu !

— OK, je t'accorde cinq minutes de plus.

— Merci, Jo !

Et son visage s'illumina comme si elle venait de lui promettre la lune – les lunes.

— Tu as la même expression que la fois où je t'ai rapporté cette figurine de Spiderman. Mon vol le plus réussi.

— Je l'ai toujours. Sur mon étagère.

— Pas possible !

Je suis avec mon petit frère, putain ! Et on est en train de discuter !

MamB revint chargée d'un plateau.

— Quelques rafraîchissements, annonça-t-elle en déposant le tout sur la table basse.

Elle apportait trois boissons fumantes – une tasse avec un sachet de thé et deux de sang chaud. Elle avait même ajouté un bol de marshmallows au chocolat fondu.

— Tout frais du livreur de sang.

Ils livraient ?

MamB semblait sur le point de rendre le contenu de son estomac ; elle avait dû le réchauffer au four. Eh ben, non contente d'avoir accepté les changements de Thad, en plus elle s'adaptait.

Que ne ferait-elle pas pour lui ? *Voilà un point que nous avons en commun.* Deux femmes qui désiraient férocement ce qu'il y avait de mieux pour Thad.

Un sourire faiblard aux lèvres, MamB tendit une tasse à Jo.

— Un marshmallow, Josephine ?

On essaie d'amadouer le chat sauvage ?

Jo lâcha un soupir, sa colère commençait à dégonfler. Si sûre d'elle qu'elle l'ait été à onze ans, elle n'était pas à l'épreuve des balles – du moins pas assez. MamB avait mis Thaddie en sûreté après que Jo avait donné son premier coup de pied dans la fourmilière.

En fait, cette femme avait seulement cherché à être une bonne mère. Et y avait réussi.

Jo prit le sang, allant même jusqu'à accepter un marshmallow pour se montrer aimable.

— Ça sent bon, mentit-elle.

Bien qu'elle meure de soif, elle n'arrivait plus à avaler le sang normal.

MamB et Thad paraissaient néanmoins conquis par sa volonté de se prêter au jeu.

Pour son petit frère, Jo serait probablement capable de rentrer les griffes de temps en temps.

Il leva sa tasse.

— Au retour de Jo à la maison.

Mieux vaut que tu t'habitues au sang rouge, ma vieille. Et elle se résigna à l'avaler. C'était comme boire de la boue, après le nectar de Rune.

— Il faut croire que vous n'avez pas eu besoin de couverts, tout compte fait, constata MamB.

69

— J'apprécie vraiment l'effort que tu as consenti, Jo, lui confia Thad une fois qu'ils furent installés sur des sièges près de la piscine. Je sais que ça devait être étrange.

Tu m'étonnes.

— J'ai connu pire.

Ils avaient causé de la vieille bibliothèque et évoqué certaines des bizarreries que Thad avait commises enfant. Il avait ri si fort que Jo n'avait pu retenir quelques ricanements elle-même. Et comme ça, sans même s'en rendre compte, elle avait vidé son verre de sang et l'aube approchait.

MamB s'était retirée pour aller vérifier que la grand-mère allait bien, non sans avoir rempli leur verre à nouveau.

— Pourquoi ne montrerais-tu pas la piscine à Jo ? Mais ne restez pas debout trop tard.

Jo s'était figée.

— « Tard » ? Tu déconnes, là ?

— Non, avait répondu la bonne femme avec un clin d'œil.

À présent qu'ils étaient seuls, Jo questionna Thad :

— C'était quoi, cette histoire de « pas trop tard » ? Tu n'es pas un nocturne ?

— J'ai pris l'habitude de me coucher vers 4 heures du matin, et maman et mamie se lèvent plus tard. Comme ça on peut prendre notre petit déjeuner ensemble.

— Ta grand-mère est au courant aussi ?

— Je ne crois pas. Elle a fait un AVC, et ils disent qu'elle est atteinte de sénilité. J'ignore jusqu'à quel point elle se rend compte de la situation, mais j'évite de me téléporter à l'intérieur de la maison ou des choses comme ça. Elle me prépare toujours à manger. Maman aussi, d'ailleurs. Au cas où.

— Bon Dieu, c'est sûr qu'elle savait cuisiner. Son poulet, c'était une tuerie.

Thad hocha la tête avec emphase.

— J'ai eu un mal fou à y renoncer.

— Bon, alors parle-moi de cet oncle propriétaire de manoir.

— Un fou furieux du nom de Declan Chase. Il travaillait pour l'Ordre, cette institution humaine qui étudie les immortels. Il se sentait coupable parce qu'il m'avait fait kidnapper et emprisonner sur une île au milieu du Pacifique.

La tasse de Jo explosa dans son poing serré, répandant du sang partout sur la table de jardin.

— Putain ! Qu'est-ce que tu viens de dire, là ? Explique-moi où je peux le trouver, que je l'enfonce dans le sol, ce connard !

— Non, mais ça va, maintenant. Il a payé pour le mal qu'il avait commis. Fais-moi confiance, il a vraiment payé.

— Quelqu'un t'a fait subir ça, et « ça va » ?!

Elle n'en revenait pas que Thad se soit trouvé en pareil danger sans qu'elle le sache, sans qu'elle ait été là pour le protéger.

— Finalement, Declan m'a aidé à m'échapper avant que l'île en question ne soit bombardée.

Tu parles d'une existence idyllique.

— C'est quoi, cette histoire encore ? s'étonnat-elle, essuyant sur son jean sa main couverte de sang.

— Je n'avais rencontré aucun immortel avant d'être emprisonné, et bien entendu, j'étais loin de me douter que j'en étais un. Je n'avais jamais eu de pouvoirs, et pourtant, j'ignore comment, l'Ordre connaissait mon existence.

Cet Ordre, je le mets sur ma liste-des-trucs-à-défoncer.

— Je me suis réveillé dans une cellule, et puis j'ai assisté à des tas de trucs hyper impossibles. J'ai perdu les pédales, suis tombé dans un état comateux. J'y serais toujours, sans Regin et Natalya.

Comateux ?

— C'est qui, ça ?

— Regin est aujourd'hui l'épouse de Declan. C'est elle qui me poussait à t'attaquer, tout à l'heure.

Jo haïssait cette garce à la langue bien pendue.

— Elle m'a sauvé la vie, sur l'île.

Elle est pardonnée.

— Et Natalya ?

— C'est une de mes bonnes amies. Une meurtrière sombre fey.

La bonne blague.

— Elle habite en ville ?

— Pour l'instant, oui. J'ai hâte que tu la rencontres. Elle ne sera pas mécontente que tu aies attaqué Val Hall, vu qu'elle aussi se battait contre les Valkyries à l'occasion.

Il sirota une gorgée de sang.

— Elle avait entendu parler de la présence d'un sombre fey en ville, or ça fait hyper longtemps qu'elle en cherche un. Ton mec, il aurait pas un frère ?

— C'est plus mon mec. Tu peux dire à ta copine que lui aussi la cherche depuis un moment, il était hyper excité à l'idée de trouver sa piste. Trinquons au futur couple !

Perché en haut du mur de brique qui ceignait la propriété, Rune tiqua. Pourquoi, en effet, Josephine ne penserait-elle pas qu'il poursuivait cette femelle de ses assiduités ?

Dans la soirée, elle avait répondu à la mortelle du nom de MamB qu'elle était : « toute seule comme une grande » – elle s'était décrite dans les mêmes termes quand il lui avait posé la question, deux semaines plus tôt.

Avant qu'ils ne se lient. Avant qu'elle ne devienne à lui, et lui à elle.

Avant eux.

Et puis il y avait eu ce soir, il s'était moqué de ses sentiments en lui assurant qu'il irait toujours en fréquenter d'autres qu'elle.

— Ah, fit Thad, les sourcils froncés. En fait, j'espérais un peu sortir avec Natalya. Peut-être une fois que j'aurai complètement terminé ma transition.

Thad désirait Natalya ? Rune trouvait réconfortant que le frère et la sœur soient tous les deux attirés par un sombre fey. Il pourrait fournir quelques conseils au gamin.

Mais Josephine secoua la tête.

— Sortir avec un sangfléau ?

Jamais elle ne l'avait nommé ainsi auparavant, même sous l'emprise de la colère.

— Fais-toi un cadeau, oublie ça. Ça ne vaut pas les problèmes engendrés.

Oublions l'aspect réconfortant. Il avait bien fait d'opter pour la patience en décidant de n'approcher Josephine qu'au moment propice.

Thad sembla réfléchir à la remarque de sa sœur, puis :

— Nïx m'a dit qu'il existait un autre fanpire.

— Tu as bien dit « fanpire » ?

— Ouais. C'est comme ça qu'elle nous appelle.

Jo ricana.

— C'est naze. On va plutôt se qualifier d'hybrides, OK ?

— Sauf qu'il existe d'autres sortes d'hybrides.

— Ouais, mais tu es le meilleur.

À quoi Thad acquiesça volontiers.

— Je savais qu'il existait une autre... hybride, mais Nïx m'a raconté que l'autre s'était accouplée avec un sombre fey, un Mørÿor.

— Tout ça, c'est terminé, bébé. C'est derrière moi.

Le ton sur lequel Josephine avait affirmé cela était d'une assurance confondante.

— Les Mørÿor sont méchants, Jo.

Il ne sait même pas que nous avons rasé Val Hall.

— Et les Valkyries non ? Ta copine Nïx a utilisé mon visage pour essuyer le trottoir. Elle m'a fracassé le crâne et brisé tous les os du corps. Je redoutais qu'elle ne te fasse subir le même sort, c'est pour ça que j'étais si pressée de te tirer de ses pattes.

Il ouvrit grand la bouche.

— Elle n'aurait jamais fait ça. Tu es certaine que c'était Nïx ?

— Bien sûr que si, elle l'a fait ! Et oui, j'en suis certaine. Et le Mørıør en question était là pour ramasser les morceaux.

Elle sembla grincer des dents, et sa silhouette vacilla.

Il est beaucoup trop tôt pour l'approcher maintenant.

— Pourquoi Nïx ne t'a-t-elle pas dit que j'étais ta sœur ?

Thad serra les lèvres.

— Bonne question.

— Tu n'as jamais songé qu'ils étaient peut-être tous méchants ? Que peut-être ni toi ni moi n'avions besoin de fréquenter les immortels ? C'est vrai, quoi, qu'est-ce qu'elle nous veut, ta Nïx, au bout du compte ?

— Je crois qu'elle et ses alliés veulent que j'affronte le Mørıør. Mais je… Je ne suis pas sûr d'être capable d'éliminer quelqu'un. Je n'en reviens déjà pas du mal que je t'ai fait, Jo, j'aurais pu te tuer.

Rune avait nourri quelques doutes sur le gamin quand il l'avait vu étrangler Josephine, tous crocs dehors. Mais plus maintenant. Thaddeus Brayden était un brave gosse.

— T'inquiète, le rassura-t-elle. Tu m'as aussi permis de me rappeler certains souvenirs, donc y a pas de mal.

Des souvenirs de son enfance ?

— Je n'utilisais qu'une fraction de ma force, sœurette. Je suis carrément fort.

Elle sourit, et son frère l'imita. Ils se ressemblaient beaucoup plus quand ils souriaient. Rune remarquait aussi d'autres similitudes : leur façon de parler, la cadence du débit, leur humour, leurs gestes.

Pas étonnant, car le gamin avait beaucoup appris au contact de Josephine qui, elle-même gamine, s'était occupée d'un bébé alors qu'ils vivaient dans la rue.

Quand Thad l'interrogea sur la nuit où elle s'était fait tirer dessus et les mois qui avaient suivi, elle admit s'être vengée, ce qu'il accepta sans sourciller.

Elle lui raconta la sinistre nuit et comment elle s'était débattue avec ses pouvoirs naissants.

— Te quitter a été la chose la plus difficile que j'aie jamais dû faire, conclut-elle. J'étais venue à l'enterrement dans l'intention de vous voler, toi et ton nouveau chiot, je nous voyais nous enfuir ensemble dans le soleil couchant.

Elle lâcha un rire sans joie, comme si cette idée était parfaitement ridicule.

— Il t'est arrivé de penser à revenir me chercher ?

— Il ne s'est pas écoulé un jour sans que j'y pense. Je portais ces balles à une chaîne autour de mon cou pour me rappeler que ça ne ferait que te nuire. Je me tenais au courant de ta vie du mieux que je pouvais, et au fil des ans, elle m'a paru prendre une très bonne tournure.

Thad l'observait attentivement.

— Qu'est-ce qui t'a fait changer d'avis, alors ?

— Je t'ai vu dans cette ville. Avec Nïx. Et puis j'ai appris, pour le Mythos.

— Tu ne savais pas ?

— Tu as devant toi une novice de deux semaines.

— Je ne suis pas beaucoup plus avancé, avoua Thad. Tu as parlé d'indices que tu avais trouvés concernant nos origines. Depuis quelques mois, ça remonte même à avant l'île, je fais des rêves dingues. Je pense qu'ils sont liés à notre passé.

— Quelle sorte de rêves ?

— Je vois du feu et des tremblements de terre, des portails qui m'aspirent les pieds. J'ai rêvé que j'avais traversé l'univers et que je regardais un bébé.

— Thad, fit-elle en déglutissant avec peine, tu te regardais toi-même. Tu as rêvé mes souvenirs. Tu as dû les collecter quand je t'ai nourri de mon sang pendant notre voyage.

— « Notre voyage » ?

Elle prit une profonde inspiration.

— On vient d'un endroit appelé Apparitia, le royaume des fantômes. On est donc apparitiens. Du moins, on l'était. Tu es né le jour de la fin de notre monde...

Par les enfers !

70

— Notre mère était si courageuse, si altruiste, commenta enfin Thad. (Il était resté silencieux depuis que Jo avait terminé son histoire.) J'ai vu son visage dans tes souvenirs. Tu lui ressembles.

Elle fronça les sourcils.

— Merci.

Elle jaugea l'expression de son frère, essayant de déterminer comment il digérait toutes ces informations.

— Et notre père ?

— Je ne me souviens pas bien de lui, il ne me reste que de vagues impressions. Un peu comme celles que tu gardais de moi. J'ai la sensation qu'il voulait rester avec nous, mais qu'on l'appelait sans cesse au loin pour prendre part à des guerres.

— Je n'arrête pas de penser qu'il est peut-être en vie.

— Après tant d'années, ne nourris pas trop d'espoirs. J'ai juste envie de me rappeler plus de détails, histoire de reconstituer le puzzle.

— On est apparitiens, marmonna Thad. Comme c'est étrange.

— Ouais, on est des aliens, en fait.

En secret, elle l'avait toujours su.

— Tu veux que je t'appelle Jo ou Kierra ?

— J'ai passé plus longtemps sous l'identité de Jo que de Kierra, répondit-elle en haussant les épaules. Ça n'était pas trop pour toi, tout ça ? Moi, j'ai eu l'impression que mon cerveau allait exploser, rien qu'après ce seul souvenir.

— Non, ça va. J'ai juste une question... Tu trouves que j'étais un bébé adorable ?

Elle lâcha un rire surpris.

— Oh oui ! Et bruyant.

Ils partageaient un grand sourire quand des doigts de lumière les effleurèrent. Le soleil se levait. Jo redoutait cet instant depuis un moment, tant elle avait envie de rester à discuter avec Thad.

— Bon, je ferais mieux de filer, lâcha-t-elle sur un ton qui se voulait détaché. Je repasserai peut-être la semaine prochaine, ou un truc comme ça.

Comment je vais réussir à partir ?

— « La semaine prochaine » ?

La voix de Thad venait de monter d'une octave. Et le cœur de Jo se serra.

— Oui, enfin, n'importe quand. Je ne vais pas m'incruster dans ta vie. On peut y aller lentement, prévoir une visite ici ou là.

— T'incruster ? Je pensais...

Il baissa les yeux sur l'accoudoir de son fauteuil.

— Je pensais que tu allais rester ici avec nous.

— Oh ! Ohhh.

— On a tellement de place. Tu pourrais avoir une aile entière de la maison pour toi toute seule.

— Thad, je dois rentrer à mon motel.

— Pourquoi ?

Parce qu'elle devait trouver d'autres monstres ? Non. Ça, elle avait déjà fait. Parce qu'elle devait prendre soin de ses souvenirs de Thad ? Il était juste là, devant elle, à retenir son souffle en espérant qu'elle emménagerait avec eux !

Parce qu'elle devait être au motel, au cas où Rune la chercherait ?

Qu'il aille se faire voir. Elle allait déménager de cet hôtel et s'en trouver un autre, histoire de ne pas donner l'impression qu'elle était restée là à attendre qu'il se pointe.

— Ça me ferait bizarre de vivre avec MamB, répondit-elle honnêtement. Au cas où t'aurais pas remarqué, je ne suis pas très sociable.

— Mais ça pourrait changer, affirma-t-il aussitôt. C'est comme le base-ball, il suffit d'apprendre les bases.

Les bases de la domestication ? Par les Brayden ?

Bon, elle n'allait pas en vouloir à Rune de refuser tout changement si elle en faisait autant. Certes, elle n'avait trompé personne, elle. Mais son talisman semblait lui brûler la poche.

Elle n'avait peut-être aucune envie de le revoir ou d'entendre parler de lui, n'empêche qu'elle avait conservé son précieux objet en attendant qu'il revienne le chercher.

— Allez, Jo, on fait un essai.

— Et je suis censée m'occuper à quoi, ici, toute la journée ?

Et en général. Elle avait beau se concentrer, elle avait trouvé toutes ses réponses. Alors maintenant, que faire ?

Recommencer un semblant de vie après Rune.

— Passer du temps avec moi, suggéra Thad, tirant sa chaise près de celle de Jo, avant de lui prendre les mains. On a tant de choses à se raconter, tant de choses à voir. Je pourrai te téléporter dans les endroits où je suis allé, et toi, me montrer tout ce que tu as vu.

— Mais tu dois bien avoir des amis avec qui tu as envie de traîner. Je ne veux pas devenir la grande sœur encombrante toujours fourrée dans tes pattes.

— Depuis qu'on a emménagé ici, je passe toutes mes journées à Val Hall, pour que maman pense que je continue à aller à l'école. Aujourd'hui, je ne veux plus cacher qui je suis. En plus, tu es la Mythosienne la plus proche de mon âge que je connaisse. Allez, sœurette. S'il te plaît. Accorde-nous juste une semaine.

Oh non, pas les yeux encore ! Elle lâcha un soupir.

— Une semaine.

Puis elle riva son regard au sien.

— Tu l'auras voulu, gamin.

Rune réorganisa rapidement les protections entourant la propriété afin d'en empêcher l'entrée à toute créature de la Ligue des Vertas.

Son âme sœur allait rester.

Josephine avait lancé une attaque contre Val Hall, que le Møriør avait ensuite détruit. Cette proximité avec l'armée de Nïx mettait Rune à cran.

Depuis son point d'observation à l'extérieur du manoir, il voyait la nouvelle chambre de Josephine. Elle venait de rentrer de sa chambre au motel, chargée d'un petit sac de vêtements, et Thad l'aidait à s'installer.

Rune s'était inquiété qu'elle ne mise trop sur ses retrouvailles avec son frère, qu'elle soit finalement déçue. Mais à la fin de la nuit, c'était son frère qui l'avait presque suppliée de rester.

C'était vraiment le grand amour de sa vie. Et à chacune de leurs plaisanteries, elle semblait rayonner de joie.

Même le récit de ses souvenirs d'Apparitia n'avait pas atténué le bonheur du petit frère d'avoir retrouvé sa grande sœur.

L'histoire de Josephine avait sidéré Rune. Ces deux-là avaient échappé de justesse à leur monde d'origine, grâce au sacrifice de leur mère. Ensuite, flottant dans l'éther, ils avaient vu les coulisses de l'univers.

Et pour finir, ils étaient entrés dans une stase – comme le faisait le Møriør. Mais cela ne changeait rien à leur âge.

Apparitia était éteinte depuis des milliers d'années. Et Josephine devait être la créature encore vivante la plus vieille de leur espèce hybride.

La primordiale.

Elle avait évoqué l'explosion d'une planète. Elle se souvenait d'avoir hurlé : « C'est la fin du monde. » Dans les Autreroyaumes, il se murmurait qu'Orion avait détruit Apparitia. Le seigneur de Rune l'aurait-il écrasée comme une boule de verre ? Alors même que l'âme sœur terrifiée de Rune se battait pour rattraper un nouveau-né dans la tempête ?

Rune ne se permettait jamais de critiquer les actes de son seigneur, car Orion avait chaque fois de bonnes raisons d'entreprendre chacun d'eux. Aujourd'hui, en revanche, son instinct premier lui dictait de s'opposer à Orion. Pourtant, si le Destructeur avait ciblé Apparitia, ce n'était certainement pas pour rien. Et s'il ambitionnait d'assassiner deux enfants hybrides ?

Si Rune l'alertait, Orion risquait de vouloir terminer ce qu'il avait commencé…

Rieuse, Josephine jeta un oreiller sur Thad. Qui l'attrapa par télékinésie et le lui renvoya directement.

Quelle place restait-il à Rune, après cette nuit? Devait-il laisser ce lien se rompre au moment où tous les rêves de Josephine devenaient réalité?

Cette mortelle avait parlé de Josephine sanglotant à la fenêtre le jour où elle avait abandonné Thad. Aujourd'hui, elle avait été acccptée par cette famille. Elle n'en était plus l'observatrice extérieure. C'était Rune qui occupait cette place, désormais.

Il brûlait de lui parler, d'être avec elle. Mais elle avait accordé une semaine à Thad; Rune ne devait-il pas faire de même? Il songea que sept jours, ça n'était rien dans une vie d'immortel – tout en redoutant cette perspective.

Cependant, cela ne signifiait pas qu'il allait laisser son âme sœur ici avec son frère, sans protection. Non, il allait élire domicile dans la remise près de la piscine, dont il empêcherait toutes les odeurs et tous les sons de se propager par un sortilège. De là, il pourrait surveiller cette famille, réfléchir à l'attitude qu'il convenait d'adopter vis-à-vis d'Orion et laisser le temps à la colère de Josephine de retomber.

À moins qu'elle ne l'appelle auprès d'elle, ou se demande où il était. Ou qu'elle ait besoin de lui pour se nourrir. Autrement…

Je t'accorde une semaine, petite âme sœur.

71

Allongée sur son lit, la tête calée contre l'oreiller, Jo fixait des yeux le talisman sur la table de chevet.

Dormir dans ce grand lit sans son immense sombre fey restait étrange, même après tous ces jours écoulés.

Au départ, l'excitation de retrouver Thad – et les efforts qu'elle avait déployés pour vivre au sein de ce foyer – lui avaient permis d'oublier quelque peu son chagrin d'avoir perdu Rune. Elle était toujours comme une folle d'être auprès de son frère, mais à présent son ex lui manquait.

Lors de son premier jour ici, Thad avait reçu un appel de Regin, lui racontant en détail ce qui s'était produit à Val Hall après que Jo et lui avaient disparu.

Jo en était tombée à la renverse. Et Val Hall aussi, apparemment, grâce à un loup-garou primordial.

Rune avait vaincu le Fléau.

— On ignore comment, mais ton archer avait réussi à récupérer une plume de phénix ! lui avait rapporté Thad, tout excité. Il l'a utilisée pour faire voler une flèche qui a envoyé les spectres au royaume de l'au-delà.

Avec une nausée, Jo avait compris que la plume en question était la clé qu'il avait obtenue de Meliai en échange d'une bonne partie de jambes en l'air.

Puis Rune avait menacé Nïx et toute sa bande d'immortels, les « VIP Vertas » comme les désignait Thad. Pourtant, au bout du compte, Rune avait juré sur le Mythos de ne jamais tuer Nïx... et ce, afin de neutraliser le serment prononcé par Jo elle-même.

Il avait fait ça devant ses alliés. Pour elle...

Thad avait aussi annoncé à Jo qu'il souhaitait aider Regin et les autres à reconstruire Val Hall.

— Les Vertas, avait-il expliqué, ça n'est pas seulement Nïx. En plus, elle n'y est même pas. Elle a raconté à tout le monde qu'elle prenait des vacances pendant quelque temps.

Jo avait essayé de répondre d'un ton léger :

— Vertas, Møriør... Et si on laissait les monstres se débrouiller tout seuls pour régler ça ?

— Regin et les autres ignoraient que tu étais ma sœur. Nïx t'a décrite à eux comme une « Møriør dure à cuire », venue ici pour libérer des monstres et nous réduire tous en esclavage.

Nïx, espèce de garce, c'est ainsi qu'on lance les rumeurs. Puis Jo avait froncé les sourcils. *C'est vrai que j'avais de solides connaissances parmi les Møriør.*

Parce que je suis tombée amoureuse de l'un d'eux.

Après ce jour, Thad et elle n'avaient plus évoqué Rune en particulier. Elle essayait de cacher son terrible manque du sombre fey, sans vraiment savoir si elle parvenait à tromper quiconque.

Un jour, Rune lui avait expliqué que Darach Lyca était capable de trouver n'importe quoi dans les mondes. Or Thad ne les avait pas téléportés bien loin de Val Hall. Rune savait donc forcément où elle se trouvait. Elle avait cru que rien ne pouvait obliger un Mythosien à rester loin de son âme sœur, et pourtant il ne l'avait pas contactée. Pas une fois.

Sans doute était-il rentré à Tenebrous avec les autres Møriør. Et même s'il était revenu directement sur Terre après ça, le voyage prendrait un certain temps.

De toute façon, elle n'avait aucune intention de reprendre quelque relation que ce soit avec lui. Mais ce serait sympa de lui rendre son talisman, de récupérer son propre collier de balles et de tourner définitivement la page.

Était-il possible de rompre un lien entre âmes sœurs ?

Tout est possible dans le Mythos, songea-t-elle avec amertume.

Sortir en compagnie de son frère était la seule activité qui aurait pu la détourner de ces pensées-là. Au cours de la semaine écoulée, Thad et elle avaient ri. Ils avaient regardé des films. Ils avaient nagé. Jo lui avait montré comment se fantomiser et intégrer des enveloppes humaines et se rendre complètement invisible.

Bientôt elle lui enseignerait comment délimiter son territoire et le protéger... et comment écraser les maquereaux qui volaient leur joie de vivre à toutes ces filles.

Si Jo était un chat sauvage au début de la semaine, les Brayden avaient peut-être réussi à la domestiquer un poil. Pour Thad, elle avait consenti l'effort de se laisser faire.

Le premier jour, il l'avait réveillée en sursaut.

— JOOOO ! avait-il crié d'en bas. Le petit déjeuner est prêt !

Elle s'était redressée brusquement sur son lit, désorientée car c'était la première fois qu'on la réveillait ainsi. Elle avait à peine dormi. Car elle redoutait de rêver de Runc, dont elle ne voulait plus voir le passé maintenant qu'elle n'était plus en mesure de supporter son présent.

Les yeux noirs, elle s'était habillée, récupérant le talisman posé sur la table de chevet, avant de descendre quatre à quatre les marches conduisant au rez-de-chaussée.

— C'est quoi, ce bordel ? avait-elle grommelé en entrant en trombe dans la cuisine.

Autour de la table de la cuisine, elle avait découvert la grand-mère de Thad. Oups.

— Maman, avait commencé MamB, je te présente…

Mais déjà la grand-mère s'était approchée de Jo. Et avant que cette dernière ait eu le temps de cracher telle une chatte en colère, la vieille femme l'avait embrassée sur le front.

— Bonjour, mon enfant.

Puis elle s'était dirigée vers le four, l'air de rien.

Pendant le petit déjeuner, MamB leur avait demandé s'ils avaient des projets.

— Je pensais enseigner à notre petit Thaddie comment dépouiller les vendeurs de coke de leur argent sale, avait répondu Jo, en équilibre sur les pieds arrière de sa chaise. Peut-être même à tabasser quelques maquereaux. Ils ne donnent pas de décorations pour ce genre de trucs, chez les scouts ?

MamB avait dégluti avec peine.

Après tout, c'était elle qui avait insisté pour que Jo reste, non ? *Fais gaffe à qui tu invites chez toi, mémère.*

La bonne femme leur avait alors demandé de sortir d'abord la poubelle, avant d'oser leur recommander :

— Faites les bons choix...

Le deuxième jour, Mamie avait mis en place un pot à gros mots. Qu'elle tapotait avec un regard explicite chaque fois que Jo s'oubliait.

Non, mais elle était sérieuse, là ?

Quand Jo avait rapporté de nouveaux vêtements, MamB les avait tous reprisés, y compris ceux qui étaient déchirés exprès. Pourtant, Jo avait tenu sa langue.

MamB et Mamie continuaient à faire la cuisine, MamB expliquant qu'elle faisait ça « juste au cas où » ; alors Jo repoussait sa nourriture au bord de son assiette chaque fois que la famille s'asseyait autour de la table à l'heure des repas. Elle aidait à laver de la vaisselle dont elle n'avait nulle utilité, regrettant de ne pas connaître de rune spéciale pour les corvées ménagères.

Sur le bord de la cheminée, MamB avait disposé deux nouvelles photos encadrées de Jo et Thad. Jo les aimait bien, car elle faisait un doigt d'honneur sur toutes les deux et l'on pouvait deviner que ses lèvres chuchotaient : « Va chier. »

Elle allait au lit à 4 heures du matin et ne ratait pas un petit déjeuner.

Ça n'est pas si mal, ici. Elle fixa des yeux le talisman de Rune et le sommeil commença à l'engloutir. *Si seulement il ne me manquait pas autant...*

Cette semaine interminable avait fini par passer.

Comme il l'avait fait chaque jour, Rune se téléporta de la remise jusqu'à la chambre de Josephine dès l'instant où elle s'endormit. Sauf que cette fois, il resterait jusqu'à son réveil.

Au plus profond de la nuit, le ciel était chargé de gros nuages noirs et le tonnerre grondait. Pourtant elle dormait.

Un sommeil profond, c'était une forme de vulnérabilité. Rune avait d'abord eu l'intention de l'aider à s'en défaire, avant de songer que, de toute façon, il serait toujours à ses côtés pour la protéger.

Ce qu'il faisait justement en cet instant, sur une chaise près de son lit. Il ramassa le talisman qu'elle avait déposé sur sa table de chevet, le tournant et le retournant au creux de sa main tout en observant les traits de son âme sœur. Ses cils épais, son visage fin. La courbe douce de ses lèvres. La bouche dont sortaient tant de paroles candides et qu'elle pressait sur lui avec une telle ardeur.

Bien que sept jours seulement se soient écoulés, durant lesquels il ne s'était jamais éloigné, elle lui avait manqué à un point tel que son esprit semblait dysfonctionner et que sa poitrine lui causait une douleur constante.

Tout comme Josephine l'avait fait sous sa forme de fantôme, il avait hanté la maison des Brayden. Aucun membre de la Ligue des Vertas n'était venu les importuner. En fait, seule une Mythosienne avait tenté de leur rendre visite : Natalya, la sombre fey.

Songeant que Josephine ne l'aurait sans doute pas accueillie de bon cœur, il s'était téléporté pour intercepter la femelle.

Natalya était manifestement de la même espèce que lui, avec ses yeux couleur prune, ses griffes noires et ses oreilles pointues si reconnaissables. Elle était en train d'enfoncer un bonnet sur sa tête quand il était venu à elle.

— Tu es le sombre fey dont tout le monde parle, avait-elle commenté en posant les yeux sur lui. Un assassin, comme moi. Rune, c'est ça ? Je suis Natalya. (Nouveau regard appuyé.) Tu étais passé où, toute ma vie, beau gosse ?

Par le passé, il aurait considéré cette femelle comme un cadeau du ciel. Avant que Josephine n'ait volé son cœur, son esprit, son corps et même ses foutus rêves.

Quand Natalya lui avait suggéré de partager « un petit secret entre sangfléaux », il s'était contenté de répondre : « Josephine est tout pour moi ».

Sur quoi Natalya avait cessé de le dévorer des yeux, et ils avaient parlé des rares membres de leur espèce qu'ils avaient rencontrés. Elle soupçonnait qu'il était le plus vieux encore en vie. Pas celui qui était né le premier, mais le plus vieux tout de même.

Était-ce pour cela qu'Orion l'avait recruté, il y avait tant d'années ? Peut-être son seigneur ne l'avait-il pas considéré comme inférieur à cause de son statut de halfelin ; peut-être Orion considérait-il les sombres feys comme une espèce à part entière.

Dont Rune était le primordial.

L'idée l'avait saisi, mais il avait néanmoins réussi à discuter de Thad, mettant l'accent sur le jeune homme puissant qu'il devenait. Une fois sa transition achevée, avait-il assuré à Natalya, Thad supporterait n'importe quel poison...

Rune était content que cette rencontre se soit enfin produite. Avec une inconnue qui se promenait quelque part dans les mondes, jamais il n'aurait été capable de convaincre Josephine qu'il était à elle et à elle seule.

Bientôt son âme sœur lui ferait pleinement confiance. Bientôt elle se réveillerait et le trouverait là. Et il était... nerveux.

Elle n'avait pas parlé de lui, et il n'arrivait toujours pas à savoir ce qu'il allait lui dire. Au moment où il avait le plus besoin de sa langue habile, voilà qu'elle le désertait.

Comment exprimer ses regrets ? Comment exprimer ses espoirs quand il ignorait ce que le futur leur réservait ? *Mon seigneur a peut-être assassiné ta mère et détruit ton monde tout entier.* Il n'avait pas pris de décision non plus concernant Orion et Apparitia.

Josephine se tourna sur le dos, ses cheveux s'éparpillèrent sur l'oreiller.

Son odeur apaisa quelque peu le malaise de Rune, une détente bientôt accompagnée par une immense fatigue. Il n'avait pas dormi depuis huit ou neuf jours.

Dehors, la nuit s'assombrit encore un peu plus, mais la chambre était chaude et confortable. Dieux, il donnerait sa main d'archer pour pouvoir dormir aux côtés de Jo ne serait-ce qu'une fois.

Il observa le mouvement de sa poitrine, sa respiration, et s'imagina allongé auprès d'elle dans sa vallée, tandis qu'une douce brise passait sur eux.

Ses paupières s'alourdirent, et il s'accouda au bord du lit.

Même un Møriør avait besoin de repos de temps en temps. Il allait fermer les yeux, juste dix minutes...

72

Rune se trouvait à Perdishian. Du moins le pensait-il. Ou alors il était en train de rêver ?

Si c'était le cas, il s'agissait du rêve le plus réel qu'il ait jamais fait.

Il était debout devant un mur de verre, regardait dehors. Il inspirait un air qui sentait la pierre froide et le métal. Ses oreilles bougeaient à chaque grognement de la place forte tandis qu'elle se déplaçait à travers l'espace et le temps.

Orion vint se poster à ses côtés. Comme d'habitude, son regard était obscur, d'un noir obsidienne, mais Rune ne lui avait jamais vu cette expression. Son seigneur ne le dépassait que de quelques centimètres, il avait des cheveux aussi noirs que l'espace, un visage plaisant doté de mâchoires carrées et de traits réguliers.

Rune était incapable de déterminer quelle espèce Orion imitait aujourd'hui.

Ils regardèrent passer les mondes en silence.

— J'ai besoin de te parler, lâcha enfin Rune.

Sans se détourner de la vue, Orion psalmodia :

— Je sais.

— J'ai échoué à assassiner la Valkyrie. Et à présent je ne pourrai plus jamais la tuer.

— Ils sont des milliers à avoir essayé. Nul n'avait une chance de réussir.

Rune se tourna face à lui.

— Pourquoi m'y avoir envoyé, dans ce cas ?

Orion gardait le regard fixé droit devant lui, comme s'il scrutait l'espace en quête de quelque chose.

— On échoue ; on apprend. À moins que l'on échoue à apprendre.

Rune devait-il lui parler d'Apparitia ? Ce n'était sans doute pas un rêve. Peut-être son subconscient était-il en train de s'entraîner à cette conversation ? Quoi qu'il en soit, il faisait confiance à Orion depuis des lustres. Imaginer le pire revenait à douter de son seigneur. À douter de son propre jugement.

Alors il choisirait de croire... en lui-même.

— Mon âme sœur vient d'Apparitia.

Orion tourna la tête.

— Tu veux savoir si j'ai détruit son monde. Qu'en penses-tu ?

— Je pense que non.

Les pupilles noires d'Orion scintillèrent d'une couleur étrange, quasi mystique. Un signe que son seigneur était satisfait ?

Eh bien, tant mieux. Rune avait raison, il avait senti la vérité. Puis il fronça les sourcils. Cette couleur pouvait-elle lui donner un indice sur l'origine d'Orion ?

Non, non, ça n'était pas possible.

— Mon archer toujours loyal, commenta-t-il avec un hochement de tête quasi imperceptible. Tu aurais pu emmener les hybrides et fuir avec eux.

— Je crois en ceci. En notre mission.

De sauver les mondes.

— Le moment venu, ton âme sœur plongera les yeux dans les miens et elle y trouvera sa réponse.

— Mais il y a autre chose. Je ne peux plus récolter les informations comme je le faisais par le passé... parce que je ne saurais lui être infidèle. Des menaces émergent déjà que je ne peux contenir.

Nïx avait affirmé que ses sorciers travaillaient sur un moyen d'interdire au Mørïør l'accès à Gaia. Les sorciers en question étaient connus pour leurs sacrifices de nymphes à d'anciens dieux, mais le puits d'information de Rune était désormais tari.

Orion se tourna vers la table en forme d'étoile.

— Combien de loups avons-nous en notre sein ?

Rune fronça de nouveau les sourcils.

— Un.

— Combien de sorcières ?

— Une.

— D'archers ?

Un.

Orion ne l'avait jamais appelé autrement qu'« archer », même quand Rune ne possédait encore aucun talent. Alors il avait travaillé des millénaires pour devenir le meilleur archer de tous les mondes. Pour être digne de ce nom.

Pourtant, même après être devenu le meilleur, il n'était toujours pas devenu l'archer officiel.

Cette reconnaissance subite le submergea.

— Je siège à cette table en tant qu'archer du Mørïør.

Il était véritablement devenu digne du titre, il ne s'en était juste jamais rendu compte.

— Tes flèches atteignent des cibles éloignées. Tes flèches sont silencieuses. Les archers combattent depuis les lignes de front et depuis la pénombre, n'est-ce pas ?

Assassin et soldat du front. Telles sont mes forces. Tels sont mes talents. *Avant, Rune s'était chargé de*

tâches dont il pensait qu'elles lui revenaient, à lui,
l'ancien prostitué.

Orion hocha la tête, comme si Rune venait de
parler tout haut.

— *Ce qui détruisait l'archer, c'était la façon dont*
il se considérait.

Orion le Destructeur voyait les faiblesses d'autrui.

Rune s'était dénigré lui-même en s'attribuant une
valeur faussée.

Il s'apprêtait à demander s'il était le primordial,
avant de se rendre compte qu'au fond peu importait.

Les lèvres d'Orion se retroussèrent.

— *Exactement.*

Une pensée s'échappa cependant : Il nous
manœuvre comme Nïx manœuvre son armée. *Si*
Rune s'était inquiété de l'intelligence de la Valkyrie, ce
n'était plus le cas à présent. Nul n'arrêterait Orion...

Rune se réveilla dans un sursaut. Josephine avait-
elle gémi ? Elle s'agitait sous les draps, les sourcils
froncés. Sa silhouette vacillait.

Un cauchemar ? Il l'avait accablée de tant de souvenirs de torture et de souffrances en lui donnant
son sang...

Elle commença à se dématérialiser, puis à s'élever. Le fantomnambulisme : elle l'avait mis en
garde contre ce phénomène !

— Réveille-toi, Josie !

Il lui saisit précipitamment la main. Pour l'an-
crer. Elle s'accrocha à lui dans son sommeil.

Et il commença à se dématérialiser avec elle.

— Hé, il faut te réveiller, mon amour !

Déjà sa voix semblait faible et fantomatique.

Quand ils commencèrent à léviter, son cœur
s'emballa.

— Tu dois sortir de ton sommeil !

Mais elle gardait les yeux bien fermés, et son corps restait mou. Ils montèrent au-delà du plafond. Du toit. Dans la nuit.

— Josephine ! hurla-t-il.

Ils dérivaient à travers la pluie et les nuages tempétueux. Plus haut. Encore plus haut. Elle n'allait pas se réveiller !

Eh bien, qu'il en soit ainsi.

— Josephine, comprends-moi bien. Où que nous allions… Nous y allons ensemble.

Il l'attira contre lui et l'embrassa.

73

Jo cligna plusieurs fois les paupières avant de les ouvrir. Rune était en train de l'embrasser ? Quand elle se raidit contre lui, il écarta la tête.

— Un rêve ? demanda-t-elle.

Il avait les sourcils froncés, les yeux écarquillés.

— Pas vraiment.

Quoi ? Elle n'était pas au lit ? Non, il était dehors avec elle. Et l'air autour d'eux semblait extrêmement rare. Et froid. Elle leva les yeux. Les étoiles étaient brillantes.

Trop brillantes.

Elle plongea le regard dans celui de Rune, et lut dans son expression alarmée le danger de leur situation.

— J'ai eu un accès de fantomnambulisme ?

— Oui, mon âme. (Il déglutit.) Et tu es montée.

Elle refusait de regarder.

— Où... Où on est ?

Il hocha brièvement la tête. En d'autres termes : « Ça craint. »

— Qu'est-ce que tu fais avec moi ?

— Je suis exactement à ma place, répondit-il de sa voix râpeuse.

Elle baissa les yeux. Prit une brusque inspiration. Panique.

Elle commença à se matérialiser de nouveau, et son estomac effectua un saut périlleux tandis qu'ils piquaient vers le sol.

Sitôt que son corps se fut assez solidifié, Rune lui passa les bras autour de la taille et les téléporta jusqu'à son lit.

— Ah, grands dieux, Josephine !

Il la cala sur ses genoux, la poitrine soulevée par ses halètements.

— Qu'est-ce... Qu'est-ce qui s'est passé ?

Pantelante, elle s'accrochait à lui, savourant sa chaleur et sa force, inhalant son odeur.

— On est partis faire un petit voyage, répondit-il, le cœur battant fort contre l'oreille de Jo.

— Je t'ai emmené avec moi ?

Le menton posé sur le sommet de son crâne, il hocha la tête.

— Tu t'es dématérialisée et tu as commencé à t'élever. J'ai essayé de te réveiller, mais j'ai tout juste réussi à te saisir par la main à temps.

Il posa les lèvres contre ses cheveux.

Réussi à me saisir ?

— Pourquoi tu ne m'as pas laissée partir ? Je sais comme tu as peur du vide.

Il s'écarta.

— Jamais je ne te laisserai partir. (Il lui prit le visage entre ses mains.) Où que tu ailles, c'est là que je veux être aussi.

Il lui avait servi d'ancre, refusant de la lâcher. Comme elle en avait toujours rêvé.

Alors elle se souvint.

— Tu m'as tant manqué, Josie...

Elle repoussa son torse jusqu'à ce qu'il desserre un peu son étreinte.

— Comment tu as su où j'étais ?

Et elle rampa hors du lit, se dressant pour lui faire face.

Il se leva aussi.

— Je le savais depuis la nuit de Val Hall.

Il n'était pas rasé, des cernes noirs cerclaient ses yeux. Son jean était beaucoup moins ajusté qu'à l'habitude, signe qu'il avait perdu du poids.

— Tu m'espionnais !

Il acquiesça sans honte.

— Je vis dans la remise depuis une semaine.

Alors il avait entendu toutes ses conversations avec Thad.

— Tu dois partir. Je refuse de discuter avec toi.

— S'il te plaît. Accorde-moi cinq minutes.

Elle lui jeta un regard furibond et se frotta les bras. Seulement couverte d'un tee-shirt, elle se gelait – il faisait carrément froid, dans la stratosphère.

— Tu es frigorifiée.

Il la rejoignit et ôta son manteau.

— Tiens, prends ma veste.

Sans prêter attention à sa suggestion, elle se téléporta jusqu'à son placard à vêtements.

— Je n'arrive pas à croire que tu étais juste là toute cette semaine, lança-t-elle en enfilant un jean. Pourquoi ne pas t'être montré ?

— L'un de mes alliés m'a conseillé de ne pas faire intrusion en plein milieu de tes retrouvailles avec ton frère. Plus de la moitié de ta vie, tu as attendu ce moment. Alors j'ai décidé que rien ne devait s'interposer entre vous.

D'un geste sec, elle récupéra un sweat-shirt à capuche. La colère bouillonnait. Le haïr lui convenait tout à fait, et voilà que maintenant, elle apprenait qu'il la suivait partout.

— Tu m'as espionnée... Enfin, hormis pendant les moments où tu as dû t'éclipser pour assouvir tes petits besoins charnels, je présume ?

Elle revint dans la chambre.

— Le démon en toi a besoin de se taper des femelles plusieurs fois par jour, pas vrai ? reprit-elle.

Il traversa la distance qui les séparait en deux enjambées. Et il se planta tout près, trop près, baissant les yeux sur elle.

— Le démon en moi est apprivoisé. Tout comme le fey. Et tous les deux sont parfaitement satisfaits de leur sort.

Encore maintenant, sa présence et ses paroles l'affectaient. Heureusement, il lui suffisait de se remémorer...

— Ça ne t'a pas arrêté, avec Meliai.

— Non, en effet.

L'entendre le lui confirmer... Coup de couteau dans les tripes. Sa silhouette vacilla.

— Ce qui m'a arrêté, avec Meliai, c'est moi.

— Qu'est-ce que ça veut dire ?

S'il vous plaît, faites que ça veuille dire ce que je pense !

— Je n'ai pas eu de relation sexuelle avec elle.

L'expression « relation sexuelle » pouvait-elle être comprise de plusieurs manières dans cette phrase ?

— Vous vous êtes fait jouir autrement, c'est ça ? Une petite fessée, quelques chatouilles pour la nymphe ? Ben ouais, du moment qu'elle était contente !

— J'étais déterminé à franchir le mur des spectres, cette nuit-là. J'étais au lit avec elle, nu.

Jo ne put réprimer une grimace.

— Mais aucun de nous n'a pris de plaisir d'aucune façon, et je te garantis qu'elle était tout sauf contente. Cela dit, je suis incapable de t'expliquer ce que je faisais. J'étais comme… détaché. Froid. Et mon esprit s'est embué.

Des flashs d'un rêve passèrent devant les yeux de Jo. Un nouveau rêve. Avant qu'elle ne se mette à fantomnambuler, elle avait dû voir des souvenirs de Rune. Revivre leur nuit sur Ayers Rock, mais de son point de vue à lui. Quand elle lui avait avoué sa phobie, il avait pensé : « Elle a peur de flotter et de disparaître. Et moi, j'ai peur d'annihiler mes émotions pour toujours. »

Elle entrouvrit les lèvres. « Je deviens froid. » Il était devenu si détaché qu'il craignait de rester dans cet état émotionnel à jamais.

Elle avait vu l'absence totale d'émotions qu'il éprouvait avec les autres. Lors de leur dernière nuit, il lui avait dit : « Je veux que tu rêves mes souvenirs, que tu ressentes par toi-même que ça ne représente strictement rien pour moi. »

Sauf qu'elle avait ressenti les émotions qu'il éprouvait vis-à-vis d'elle.

— Je me rappelle avoir rejoué chaque parole de notre dispute, admit-il. Je me consumais de jalousie à l'idée que tu puisses en mordre un autre.

Son dernier commentaire la tira brusquement de ses pensées.

— Alors je ne suis pas la seule à avoir des problèmes de jalousie ?

Le regard qu'il posa sur elle signifiait : « Tu n'as pas idée. »

— J'ai décidé que je refusais de voir un autre connaître un jour ta morsure. Que c'était notre acte intime, rien qu'à nous, qui nous reliait. Et j'ai compris que tu envisageais le sexe de la même façon. J'ai compris d'autre part qu'il en allait de même pour moi aussi, d'ailleurs, en ce qui te concernait. Alors j'ai tout arrêté d'un coup avec Meliai, je n'avais plus qu'une envie : retourner à tes côtés.

Jo se détourna de lui, désireuse de mettre un peu d'espace entre eux.

— Eh bien, tant mieux pour toi, Rune, que tu n'aies pas couché avec elle. Tu m'avais assuré que ça ne se produirait pas toutes les nuits. Si ça se trouve, après l'Accession, ajouta-t-elle sur un ton faussement enjoué, tes tromperies vont s'espacer encore plus !

Il grimaça.

— Si je pouvais reprendre ces paroles...

— N'empêche, je ne le tolérerai pas. Or tu dois encore le faire pour ton travail.

— J'ai démissionné de cet aspect de mon travail, se hâta-t-il de préciser. En réalité, je considère même mes nouvelles attributions comme une promotion. À compter de maintenant, je ne suis plus qu'archer.

Jo plissa les yeux, refusant de se laisser submerger par l'espoir.

— Il y avait peut-être du vrai, dans toutes les choses que tu disais. Je ne vois pas comment ça peut marcher entre nous, vu que tu me juges immature et puérile.

— J'ai cru que tu tentais de me manipuler, car je ne te pensais pas prête à mettre un terme à notre relation. Et ce, malgré tes mises en garde.

— Tu étais absolument catégorique, cette fameuse nuit. J'ai un peu de mal à me faire à ce revirement.

— L'une des raisons pour lesquelles je me raccrochais à mon mode de vie, c'était que je refusais de changer une fois de plus. Magh m'avait obligé à le faire tant de fois, et je pense qu'à un certain niveau de conscience, je confondais « changement » et « Magh ». Alors j'ai résisté. Puis j'ai compris que tu avais raison, que ces transactions faisaient de moi un prostitué. J'ai admis qu'en fait, je n'avais jamais cessé d'en être un.

— J'étais en colère quand j'ai dit ça.

— Et tu avais de bonnes raisons de l'être. Je me suis comporté comme un imbécile. J'avais continué à me considérer tel que j'étais par le passé. Peu importait tout ce que j'avais accompli, je n'arrivais pas à voir ma propre valeur.

Il se passa une main sur son visage fatigué.

— Orion m'a expliqué que j'étais ma propre destruction.

Décidément, cet Orion semblait taper dans le mille à chaque fois.

— Et alors, tu en es où, maintenant ?

— J'espère recommencer une nouvelle vie aux côtés de ma magnifique âme sœur. Ces jours-là appartiennent au passé pour moi, Josephine.

Elle manqua se fantomiser à travers le sol sous l'effet de la joie. *Mais attends…*

— Tu avais une plume de phénix, à Val Hall. Tu l'avais récupérée auprès de Meliai ?

De nouveau il s'approcha d'elle. Renversant la tête en arrière, elle croisa son regard.

— Je lui ai volé la plume, la menaçant, elle et toute la nichée, de ma flèche ravageuse. Apparemment, ça n'est pas très bien passé. Je suis désormais banni de toutes les nichées.

Jo n'en revenait pas. Il avait fait ça pour elle ?

— Mais tu les admires tellement…

Il lui posa les mains sur les épaules.

— Il n'est rien que j'admire plus que toi.

Les mots étaient doux comme la soie, pourtant la voix était rendue rauque par l'émotion.

— Tu as attendu une semaine avant de m'approcher ? Tu ne mourais pas d'envie de m'annoncer que tu n'avais pas baisé la nymphe ?

— Oh que si ! Mais je voulais faire passer tes besoins avant les miens. Je vous ai écoutés parler, Thad et toi, et vous étiez très heureux. Alors quand tu lui as accordé une semaine, je me suis promis de t'en donner une aussi.

Elle avait espéré qu'il serait à la hauteur des souvenirs qu'elle gardait encore de ce jeune marié ; eh bien, Rune le dépassait largement !

— Je veux… J'espère que tu recommenceras à boire mon sang. Ainsi tu ressentiras mes émotions.

Les crocs de Jo s'aiguisèrent à l'idée de sa peau, si brusquement qu'elle haleta.

Et puis elle vit Rune froncer les sourcils.

— À moins que mes souvenirs ne te blessent. De quoi rêvais-tu, tout à l'heure ? Tu as Thad à tes côtés, sous le même toit, alors qu'est-ce qui pourrait t'envoyer flotter dans les airs ?

Avant qu'elle ne parte à la dérive, son besoin de lui la lancinait cruellement.

— Ton absence.

Il déglutit péniblement.

— T'ai-je bien entendue ?

Elle lui posa une main contre le torse. Sous sa paume, elle sentit les battements de cœur s'accélérer.

— Je pensais à toi avant de m'endormir. Tu me manquais. Je savais qu'après cette fichue nuit je ne pourrais plus jamais t'avoir.

— Peux-tu me pardonner ? Je me suis conduit comme un idiot, j'ai dit des choses horribles. Je ne peux m'empêcher de rougir de honte en y repensant. Mais je me rachèterai si tu m'en offres la chance.

Le pouvait-elle ?

— Qu'est-ce que tu attends de moi ?

— L'éternité. Tout. Je veux commencer par t'épouser. Si tu veux bien de moi.

Elle ouvrait déjà la bouche pour accepter, puis un autre obstacle lui revint en mémoire.

— Il y a une chose que tu dois savoir avant de t'engager à mes côtés. Tu as évoqué un jour la piste prometteuse d'une femelle sombre fey. Elle est ici, en ville. Je pense même qu'elle est assassin...

— Je l'ai rencontrée.

Même si cela devait lui prendre le reste de sa vie d'immortel, Rune effacerait cette expression de doute dans les yeux de Josephine.

— Elle venait pour voir Thaddeus, mais j'ai pensé que sa présence risquait de te poser problème, alors je l'ai interceptée. Une fois que je lui ai expliqué clairement que j'étais perdu pour toute autre femelle que toi, nous avons pu entamer une plaisante conversation.

Josephine se mordillait la lèvre inférieure.

— « Perdu pour toute autre femelle que moi » ?

— Je lui ai dit que tu représentais tout.

Après ses épaules, Rune caressa son cou, son dos. Comme le luxe de ce simple contact lui avait manqué !

— Je lui ai aussi glissé quelques paroles en faveur de Thaddeus.

Ses yeux noisette s'écarquillèrent.

— Arrête un peu ton char.

— Tu n'as aucune raison de me faire confiance, pourtant je dois te convaincre que j'ai changé. Je connais une solution pour y parvenir.

Il baissa les yeux sur son visage bien-aimé pour ajouter sur un ton solennel :

— Josephine, je jure sur le Mythos de ne jamais...

Elle lui plaqua une paume sur la bouche.

— Non, non, Rune. Le jour où tu me seras fidèle, ce ne sera pas à cause d'un serment qui t'y oblige. On arrête les serments sur le Mythos tous les deux, OK ?

Elle retira sa main une fois qu'il eut hoché la tête. Pourtant, il devait absolument lui prouver qu'il était sincère.

— Tu me crois si j'affirme que je te resterai fidèle ?

— Tu n'es peut-être pas un imbécile fini, après tout.

— Dans ce cas, je te jure, à toi, de ne jamais être avec une autre, dit-il avec un large sourire. Je t'aime, Josie.

Elle prit une brusque inspiration.

— Je t'aime aussi. Même quand tu te conduis comme un trouduc.

— Tu m'avais dit que si l'on couchait ensemble, je finirais par admettre certaines choses. Que je souhaiterais un engagement et un lien entre nous seuls, et que jamais plus je ne voudrais une autre femelle aussi longtemps que je vivrais. C'était vrai, conclut-il en lui effleurant la joue du dos de la main, sauf que je l'ignorais encore.

Quand elle se frotta contre sa main, il sut qu'elle lui avait vraiment pardonné.

— Je ne t'avais pas averti que tu étais amoureux de moi ?

Elle tendit les bras pour lui nouer les mains autour du cou.

— Je le savais depuis le début ! Quand est-ce que tu vas te rendre compte que j'ai toujours raison ?

— Première étape de la vie de couple.

La douleur causée par le vide au creux de sa poitrine disparut soudain, réchauffée par un feu qui jamais ne s'éteindrait.

— Tu dois rencontrer Thad.

Il acquiesça.

— J'ai l'intention de m'excuser auprès de lui pour notre première rencontre un peu abrupte.

Elle haussa les sourcils, visiblement ravie.

— Et qu'est-ce qu'on fait, concernant sa préférence acquise aux Vertas ?

Rune lui passa une mèche de cheveux derrière l'oreille.

— On ne fait rien.

— Quoi ?

— C'est un gamin intelligent. S'il passe suffisamment de temps en notre compagnie, et en la leur, il prendra la bonne décision.

Et il vit sur le visage de sa bien-aimée qu'elle appréciait cette réponse.

— Il faut aussi que je te présente MamB et Mamie. Hé, tu pourrais même manger toute la nourriture qu'elles continuent à nous préparer !

— Si c'est un ordre... Pendant la semaine écoulée, je peux t'avouer que j'ai plus d'une fois envisagé de piller cette cuisine, ne serait-ce que pour avaler les restes.

— Je veux vivre avec toi, quelque part non loin d'eux.

— J'ai des vues sur un appartement à Trollton, annonça-t-il pour la taquiner.

Un sourire éblouissant lui répondit.

— Je suis censée me pointer au petit déjeuner d'ici une heure ou deux. Je pourrais préparer tout le monde, et toi, tu arriverais.

— J'apporterai des fleurs pour les dames. Eh oui, je suis un gentleman. En parlant de petit déjeuner...

Il vit le regard de Josephine se focaliser sur la veine dans son cou qui devait palpiter aussi follement que battait son cœur. Et son expression passer de gaie... à coquine.

— Mon sang est redevenu rouge. Or c'est plus le noir, ma couleur.

Elle se haussa sur la pointe des pieds pour lui frôler le cou de ses petits crocs.

Et lui qui pensait que cette journée ne pouvait pas être plus idyllique...

— Tu devras me ramener ici en temps et en heure, mais en attendant, emporte-moi quelque part où je puisse te mordre à te faire hurler.

Comme actionner un interrupteur.

Épilogue

Les cours de lecture de Jo avaient débuté aujourd'hui, et ils venaient juste de terminer leur première leçon.

Rune prenait cela tout aussi au sérieux que la poursuite de son apprentissage des runes. Leur nouveau foyer était couvert de Post-it contenant des indications de lecture. Il récompensait chacun de ses progrès en baisers, méthode qui faisait d'elle une élève extrêmement motivée.

Un soir, après que Rune l'avait qualifiée de « géniale », ces baisers les avaient conduits tout droit au lit. Ben oui, quoi, qu'est-ce qu'il croyait, quand la première phrase qu'il lui avait fait déchiffrer était : « Rune aime Josie » et qu'il soutenait son regard lorsqu'elle l'avait lue ? Elle n'avait pu que lui sauter dessus.

À présent, ils fainéantaient sous les draps avant de se préparer à partir dîner chez les Brayden. Bien que leur nid d'amour (un ranch de la mort) se trouve en Australie, Rune avait utilisé un sortilège destiné à relier l'une de leurs portes secondaires à un placard situé dans la remise des Brayden. Autrement dit, frapper à la porte ici revenait à frapper à la porte là-bas. Ils ne vivaient qu'à une nanoseconde les uns des autres.

Il avait aussi trafiqué leur nouvelle chambre. Juste au-dessus du lit se trouvait une barrière magique qui empêchait Jo de s'envoler dans son sommeil. *Idem* au sol. Personne ne redoutait de partir nulle part sans son consentement, grâce aux précautions de Rune. Cela dit, vu comme il la serrait dans ses bras, y compris pendant son sommeil, elle ne risquait pas de s'en aller bien loin...

Après leurs retrouvailles ce premier matin – des retrouvailles célébrées à de multiples reprises – Jo avait pris Thad à part. Avec éloquence, elle lui avait expliqué les difficultés rencontrées dans sa relation avec Rune par le passé : « Je croyais qu'il avait baisé la nymphe. Ce qui ne s'est pas avéré. Je peux de nouveau faire confiance à mon mec. Je vais l'épouser sitôt que ses potes nous auront rejoints ici. »

Thad avait paru aussi ravi de ces nouvelles que Rune le jour de leur randonnée sur le mont Hua.

— Laisse-lui sa chance. Il est drôle et intelligent. Tu l'aimeras.

Ce n'était pas tellement l'appartenance de Rune au Møriør qui avait déstabilisé Thad, mais plutôt le fait que Jo déménage.

— Tu viens tout juste de revenir.

— Tu ne vas pas me perdre, tu vas le gagner, lui. Il se conduit déjà de façon très protectrice avec toi. Puisque je suis son âme sœur, tu es son frère par les liens du destin.

— Son « frère ».

Oh, Jo avait bien vu que Thad y avait longuement songé avant de conclure :

— Mouais. Un frère et une sœur dans la même semaine ?

Le jour où les deux hommes de sa vie s'étaient rencontrés, Rune avait aussitôt dit à Thad :

— Je tiens à m'excuser pour m'être comporté avec autant de brusquerie vis-à-vis de toi, la semaine dernière. J'étais totalement paniqué pour mon âme sœur, alors j'ai mal réagi. Je me nomme Rune Lumière-Noire, et je suis très heureux de te rencontrer, avait-il conclu en lui tendant la main.

Et Thad avait accepté de la lui serrer.

— Thaddeus Brayden. Je comprends tout à fait. J'aurais dû mieux écouter, mais je flippais, vu que je venais d'étrangler ma sœur et tout ça.

Rune avait hoché la tête, l'air songeur.

— Je doute qu'elle laisse cela se reproduire, pas vrai ?

À quoi Thad avait répondu par un large sourire. Et Jo avait su : *Tout va pour le mieux dans le meilleur des mondes.*

Depuis lors, Rune les avait téléportés, Thad et elle, vers de nouvelles dimensions, leur montrant monts et merveilles. Les deux gars s'entendaient parfaitement, malgré l'éducation Vertas reçue par Thad. Aujourd'hui, il était allé rejoindre certains de ses alliés pour planifier la reconstruction de Val Hall.

Mais ça n'était pas grave. Avec Nïx disparue dans la nature et Orion toujours à un univers de distance, la guerre était en mode « pause »…

Rune posa un baiser sur le crâne de Jo.

— J'espère qu'elles nous auront préparé du poulet rôti, ce soir.

— Vu ta réaction la première fois, je pense que tu n'as pas de souci à te faire de ce côté-là.

Si loin qu'ils voyagent, Jo, Thad et Rune retrouvaient systématiquement MamB et Mamie autour de deux repas par jour minimum. Rune avait été le récipiendaire ravi de leurs dîners faits maison, et les deux femmes étaient enchantées d'avoir quelqu'un pour qui cuisiner.

Désormais, Jo était entourée de tas de gens dans sa vie. Elle avait créé des liens sociaux.

Et ça ne faisait que commencer. Car Rune souhaitait que Thad et elle rencontrent ses alliés.

Quand il l'avait entendue parler d'Apparitia, il avait craint que son seigneur n'ait détruit son monde. Mais bon, son âme sœur avait choisi… d'avoir foi en sa foi.

— Et j'ai eu raison, avait-il confié à Jo. Orion frappe fort ses ennemis, mais il n'avait rien à voir avec Apparitia.

Blace, le compatriote Møriør de Rune, avait jadis vécu dans la périphérie des Autreroyaumes où son monde d'origine était alors situé. Le vampire serait peut-être en mesure de les aider à obtenir plus d'informations sur leurs parents.

Elle interrogerait Blace quand elle irait à Tenebrous. Ce qui ne risquait pas d'arriver de sitôt, car elle refusait de laisser son frère seul pendant les jours entiers que prendrait le voyage aller et retour jusque là-bas. Elle avait bien proposé à Thad de les y accompagner, mais il ne voulait pas quitter MamB et Mamie. Pas encore…

Rune lui caressa les cheveux et lâcha un soupir satisfait.

— Mûres sauvages.

Elle sourit contre son torse. Elle avait rêvé ses souvenirs de ces champs, du bonheur qu'il ressentait à s'y allonger, les lèvres couvertes du sucre des baies, bercé par le bruissement des feuilles sous la brise.

— Chaque jour passé avec toi est ainsi, à présent, avait-il dit en lui prenant le visage entre ses mains, quand elle lui avait raconté son rêve. Je connaîtrai ce bonheur jusqu'à la fin des temps. Et je suis déterminé à faire en sorte qu'il en aille de même pour toi aussi.

L'avenir s'annonçait merveilleux...

Jo avait longtemps cru qu'il n'existait pas de lien plus puissant que celui décrété par le destin entre eux. Mais il en était un de plus fort encore : le choix qu'ils avaient fait de s'aimer.

Rune la déplaça dans le lit afin de pouvoir s'élever au-dessus d'elle.

— Je veux que tu apprennes un dernier mot, aujourd'hui.

— Encore un autre ? marmonna-t-elle, jouant la mauvaise volonté.

— Hum-hum.

Et quand il se perça le doigt pour en faire couler le sang, les paupières de Jo s'alourdirent.

Il lui traça six lettres sur la poitrine. Au niveau du cœur.

— Qu'est-ce que ça veut dire ? s'enquit-elle dans un souffle.

Les yeux de Rune s'assombrirent pendant qu'il articulait sa réponse :

— « Mienne ».

Extraits du *Livre du Mythos*

Le Mythos

« Les créatures conscientes quoique non humaines constitueront une strate qui coexistera avec celle des hommes, mais restera à jamais dissimulée à leurs yeux. »

• La plupart des créatures du Mythos sont immortelles et se régénèrent quand elles sont blessées. Ne peuvent être tuées que par le feu magique ou la décapitation.

Primordial

« Désigne les plus puissantes des créatures, empreintes de magie et de majesté... »

• Le premier-né ou la génération la plus ancienne encore en vie d'une espèce.

Le Møriør

« Dans la langue des Autreroyaumes, Møriør peut signifier à la fois *Les Douze* et *Perte de l'esprit*. »

• Alliance de créatures d'autres mondes, dirigée par Orion le Destructeur.

• A pris le contrôle de la plupart des royaumes existants.

Les nobles feys du royaume de Grimm

« Faction de nobles guerriers, possédant un royaume dans lequel les démons sont leurs vassaux. »

• Autrefois appelés « féodaux », terme ancien pour « seigneurs de guerre » et abrégé avec le temps en « feys ».

• Leur domaine d'origine est Draiksulia, leur empire le royaume de Grimm.

Les sombres feys

« Descendance à mi-chemin entre ténèbres et lumière. Fléaux maudits des feys. »

• Halfelins nés d'un fey et d'un démon.

• Leur sang noir vénéneux est connu sous le nom de sangfléau.

Les démonarchies

« Les tribus démoniaques sont aussi diverses que les tribus humaines… »

• Ensemble de dynasties démoniaques.

• La plupart des races de démons peuvent *glisser* ou se téléporter dans les endroits où ils se sont déjà rendus.

• Un démon mâle doit avoir des relations sexuelles avec une partenaire potentielle pour s'assurer qu'elle lui est vraiment destinée. On parle en ce cas-là d'*essayage*.

L'Accession

« Et l'heure viendra où tous les immortels du Mythos, depuis les Valkyries, les vampires, les Lycae, les démons jusqu'aux fantômes, change-formes, elfes et autres sirènes, seront condamnés à s'entre-tuer. »

• Sorte de système magique de régulation de la population des immortels, qui ne cesse d'augmenter.

• Se déclenche tous les cinq cents ans. Maintenant, peut-être…

AVENTURES & PASSIONS

4 mai

Suzanne Enoch
Scandaleux Écossais - La fleur des Highlands
Inédit

Depuis toujours Rowena MacLawry est amoureuse de Lachlan MacTier, le meilleur ami de ses frères. Le jeune Highlander, lui, n'a que faire de cette gamine. Ce qui est, lors d'un séjour à Londres, parfait puisque, elle oublie vite son amour de jeunesse. Bien sûr, Lachlan est heureux pour elle, alors pourquoi ne peut-il s'empêcher d'être jaloux ?

✦

Theresa Romain
Un été si particulier
Inédit

Ruiné, brillant mais supposé fou, le duc Michael Layward cherche désespérément une riche héritière à épouser. Jusqu'au jour où lady Stratton décide de l'aider, charmée par cet homme étrange qu'elle a déjà rencontré et dont elle se méfie car elle ne veut pas perdre son indépendance si chèrement acquise.

✦

Maya Banks
Les McCabe - Dans le lit du highlander

Livrée à la cruauté de Duncan Cameron, Mairin Stuart parvient à fuir en compagnie d'un garçonnet. Or le père de ce dernier, Ewan McCabe, les rattrape et la soupçonne d'avoir enlevé son fils. Mairin ne porte-t-elle pas les couleurs de Cameron, son pire ennemi ? Face à la colère du Highlander, la jeune fille fait front mais, curieusement, elle n'a plus envie de fuir…

✦

Julia Quinn
La chronique des Bridgerton - Colin

Depuis toujours, Pénélope Featherington est amoureuse de Colin Bridgerton. Hélas, il ne la remarquera jamais : elle est trop timide et effacée, il est brillant et plein d'humour. Pourtant, un défi lancé pour démasquer la mystérieuse lady Whistledown, auteure de malicieuses chroniques mondaines, pourrait bien les rapprocher.

———————————— **25 mai** ————————————

Julie Anne Long
Pennyroyal Green - Rosalind, femme de passion
Inédit

Cinq ans auparavant, le capitaine Chase Eversea et Rosalind March ont échangé un baiser passionné, alors que Rosalind était marié. Des années plus tard, veuve, Rosalind n'a d'autre choix que de demander l'aide de Chase pour retrouver sa sœur qui a disparu. Tous deux vont être entraînés dans une aventure qui risque de raviver un désir loin d'être éteint.

✦

Elizabeth Hoyt
Les fantômes de Maiden Lane - Le lion et la colombe
Inédit

Aristocrate guindée et prude, Eve Dinwoody accepte de s'occuper des comptes du théâtre Le Harte's Folly dans lequel son frère, le duc de Montgomery, a investi. Et elle est bien décidée à protéger les intérêts de celui-ci même si elle doit affronter le propriétaire, un grossier personnage au charme si irrésistible.

✦

Lisa Kleypas
Les Ravenel - Cœur de canaille
Inédit

À la mort de son cousin, Devon Ravenel hérite du titre de comte, mais également d'un immense domaine en ruines et de lourdes dettes. Ce citadin, qui mène une vie d'oisif, décide aussitôt de se débarrasser de ses terres en les vendant. Quant aux trois jeunes sœurs de son cousin, il se désintéresse de leur sort. D'emblée, il va se heurter à Kathleen, jeune femme passionnée profondément choquée par son irresponsabilité.

✦

Julie Garwood
Un ravisseur sans scrupules

Brenna Haynesworth, anglaise, est promise à MacNare, écossais. En route vers la demeure de son futur époux, elle est enlevée par un chef de clan rival : Connor MacAlistair. Celui-ci veut l'épouser afin de se venger et rien ne l'arrêtera, excepté peut-être Brenna qui compte bien lui tenir lui tête.

PROMESSES

4 mai

Heather Webber
Lucy Valentine - Parfaitement
Inédit

Sous la canicule qui frappe Boston, l'agence Valentine Inc. est en ébullition, et les talents secrets de ses collaborateurs vont une fois encore être très utiles. Lucy doit retrouver une fillette disparue et dénicher l'âme sœur pour un client très particulier. Et voici qu'un chat télépathe s'en mêle ! Mais une affaire plus personnelle frappe la jeune médium : depuis quelques semaines, un pyromane sévit en ville, qui s'en prend à ceux qui lui sont chers, et en particulier à son amoureux, le beau Sean Donahue.

CRÉPUSCULE

25 mai

Sylvia Day
La marque des ténèbres - De la trêve au combat
Inédit

Eve a survécu à ses premières semaines en tant que « Marquée », mais encore novice dans la maîtrise de ses nouveaux pouvoirs, elle doit désormais subir l'entraînement qui convient à son rang. Apprendre à combattre les forces du Mal s'avère d'ailleurs une question de survie : un démon infiltré parmi eux tue de sang-froid. Sans compter qu'en parallèle, Eve fait face à ses sentiments, des plus intenses, pour Alec Caïn et au profond désir qu'elle nourrit en secret pour son frère ennemi, Abel Reed...

Passion intense

4 mai

Shayla Black, Sylvia Day, Shiloh Walker
Avec ou sans escorte...
Inédit

Lucia DiStefano enquête sur le meurtre de son père au côté de l'agent du FBI Jon Bocelli, qui semble prêt à tout pour la faire succomber...

Témoin placé sous protection après avoir assisté à un meurtre, Layla Creed doit se rendre à San Diego pour témoigner lors du procès, escortée par un séduisant Shadow Stalker...

Après une longue séparation, les agents du FBI Mica Greer et Colby Mathis s'allient afin d'arrêter un redoutable tueur en série. Ces retrouvailles réveillent une passion ardente qu'ils croyaient à jamais éteinte....

25 mai

Bella Andre
Les Sullivan - Si tu m'appartenais
Inédit

Après avoir vécu une adolescence difficile, Heather s'est juré de ne plus jamais accorder sa confiance aux hommes. Heureusement, la création de son entreprise de dressage pour chiens l'a aidée à se reconstruire, loin du passé douloureux dont elle porte encore les marques. Lorsqu'elle rencontre Zach Sullivan, sa résolution à ne plus tomber amoureuse faiblit pourtant. Car sous ses airs de séducteur invétéré au regard ardent se cache un homme particulièrement attentionné...

11414

Composition
FACOMPO

Achevé d'imprimer en Italie
par GRAFICA VENETA
le 29 mars 2016.

Dépôt légal mars 2016.
EAN 9782290127360
OTP L21EPSN001587N001

ÉDITIONS J'AI LU
87, quai Panhard-et-Levassor, 75013 Paris

Diffusion France et étranger : Flammarion